제4판

테크놀로지와 함께하는 유의미학습

Jane L. Howland, David H. Jonassen, Rose M. Marra 공저

이영주, 조영환, 조규락, 최재호 공역

PEARSON 아카데미프레스

Meaningful Learning with Technology, 4/E
by Jane L. Howland, David H. Jonassen, Rose M. Marra

Pearson
is an imprint of

이 책의 한국어판 저작권은 피어슨 에듀케이션 코리아와의 독점계약으로 아카데미프레스에 있습니다.
저작권법에 의해 한국 내에서 보호를 받는 저작물이므로 무단전재와 무단 복제를 금합니다.

첨단 테크놀로지의 급격한 발달은 초·중등학교의 수업환경에 다양한 변화를 요구하였고, 교사들의 테크놀로지 사용능력에 관한 사회적 기대가 점차 커져 가고 있다. 그와 동시에 최근 디지털 교과서를 비롯하여 스마트 기기를 교실에서 활용하는 것이 교육적 효과가 미미하다는 회의적인 시각도 있다. 교사의 테크놀로지 사용은 일반인들의 사용과 방식에서 표면적으로 유사해 보일지라도, 사용의 궁극적 목적이 분명히 다르다. 교실에서 교사의 테크놀로지 사용은 교사 개인의 유희적 목적이 아닌, 학생들의 유의미한 학습이 궁극적인 목적이 되어야 한다. 테크놀로지가 효과적으로 수업에 잘 사용되었는지에 관한 판단의 기준 역시, 학습자가 유의미한 학습을 하는 데 테크놀로지가 얼마나 적합하게 사용되었나에 있다.

이 책은 Jane Howland, David Jonassen과 Rose Marra가 저술한 『Meaningful Learning with Technology』 4판(2011년)을 번역한 것이다. 이 책은 교사로서 학생들의 유의미학습을 지원하기 위한 다양한 테크놀로지 활용방법과 현장교실에 적용된 사례를 제시하고 있다. 이 책의 가장 큰 특징이자 매력은 기존의 책들이 테크놀로지 사용방법에만 중점을 둔 반면에, 이 책은 교실에서의 테크놀로지 활용의 지향 목적을 학생들의 유의미한 학습에 두고 있다는 것이다. 교사가 아닌 학생, 그리고 학습자의 유의미학습의 성취라는 구성주의적 관점으로 접근하여 테크놀로지 사용에 관한 분류를 학습자의 학습유형을 중심으로 풀어나가고 있다.

이 책의 제목에서도 강조되었듯이, 테크놀로지와 학습의 관계를 테크놀로지 자체로부터('from')의 학습이 아닌 테크놀로지와 함께하는('with') 학습이라는 교육매체에 관한 새로운 관점이 매우 신선하다. 이 관점은 교육에서 테크놀로지와 교사의 역할에 관한 의미를 성찰하게 하는 토대가 된다. 이 책의 내용은 초 · 중등학교 교사를 준비하는 예비교사와 현직교사뿐만 아니라 기업, 평생교육기관 등 다양한 교육상황에서 테크놀로지 활용을 효과적으로 수행하기 위한 방법을 고민하는 교육자와 교수설계자에게 테크놀로지의 교육적 사용의 의미를 숙고하게 한다. 더 나아가 이 책은 실제적인 사례를 통한 처방적 지식과 정보를 제공한다는 점에서 큰 의의를 가진다.

구체적으로 이 책의 구성을 보면, 1장에서 유의미학습이 무엇인지에 관한 정의로부터 시작하여, 유의미학습에 필요한 다양한 학습활동들로 탐구하기(2장), 실험하기(3장), 디자인하기(4장), 의사소통하기(5장), 공동체 형성과 협력하기(6장), 글쓰기(7장), 모델링하기(8장), 시각화하기(9장), 평가하기(10장)를 위한 교사의 테크놀로지 활용방안을 제안하고 있다. 참고로 1장, 2장, 5장은 이영주, 3장과 10장은 조규락, 4장, 6장, 9장은 조영환, 7장과 8장은 최재호가 번역하였음을 밝힌다.

이 책의 저자 중의 한 분인 David Jonassen 교수는 테크놀로지가 학생들의 유의미학습을 지원할 때, 그 테크놀로지는 마인드툴이 된다고 하면서 인지활동의 파트너로서 테크놀로지 사용을 여러 해 동안 강조하고 있었다. 이 책과 더불어 Jonassen 교수의 다른 저서인 『Modeling with Technology: Mindtools for Conceptual Change(컴퓨터 테크놀로지 활용 모델링: 개념 변화를 위한 마인드툴)』를 함께 읽기를 권한다.

이 책을 번역하면서 이 책에 제시된 많은 사례들이 외국의 것이고, 영문 사이트이기 때문에 독자의 입장에서 접근하기 어려운 점이 있는 것이 아쉬웠다. 전문 학술용어뿐만 아니라 일상용어이지만 우리말에는 없는 표현이나 문화적 차이 때문에 나타나는 상이한 표현으로 인하여 어색한 단어와 문장도 발견된다. 그러나 역자들은 문화나 환경적 차이를 넘어 독자가 이해하기 쉽게 번역하려고 노력했으며 앞으로 우리나라에서도 이 책의 내용을 기초로 하여 유의미학습을 위한 테크놀로지의 활용이 활성화되기를 기대해본다. 끝으로 이 책의 번역을 위해 힘써 주신 아카데미프레스 출판사의 홍진기 사장님에게 감사를 드린다.

2014년 08월

역자 일동

테크놀로지와 함께하는 학습의 시사점

이 책의 네 번째 개정판을 읽게 된 것을 환영한다. 이번 판을 포함한 각 개정판에서 유의미학습은 실제적인 학습 과제 수행시 학습자의 능동적 참여, 명확한 표현, 구조화된 의미에 대한 개인적, 사회적 성찰과 협력을 요구한다는 가정을 근거로 둔다. 이 가정은 구성주의 인식론에 근거하고 있다. 구성주의는 의미를 만드는 과정에 대한 철학이다. 비록 구성주의는 교육분야에 비교적 새로운 철학적 관점일지라도 이전부터 항상 존재하고 있었다. 인류의 시작으로부터, 인간은 세상과 상호작용하고, 경험한 것을 이해하기 위해 노력해왔다. 이것은 인간이 숨쉬는 것처럼 자연스러운 것이며 우리가 상대적으로 큰 대뇌피질을 소유하고 있는 까닭을 설명하는 것이다. 사람들은 자연스럽게 경험에 대해 자신만의 의미를 구성한다. 유감스럽게도, 전문가가 중요하다고 간주한 것을 재생산하기 위해 시험에 의해 평가받게 되는 교육의 산업적 모델은 문제가 있다. 우리가 학생들에게 가르친 것과 관계없이, 학생들은 자연스럽게 경험에 관한 자신들만의 해석을 구성할 것이다. 학습자들은 우리가 가르친 것을 배울지 모르나 그들이 기억하고, 미래에 사용할 것은 그들만의 개인적, 사회적으로 유의미한 해석이다.

지난 세 번의 개정에서처럼 이 개정판의 목적은 유의미학습을 지원하고 참여하는 데 테크놀로지가 활용될 수 있는 방법을 설명하는 데 있다. 세 번째 개정판과 같이, 이번 개정판의 학습 구조도 탐구하기, 실험하기, 글쓰기, 모델링하기, 공동체 형성하기, 의사소통하기, 디자인하기, 시각화하기, 평가하기 등 학습 과정을 중심으로 구성하였다. 즉, 책의 각 장마다 다양한 테크놀로지가 학습 과정을 지원하고 촉진하는 데 어떻게 사용될 수 있는지에 관해 설명하였다. 각 장은 테크놀로지와 함께하는 학습 과정을 개념적으로 표현하였다. 다수의 예는 특정한 소프트웨어 프로그램과 함께 설명하였고, 대부분은 인터넷에서 내려받거나 웹 기반으로 사용할 수 있다. 우리는 유의미학습을 위해 어떻게 테크놀로지를 사용할 수 있을지에 초점을 두었으나 이것은 당신이 내일 아침에 당장 사용할 요리책과 같은 차원은 아니다. 비록 우리가 구체적인 수업 계획을 제공할지라도, 학생들은 본능적으로 경험으로부터 자신만의 의미를 구성하기 때문에, 당신의 수업에서 우리가 의도한 대로 성공을 거두지 못할 수 있다. 따라서 우리의 목적은 테크놀로지를 어떻게 사용하는지 보여주는 것이 아니라 어떻게 학습자가 테크놀로지를 사용할 수 있는가를 알려주는 데 있다. 과정이 다소 어렵게 보일 수 있으나 이 책으로부터 교사와 학생은 깊은 의미를 발견할 수 있을 것이다. 우리는 이런 접근이 노력을 기울일 만한 가치가 있다고 생각한다.

이번 개정판에서 새롭게 수정한 사항

"테크놀로지와 함께하는 유의미학습" 제4판에서 보완, 수정된 사항을 정리하면 다음과 같다.

- ISTE 국가수준 교육공학표준(national educational technology standards: NETS), 21세기 역량, 능력, 테크놀로지 교수내용-지식(technological pedagogical content knowledge: TPACK)에 대한 검토 및 논의
- 책에 제시한 학습활동에 적합한 학생 NETS와 21세기 역량
- 각 장이 시작할 때 '이 장의 목표' 제시
- '유의미학습의 특성 평가 루브릭'을 부록에 추가

- 학습과 협력을 위한 사회적 교육 네트워킹과 웹 2.0 도구 강조
- 정보 리터러시 능력(예, 웹 자료 평가하기, 온라인 개인정보 및 안전에 관한 문제 인식) 부분 확대
- 학습 테크놀로지에 관해 초등학교 저학년 학생들의 예시 추가를 통한 개정
- 현재 많은 교사가 사용하고 있는 테크놀로지의 실제적인 적용 강조(예, 파워포인트 등)

테크놀로지의 잠재력 진화

이 책의 제1장에 언급했듯이, 비록 테크놀로지가 추가적인 시험 관행을 제공하는 데 사용될 수도 있으나, 테크놀로지가 학생들을 적극적, 구성적, 의도적, 실제적, 협동적 학습에 참여시키도록 사용될 때, 학생들은 더 많은 의미를 얻을 수 있다. 이 책에서 우리는 학습이 학생들이 수행하는 과제의 본질을 진심으로 이해하고, 참여하는 환경에서 발생할 수 있다고 주장한다. 유의미한 실제적 학습은 개인이 과제나 활동을 완성하기 위해 필요한 노력을 충분히 발휘할 때 발생한다. 학습 과제가 유의미한 맥락에 내재되어 관련될 때, 학생들은 학습 과제를 단순히 바쁘기만 하고 쓸모없는 일 이상으로 생각하게 된다.

유의미학습을 위한 테크놀로지 사용은 교육에 대한 우리의 생각을 변화시킬 것이고, 적어도 우리가 이 책에서 설명하는 방식으로 테크놀로지를 사용한 학교나 교실은 교육의 절차를 재고하게 될 것이다. 비록 학교가 유의미학습을 강조하지 말아야 한다고 공공연하게 주장하는 사람은 거의 없을지라도, 유의미학습은 표준화 검사나 시험을 사용하여 평가되거나, 경험할 수 있는 것이 아니다. 유의미학습은 학부모, 학생, 교사가 유의미학습의 시사점을 이해하고, 변화를 요구하는 것을 가정하여 기억과 정보의 단순 회상 이상의 가치를 지닌다. 테크놀로지는 학습의 르네상스를 요구하는 사회적 변화의 원인이 아닌 사회적 변화와 지원을 촉진시킬 것이다.

교사를 위한 시사점

학생들이 테크놀로지와 함께 학습하기 위해서 교사는 학습의 새로운 모델을 수용하고 학습해야 한다. 전통적으로 교사의 주요 책무와 활동은 학생들을 직접적으로 가르치는 것이었다. 교사는 지식의 전달자이고, 학생은 지식의 수용자였다. 즉 교사는 학생들에게 교사가 알고 있고, 세상에 대해 그들이 해석한 것을 교육과정, 교과서, 그들이 학습한 여러 자원을 사용하여 지식을 전달한다. 교사들은 그들의 내용지식에 의해 고용되고, 내용지식에 대해 보상받는다. 이것은 교사가 세상에 대해 알고 있는 방식이 올바르고 학생들이 모방해야 한다는 것을 전제한다. 학생들은 교사가 말한 것을 받아 적고 교사가 세상을 이해한 방식으로 세상을 이해하려고 노력해야 한다. 이런 학습 환경에서는, 학생들은 교사가 없다면, 스스로 본인의 학습을 관리하고 자신만의 의미를 구성할 수 없기 때문에 테크놀로지와 함께 학습할 수가 없다.

그러므로 제일 그리고 가장 중요한 것은, 교사가 적어도 그들의 권한의 일부를, 특히 지적 측면에서의 권한을 포기해야 한다. 만약 교사가 학생들이 알아야 할 중요한 것이 무엇이고, 어떻게 학습해야 하는가를 결정한다면, 학생들은 의도적이고 구성적인 학습자가 될 수 없다. 학생들에게는 허용되지 않기 때문이다. 이런 학급 상황에서 학생들은 세상을 해석할 필요가 없이, 오직 교사의 이해를 학습할 뿐이다. 우리는 학생들의 과제는 교사가 해석하는 세상을 이해하는 것이 아닌 학습자 스스로 세상의 의미를 구성하는 것이라고 생각한다. 그렇게 하기 위해 교사는 지식을 전달하는 사람에서 학습자가 세상에 대해 보다 실행가능한 개념을 구성하는 데 도움을 줄 수 있는 사람으로 바뀌어야 한다. 우리는 모든 의미가 동등하게 창조된다고 생각하지 않는다고 앞에서 언급하였다. 따라서 교사는 학생이 큰 공동체의 학자들이 생각하는 유의미한 개념을 발견하고, 학습자 자신들의 신념과 이해를 학자들의 기준과 비교하여 평가할 수 있도록 도와주어야 한다. 과학교사는 학생들이 과학자 공동체의 신념을 이해하도록 도와주어야 한다. 사회 교사는 학생들과 함께 사회가 구성한 가치와 신념을 검토해야 한다. 이런 교사의 역할은 지식의 결정권자가 아닌 학생들이 보다 큰 학자들의 공동체에 참여하도록 조력하는 것이다.

교사는 반드시 학습 관리에 대한 그들의 권한을 일부 포기해야 한다. 교사가 교실에서 발생하는 모든 학습 활동을 통제할 수는 없다. 만약 교사가 학생들이 알아야 하는 중요한 것뿐만 아니라 학생들이 그것을 어떻게 학습해야 하는가를 결정한다면, 학생들은 자기조절 능력이 있는 학습자가 될 수 없다. 학생들의 결정이 허용되지 않았기 때문이다.

마지막으로 교사는 반드시 테크놀로지에 익숙해져야 한다. 교사는 테크놀로지를 활용할 수 있는 기능과 유창성을 갖추어야 한다. 하지만 그들이 전문가처럼 기능적으로만 테크놀로지를 다루려고만 한다면 학생들이 테크놀로지와 함께 학습하는 것을 지원하는 데 성공하지 못할 것이다. 오히려 교사는 테크놀로지 기능을 통한 학습을 코치하는 것을 배워야 한다. 많은 경우, 교사는 학생들과 함께 학습할 것이다. 이것은 일부 교사에게 조금 불편할지 모르지만 우리는 반드시 그렇게 될 것이라고 생각한다! 우리는 많은 학교 상황에서 학생들이 우리의 테크놀로지 이해보다 앞서고, 우리가 간신히 학생들보다 선두에 있는 경우를 목격한다. 학생들은 교사의 도움이 있거나 혹은 없이도 테크놀로지와 함께 학습할 수 있다. 이것이 교사로서 테크놀로지 학습에 대한 책임이 면제된다는 것을 의미하는 것은 아니다. 오히려 교사는 모든 상황에서 전문가가 될 수 없다는 것을 인정해야 한다는 것이다.

이런 시사점이 교사들에게는 의문스러울지도 모른다. 이러한 요구는 교사가 전통적으로 추구했던 것과 다른 신념과 함께 새로운 역할을 가정하기 때문이다. 이런 시사점이 도전적일 수 있으나 우리는 우리의 노력이 결과로 정당화될 수 있을 것이라고 생각한다. 그리고 교사가 새로운 역할을 인정하고, 테크놀로지와 함께 학습하는 것은 학생들에게도 또한 새로운 역할을 요구한다.

학생을 위한 시사점

만약 교사가 권한을 포기한다면, 학습자가 권한을 받아야 한다. 학습자는 그들이 알고 있는 것에 대해 명확히 표현하고, 반성하고, 평가하는 능력을 개발해야 한다. 또한 알아야 할 중요한 것이 무엇인지 목표를 정하고, 목표를 달성하기 위한 활동과 노력을 조정하고, 다른 학생들과 협력과 대화를 통해 이해를 더욱 풍부히 해야 한다. 학생들은 큰 책임을 짊어질 준비가 되어있지 않다. 그들은 스스로의 운명을 결정할 힘을 원하지 않는다. 그들의 인생을 타인에게 결정하도록 맡겨 두는 것이 더 편할지도 모른다. 학생들이 스스로 자신의 과제를 정하고 목표에 도달하려고 노력하는 데 얼마나 익숙한가? 많은 학생들은 자신의 역할을 수동적 학습자로 믿고 있다. 그러나 이 책에 언급된 테크놀로지 프로젝트와 관련된 우리의 경험과 많은 교육연구자들의 경험은 유의미학습의 기회가 주어질 때, 대부분 학생들이 학습의 책임을 쉽게 받아들인다고 보여주고 있다. 기회가 주어질 때, 모든 연령의 학생들은 테크놀로지와 함께 실험하고, 자신의 믿음을 명확히 표현하고, 다른 사람의 아이디어를 구성하거나 비평하는 것이 손쉽게 이루어진다. 학습자에게 결과물에 대한 소유권이 허락될 때, 그들은 지식의 구성자로 성실할 수 있다.

학습에 대한 구성주의적 접근은 학생, 학부모, 교사, 관리자에게 위험한 요소를 갖고 있다. 변화는 항상 위험을 수반한다. 이 책에 언급된 많은 활동들은 위험을 수반한다. 우리는 당신이 이런 위험을 감수하길 권한다. 학생들이 테크놀로지 기반 도구를 사용하여 자신의 이해를 구성하는 과정에서 느낀 흥미와 열정은 이런 위험을 감수하는 것에 대한 충분한 보상 그 이상을 제공할 것이다.

학습을 위한 표준과 구조

교사는 학생들이 수많은 국가, 주(state)의, 지역 수준의 표준에 충족했는지를 확인할 부담을 갖고 있다. 우리가 제안한 활동들에 대해 다양한 표준을 모두 연결하는 것은 불가능하기 때문에, 우리는 가장 밀접하게 관련되는 국가수준 표준으로 International Society for Technology in Education(ISTE)에서 제공하는 National Educational Technology Standards(NETS)를 선택하였다. 또한 우리는 21세기 학습의 구조에 내포된 21세기 역량에 관해서도 다루었다. NETS와 21세기 역량은 교사들이 테크놀로지 지원 학습 환경을 창안할 때 교사들을 안내할 틀과 기준을 제공한다. 교사는 종종 학생들이 충족해야 할 주별 표준의 수많은 지표에 압도되어, 지표를 개별적으로 해석하고, 결과적으로 목표로부터 고립되어 분절된 수업을 설계하게 된다. 교사는 폭넓게 사고하여 문제 해결과 실제적 과제를 활용한 프로젝트 학습이 다양한 표준을 동시에 충족할 수 있다는 것을 인식해야 한다. 우리는 이 책을 학습의 유형(예, 글쓰기)을 중심으로 구성하고 다양한 학습 결과를 증진하는 데 사용할 수 있는 테크놀로지 유형을 제시하였다.

다양한 교과 내용의 표준을 동시에 충족하는 것은 사려 깊은 계획을 통해 가능하다. 사려 깊은 계획은 결과적으로 학생들의 시간을 능률적으로 사용하게 하고, 보다 중요한 것은 교사들이 실제적 학습 활동으로부터 분절된 처방적 수업, 수업의 분절된 표준 모델로부터 벗어날 수 있도록 도와준다. 보다 깊은 생각을 할 때, 교사는 학생들에게 다양한 표준을 충족할 수 있도록 도울 수 있고, 학생들에게 풍부하고 흥미로운 학습 기회를 제공하며, 피상적 사고를 벗어나게 할 수 있다. 다양한 표준을 충족할 수 있는 흥미로운 수업을 제공하여 학생들의 인지능력에 자극을 제공하는 것은 모든 교사들이 추구해야 할 가치로운 성취이다.

우리는 당신이 수업을 설계할 때, 이 책에 설명한 복잡한 학습 결과를 고려하기를 권장한다. 비록 실제적이고 복잡하고 테크놀로지 기반의 활동이 학생들이 시험에서 높은 성취를 이루도록 준비하는 요구에 상반되게 보일지라도 실제는 그렇지 않을 수 있다. 유의미학습은 시험을 잘 보는 데 필요한 지식을 포괄할 뿐만 아니라 21세기의 성공을 위해 매우 필수적인 생각, 진정한 사고를 가능하게 할 것이다.

저자 소개

Jane, L. Howland, PhD.

Missouri 대학(University of Missouri), 정보과학과 학습 테크놀로지 학부, 부교수이다. Howland 교수는 Stephens 대학 부설 유치원 등에서 아이들을 가르치고, Missouri 대학에서 정보과학과 학습 테크놀로지 전공으로 박사학위를 받았고, 초·중·고등학교 학습환경에서 테크놀로지 사용에 관련된 대학원 강좌를 가르쳐왔다. Howland 교수는 현재 초·중·고등학교와 대학교육에서 온라인 학습환경을 설계하고 평가하는 것에 중점을 두고 있다. Howland 교수는 교사 전문성 개발, 예비교사의 테크놀로지 사용 모델링, 학습자 평가를 위한 교사의 테크놀로지 사용에 관련된 정부 프로젝트의 책임 연구원을 수행하였다.

David Jonassen, PhD.

Missouri 대학 최고교수로서 학습 테크놀로지와 교육심리학을 가르쳤다. Temple 대학에서 교육매체와 실험적 교육심리학으로 박사학위를 취득한 후, Missouri 대학, Pennsylvania 주립대학, Colorado 대학, 네덜란드의 Twente 대학, Greensboro 시에 위치한 North Carolina 대학, Syracuse 대학에 재직했다. Jonassen 교수는 텍스트 설계, 과제 분석, 교수설계, 컴퓨터기반학습, 하이퍼미디어, 구성주의, 인지적 도구, 문제 해결에 관해 35개의 저서, 수백 여 개의 학술연구물과 보고서를 출판하였다. 그의 현재 연구 관심사는 문제 해결에서 인지적 과정을 지원하는 모델과 방법들이며, 그의 저서 『문제해결학습: 문제중심학습 환경설계에 관한 편람』에 응축되어 제시되었다.

Rose M. Marra, PhD.

Missouri 대학 정보과학과 학습 테크놀로지 학부, 부교수로 재직 중이고 측정 및 평가, 효과적인 온라인 학습 경험의 설계 및 실행 강좌를 가르치고 있다. Marra 교수는 컴퓨터 공학 석사학위를 받고, AT & T Bell 연구소에서 소프트웨어 엔지니어로 근무하였고, Penn State 대학 공과대학에서 박사학위를 수여받았다. Penn State 대학에서 과학, 기술, 엔지니어링, 수학(STEM: Science, Technology, Engineering, and Math)분야에 여성과 여학생을 위한 연구를 지지하였다. 구체적인 연구 관심사로 STEM에서 여성의 지속가능성에 영향을 주는 요인, STEM 분야의 학업과 학위취득에서 여성의 자존감, STEM 수업환경에 관한 인식의 성 차이, 대학생의 인식론적 발달이 있다. Marra 교수는 공학에서 여성과 남성의 평가(www.engr.psu.edu/awe), 국가 여학생 협력 프로젝트(www.ngcproject.org) 등 수많은 정부 프로젝트에서 책임 연구원으로 연구를 수행한 경력이 있다.

| 차 례 |

Chapter 01

테크놀로지 통합의 목적: 유의미학습

| 이 장의 목표 |

1. 유의미학습의 특징을 확인한다.
2. 테크놀로지와 함께하는(with) 학습과 테크놀로지로부터(from) 학습하는 것의 차이점을 비교한다.
3. 학생을 위한 국가교육공학표준과 교사의 수업활동을 비교한다.
4. 테크놀로지를 활용하여 21세기 학습 역량을 촉진하는 방법을 서술한다.
5. 테크놀로지 교수내용지식(TPCK)의 구성요소를 서술한다.

『테크놀로지와 함께하는 유의미학습』개정판은 학교에서 테크놀로지를 어떻게 사용할 수 있는지, 혹은 어떻게 사용해야 하는지에 관해 설명하는 많은 책들 중 하나이다. 이 책이 다른 책과 구별되는 독특한 점은 학습, 특히 유의미학습에 초점을 두고 있다는 점이다. 다른 책들은 대부분 테크놀로지를 중심으로 내용이 구성되어 있다. 이런 책들은 테크놀로지를 사용하는 방법적 조언을 제공하지만 테크놀로지를 사용하는 목적에 대한 명확한 설명이 없는 경우가 많다.

한편, 이 책은 학습 유형에 따라 내용이 구성되어 있다. 학습을 유도하는 것은 무엇보다도 어떤 과제나 활동을 이해하고, 지속하려는 노력이다. 과제의 유형은 학생의 학습 유형을 결정한다. 그러나 안타깝게도, 많은 학생들이 가장 일반적으로 학교에서 경험하는 과제 유형은 표준화된 시험, 또는 정보의 기억을 위한 것이다. 미국의 학교들은 점차 시험을 치르는 공장으로 변화되고 있다. 학업부진아방지(No Child Left Behind) 연방 법률은 학교가 초 · 중 · 고등학생들의 학습에 더욱 책임을 갖게 하기 위해 지속적으로 시험을 보도록 권한을 부여했다. 정부 지원의 제지와 중단을 막기 위해 많은 초 · 중등학교에서 시험 준비를 기본 교육과정의 일부로 채택해왔다. 이 과정에서 가장 안타까운 현상은 아마도 초 · 중 · 고등학교 교육을 마치는 현재의 학생들이 오직 시험을 치르는 방법만 알게 된다는 점이다. 시험의 목적이 행정적이고, 학생들은 학습과정에 관해 충분한 숙고를 하지 않기 때문에, 시험에 나오는 지식을 충분히 이해하려고 노력하지 않는다. 학생들은 시험을 위한 학습상황에서 질문을 잘 하지 않는다. 시험은 학생들의 일상경험과 분리된 지식과 기술을 평가하기 때문에 유의미하지 않다. 시험의 과정이 개별적이기 때문에 학생들에게 다른 사람과의 협력을 저해한다. 시험은 오직 단편적인 지식을 대표하기 때문에 학생들은 다방면적인 이해를 요구하는 개념적 이해를 발달시킬 수 없다. 간단히 말해, 시험 보는 법을 배우는 것은 유의미한 학습을 이끌지 못한다.

학생들의 유의미학습을 위해서, 학생들은 의미 있는 과제에 자발적으로 참여해야 한다. 의미 있는 학습이 발생하기 위해서, 학생들은 활동적이고, 건설적이며, 의도적이고, 실제적이고, 협력적인 활동에 참여해야 한다. 학교는 비활성화된 지식에 관해 시험을 보기보다, 학생들이 문제를 인식하고, 문제를 해결하며 새로운 현상을 이해하고 그 현상들의 정신적 모델을 구성하는 방법을 배우도록 도와주어야 한다. 또한 새로운 상황이 주어졌을 때, 목표를 세우고 본인의 학습을 통제하는, 즉 학습하는 방법을 익히도록 도와주어야 한다. 이러한 목표를 달성하기 위해, 우리는 이 책을 테크놀로지가 아닌, 유의미한 학습활동을 중심으로 구성하였다.

- ■ 테크놀로지와 함께 탐구하기―정보 수집 및 정보 리터러시(2장)
- ■ 테크놀로지와 함께 실험하기―결과 예측하기(3장)
- ■ 테크놀로지와 함께 디자인하기―창의적 지식 창출(4장)

- 테크놀로지와 함께 의사소통하기—유의미 담화(5장)
- 테크놀로지와 함께 공동체 형성하기와 협력하기—사회적 상호작용과 정체성 형성(6장)
- 테크놀로지와 함께 글쓰기—유의미한 문장 쓰기(7장)
- 테크놀로지와 함께 모델링하기—개념적 변화를 위한 모델 구축(8장)
- 테크놀로지와 함께 시각화하기—시각적 표상 형성(9장)
- 테크놀로지와 함께 유의미학습 평가하기와 수업하기—교사와 학생을 위한 평가 자원(10장)

유의미한 과제는 의도적이고, 활동적이며, 건설적이고, 협동적이고, 실제적인 학습을 요구한다(그림 1.1 참조). 이러한 유의미학습의 특징은 테크놀로지 사용에 대한 평가의 기준뿐만 아니라 테크놀로지 사용의 목적에 관해 이 책의 전반에 걸쳐 강조될 것이다. 이러한 속성을 더 면밀하게 살펴보면 다음과 같다.

- **활동적(조작적/관찰적)** 학습은 자연스럽고 변화에 적응하는 인간의 과정이다. 인간은 환경에 관해 학습하고, 적응할 수 있었기 때문에 생존해왔고 진화해왔다. 모든 연령의 인간은 형식적 교육의 개입 없이 인간이 필요하고 원할 때, 정교한 기술을 개발하고, 그들을 둘러싼 세계에 관한 지식을 발전시켰다. 자연스러운 환경에서 학습은 사람들이 환경과 상호작용하고, 물체

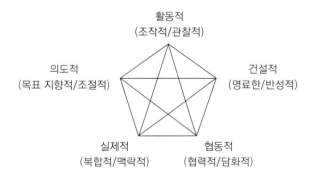

그림 1.1 유의미학습의 특징

를 조작하고, 조작의 결과를 관찰하고, 현상에 대한 고유한 해석을 하면서 이루어진다. 예를 들어 동네에서 아이들이 야구를 하기 전에 공의 공기역학과 그것에 적용되는 벡터 힘과 같은 게임의 이론들을 공부하고 시험을 보는가? 아니다! 그들은 야구방망이를 휘두르고 날아가는 공을 쫓으며 게임을 하면서 게임의 규칙에 대해 이해하게 된다. 일과 놀이 공동체 안에서 형식적, 비형식적 도제학습을 통해 학습자는 지식과 기술을 익히고, 공동체의 다른 사람들과 공유한다. 이러한 상황에서 학습자는 적극적으로 사물과 도구를 조작하고 행동의 영향을 관찰한다. 파울볼을 연속적으로 날린 타자는 공의 비행 경로를 조정하고, 효과를 관찰하기 위해 자세를 수정하고, 야구방망이를 잡는 방식을 조정할 것이다. 유의미학습은 학습자들이 그들이 속한 환경의 변인과 물체를 조작하고, 조작의 결과를 관찰하는 유의미한 과제에 적극적으로 참여하는 것을 필요로 한다.

■ **건설적(명료한/반성적) 활동**은 유의미학습에 필요하지만 충분하지는 않다. 학습자는 활동을 통한 배움을 얻기 위해 그들이 수행한 것을 설명하고, 활동과 관찰에 대해 반성할 수 있어야 한다. 새로운 경험은 종종 학습자가 관찰한 것과 이해한 것 사이의 불일치를 가져온다. 그것이 바로 유의미학습이 일어나는 시점이다. 학습자는 그들이 본 것을 궁금하게 여기거나 혼란스러워 한다. 혼란은 의미를 만들어가는 촉진제가 된다. 혼란스러웠던 경험을 반추함으로써 학습자는 이전에 알고 있었던 지식과 새로운 경험을 합치거나, 관찰한 것을 이해하기 위해 필요한 정보를 획득하기 위한 목표를 세운다. 학습자는 그들이 관찰한 것을 설명할 수 있는 간단한 인지모델을 만들기 시작하고, 경험과 지원, 반추가 많아질수록 그들의 인지모델은 더욱 복잡해진다. 좀 더 복잡한 인지모델은 학습자들에게 그들의 이해를 다양한 사고과정을 통해 다양한 방식의 정신적 표상으로 표현하도록 요구한다. 의미를 만드는 과정에서 활동적이고 건설적인 부분은 상호작용하는 공생적 관계이다.

- **의도적(목표 지향적/조절적)** 모든 인간의 행동은 목표 지향적이다(Shank, 1994). 즉, 우리가 하는 모든 행동은 어떠한 목표를 달성하기 위한 것이다. 그 목표는 배고픔을 채우거나 좀 더 편안해지는 것과 같은 단순한 목표일 수도 있고, 새로운 직업 기술을 배우거나 학위를 위해 공부하는 것과 같은 복잡한 목표일 수 있다. 학습자가 인지적 목표를 달성하기 위해 의지를 갖고 적극적으로 노력할 때(Scardamalia & Bereiter, 1993/1994), 의도한 것을 충족하게 되고, 학습자는 더욱 많이 생각하고 배우게 된다. 테크놀로지는 전통적으로 학습자의 목표가 아닌 교수자의 목표를 지원하기 위해 사용되어 왔다. 테크놀로지는 교사가 아닌 학생의 이해를 표상하고 설명하기 위해 사용되어야 한다. 학습자가 그들의 행동과 지식구성을 표현하기 위해 테크놀로지를 사용할 때, 새로운 상황에서 구성했던 지식을 더 잘 사용하고 더 잘 이해할 수 있다. 학습자가 일상의 과제해결을 위해 능숙하게 계획을 세우거나 해결할 문제를 조사하는 방법을 구상하고 실행하는 과정에서 컴퓨터를 사용할 때, 학습자는 의도적이고 유의미한 학습을 하게 된다.

- **실제적(복합적/맥락적)** 학교수업의 대부분은 우리가 경험한 현상을 설명하는 데 사용할 수 있는 일반적인 원리나 이론을 가르친다. 하지만 교사나 교수는 교육과정을 더 효과적으로 운영하기 위해 일반적인 아이디어를 본래의 상황적 맥락으로부터 분리시킨다. 즉, 일반적 원리를 유의미하게 만드는 맥락적 실마리로부터 분리시킨다. 물리 과목을 대표적 예로 들 수 있다. 교사는 단순화된 문제를 읽어주고 바로 문제를 공식으로 표현하여 보여준다. 학생들은 정답을 얻을 수 있으나 그들이 배우는 것은 과연 무엇인가? 학생들은 맥락이 제외된 알고리즘적 절차만으로 아이디어를 이해하도록 배웠기 때문에, 아이디어를 실제 상황에서 어떻게 적용하는지 모른다. 세상에 일어나고 있는 모든 신체적 활동은 물리학과 관련되어 있다. 야구, 운전, 걷기 혹은 다른 물리적 과정 등을 통해 물리학을 배울 수는 없는 것인가?

  학습에 대한 대다수의 최근 연구들에 따르면, 유의미한 현실세계의 과제나 사례, 혹은 문제기반 환경에서의 모의 상황적 학습과제를 통해서 학습자는 더 잘 이해하고 기억할 뿐만 아니라 새로운 상황에 지속적인 전이를 할 수 있다. 학습은 규칙 속의 개념들을 추상화하고 암기하여 정형화된 문제 상황에 적용하기보다, 개념들을 활용할 수 있는 유용한 맥락과 실제 생활 속에 내재되어야 한다.

■ **협동적(협력적/담화적)** 인간은 본래 문제를 해결하고 과제를 수행하기 위해 다른 사람의 기술과 지식을 활용하여 협동하여 학습하고 지식기반 공동체를 형성한다. 그렇다면 왜 교육자들은 학습자가 많은 시간을 독립적으로 학습한다고 주장하는가? 학교는 일반적으로 학습이 독립적인 과정이라는 믿음을 가지고 있어서 학습자 본연의 성향에도 불구하고 협동적으로 일할 기회를 좀처럼 주지 않았다. 학생들이 허락 없이 협동할 때 비록 개인의 자존감을 유지하면서 이루어졌을지라도 교사는 부정행위라고 비난할 것이다. 그러나 우리는 독립적 교수법에만 의존하는 것은 학습자가 보다 자연스럽고 생산적인 사고를 할 수 없게 한다고 믿는다. 교육자들은 흔히 개별적 학습평가에 의존할 수밖에 없는 상황에 대한 대안으로 협동적 학습방식을 장려한다. 학습자는 자신의 개인적 지식에 책임질 수 있어야만 한다고 믿는다면, 가장 어려운 부분은 학습자를 팀으로서 평가하는 것이다. 이 책에 제시되는 테크놀로지 기반 활동들의 대부분은 소집단으로 협동하여 수행할 때 더욱 효과적으로 실행될 수 있고, 우리는 개인뿐 아니라 집단의 수행도 평가해야만 한다. 학습자는 수업에서 중요한 것이 무엇인지 간파할 만큼 충분히 전략적이다. 만약 학생들이 개별적으로만 평가된다면 공동의 결과물이 중요하지 않다는 것을 알아차리기 때문에 협동학습 활동은 실패할 것이다.

협동학습에서는 종종 학습자 간의 대화가 필수적이다. 소집단에서 활동하는 학습자들은 과제에 대한 공통된 이해와 과제를 완수하기 위한 방법을 사회적으로 협상해야 한다. 즉, 과제나 문제가 주어졌을 때, 사람들은 자연스럽게 다른 사람들로부터 의견이나 아이디어를 찾게 된다. 테크놀로지는 같은 교실 안, 도시 건너, 그리고 전 세계 안에서 학습자들을 연결해 줌으로써 이러한 의사소통 과정을 지원해줄 수 있다(6장, 7장 참조). 학습자들이 교실 안과 밖에서 지식기반 공동체의 일부분이 될 때, 그들은 세상을 바라보는 다양한 시각이 존재하고 우리 삶의 문제들의 많은 부분은 다양한 해결책이 존재한다는 것을 배울 것이다. 대화는 의미를 만드는 가장 자연스러운 방법이기 때문에 권장되어야 한다.

그림 1.1과 같이, 유의미학습은 상호 관련되고, 상호 작용적이며 상호 의존적이라는 특징을 가진다. 즉, 교수-학습 활동은 활동적, 건설적, 의도적, 실제적, 협력적 활동과 연관되고, 이들의 통합을 지원해야 한다. 왜냐하면 이러한 특징들이 공동 상승적이기 때문이다. 즉, 이러한 특징들이 통합된 학습활동은 개별적 특징이 독립적으로 있는 것보다 유의미학습의 효과를 더욱 크게 창출해낼 수 있다.

학생들을 유의미학습에 참여시키기 위해 많은 시간을 보낸 교사의 수가 많은 것처럼, 유의미학습에 포함되는 학습활동의 종류 또한 다양하다. 우리는 이 책에서 테크놀로지가 유의미학습의 도구가 될 수 있고, 되어야만 한다고 주장한다. 테크놀로지는 학생들이 테크놀로지로부터 배우는 것이 아니라, 테크놀로지와 함께 배울 때 비로소 유의미학습에 참여할 수 있는 기회를 제공해줄 수 있다.

1절 테크놀로지가 유의미학습을 어떻게 촉진시키는가?

테크놀로지로부터의(from) 학습

최초의 교육공학은 17세기의 책과 18세기 교실의 슬레이트 칠판에서 찾아볼 수 있다. 20세기의 교육공학은 환등 슬라이드, 불투명 프로젝트, 이후에는 라디오와 영화를 포함한다. 진정한 최초의 교육공학은 1950년대 프로그램 교육으로 볼 수 있다. 즉, 최초의 교육공학은 교육적 요구를 충족시키기 위해서 특별히 개발되었다. 교육자들은 컴퓨터를 포함한 다른 모든 테크놀로지의 중요성을 인식하고 초기의 상업적 테크놀로지를 교육적 목적을 위해 어떻게 적용해야 할지 논의해왔다. 안타깝게도 교육자들은 교사들이 가르쳐왔던 방식과 거의 같은 방식으로 테크놀로지를 사용하여 학생들을 가르치려고 시도해왔다. 그래서 정보는 테크놀로지 안에 기록되었고(예를 들어 영화나 TV프로그램에 의해 내용이 보여지는 것), 테크놀로지는 그 정보를 학생들에게 보여주었다. 학생의 역할은 교사에 의해 전달되는 정보를 배우는 것과 같이 테크놀로지가 보여주는 정보를 배우는 것이다. 테크놀로지의 역할은 트럭이 슈퍼마켓에 식료품을 배달하는 것처럼 학생들에게 수업을 전달하는 것이다(Clark, 1983). 만약 당신이 식료품을 배달한다면, 사람들은 먹을 것이다. 만약 당신이 수업내용을 전달한다면, 학생들은 배울 것인가? 그렇지 않다! 그 이유에 관해서는 후반부에 설명할 것이다.

컴퓨터 테크놀로지의 교실수업 도입은 컴퓨터 사용 현상과 같은 양상을 따르고 있다. 1980년대 소형 컴퓨터의 도래 이전, 중앙 컴퓨터는 학생들을 가르칠 때 단순한 개인교습과 반복연습을 제공해주는 데에 사용되었다. 소형 컴퓨터가 교실에서 많이 사용되기 시작했을 때에도 같은 방식으로 사용하려고 하는 경향이 나타났다. 1983년 컴퓨터 사용에 관한 국가 조사에 따르면, 소형 컴퓨터를 사용하는 가장 흔한 방식은 반복연습이었다(Becker, 1985).

1980년대 후반, 교육자들은 컴퓨터가 생산적인 도구로서 중요하다고 인지하기 시작했다. 워드 프로세서, 데이터베이스, 스프레드시트, 그래픽 프로그래밍, 컴퓨터 출판 프로그램 사용의 증가는 업무의 생산성을 높여주었다. 교실의 학생들은 워드 프로세서와 그래픽 패키지를 사용하기 시작했고 컴퓨터 출판 프로그램을 사용하여 글쓰기를 하였다(4장 참조). 이러한 도구적 발상으로 컴퓨터 사용은 널리 보급되었다. 1993년 Hadley와 Sheingold의 연구에 따르면 정통한 교사는 광범위한 교육용 소프트웨어(반복연습용 문제해결학습 프로그램, 튜토리얼)와 함께 문자-프로세싱 도구(워드 프로세서), 정보 분석 도구(특히 데이터베이스, 스프레드시트 사용), 그래픽 도구(페인트 프로그램, 데스크톱 출판 프로그램)를 사용하였다고 보고하였다.

1990년대 중반, 인터넷의 도래와 저렴한 멀티미디어 컴퓨터의 발전은 교육용 컴퓨터의 본질을 빠르게 변화시켰다. Hadley와 Sheingold에 따르면, 거의 사용되지 않던 커뮤니케이션 도구(이메일, 컴퓨터 화상회의)와 멀티미디어는 어느 때보다 주도적인 테크놀로지로서 교실을 지배하였다. 현재 웹2.0은 교육적 컴퓨터 환경을 급격히 변화시키고 있다. Schrum과 Levin(2009)에 따르면, 웹2.0은 웹1.0과 달리 많은 사용자들에 의해 생산된 콘텐츠를 공유하며, 분산적, 협동적, 개방적(무료 제공) 특성을 지닌다. 학습자들은 교사나 교과서에서 말한 것 혹은 인터넷으로부터 복제한 것을 재생산하기 위해 너무나 자주 테크놀로지를 사용한다.

교육적 컴퓨터 사용과 테크놀로지 사용에 대한 우리의 관점은 테크놀로지가 더 이상 정보의 저장소나 정보의 전달자가 아닌 도구라는 것이다. 우리는 학생들이 교사나 교과서에서 말한 것을 재생산하기 위해 테크놀로지를 사용하는 것이 아닌 학생들이 알고 있는 것을 표현하기 위해 테크놀로지를 사용해야 한다고 생각한다. 테크놀로지는 학생들이 협력적 소집단 안에서 서로 의사소통하는 데 사용할 수 있는 풍부하고 유연한 매체를 제공한다. 컴퓨터와 다른 테크놀로지에 대한 방대한 연구들은 테크놀로지가 학생들을 가르치는 데 교사보다 더 효과적이라고는 이야기하지 않는다. 그러나 테크놀로지를 학생들이 학습을 하는 데 함께하는 학습도구로서 생각한다면 학생들의 학습의 본질이 변화할 것이다.

테크놀로지와 함께하는(with) 학습

만약 학교에서 유의미학습을 촉진시키고자 한다면 학교에서 우리가 사용하는 테크놀로지는 교사역할을 하는 테크놀로지가 아닌 학습과정에서 조력자 역할을 하는 테크놀로지로 변화해야만 한다. 앞에서 우리는 학생들이 테크놀로지로부터 배우는 것이 아니라 학생들이 의미를 만들고 창조적인 생각을 하도록 테크놀로지가 지원할 수 있다고 주장하였다. 이것은 학생들이 테크놀로지와 함께 학습할 때 발생할 수 있다. 하지만 어떻게 하면 될까? 어떻게 테크놀로지가 학생들의 인지적 파트너가 될 수 있는가? 이 책을 통틀어 우리는 다음과 같은 사항을 가정한다.

- 테크놀로지는 하드웨어 그 이상이다. 테크놀로지는 학습자의 관심을 사로잡는 설계와 환경으로 구성되어 있다. 테크놀로지는 인지학습 전략과 비판적 사고능력처럼 학습에 몰입하게 하는 신뢰할 수 있는 기술과 방법을 포함한다.
- 학습 테크놀로지는 학생들이 참여하는 활동적, 구성적, 의도적, 실제적, 협동적 학습활동의 어떤 환경 혹은 정의할 수 있는 일련의 활동들이 될 수 있다.
- 테크놀로지는 의미의 전달자나 의사 소통자가 아니다. 테크놀로지가 학습자의 상호작용을 통제하거나 규제해서도 안 된다.
- 테크놀로지는 테크놀로지와의 상호작용이 학습자에게서 유발되고 학습자에 의해 조절되며 테크놀로지와의 상호작용이 개념적이거나 인지적으로 흥미로울 때, 즉 학습욕구를 충족시킬 때 유의미학습을 지원한다.
- 테크놀로지는 학습자가 세상에 대한 유의미한 개인적 해석과 표상을 형성하는 데 지적 도구로서 역할을 해야 한다. 이 도구는 수업에서 요구되는 지적 기능들을 지원해야 한다.
- 학습자와 테크놀로지는 수행에 관한 인지적 책임이 분배될 수 있는 상황에서 지적 파트너가 되어야만 한다.

테크놀로지가 학습을 촉진하는 방법

만약 테크놀로지가 유의미학습을 촉진시키는 데 사용된다면, 테크놀로지는 전달수단으로 사용되지 않을 것이다. 오히려 테크놀로지는 사고의 흥미 유발자와 촉진자로서 사용될 것이다. 유의미학습에 관한 우리의 개념에 근거했을 때(그림 1.1), 우리는 유의미학습을 지원하기 위한 테크놀로지의 역할을 다음과 같이 제안한다.

- 지식의 구성을 지원하는 도구로서의 테크놀로지
  - 학습자의 생각, 이해, 믿음을 표상하기 위해
  - 학생들에 의한 조직화된 멀티미디어 지식기반을 생산하기 위해

- 구성주의적 학습을 지원하기 위한 지식을 탐구하는 정보 도구로서의 테크놀로지
  - 필요한 정보에 접근하기 위해
  - 관점, 가치관, 세계관을 비교하기 위해
- 체험학습을 지원하기 위한 실제적 맥락으로서의 테크놀로지
  - 유의미한 현실 세계의 문제, 상황, 맥락을 표현하고 모의상황을 재현하기 위해
  - 관점, 가치관, 논쟁, 다른 사람의 이야기를 표현하기 위해
  - 학습자의 사고를 위한 안전하고 통제할 수 있는 문제 공간을 정의하기 위해
- 대화를 통한 학습을 지원하기 위한 사회적 매개체로서의 테크놀로지
  - 다른 사람들과 협력하기 위해
  - 공동체 구성원 간의 토론, 논쟁, 일치를 이끌어내기 위해
  - 지식기반 공동체에서 담화를 지원하기 위해
- 반성을 통한 학습을 지원하기 위한 지적 파트너로서의(Jonassen, 2000a) 테크놀로지
  - 학습자가 배운 것을 분명히 설명하고 표현하는 것을 돕기 위해
  - 학습자가 배웠던 것과 알게 된 방법을 반추해보기 위해
  - 학습자의 내적 협상과 의미 창출을 지원하기 위해
  - 의미에 대한 개인적 표상을 구성하기 위해
  - 의식적인 생각을 지원하기 위해

2절 유의미한 테크놀로지 사용의 대안적 개념

몇몇 단체가 테크놀로지와 함께하는 유의미학습을 위한 기준과 개념을 개발하였다. 이 장에서 소개할 단체는 국제교육공학회(International Society for Technology in

표 1.1 ISTE의 국가수준 교육공학표준(NETS)

NETS—학생용	NETS—교사용
1. 창의성과 혁신 　a. 기존 지식을 적용하여 새로운 아이디어, 결과물, 과정을 만들어낸다. 　b. 자신이나 모둠을 표현하기 위하여 독창적인 작품을 창작한다. 　c. 모델과 시뮬레이션을 사용하여 복잡한 시스템과 이슈를 탐색한다. 　d. 경향성을 확인하여 가능성을 예상한다.	**1. 학생들의 학습과 창의성을 촉진하고 영감을 줌** 　a. 창의성, 혁신적 사고, 발명정신을 촉진하고 지원하며 모델이 된다. 　b. 학생들이 실제 세계의 문제를 탐색하게 하고 디지털 도구와 자원을 활용하여 실제적인 문제를 해결하게 한다. 　c. 협력적인 도구를 사용하여 학생들의 성찰을 촉진함으로써 그들의 개념 이해, 사고, 기획, 창의적 과정을 밝혀내고 명확하게 한다. 　d. 면대면 수업과 가상 환경에서 학생, 동료교사, 주민들이 학습에 몰두하게 함으로써 협력적 지식을 구성하게 한다.
2. 의사소통과 협력 　a. 다양한 디지털 환경과 미디어를 활용하여 동료, 전문가 또는 다른 사람들과 상호작용하고 협력하며 출판한다. 　b. 다양한 형태의 미디어를 활용하여 다수의 사람들과 효과적으로 정보와 아이디어를 소통한다. 　c. 다른 문화권의 학습자와 함께 활동함으로써 문화를 이해하고 글로벌 마인드를 개발한다. 　d. 프로젝트 팀과 함께 독창적인 작품을 만들고 문제를 해결하는 데 기여한다.	**2. 디지털 시대의 학습경험과 평가를 설계하고 개발함** 　a. 디지털 도구와 자원을 통합하여 학생들의 학습과 창의성을 촉진할 수 있는 학습 경험을 설계하거나 채택한다. 　b. 테크놀로지 기반 학습 환경을 개발하여 모든 학생들이 개인적 호기심을 탐구하게 하며, 자신의 교육목적을 세우는 데 참여하며, 스스로 학습을 관리하고 진척상황을 평가하게 한다. 　c. 학습활동을 개별화하여 학생들의 다양한 학습양식, 업무수행 전략, 디지털 도구와 자원을 활용하는 능력에 부응한다. 　d. 학생들에게 교과내용과 교육공학 표준에 부합하는 여러 가지의 형성평가와 총괄평가를 제공하며, 결과 자료를 활용하여 학습과 수업 정보를 제공한다.
3. 연구와 능숙한 정보 활용 　a. 전략을 세워서 탐구를 수행한다. 　b. 다양한 출처와 미디어로부터 정보를 검색, 조직, 평가, 종합하며 윤리적으로 활용한다. 　c. 구체적인 과제 수행에 적합하게, 정보 출처와 디지털 도구를 평가하여 선정한다. 　d. 자료를 처리하고 결과를 보고한다.	**3. 디지털 시대의 작업과 학습의 모델이 됨** 　a. 테크놀로지 시스템과 현 지식을 새로운 테크놀로지와 상황에 적용하는 데 노련함을 보여준다. 　b. 학생, 동료, 학부형, 지역 주민들과 협력하고 디지털 도구와 자원을 활용하여 학생들의 성공과 혁신을 지원한다. 　c. 디지털 시대의 다양한 매체를 활용하여 학생, 학부모, 동료와 관련 정보 및 아이디어를 효과적으로 주고받는다. 　d. 기존 도구와 부상 중인 새로운 디지털 도구를 효과적으로 활용하고 정보 자원을 검색, 분석, 평가, 사용하여 연구와 학습을 지원하는 모델이 된다.

표 1.1 ISTE의 국가수준 교육공학표준(NETS) (계속)

NETS—학생용	NETS—교사용
4. 비판적 사고, 문제 해결, 의사결정 　a. 조사를 위하여 실제적인 문제와 중요한 질문을 확인하고 정의한다. 　b. 해결책을 도출하기 위하여 활동을 계획하고 관리하거나 프로젝트를 완수한다. 　c. 해답을 확인하기 위하여 자료를 수집하여 분석하거나 정보에 기반하여 결정한다. 　d. 다양한 절차와 관점을 활용하여 대안적인 해결책을 탐색한다.	4. 디지털 시민정신과 책임감을 촉진하고 모델이 됨 　a. 저작권, 지적 재산권, 출처를 적절하게 기록하는 것을 포함한 디지털 정보와 테크놀로지의 안전하고 합법적이며 윤리적인 사용을 옹호하고 가르치며 학생들의 모델이 된다. 　b. 학습자 중심의 전략을 활용하고 적절한 디지털 도구와 자원에 동등하게 접속하게 함으로써 모든 학습자의 다양한 필요를 충족시킨다. 　c. 테크놀로지와 정보의 활용과 관련하여 디지털 예절과 책임감 있는 사회적 상호작용을 촉진하고 모델이 된다. 　d. 디지털 시대의 의사소통과 협력 도구를 활용하여 다른 문화권의 교사 및 학생들과 교류하면서 문화를 이해하며 글로벌 마인드를 개발하고 학생들의 모델이 된다.
5. 디지털 시민정신 　a. 정보와 테크놀로지를 안전하고 합법적이며 책임감 있게 사용하는 것을 옹호하고 실천한다. 　b. 테크놀로지는 협력, 학습, 생산성을 지원하므로 테크놀로지를 사용하는 것에 긍정적인 태도를 보인다. 　c. 평생학습을 위한 개인적인 책임감을 보인다. 　d. 디지털 시민정신을 위한 리더십을 보인다.	5. 전문성 신장과 리더십에 참여함 　a. 학생들의 학습을 향상시키기 위하여 테크놀로지를 창의적으로 활용하는 지역 및 세계적인 학습 공동체에 참여한다. 　b. 테크놀로지 융합의 비전을 시범 보이고 의사결정을 공유하고 공동체 구축에 참여하며 다른 사람의 리더십과 공학 기술을 개발함으로써 지도성을 발휘한다. 　c. 현재의 연구결과 및 전문적 실천 사례를 정기적으로 평가하고 반성함으로써 기존 도구 및 떠오르는 디지털 도구와 자원을 효과적으로 활용하여 학생들의 학습을 지원한다. 　d. 수업 전문성과 학교 및 지역사회의 효과성, 활기참, 자기 갱신에 이바지한다.
6. 테크놀로지 작동과 개념 　a. 테크놀로지 시스템을 이해하고 활용한다. 　b. 응용프로그램을 효과적이고 생산적으로 선정하여 활용한다. 　c. 시스템과 응용프로그램의 문제를 해결한다. 　d. 현재의 지식을 새로운 테크놀로지의 학습에 적용한다.	

Education: ISTE), 21세기 역량을 위한 파트너십(Partnership for 21st Century Skills)[1], 그리고 테크놀로지 교수내용지식(technological pedagogical content knowledge: TPACK)이다.

ISTE NET 표준

ISTE(www.iste.org)는 국가수준 교육공학표준(NETS: National Educational Technology Standards)을 2007년에 발표하였다. 표 1.1과 같이 교사와 학생을 위한 표준을 제시하였다. ISTE는 관리자를 위한 표준도 발표했으나, 이 책의 범위를 벗어나므로 제시하지 않았다.

국가수준 교육공학표준(NETS)은 만약 충족된다면 학교의 교육본질을 변화시킬 수 있는 도전적인 기대수준들을 학생과 교사에게 제공한다. 표준은 21세기 역량과 유사하게 지식의 구성, 협력, 비판적 사고를 강조하고 있다. 비록 표준이 다양한 방식으로 해석될 수 있으나, 표준을 성취하고자 하는 학생들과 교사들은 이 책을 통해 ISTE가 제공하는 교사연수 자료와 활동뿐만 아니라 유용한 제안점을 발견할 수 있을 것이다.

21세기 역량

21세기 역량을 위한 파트너십(Partnership for 21st Century Skills: P21)은 모든 학생들의 21세기를 위한 준비를 지원하기 위한 국가적 단체이다. 미국이 혁신을 요구하는 국제경제에서 경쟁할 때 P21과 구성원은 3R(Reading, Writing, Arithmetic)과 4C(Critical thinking and problem solving, Communication, Collaboration, Creativity and innovation)를 융합하여 미국 교육체제를 유지하는 데 도움이 되는 도구와 자원을 제공한다. Partnership for 21st Century Skills(www.p21.org)는 21세기에 졸업생에게 필요한 일련의 기술을 명확하게 설명했다(그림 1.2). 21세기의 중요한 요소

---

1) 역주: 21세기 역량(21st Century Skills)은 Parternership for 21st Century Skills(이하 P21)라는 비영리 연합 단체에서 정의한 21세기의 학생들이 갖추어야 할 역량 및 기술이다. P21은 2002년 미국 교육청을 포함한 교육, 정치, 사업, 사회의 기관 및 인사들이 21세기 미국 교육에 핵심역량을 반영하도록 하기 위한 지침과 제안을 하는 협의체이다.

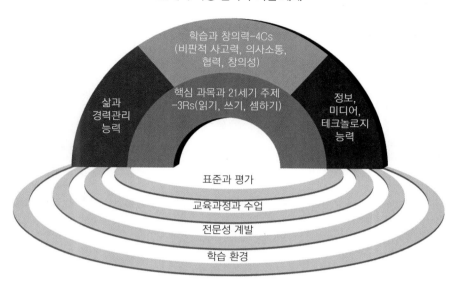

21세기 학생 결과와 지원 체제

그림 1.2 21세기 학습을 위한 구조

출처: Partnership for 21st Century Skills

에 관한 그림과 설명을 다음에 제시하였다. 학생에게 필요한 21세기 역량을 아치 모양의 무지개로 표현하였다. 역량에는 삶과 경력기술(이 책의 범위를 넘음)과, 이 책의 주요 초점인 학습과 혁신능력, 정보 리터러시 능력이 포함된다. 핵심 교과능력은 구체적인 교과목 지식으로 학생의 학습과 혁신능력 및 정보 리터러시 능력에 의해 향상될 수 있다. 표 1.2는 구조의 기본 요소를 나열하고 학습과 혁신 능력의 유형을 보여준다.

해석이 다양할 수 있으나, 이 일련의 능력은 학교에서 독립적이면서도 협동적 인 역할을 할 수 있는 이상적인 학생들이 갖춘 능력을 기술하고 있다. 테크놀로지 가 학생들의 이러한 능력 개발을 얼마나 지원하는지에 따라 우리가 이 나라에서 교육문화를 변화시킬 수 있을지 없을지가 결정될 것이다.

표 1.2 21세기 학습을 위한 구조

학습과 혁신 능력

창조와 혁신 능력

창의적으로 생각하기
- 다양한 아이디어 창출 기술(예, 브레인스토밍)을 사용한다.
- 새롭고 가치로운 아이디어(가치를 증대하고 근본적인 개념)를 창출한다.
- 창의적 노력을 향상시키고 극대화하기 위해 아이디어를 정교화, 정제, 분석, 평가한다.

다른 사람과 창의적으로 함께 일하기
- 다른 사람들과 효과적으로 새로운 아이디어를 개발, 실행, 의사소통한다.
- 새롭고 다양한 관점에 대해 개방적인 태도를 보이고 관심을 가져야 한다. 단체의 의견과 피드백을 일에 반영한다.
- 일의 독창성과 혁신성을 나타내면서, 새로운 아이디어를 적용하는 데에 있어서 현실적 한계점을 이해한다.
- 실패를 새로운 학습 기회로 여긴다. 창의성과 혁신은 장기적으로 작은 성공과 빈번한 실수의 순환에서 온다는 것을 이해한다.

혁신을 실행하기
- 혁신이 발생할 수 있도록 현장에 실제적이고 유용한 기여를 하는 창의적 아이디어를 실천한다.

비판적 사고와 문제 해결 능력

효과적으로 추론하기
- 상황에 적합한 다양한 종류의 추론(귀납적, 연역적)을 사용한다.

체제적 사고 사용하기
- 복잡한 구조에서 전체적인 성과를 창출하기 위해 전체의 각 부분이 어떻게 서로 상호작용하는지 분석한다.

판단과 의사결정하기
- 증거, 논쟁, 주장, 믿음을 효율적으로 분석하고 평가한다.
- 주요한 대안적인 관점을 분석하고 평가한다.
- 정보와 주장을 연결하고 종합한다.
- 정보를 해석하고 최적의 분석에 기반하여 결론을 내린다.
- 학습 경험과 과정을 비판적으로 반성한다.

문제 해결하기
- 다양한 종류의 친숙하지 않은 문제를 통상적인 방식과 혁신적인 방법 모두로 해결한다.
- 다양한 관점을 분명히 하고, 좀 더 나은 해결책을 이끌기 위한 중요한 질문을 파악하고 묻는다.

의사소통과 협력능력

명확히 대화하기
- 다양한 팀과 맥락에서 구두로, 서필로, 비언어적 의사소통 능력을 사용하여 생각과 아이디어를 효과적으로 설명한다.
- 지식, 가치, 태도, 의도를 포함하여 의미를 해석하기 위해 효과적으로 경청한다.

표 1.2 21세기 학습을 위한 구조 (계속)

- 다양한 목적(예, 정보 전달, 지시, 설득, 동기 부여)을 위해 의사소통을 사용한다.
- 멀티미디어와 테크놀로지를 사용하고 그것의 영향을 평가할 뿐만 아니라 선험적 효과성에 대해 판단하는 방법을 안다.
- 다양한 환경(다양한 언어사용을 포함한)에서 효과적으로 의사소통한다.

타인과 협력하기
- 다양한 팀과 효과적으로, 정중하게 일하는 능력을 보인다.
- 공통의 목표를 완수하기 위해 필요한 조정과 타협을 할 의지와 의사를 가지고 있다.
- 협력적 일에 대한 공유된 책임을 인식하고 각 구성원의 개인적 기여에 대한 가치를 인정한다.

정보, 미디어, 테크놀로지 능력

정보 리터러시

정보에 접근하고 평가하기
- 정보에 효율적이며(시간), 효과적으로(출처) 접근한다.
- 정보의 적합성을 비판적으로 평가한다.

정보를 사용하고 관리하기
- 당면한 이슈나 문제에 대해 정보를 정확하고 창의적으로 사용한다.
- 다양한 출처에서 정보의 흐름을 관리한다.
- 정보의 사용과 접근에 관한 윤리적 · 법적인 이슈에 대한 기초적인 이해를 적용한다.

미디어 리터러시

미디어를 분석하기
- 어떻게, 왜, 어떤 목적으로 미디어 메시지가 구성되었는지 이해한다.
- 어떻게 개인이 메시지를 다르게 해석하고 어떻게 가치와 관점이 포함되는지, 배제되는지, 어떻게 미디어가 믿음과 행동에 영향을 주는지 조사한다.
- 미디어 접근과 사용에 관한 윤리적 · 법적인 이슈의 기초적인 이해를 적용한다.

미디어제품을 생산하기
- 가장 적합한 매체 작성 도구, 특징 및 형식에 대해 이해하고 활용한다.
- 다양한 다문화 환경에서 가장 적합한 표현과 해석을 이해하고 효과적으로 활용한다.

ICT 리터러시

테크놀로지를 효과적으로 적용하기
- 정보의 조사, 조직, 평가, 의사소통을 위한 도구로 테크놀로지를 사용한다.
- 지식경제에서의 성공적 수행을 위해 디지털 테크놀로지(컴퓨터, PDA, 미디어플레이어, GPS 등), 대화 · 네트워크 도구와 소셜 네트워크를 사용하여 정보에 접근하고 정보를 관리, 통합, 평가, 생성한다.
- 정보 기술의 접근과 사용에 관한 윤리적 · 법적인 이슈의 기초적인 이해를 적용한다.

출처: Partnership for 21st Century Skills

테크놀로지 교수내용지식

Koehler와 Mishra(2009), Mishra와 Koehler(2006)는 교사가 수업에 테크놀로지를 통합할 때 알아야 할 것에 초점을 둔 테크놀로지 교수내용지식(technological pedagogical content knowledge: TPACK) 모델을 설명하였다. 하지만 우리는 이것이 충분하지 않다고 생각한다. 우선 문제의 근원은 무엇일까? Koehler와 Mishra의 설명 이전에 교육학자들은 교사들이 가르치는 것에 대해서 무엇을 알아야 하는지를 염려해왔다. 이러한 움직임은 Lee Shulman(1986, 1987)의 교수내용지식(pedagogical content knowledge: PCK) 개념에서 시작됐다. Shulman은 교사가 교수내용지식이 있어야 효과적으로 가르칠 수 있다고 가정하였다. 교수내용지식은 내용지식과 교수 방법적 지식의 개념적 조합을 의미한다.

내용지식(content knowledge: CK)은 교사가 가르치는 교과 내용에 관한 지식을 가리킨다. 대부분의 교육자는 교사가 교과 영역에 대한 지식이 많을수록 더 잘 가르칠 수 있다고 가정한다. 교사가 내용지식을 잘 개발하는 것은 학생들의 오개념 습득을 막고 일반적으로 인정된 정보를 전달하는 능력에 있어 매우 중요하다.

Shulman은 내용지식만으로는 좋은 교사가 되기에 충분하지 않다고 믿었다. 그는 교사에게 교수 방법적 지식 또한 필요하다고 주장했다. 교수적 지식(pedagogical knowledge: PK)은 지식이나 기술을 전달하는 수업 행동을 포함한 지도나 수업 활동에 대한 교사의 지식을 가리킨다. 비록 교수법의 일부는 학생들이 어떻게 배우고 학생들의 이해를 어떻게 평가하는지에 관한 지식을 포함하지만, 교수법은 배우는 것이 아니라 가르치는 것과 좀 더 관련이 있다.

Shulman의 교사 지식에 대한 개념이 이치에 합당하나 우리는 내용지식과 교수법적 지식의 개념에 근본적인 문제(인식론적 가정, 지식의 본질, 학습의 중요성)가 있다고 믿는다.

첫째, 내용지식의 인식론을 생각해보자. 인식론은 아는 것이 무엇을 의미하는지, 어떻게 우리가 지식을 개발하는지, 진리는 무엇인지와 같은 지식에 대한 철학이다. 교육자가 내용에 대해서 이야기할 때, 내용은 객관적 현실 안에 존재한다고 전제한다. 내용은 우리가 배워야 하는 것이다. 내용은 교사가 학생들에게 전달하는 것이다. 만약 내용이 전달된다면 그것은 객관적인 형태로 존재해야만 한다. 구성주의 인식론의 관점에서 지식은 학생들이 세계와 상호작용하여 개인적으로 그리고 사회적으로 구성되는 것이다. 정보는 전달될 수 있으나 지식은 전달될 수 없다. 교사가 학생에게 학생이 알고 있는 것을 말하라고 했을 때, 교사는 흔히 학생들이 교사 자신처럼 알 것이라 가정한다. 교사가 학생에게 지식을 전달한 것처럼 말이다. 하지만 다양한 이유에서 이것은 불가능하다.

우리는 또한 내용지식을 다소 결핍된 개념으로 본다. 왜냐하면 내용지식은 단지 교사들이 무엇을 알아야 할지에 관해서만 설명할 뿐, 교사가 어떻게 해야 하는지에 관한 명확한 설명이 없기 때문이다. 교사와 교수들은 그들이 구성한 지식의 내용이 허술하고 개발이 미흡하여 가르치는 데 자주 어려움을 겪는다. 오직 교과서나 강의에만 근거한 지식을 가진 교사와 교수는 실천으로 구성한 지식을 지닌 경험 있는 전문가만큼 내용에 대해 잘 알지 못한다. 또한 내용지식은 많은 종류의 지식 간의 차이를, 즉 교사가 어떻게 알아야 하는가에 대한 구분을 하지 못한다. 다양한 종류의 활동과 상호작용에 기반하여 구성된 다양한 종류의 지식이 존재한다. Jonassen(2009)은 수많은 종류의 지식을 아래와 같이 설명하였다.

- *서술적 지식(declarative knowledge):* '지식'이 전달될 때 가장 일반적인 종류
- *구조적 지식(structural knowledge):* 개념들 사이에서 명제적 관계의 지식
- *개념적 지식(conceptual knowledge):* 개념적 변화를 지원하는 체제적 지식
- *절차적 지식(procedural knowledge):* 절차를 어떻게 수행해야 하는지에 관한 지식
- *상황적 지식(situational knowledge):* 문맥적 상황에 대한 지식
- *전략적 지식(strategic knowledge):* 언제, 왜 절차를 수행해야 하는지에 관한 지식
- *암묵적 지식(tacit knowledge):* 알고는 있지만 표현할 수 없는 지식
- *사회문화적 지식(sociocultural knowledge):* 인간 문화 사이에 세계관, 신념체

계, 태도, 사회적으로 공유된 지식에 관한 지식

■ *경험적 지식(experiential/episodic knowledge)*: 우리 경험에 관한 이야기의 지식

이제까지 알려진 수많은 종류의 지식이 존재한다. 학생들은 어떤 종류의 지식을 배워야 하는가? 분명히 수업의 본질은 학생들이 구성해야 할 지식의 종류를 대부분 결정한다. 교수 방법적 지식이 유일한 것이 아님은 확실하다. 오히려 학생들을 효과적으로 가르치는 데 필요한 수많은 지식의 종류를 명확하게 해야 한다. 왜냐하면 교육의 목적은 학습에 있고, 학습에 대한 깊은 이해는 가르침에 대한 이해를 발전시키는 데 필수적이기 때문이다. 그러므로 우리는 내용지식을 교과목적 지식, 즉 다양한 교과목에 공통된 지식으로 생각한다. 이것은 교수 방법적 지식을 구성하는(다른 교과목적 지식을 어떻게 가르칠 것인가 하는) 보다 명확한 목적을 제공한다.

학생들이 공부를 할 때 교과(내용)에 대해 구성할 수 있는 지식의 종류를 명확히 하는 것은 교수내용지식과 관련된 가장 중요한 이슈에 직면하는 것이다. 비록 교수법적 지식의 일부 개념들은 학생들이 어떻게 배우는가에 대한 교사의 이해를 포함할지라도, 교수법은 대부분 교사가 어떻게 가르치는지를 언급한다. 우리는 교수내용지식은 또 다른 관점(지식을 배우는 것)을 필요로 한다고 주장한다. 지식에 대한 개념보다 학습에 대한 대안적 개념이 더 많이 존재한다. 학습이론 강의는 '사람은 어떻게 배우는가'에 대한 대안적 개념으로 충만한데 이것은 각각 다른 철학에 근거하고 다른 교수법에 의존한다. 각각의 이론에는 수많은 사고방식이 존재한다(여기서 검토하기에 지나치게 많을 정도이다). 학생들에게 요구되는 가장 일반적인 종류의 사고는 기억이다. 학생들이 더 깊은 수준의 유의미학습에 참여하기 위해서는 유사 추론(구조적으로 개념을 비교), 인과 추론(예측, 추론, 암시), 개념적 모형 형성, 논증(수사법, 변증법), 메타인지 추론을 수행하는 방법을 배워야 한다(Jonassen, 2011). 학생들이 어떻게 의미 있는 학습을 하는지 이해하는 것은 가르치는 데 필수적이다. 만약 당신이 교사인데 학생들이 무엇을 배우기를 원하는지 알기 위해 학생들이 생각하는 것을 설명하지 못한다면, 당신은 무엇을, 어떻

게, 왜 가르치는지 어떻게 알 수 있겠는가?

Koehler와 Mishra(2009), Mishra와 Koehler(2006)는 교사가 수업에서 테크놀로지를 통합할 때 알아야 할 것으로 교수내용지식(pedagogical content knowledge: PCK)을 추가하였다. 이들은 잘 가르치는 것은 내용, 교수법, 테크놀로지의 지식을 필요로 한다고 주장한다. 그들은 세 가지 지식의 통합, 테크놀로지 교수내용지식(technological pedagogical content knowledge: TPACK)의 중요성을 주장하고 있다(그림 1.3 참조). TPACK은 내용지식 습득을 촉진하는 데 테크놀로지를 어떻게 다른 교수법 안에 가장 잘 이용할 수 있는지에 관한 지식이다. Koehler와 Mishra는 내용을 가르치는 데 각각의 테크놀로지의 행위 유발성(affordance)을 강조한 공이 인정된다. 테크놀로지는 어떤 활동을 유도하는가(지원 또는 가능하게 하는가)? 예를

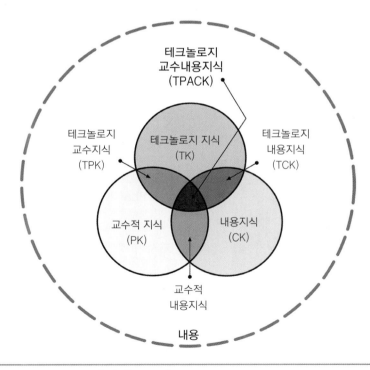

그림 1.3 테크놀로지 교수내용지식(TPACK)

출처: http://tpack.org

들어 이메일은 비동시적으로 사람들 간의 메시지 저장과 교환을 가능하게 한다. 안타깝게도, 이메일을 통해 동시적이거나 어조, 분위기, 풍부한 표정 등과 같은 비언어적 측면을 교환할 수는 없다. 행위 유발성에 초점을 맞추는 것은 교육적 테크놀로지를 조사하는 데 아주 유용한 틀이 된다. 아마도 그림 1.3에 제시된 모델에서 가장 중요한 개념은 교수내용지식, 테크놀로지 내용지식, 테크놀로지 교수지식의 상호작용일 것이다.

교수적 지식과 내용지식에 관한 우리의 염려에도 불구하고, 누군가는 테크놀로지를 이용한 수업은 단지 또 다른 종류의 교수법으로 필요하다고 주장한다. 그러나 이 책의 목적을 고려하면 우리가 테크놀로지를 이용한 학습의 중요성(이 책의 주제와 제목)을 인정해야 한다는 것이다. 만약 테크놀로지 지식을 교사를 위한 지식의 필수 요소로서 받아들인다면 우리는 TPACK에서 TPLACK로 확장하여 학습지식의 측면 또한 포함해야 한다고 주장한다. 우리는 학생들이 어떻게 배우는가에 대한 명확한 개념 없이 테크놀로지 사용에 대해 유의미한 제안을 하는 것은 불가능하다고 믿는다. 테크놀로지는 지나치게 자주 테크놀로지 그 자체를 위해 사용된다. 만약 교사가 테크놀로지를 사용하면 아마도 학생들은 무엇인가를 배우긴 할 것이다. TPLACK은 특정 교수법을 사용하여 다양한 교과에 대한 특정한 사고와 학습에 참여시키는 테크놀로지에 초점을 둔다. 예를 들어, 만약 생물학 수강생들이 다양한 종에 대한 구조적 지식을 구성하기를 원한다면 학생들이 개념지도를 만드는 구성적인 교수법을 추천할 것이다. TPLACK의 눈에 띄는 문제점은 그 개념이 너무 복잡하고 설계도 복잡하다는 것이다. 많은 교과서가 묘사하고 있는 것처럼 거의 정형화되어 있지 않다. 설계는 교사가 해결해야 할 가장 복잡하고 비구조화된 문제이다(Jonassen, 2000b). PCK, TPACK, TPLACK은 모두 설계와 관련된 의사결정에 관한 것이다. 이것은 가르치는 것의 가장 중요한 부분이다. 이 책에 제시된 주장은 당신이 무엇을 어떻게 가르쳐야 하는가를 결정하는 것이 당신의 학생이 무엇을 어떻게 배워야만 하는가를 결정하는 것이라는 점이다. 이것은 이 책과 다른 많은 테크놀로지를 이용하는 수업에 관한 책들을 구분하는 중요한 차이점이다.

3절 결론

이 책의 근본적인 가정은 전통적인 방식으로 수업내용을 전달하는 매개체로서 테크놀로지를 사용하는 것이 가장 생산적이고 유의미하게 테크놀로지를 사용하는 방법이 아니라는 것이다. 테크놀로지는 학생들을 가르칠 수 없다. 오히려 학습자가 테크놀로지를 사용하면서 배우게 된다. 유의미학습은 테크놀로지가 다음 활동에 학습자의 관심을 불러일으켰을 때 발생할 수 있다.

- 재생산이 아닌 지식의 구성
- 수용이 아닌 대화
- 반복이 아닌 분명한 표현
- 경쟁이 아닌 협동
- 처방이 아닌 반성적 사고

우리는 학습자가 테크놀로지로부터가 아닌 테크놀로지와 함께 학습할 때 테크놀로지가 유의미학습을 지원할 수 있다고 주장한다. 학생들이 탐구(2장), 실험(3장), 디자인(4장), 의사소통(5장), 공동체 형성(6장), 글쓰기(7장), 모델링(8장), 시각화(9장)하는 활동에 테크놀로지를 사용할 때, 인과적, 분석적, 표현적, 실험적, 문제 해결 측면에서 좀 더 깊은 수준의 사고와 추론을 할 수 있다. 테크놀로지는 교사로서는 형편없지만 사고를 위해서는 강력한 도구가 될 수 있다. 이것이 우리가 이 책의 나머지 부분에서 이야기할 주제이다.

주의사항. 이 책이 근거하는 가치와 믿음, 그리고 이 장에서 설명한 표준에 관한 실행은 교육의 유의미한 패러다임 전환을 나타낸다. 교육의 패러다임 전환을 촉진하는 것은 문제 해결의 폭넓은 확산과 채택이다. 교육자, 학생들, 학부모, 공동체의 믿음을 변화시키는 것은 엄청난 협력을 요구한다. 이러한 믿음이 학교의 시험과 암기문화를 변화시킬 수 있을 것인지는 지켜봐야 할 것이다. 우리 학생들과 다음 세대의 지도자를 위해, 우리는 이러한 문화를 변화시킬 수 있기를 진심으로 희망한다.

4절 생각해볼 점

이 장에서 우리가 제시한 아이디어에 대해 깊이 생각해보고 다음 질문에 대한 답을 생각해보자.

1. 만약 학습자가 공통된 지식과 경험 기반을 공유하지 않았기 때문에 교사가 알고 있는 것을 알지 못한다면, 우리는 어떻게 학생들이 중요한 것들을 배웠다고 확신할 수 있을까? 예를 들어 당신이 학생들에게 실험실에서 특정한 화학 반응의 위험에 대해 가르치려고 한다면, 우리는 어떻게 학습자가 그러한 중요한 수업을 이해하고 배웠는지 확인할 수 있을까?

2. 당신의 교육 이론은 무엇인가? 당신의 관점에서 사람들은 어떻게 배우는가? 이 때 중요한 과정은 무엇인가?

3. 이 장에서 설명된 능력 중 어떤 것이 교육자로서 당신에게 가장 중요한가? 내용을 이해하는 데 무엇이 가장 중요하고 당신의 교과에서 적용할 수 있는 아이디어인가?

4. 어떤 활동에 참여하지 않고 학습(개인적으로 의미를 구성)하는 것이 가능한가? 즉, 단순히 어떤 것을 생각함으로써 학습이 가능한가? 어떤 테크놀로지 기반 활동이 사고와 학습을 유발하는가? 예를 들 수 있는가?

5. 학습자가 지식을 구성할 때 무엇을 만들어 내는가? 노력의 결과로서 학습자가 구성한 지식을 어떻게 관찰할 수 있을까? 테크놀로지가 어떻게 도움을 줄 수 있을까? 어떤 테크놀로지가 학습자가 알고 있는 것을 표현하는 데 가장 효과적일까?

6. 당신이 최근에 듣고 읽은 것 중에서 논쟁이 될 만한 것에 대해 생각해보자. 논쟁하고 있는 각각의 의견은 무엇인가? 그들이 믿는 것은 무엇인가? 논쟁을 야기하는 것에 대한 가정은 무엇인가? 그러한 믿음은 어디서 오는가?

7. 급진적 구성주의자들은 현실이 오직 아는 사람의 마음속에 존재한다고 주장한다. 만약 그것이 사실이라면 우리가 살고 있는 물리적 세계는 존재하

는가? 증명해보자.

8. 일부 교육자는 우리가 성공보다는 실패 속에서 더 많은 것을 배운다고 주장한다. 왜 그러한가? 그들은 우리가 학생들을 그들의 가설과 추측이 실패하는 상황에 처하게 해야 한다고 주장한다. 당신은 당신이 많은 실수로부터 배웠던 상황을 생각할 수 있는가?

9. 당신이 해결해야만 했던 가장 최근의 어려웠던 문제를 기억해보자. 당신은 그것을 혼자 해결했는가? 아니면 다른 사람의 도움을 요청했는가? 그 문제를 해결하면서 무엇을 배웠는가? 배운 내용을 다시 사용할 수 있는가?

10. 당신은 TV에서 요리 프로그램을 보는 것만으로 요리하는 것을 배울 수 있는가? 당신이 관찰한 경험으로부터 무슨 의미를 만들 수 있는가? 당신이 요리를 준비하려던 경험과 TV 요리사의 경험은 같은 것인가? 다른 점은 무엇인가?

11. 많은 정의에 따르면 테크놀로지는 과학적 지식의 적용이다. 기계와 관련되지 않는 교수 테크놀로지(반복 가능하고 수업과정이 증명된)를 생각해낼 수 있는가?

12. 계산기를 사용하지 않고 2,570의 정확한 제곱근을 계산할 수 있는가? 계산기가 당신을 더욱 똑똑하게 만드는가? 계산기가 똑똑한가?

13. 단답형과 선다형 시험문제 간에 사고과정의 차이점을 설명해보자. 둘은 다른 것인가? 그 문제들이 지식을 평가하는가? 그 지식은 유의미한가? 왜 그런가?

14. 당신을 바보로, 똑똑하지 않게 만드는 활동을 생각해낼 수 있는가? 그 활동에서 당신은 아무것도 배우지 못했는가?

15. 당신 스스로 비디오나 영화, 슬라이드 쇼, 컴퓨터 프로그램을 만들어본 적이 있는가? 그것이 당신을 어떻게 생각하게 만들었는가? 당신이 어떠한 기분을 느끼게 만들었는가?

참고문헌

Becker, H. J. (1985). *How schools use microcomputers: Summary of a 1983 national survey.* (ERIC Document Reproduction Service, ED 257448).

Clark, R. (1983). Mere vehicles. *Review of Educational Research, 53*(4), 445–459.

Hadley, M., & Sheingold, K. (1993). Commonalities and distinctive patterns in teacher interaction of computers. *American Journal of Education, 101*(3), 261–315.

Jonassen, D. H. (2000a). *Computers as mindtools in schools: Engaging critical thinking.* Columbus, OH:Merrill/Prentice Hall.

Jonassen, D. H. (2000b). Toward a design theory of problem solving. *Educational Technology: Research & Development, 48*(4), 63–85.

Jonassen, D. H. (2009). Reconciling a human cognitive architecture. In S. Tobias & T. M. Duffy(Eds.), *Constructivist theory applied to instruction: Success or failure?* New York: Routledge.

Jonassen, D. H. (2011). *Learning to solve problems: A handbook for designing problem-solving learning environments.* New York: Routledge.

Koehler, M. J., & Mishra, P. (2009).What is technological pedagogical content knowledge? *Contemporary Issues in Technology and Teacher Education, 9*(1). Retrieved from www.citejournal.org/vol9/iss1/general/article1.cfm

Mishra, P., & Koehler, M. J. (2006). Technological pedagogical content knowledge: A framework for integrating technology in teacher knowledge. *Teachers College Record, 108*(6), 1017–1054.

Polkinghorne, D. (1988). *Narrative knowing and the human sciences.* Albany: State University of New York Press.

Schank, R. C. (1994). Goal-based scenarios. In R. C. Schank & E. Langer (Eds.), *Beliefs, reasoning, and decision making: Psycho-logic in honor of Bob Abelson.* Hillsdale, NJ: Lawrence Erlbaum.

Schrum, L., & Levin, B. B. (2009). *Leading 21st century schools: Harnessing technology for engagement and achievement.* Thousand Oaks, CA: Corwin Press.

Shulman, L. (1986). Those who understand: Knowledge growth in teaching. *Educational Researcher, 15*(2), 4–14.

Shulman, L. S. (1987). Knowledge and teaching: Foundations of the new reform. *Harvard Educational Review, 57*(1), 1–22.

Chapter 02

테크놀로지와 함께
탐구하기

| 이 장의 목표 |

1. 학습자의 탐구를 지원할 수 있는 테크놀로지 도구에 대해 독자에게 소개한다.
2. 정보 수집의 과정(정보 검색, 정보 관리, 정보 평가)을 서술한다.
3. 다양한 종류의 검색도구들의 차이점을 열거한다.
4. 학습자가 정보를 평가하는 데 도움을 줄 수 있는 질문들을 열거한다.
5. 표절을 막기 위해 학생들을 도와줄 수 있는 방법을 서술한다.
6. 학생들이 온라인 안전과 사생활 보호에 관련된 기술을 배우도록 돕는 방법을 설명한다.
7. 발산적, 학생 주도적 프로젝트 학습에서 정보를 지식형성을 위해 사용하는 사례를 제공한다.
8. 모바일 기기가 탐구기반 학습을 보조할 수 있는 방법을 서술한다.
9. 국가수준 교육공학표준(NETS)과 21세기 역량의 발달이 이 장에 소개된 테크놀로지 기반 활동을 통해 발전할 수 있는 방법을 서술한다.

1절 탐구를 지원하는 테크놀로지 동향

교사가 학생들에게 탐구할 수 있는 기회를 줄 때, 교사는 학생들에게 풍부하고 유의미한 학습경험을 창출한 것이다. 테크놀로지는 교실 안과 실제 생활 모두에서 탐구를 통한 활동적이고 실제적인 학습 수단을 제공한다.

십여 년 전, 웹기반 교육위원회(Web-based Education Committee, 2000)는 국가 보고서에 몇 가지 예측을 했는데 이들은 이후 모두 실제로 발생했다. 표 2.1은 다른 일들과 함께 그 이후에 발생한 변화를 보여준다. 분명히 테크놀로지는 우리 삶의 필수가 되었고 계속 발전할 것이며 몇몇 사람들은 가끔 그 발전 속도가 너무 빨라서 테크놀로지를 따라잡는 데 큰 어려움을 느낀다. 이러한 종류의 변화가 시사하는 점 중 하나는 유연성(*flexibility*)의 필요성이다. 유연성은 효과적인 사고를 하는 사람에게 필요한 "자연성 정신적 습성(habit of mind)" 중 하나로 여겨진다 (Costa & Kallick, 2000). 오늘날 변화하는 시대 속에서 학생들에게 요구되는 것처럼 교사에게도 유연한 사고가 필요하다. 새롭게 등장하고 급속히 변화하는 테크놀로지들은 그것들이 발생하고, 진화하고, 성공적으로 자리 잡거나 혹은 중도에 사라지거나 하는 과정을 겪는 동안 테크놀로지 도구들을 실험하고, 채택하고, 혹은 폐기할 수 있는 능력을 갖춘 사람들을 필요로 하고 있다.

학생들이 디지털 도구에 지속적으로 접속하고 인터넷에 연결할 수 있는 유비쿼터스 컴퓨팅, 혹은 하드웨어 접근성이 증가하는 추세이다. 소형 노트북, 태블릿, 스마트 폰 및 다른 모바일 기기는 유비쿼터스 정보처리를 가능하게 한다. 이러한 소형 기기의 가치있는 특징은 휴대성이다. 학생들은 더 이상 데스크톱, 교실, 심지어 물리적 건물에 얽매이지 않는다. 이러한 자유를 통해 학생들은 정보를 수집

표 2.1 인터넷 테크놀로지 동향

왼쪽 열에서 오른쪽 열로의 이동	
좁은 범위	넓은 범위
단순, 간단한 형태(글 또는 말)	다양한 형태, 풍부한 접속행태
데스크톱 컴퓨터로부터 유선 연결	무선 접속
사용자가 테크놀로지에 적응	테크놀로지가 사용자에 적응
정보를 소비만 하는 사용자	공유되고 역동적인 환경에서 생산하는 사용자
개별 컴퓨터에 설치된 소유한 소프트웨어 파일	오픈 소스와 클라우드 컴퓨팅

하고 기록하고 분석하기 위해 장비를 교육의 장으로 가져옴으로써 보다 실제적인 데이터를 수집할 수 있다. 학습을 위한 모바일 도구의 사용이 높은 잠재적 가능성을 지니고 있음에도 불구하고, 모바일 도구의 채택 여부는 현재 대부분의 학교에 있는 규제가 완화되는지에 달려있다(Johnson, Smith, Levine, & Haywood, 2010; Schuler, 2009).

인터넷 테크놀로지는 사용자의 과거 행동, 선호도, 과거의 기록을 기억함으로써 더욱 빠르고 다면적이며 점점 지능적으로 변하였다. 에이전트는 사용자의 행동을 발견하기 위해 데이터 마이닝 기술(data-mining)[1]을 사용하고 사용자에 대한 정보를 공유하기 위해 다른 에이전트와 상호작용한다. 인터넷은 거의 상상할 수 없는 자원 네트워크가 되어가고 있고, 사람은 웹사이트를 검색하는 데 엄청난 시간을 소비한다. 참된 교육적 도구로서 이러한 자료를 효과적으로 사용하는 것을 배우는 것은 교육자에게 도전적인 과제이다. 우리가 정보이용 능력을 가진 디지털 시대의 시민이 되는 데 필요한 필수 능력들을 학생들에게 가르치는 것은 중요하다.

2절 인터넷 자원으로 정보 수집하기

다음으로 우리는 흥미롭고 유의미한 학습을 위한 정보의 원천으로 인터넷을 사용하는 법에 대해 살펴볼 것이다. 협력적 문제기반 및 프로젝트기반 학습활동은 보통 첫 번째 단계로 온라인 조사를 먼저 실시한다. 학생이 시작한 질문으로 시작되는 탐구기반 학습은 자연스럽게 조사와 연구로 이어진다. 기억해야 할 중요한 사실은 연구나 정보에 대한 조사는 더 큰 목적으로 가기 위한 수단적 단계일 뿐이라는 것이다.

많은 교육자들이 암묵적으로 정보조사와 학습을 동일시하고 있다. 학생들이

---

1) 역주: 대규모 자료를 토대로 새로운 정보를 찾아내는 것

온라인에서 정보조사를 열심히 한다면, 자연스럽게 찾은 것을 잘 이해할 것이라 생각한다. 하지만 학자들은 학생들이 이미 정해진 답을 위해 조사할 때 그들이 찾은 것의 의미를 이해하거나 깊이 생각하지 않는다는 점을 발견했다(Fidel et al., 1999; Schacter, Chung, & Dorr, 1998). 학생들의 목적은 과제를 완수하는 것, 즉 교사가 원하는 하나의 정답을 찾는 것이다. 단순히 학생들에게 웹에서 정보를 찾게 하는 것은 학습을 유발하지 않을 것이다. 의도적인 결과가 나타나지 않는다면, 조사는 의미 없는 활동이 될 수 있다. 안타깝게도 조사는 종종 "과정에서 다음 단계로 넘어가기보다 자료를 수집하는 것에서 끝난다. 웹사이트에서 닫힌 질문의 답을 찾는 것이 기술적으로는 연구의 형태를 보이고 있으나, 수집된 정보를 활용할 때 가능한 적극적 학습 경험의 가치 면에서는 부족하다."(Kelly, 2000).

하지만 정보조사는 의미를 만들고 문제를 해결하는 데 필수적이다. 찾고 있는 정보로부터 무엇인가를 배우기 위해 학생들은 문제 해결에 도움이 되는 정보를 찾으려는 목적을 가지고 있어야 한다. 학생들은 과제의 요구사항을 채우는 것 이상의 목적을 가지고 있어야 한다. 계획적인 정보조사는 적어도 (a) 계획, (b) 웹 검색을 위한 전략 사용, (c) 평가, (d) 정보의 다면적 검증이라는 네 가지 단계를 요구한다(Jonassen & Colaric, 2001).

"첫 번째 단계로서의 조사"의 개념을 염두에 두고 정보조사를 위한 인터넷 사용에 능숙하기 위해 어떤 것이 필요한지 함께 생각해보자.

정보 탐색하기

인터넷을 방대한 온라인 자원으로서 사용하는 것은 다양한 능력을 요구한다. 효과적인 인터넷 정보 수집은 정보 검색, 정보의 가치평가, 보다 유용한 형태로 정보를 조직화하는 것과 관련된 전문성을 요구한다.

인터넷에서 필요한 정보를 찾는 것은 가능한 웹페이지가 셀 수 없이 많기 때문에 엄청나게 어려울 수 있다. 학습도구로서 인터넷을 사용하는 것에 대한 염려 중 하나는 탐구할 만한 흥미로운 주제들이 너무 많아서 학습목표를 향하기보다는 오히려 멀어지는 링크를 쫓다가 과제에서 벗어나는 탐색을 하기 쉽다는 것이다. 검색을 계획할 때 학생들은 그들이 알아야 할 것이 무엇인지 파악해야 한다.

첫째, 학생은 자신의 목적을 명료화하고 무엇을 탐색해야 하고 왜 그 정보가 필요한지를 말로 표현해야 한다. 이러한 사고 과정은 학습자가 이미 가지고 있는 지식을 활성화시키고 학습자에게 존재하는 혼돈을 명확히 한다. 다음으로 학습자는 유용한 정보의 출처를 찾기 위해 의식적이고 계획적인 검색 전략을 개발해야 한다. 학생들이 검색어를 선택하는 것은 어려운 과정이 될 수 있다. 교사는 문제와 관련된 검색어를 찾기 위해 '누가 어디서, 언제, 무엇을'과 같은 질문을 하는 과정을 모형화할 필요가 있다. 그 다음에야 검색어는 검색엔진에서 사용하기 적합한 일련의 검색어로 발전될 수 있다. 효과적인 검색을 수행하기 위한 전문적인 기술과 함께, 학습자는 효과적인 학습을 위한 도구로서 인터넷을 사용하기 위해 인식과 자기조절 능력을 키울 필요가 있다. 학생들은 인터넷을 항해하면서 접한 정보와 그 정보와 자신이 가진 기존 지식과의 연관성에 대해 생각하고 있어야 한다. 이해하기 위해서는 생각해야 하는데, 인터넷 검색 자체가 반드시 생각을 유발하는 것은 아니다.

정보검색의 목적을 유념하고 올바른 결정을 하는 자기조절 능력을 갖춘 학습자는 의도적 학습을 하면서 웹이 필수적인 정보의 원천임을 발견할 수 있다. 즉, 인터넷의 교육적 비법은 의도성이다. 학생들이 "나는 질문에 대한 해답을 찾을 수 있게 도와줄/지식기반을 다져줄/다른 사람의 생각을 평가할 수 있는 정보를 찾고 있어"라고 말한다면, 학생들은 그 경험으로부터 학습을 할 수 있다. 학생들이 찾은 웹사이트를 방문할 때 학생들은 거기서 찾은 정보가 자신의 목적에 부합하는지 판단해야 한다. 즉, 그 사이트가 학생들이 목적한 것을 충족할 수 있는 정보를 포함하고 있는가? 그 사이트에 그들이 찾고 있는 질문의 답에 사용될 수 있는 아이디어가 존재하는가? 이러한 유형의 반성적 사고는 학습자가 정말 필요한 것이 무엇인지, 놓친 것이 무엇인지에 대해 재평가하도록 한다. 만약 학습자가 처음의 검색이 유용하였다고 생각하면 만족감이 생기고 검색을 멈추게 된다. 그렇지 않다면 학습자는 검색어를 추가함으로써 검색을 좁힐 수 있고, 검색어를 제거함으로써 검색을 확장하거나 혹은 단순히 원래의 검색을 취소하고 다시 시작할 수 있다.

어떻게 학생들이(지속적으로 집중하고 생산적이 되도록 하는) 메타인지를 가지고 계획적인 검색을 수행하도록 도와줄 수 있을까? 학생들이 효과적인 검색을 할 수 있는 기술을 갖추도록 하는 것이 인터넷을 정보의 자원으로 사용하는 첫 번째 단계이다. I-Search 모델(Tallman & Joyce, 2005)은 개인적으로 의미 있고 관련된 주제를 찾는 것으로 시작하고, 조사 과정을 통해 학생들을 스캐폴딩하도록 구조화되어 있다. I-Search의 탐구기반 과정은 학생들이 조사과정 그 자체를 되돌아보도록 하면서 메타인지를 강조한다. 효과적인 검색의 한 가지 전략은 이용가능한 조사도구의 다양한 유형, 그들의 독특한 특징, 작동법, 언제 특정 유형의 도구가 적절한지를 이해하는 것이다.

검색엔진과 디렉터리(directory) 검색 도구는 크게 검색엔진과 디렉터리 두 가지 유형으로 분류할 수 있다. 검색엔진과 디렉터리는 모두 웹사이트의 데이터베이스이지만 구성이 다르다. 구글과 같은 검색엔진은 인터넷을 끊임없이 탐색하는 로봇(거미, 기어다니는 동물이라고도 부름)이라 알려진 자동화된 스크립트를 사용하고 검색엔진 데이터베이스를 위한 웹페이지를 분류한다. 많은 요인들을 평가하는 알고리즘에 기반해서 구글은 웹페이지의 등급을 매기고, 페이지를 검색할 때 제시되는 웹페이지 목록의 순서를 결정한다.

Yahoo!, About, LookSmart 같은 디렉터리는 검색엔진처럼 키워드로 검색하는 대신 웹사이트를 손쉬운 범주와 하위 범주로 정렬하는 계층적 구조를 사용하는 데이터베이스이다. 디렉터리는 사람들이 사이트를 검토하여 적절한 범주로 사이트를 나누었기 때문에 웹에서 정보를 찾기가 쉬우나 범주화에 시간과 노력이 소모되기 때문에 이용 가능한 웹사이트들의 일부만 각각의 디렉터리로 나열되고 일반적으로 하위 페이지들보다는 'root'나 메인 페이지만 보여준다. 이것은 페이지 방문 수(hits)를 나열하는 검색엔진과 대조적이다.

Open Directory Project나 DMOZ(directory.mozilla.org)는 디렉터리를 정하는 것의 문제점을 해결하려는 시도이다. DMOZ는 세계 자원봉사 편집자들에 의해 구성되고 유지되는 다양한 언어의 웹링크 디렉터리로서 개방형 콘텐츠이다. 많은 사람들에게 웹의 일부분에 대한 책임을 지도록 함으로써, DMOZ는 사람이 작성한 가장 크고 광범위한 디렉터리라고 주장한다. 이 책의 다른 장에서 이와 같은 사회적 소프트웨어 애플리케이션에 관해 좀 더 살펴볼 것이다.

애매한 정보나 한 주제에 대한 모든 가능한 사이트를 찾기 위해서는 디렉터리가 제공하는 것보다 더 깊이 있는 검색이 필요하다. 이를 위해 검색엔진이 필요하다. 지난 몇 년 동안 구글이 가장 인기 있는 검색엔진이 되면서 많은 작은 검색엔진들이 사라졌다. 사실 『Oxford 영어사전』이나 『Merriam-Webster 대학생용 사전』은 "구글"을 '인터넷에서 정보를 찾기 위해 구글 검색엔진을 사용한다'는 의미의 동사로 추가했다(Foley, 2006; Harris, 2006). 2010년 후반, 국제 정보서비스회사 Experian은 Google, Yahoo!, Bing, Ask, AOLSearch를 5대 검색엔진으로 발표했다. 전체 인터넷 검색에서 구글이 71%를 차지하고 야후는 그 다음으로 14%를 차지한다(www.hitwise.com/us/datacenter/main/dashboard-10133.html).

몇 가지 특성화된 검색엔진들을 갖춘 구글 도구는 빠르게 확산되고 있다. 예를 들어 구글 학술검색(scholar)은 대학, 학술출판사, 전문단체에서 나온 학술지 연구물, 책, 동료평가를 받은 논문 등의 학술자료 검색에 중점을 두고 있다. 구글 검색 설정에서는 사용자가 원하는 검색결과의 개수를 한정하고, 검색언어의 종류를 선택하며, 세 수준의 필터링(filtering)이 가능하다. 구글의 고급검색은 특정한 단어로 한정하고, 정확한 단어를 검색하고, 특정한 파일 형식을 검색하고(pearson.com이나 youtube, .gov, .edu의 예와 같은), 지정된 사이트나 도메인 안에서 검색하게 함으로써 더욱 정밀한 검색이 가능하다. 구글의 언어도구는 검색한 문구, 문장, 전체 웹페이지를 다른 언어로 바꿀 수 있다. Wonder Wheel은 학생에게 입력한 검색어와 연관된 단어들을 개념도처럼 서로 연결되어 있는 시각적 형태로 제공한다. 연관된 단어들을 클릭하면 그와 관련된 추가적 연관어들을 제시하면서 집중적인 탐구를 돕는 웹 링크들을 만들어낸다. 그림 2.1은 '엽록소'로 검색한 결과이다. Wonder Wheel의 링크는 페이지의 왼쪽에 위치해있다.

Wonder Wheel 링크를 클릭하면 그림 2.2에서처럼 페이지의 검색결과가 Wonder Wheel로 보여진다. 다음으로 엽록소 용어가 선택되고 확장되며 그림 2.3

에 보이는 결과로 제시된다. 물론 학생들은 원하는 정보를 찾기 위해 최적의 검색어를 생각해야만 한다. 하지만 원하는 정보가 항상 사전에 확정되어 있는 것은 아니다. Wonder Wheel과 같은 도구는 비록 학생들이 초점을 잃고 방황하고 표류할 수 있지만, 학생들이 검색을 확장하고 정제하기 위해 다른 대안들을 고려해 보도록 도와준다.

그림 2.1 '광합성'에 대한 구글 검색 결과

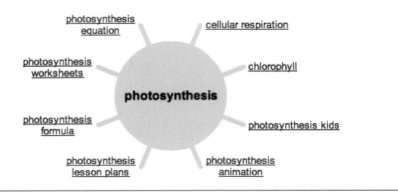

그림 2.2 구글 Wonder Wheel로 '광합성' 검색한 결과

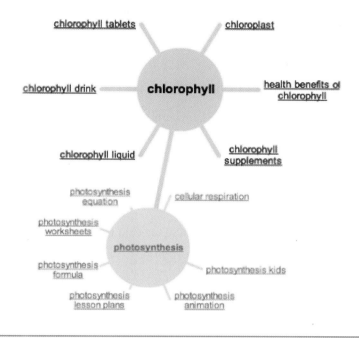

그림 2.3 Wonder Wheel에서 '엽록소'로 확장한 결과

비록 구글이 검색과 동의어로 쓰이긴 하지만 웹에는 다른 방법으로 검색하고 조직화할 수 있는 많은 검색엔진이 있다. 마치 다른 검색도구 로봇이 검색과 색인에 다른 방법을 사용하듯이, 각 검색도구는 특정한 정보에 최적화된 특별한 기능을 지니고 있다. 그러므로 동일한 방식으로 검색을 하더라도 각 검색엔진의 웹사이트 결과는 다를 수 있다.

검색엔진의 하위 유형으로 메타검색엔진이 있다. 우리는 이 강력한 도구를 검색 엔진 정보센터라고 생각할 수 있다. Dogpile, IxQuick, Metacrawler 같은 메타검색엔진에서 검색하면, 그 검색은 다양한 검색엔진들로 보내지고 다시 각 검색엔진으로부터의 결과가 모인다. 다른 검색엔진 유형으로 Newslookup.com(뉴스), WebMD(의학정보), Whatis.com(테크놀로지 주제)과 같은 특정한 인터넷 자원을 검색하는 특화된 검색엔진들이 있다.

웹 포털(web portals)은 검색엔진과 디렉터리를 모두 제공하는 웹사이트로 흔히 무료 이메일 계정과 데이터(예를 들어 뉴스, 스포츠, 연예 등과 같은)에 대한 맞춤형 접근을 제공한다. 예를 들어 야후의 새로운 크롤러(crawler)[2] 기능은 이제 종전의 디렉터리 구조와 통합되었고 날씨, 여행, 채팅, 이메일 링크와 함께 Yahoo.com에서 볼 수 있다. 다른 웹 포털의 예로 Excite와 Lycos가 있다.

보이지 않는 웹 (구글과 같은) 일반적인 검색엔진에 직접적으로 연동되지 않는 검색 가능한 데이터베이스들이 많이 있다. 이런 자료들을 검색하기 위해서는 그 데이터베이스에 대한 직접적 문의(query)가 필요하다. 일부는 무료지만(예, AskERIC, FindArticles) 어떤 것은 유료이고(예, EBSCO, GALE, ProQuest, OVID, JSTOR, Medline), 일부는 무료와 유료 영역을 다 포함하는 것도 있다(예, New York Times, Wall Street Journal). 이 데이터베이스의 정보는 일반적인 웹페이지의 정보보다 일반적으로 더 구체적이고 양질의 내용이며 보다 빠르고 효과적으로 찾을 수 있다. 유료 데이터베이스는 학술지 논문, 신문, 인용, 그림, 통계자료, 혹은 문서를 모아 검색할 수 있도록 하고 있다. 일부 데이터베이스는 참고문헌용 인용정보만 제공하고 일부는 논문 전문을 제공한다. 보이지 않는 웹을 사용하기 위한 유용한 전략은 다음과 같다.

- 구독을 위해 돈을 지불하는 도서관이나 학교를 통해 데이터베이스에 접근하기
- 웹을 인터넷의 일부분으로 생각하기
- ERIC이나 다른 데이터베이스에서 학술지 논문의 제목을 찾고 구글 학술검색이나 다른 검색 도구에서 학술지 논문을 찾기

---

2) 역주: 웹 크롤러는 웹 로봇, 웹 스파이더 등의 이름으로 불리기도 하며, 수많은 웹페이지를 자동으로 돌아다니며 각종 정보를 수집하는 프로그램이다. '크롤러'는 '기어 다니는 것'이라는 의미로, 웹페이지를 돌아다니며 정보를 수집하는 기능 때문에 이런 이름이 붙었다. 이를 통해 웹페이지에 있는 URL을 추출하고 텍스트, 그림, 소리, 영상 등 수많은 정보를 수집하고 저장한다. 검색엔진은 이렇게 수집한 정보를 정리해 사용자에게 더 빠르고 정확한 검색 결과를 제공한다. 다시 말하면 구글, 네이버, 다음 등은 검색 서비스를 제공하기 위해 웹 크롤러로 다양한 정보를 수집해 사용자가 검색하기 쉬운 형태로 분류한다.

- 책, 학술지 논문, 다른 문서로 통합될 수 있는 웹에서 참고문헌을 찾기
- 책이나 학술지의 저자를 검색하기
- 단체나 정부 보고서를 검색하기
- 웹의 인용구를 따라가기
- 더 많은 정보를 위해 저자와 연락하기 위해 이메일 주소를 확인하기 (Vidmar, 2003)

피드(Feeds) 피드는 사용자들에게 출판된 웹사이트의 내용을 자동적으로 전달해주기 때문에 웹 정보를 항상 적극적으로 찾아낼 필요가 없다. RSS(Really Simple Syndication: 매우 간단한 배급)는 최초의 피드 형태이다. 또 다른 형태인 Atom은 널리 활용되지 않았다.

피드는 내용을 컴퓨터, 애플리케이션, 웹 브라우저에 전달해주기 위해 XML(Extensible Markup Language) 기술을 사용한다. 내용은 뉴스 웹사이트의 제목이나 요약, 블로그나 트위터의 피드, 유튜브 비디오, 팟캐스트(podcast)[3] 형식이 될 수 있다. 피드는 웹 콘텐츠가 정기적으로 업데이트된 요약본으로 웹 콘텐츠 전체 내용을 볼 수 있는 링크와 함께 제공된다. 피드의 텍스트 파일은 XML을 사용하여 콘텐츠 내용 정보와 콘텐츠의 원래 웹사이트 주소를 포함한다. 이 문서는 피드 사이트를 열거하는 디렉터리 중 하나로 등록된다.

피드를 구독하고 읽을 수 있는 형태로 만들기 위해 당신은 피드 리더(feed reader)나 집합자(aggregator)[4]라고 불리는 것이 필요할 것이다. 그렇지 않다면, 당신이 RSS나 Atom 피드 링크를 클릭했을 때 브라우저는 아마 알 수 없는 문장들로 된 페이지를 보여줄 것이다. RSS나 Atom 형식을 지원해주는 무료이거나 값싼 피드 리더가 있다. 비록 피드가 독립적인 리더 애플리케이션(예, SharpReader, RSS

---

3) 역주: 오디오 파일 또는 비디오 파일형태로 뉴스나 드라마 등 다양한 콘텐츠를 인터넷망을 통해 제공하는 서비스다. 애플의 아이팟(iPod)과 방송(broadcasting)을 합성한 신조어이다(시사상식사전, 박문각).

4) 역주: 여러 회사의 상품이나 서비스에 대한 정보를 모아 하나의 웹사이트에서 제공하는 인터넷 회사 및 사이트

Bandit, NetNewsWire, NewzCrawler)을 통해 당신의 컴퓨터로 전송될 수도 있지만, 웹 기반 리더(예, Bloglines, My Yahoo!, PageFlakes, Google Reader)가 일반적이고 사용하기도 더 쉽다. 당신의 웹브라우저에는 내장된 RSS 리더가 이미 있을지도 모른다. 예를 들어 Firefox 브라우저에서는 Live Bookmarks가 RSS 피드를 인지하고, 클릭하면 피드가 즐겨찾기 목록으로 나타날 수 있는 시스템을 갖고 있다.

피드 리더가 아니더라도 Rocketnews 웹사이트(www. rocketnews.com)는 피드를 사용하여 다양한 영역의 최근 뉴스를 모아서 제공한다. 유사하게 Newsy(www. newsy.com)도 다양한 뉴스 창구로부터 뉴스 이야기를 탐구, 분석, 종합하여 온라인 비디오 해설을 생성하였다. 이 독특한 뉴스사이트는 사용자에게 세계의 다양한 출처로부터 나오는 다양한 관점을 제공하고 있다.

개인화, 조직화, 검색 공유 정보를 얻기 위해 관련 웹사이트를 검색한 후에는 정리가 필요한 많은 링크를 발견하게 된다. 따라서 사이트를 정리하고 저장하기 위한 수단이 필요하다.

검색을 개인화하는 기술과 저장된 결과는 그 사람에게 가장 의미 있는 방식으로 정보를 찾고 인출할 수 있도록 도울 수 있다. 대부분의 검색엔진은 사용자를 위해 검색경험을 개인화하는 맞춤형 기능과 더불어 고급검색을 안내하는 링크를 포함한다.

무료 구글 계정을 만들면 개별화된 검색을 위한 옵션이 제공된다. 개별화된 검색은 당신이 과거에 검색한 것을 바탕으로 당신에게 가장 적합한 결과를 찾아준다. 또한 이러한 검색 기능을 통해 본인이 제일 많이 검색한 내용, 가장 많이 본 웹사이트, 일상활동을 포함한 검색활동 경향을 기록하고 과거 검색을 관리, 확인할 수 있다.

클라우드 컴퓨팅은 사용자가 개인 컴퓨터 하드 드라이브에 즐겨찾기를 저장하는 대신에 인터넷 접속으로 어느 컴퓨터로도 접근할 수 있는 즐겨찾기를 만들어낸다. 클라우드 컴퓨팅은 사용자의 요구에 즉시 대응하는 "On demand" 서비스를 제공하기 위해 여러 대의 서버들의 잉여 저장 공간을 활용한다.

소셜 소프트웨어(social software)(6장 참조)의 한 대표적인 예로 "클라우드"에 저장되는 소셜 북마킹(social bookmarking) 웹사이트를 들 수 있다. 이러한 사이트들은 인터넷 자료를 찾고 분류하고 순위를 매기고 공유하는 데 점점 인기를 얻고 있는 방식을 취한다. 소셜 북마킹 서비스는 보통 태그(tag)를 사용하여 콘텐츠를 조직화하는데, 태그는 다른 사람들이 공유한 북마크를 찾을 때 키워드처럼 사용될 수 있다. 이 사이트들은 자료를 즐겨찾기한 사람의 수에 따라 자료의 순위를 평가한다.

한 사람이 소셜 북마킹 서비스에 등록할 때 간단한 북마클렛(bookmarklet)이 당신의 웹브라우저에 추가된다. 당신의 목록에 추가하고 싶은 웹페이지를 찾은 다음, 간단하게 그 북마클렛을 선택하고 웹페이지에 관한 정보를 안내에 따라 입력하면 된다. 비슷한 링크를 같이 묶기 위해 서술적 용어를 추가하거나 페이지 제목을 변경하거나 자신이나 다른 사람을 위해 상세한 노트를 더할 수 있다.

가장 초창기의 소셜 북마킹 사이트들 중 하나가 Delicious이다(그림 2.4 참조).

그림 2.4 Delicious 계좌로 저장된 즐겨찾기

이 사이트는 개인화된 즐겨찾기 목록을 만들어 냄으로써(태그, 또는 검색어를 통해 정의된 즐겨찾기), 내가 관심 있는 주제(그림에서는 다른 종류의 인지적 도구들)에 대한 현재 링크들을 발견할 수 있는 곳으로 갈 수 있다. 그 페이지에 대한 저장된 각각의 링크는 서술적인 라벨과 함께 태그되어, 특정한 주제와 카테고리를 찾기 쉽게 한다. 오른쪽의 "Tags(태그)" 영역은 이 계정에 즐겨찾기되어 있는 링크들에 배정된 최대 태그들과, 그 태그들이 사용된 횟수를 나타낸다.

즐겨찾기 링크에서 태그 위의 작은 숫자박스는 이 링크를 저장한 다른 사용자의 수를 나타낸다. 첫 번째 링크인 "Thinking tools"를 클릭하면 그 사용자들이 공유한 북마크가 결과로 나타난다(그림 2.5 참조).

한 태그를 등록하면 다른 사람들이 즐겨찾기에 추가하고 그 태그 라벨을 붙인 링크들을 포함하여 당신의 즐겨찾기가 자동적으로 업데이트된다. 예를 들어 어떤 학생이 "지구 온난화"에 대해 탐구를 하고 있을 수 있다. 그 학생은 구독에 "지구

그림 2.5 Delicious에서 "Thinking Tools"를 위한 공유된 즐겨찾기

온난화"를 추가함으로써, 다른 Delicious 사용자가 "지구 온난화"로 찾아 태그를 달고 공유한 많은 웹사이트에 접근할 수 있을 것이다. 대부분의 소셜 미디어 공유사이트에서 사용자는 무엇을 공개적으로 공유할지, 무엇을 개인적으로 비밀스럽게 유지할지를 통제할 수 있다. 따라서 당신은 당신의 즐겨찾기 전체를 공개할지, 일부만 공개할지 혹은 전체 비공개로 할지 선택할 수 있다. 태그묶음은 이미 존재하는 태그들을 하나의 집단으로 조직할 수 있다. 아마도 누군가는 *지구 온난화, 기후, 해양*으로 다양하게 즐겨찾기에 태그했을 것이다. 이 세 가지 태그는 추가적인 관리도구로 *환경*으로 이름 붙여 묶을 수 있다.

Diigo(Digest of Internet Information, Groups and Other stuff)는 스스로를 "클라우드 기반 정보 관리 서비스라 칭하고 단순한 즐겨찾기 서비스 이외의 연구 도구를 제공한다(www.diigo.com). Diigo 소셜 네트워크는 전적으로 지식의 공유에 관한 것으로 스스로를 "사회적 정보 네트워크"라고 명명한다. Diigo는 사용자가 텍스트에 강조 표시를 할 수 있게 하고, 사용자가 웹페이지를 다시 방문했을 때 볼 수 있는 포스트잇 같은 메모를 첨가할 수 있게 한다. 주석을 단 페이지는 다른 이들과 공유할 수 있다. 공공, 개인, 소수의 그룹이 만들어질 수 있는데, 이를 통해 학급이나 학생 집단이 자료를 협동하여 수집하고 조직하고 주석을 달 수 있다. 이 기록 보관소는 사용자가 즐겨찾기한 페이지의 화면을 저장하고 업로드할 수 있게 한다. 사용자는 강조 표시, 메모, 태그, 즐겨찾기한 것의 전문 등 다양한 방식으로 그들이 모은 것을 검색할 수 있다.

사람이 인터넷 자료를 추가하고 분류하는 것에 개입하는 것은 소셜 북마킹 서비스를 디렉터리처럼 만든다. 담당 직원에게 일을 시키는 것이 아니라 Open Directory Project 모델과 유사하게 모든 사용자에게 일을 분배하는 것이다. 많은 소셜 북마킹 서비스에서 사람들은 다른 사람들이 메모하고 태그하고 분류하는 지속적인 과정에서 주어진 주제에 관한 새로운 자원을 얻기 위해 태그에 기반한 RSS 피드를 구독한다.

인터넷 브라우저와 add-on[5]은 기존의 즐겨찾기나 가장 좋아하는 사이트 목록 이상의 유용한 기능들을 제공한다. 탭(tab)은 같은 창 내의 다른 탭에 새 웹사이트를 열수 있게 한다. Fireforx의 즐겨찾기 폴더로 저장할 때 모든 탭을 한 폴더로 저장하는 옵션은 정리하는 데 도움을 준다. 다른 정리 전략은 검색을 추적하도록 브라우저 기록(history)을 사용하는 것이다. Firefox는 방문한 웹페이지를 히스토리 폴더로 정리하여 사용자가 검색한 사이트의 경과를 추적하고 필요하다면 뒤로 되짚어갈 수도 있다.

Diigo와 유사한 Zotero는 당신이 탐구 출처들을 수집하고 조직하고 인용하고 공유할 수 있도록 설치할 수 있는 Firefox의 확장 기능이다. 그림 2.6에 보이는 것처럼 사용자는 Firefox에서 Zotero의 인터페이스를 볼 수 있다. 즐겨찾기된 웹사이

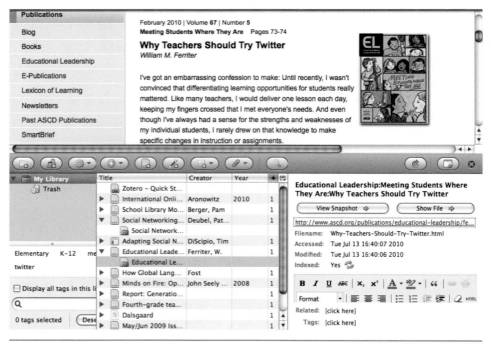

그림 2.6 Firefox에서 Zotero 검색도구

---

5) 역주: 웹상에서 다양한 멀티미디어 서비스를 제공받기 위해 기존의 브라우저에 추가하는 다양한 프로그램들이 제공되고 있다.

트는 창의 위쪽에 나타난다. 저장된 즐겨찾기는 창의 아래에 나타난다. 추가 정보
는 자료를 정리하고 인용하는 것을 돕기 위해 입력될 수 있다(그림 2.7 참조).

링크들을 관리하기 위한 다른 도구는 교육자들을 위한 디렉터리로서 주
제별로 구성된 두 개의 웹사이트 모음인 eThemes(http://ethemes.missouri.edu/
themes)와 TrackStar(http://trackstar.4teachers.org) 디렉터리들이다. 마지막으로
NoodleTools(http://noodletools.com/)는 몇 가지 질문에 대한 당신의 답변에 근거하
여 검색전략을 제시하는 마법사인 NoodleQuest를 포함하여 검색을 도와주는 온라
인 도구들의 모음이다.

그림 2.7 개인별 Zotero 입력에 대한 기록

평가

정보를 찾은 다음에는 무엇을 해야 하는가? 사용자가 정보와 미디어를 쉽게 제작
하고 공유할 수 있는 용이성은 풍부한 자원에 대한 접근성을 엄청나게 확대시켰

다. 동시에 그것은 학생들이 자신이 접하는 인터넷 정보의 진실성, 정확성, 출처를 평가함에 있어 충분한 인식과 기술을 확실하게 갖추는 것의 중요성을 증가시킨다. Johnson, Levine, Smith가 말했듯이, "일반적인 상식과 반대로, 새로운 학생들의 정보 리터러시 능력은 1993년 인터넷 붐이 대학에 일었던 이래로 향상되고 있지 않다. 하지만 사용자가 창출한 콘텐츠, 협동 작업, 다양한 질의 정보에 대한 즉각적 접근이 넘치는 가운데 점차적으로 세상을 이해하는 데 비판적 사고능력, 조사 및 평가의 기술이 필요해지고 있다"(2007). 서버에 접근할 수 있는 사람은 누구든 웹페이지를 만들어내고 게시할 수 있다. 종종 학생들은 아이디어의 실행가능성을 평가하지 않은 채 다른 웹사이트들로부터 정보와 그래픽을 도용하여 자신들의 것을 만든다. 인터넷에는 경찰이 없다. 누구나 인터넷 서버에 무엇이든 올릴 수 있고(정치선전, 포르노, 유언비어) 사람들은 종종 그렇게 한다. 증오에 찬 단체는 인터넷에서 새로운 목소리를 찾고 있다. 학생들은 허구로부터 사실을, 의견으로부터 정보를, 공상으로부터 현실을 구별하는 방법을 배우는 것이 절실하다. 그렇다면 우리는 어떻게 정확한 것과 그렇지 않은 것을 결정할 수 있을까? 웹사이트가 공신력 있고 정확한 정보를 담고 있는지 아는 것은 정보의 원천으로서 인터넷을 사용하는 것에서 중요한 단계이다.

학습자는 관련 웹사이트를 찾았을 때, 사이트 안에 포함된 정보를 평가해야 한다. 평가과정에서 학습자는 관련성과 신뢰성이라는 두 가지 다른 평가의 측면을 고려해야 한다. 첫째, 사이트의 정보가 문제와 연관이 있는가? 검색의 목적에 부합되는가? 즉, 사이트는 학습자의 명확한 의도와 관련된 정보를 가지고 있는가? 그것은 학습자가 고유한 지식을 구성할 때 활용할 수 있는 정보의 설명, 예시, 대안적 관점, 혹은 다른 부분들을 제공하는가?

둘째로, 학습자는 정보의 신뢰성을 평가하는 것이 필수적이다. 신뢰성 평가는 정보의 출처를 평가하는 것과 주제에 대한 설명을 평가하는 것, 두 과정을 포함한다. 교사는 웹사이트 분석과정을 학생들에게 시범으로 보여주고 학생들이 사이트의 신뢰성을 확인하기 위해 무엇을 살펴보아야 하는지를 이해하도록 도움을 줄 수 있는 안내 질문을 제공해야 한다. 다음은 정보의 출처를 평가하는 질문의 예시이다.

■ 누가 이 정보를 제공하였는가? 왜 제공하였는가?

■ 이 사이트 저자가 그 분야에 권위가 있는가?

■ 만약 이 사이트가 단체에 의해 출판되었다면, 그 단체는 잘 알려진 단체인가?

■ 그 단체는 제시된 정보에 대해 기득권이나 편견을 가지고 있는가?

■ 사이트 소유자가 언급된 주제 분야에서 권위를 가지고 있는 조직(예를 들어, 교육기관, 정부기관)의 회원으로 가입되어 있는가?

■ 사이트가 언제 개발되고 최신 업데이트는 언제 되었는지가 명확한가?

■ 참고 문헌이나 참고 자료목록이 포함되었는가?

■ 참고 문헌에 사용된 자료를 신뢰할 수 있는가?

■ 우리가 어떻게 제공된 정보를 입증할 수 있는가? 출처를 확인할 수 있는가?

주제에 대한 설명을 평가하는 예시 질문은 다음과 같다.

■ 누군가가 우리에게 제품이나 관점을 팔려 하는가?

■ 어떤 종류의 사이트(.com=상업, .gov=정부기관, .edu=교육기관, .org=비영리단체)에서 왔는가? 출처가 정확성에 어떻게 영향을 주는가? 정부나 교육기관의 웹사이트는 모든 것을 믿을 수 있을까?

■ 웹사이트 내용이 사실인가? 의견인가? 정보가 이론이나 증거, 사실이나 허구를 나타내는가? 우리가 그것들을 어떻게 구분하는가?

■ 내용의 흐름이 논리적인가?

■ 청중대상이 명확한가?

■ 논리 사이에 공백이 있는가? 또는 주제에 관련되나 빠진 정보가 있는가?

■ 정치적이나 사상적인 편견이 있는가?

■ 이 사이트가 주로 광고나 마케팅을 하는 사이트인가?

■ 다른 사람의 말이나 정보를 제공하고, 적절하게 인용정보를 사용하였는가?

■ 언어가 극단적이거나 선동적으로 쓰였는가?

■ 문장이 잘 쓰였는가? 철자가 틀렸거나 잘못된 문법이 사용되었는가?

■ 우리가 정보를 해석하는 데 시각, 청각, 애니메이션이 어떻게 영향을 미치는

가? 이미지와 텍스트가 같은 의미를 전달하는가?

학습자에게 관련성과 신뢰성 평가를 요구하는 것은 학생들에게 무엇이 정말 필요하고 무엇이 누락되었는지에 대해 반성적 사고를 하도록 요청하는 것이다. 또한 학생들에게 자료의 권위에 대한 의문을 던지고 정보의 출처를 비판적으로 평가함으로써 정보를 더 잘 읽고 쓸 수 있도록 요구하는 것이다. 이 과정의 마지막 단계는 검색을 다각적으로 검증하는 것(적어도 두 개의 출처를 확인하여 정보를 입증하는 것)이다.

웹사이트를 평가하는 데 필요한 기술과 질문에 관한 좀 더 상세한 정보는 www.lib.berkeley.edu/TeachingLib/Guides/Internet/Evaluate.html을 참고하라. 또한 학생들에게 도메인 이름의 주인을 무료로 알려주는 서비스를 제공하는 easyWhois 웹사이트(www.easywhois.com/)를 소개할 수도 있다. 학생들은 많은 검색 결과 페이지에서 '후원받은 링크'를 알아볼 수 있어야 한다. 이러한 링크들은 당신이 특정한 단어나 문장으로 검색할 때, 회사나 기관이 돈을 지불하고 자신들의 웹사이트 링크가 눈에 띄게 보이도록 한 광고이다.

이러한 비판적 정보 리터러시(문해) 능력은 추론하고 분석하고 해석하고 평가하고 결과를 이끌어내는 능력을 포함하는 필수적 21세기 역량으로서, 인터넷을 사용하여 자료를 수집하는 모든 학생에게 필수적인 것이다. 이것은 학생들이 인터넷 자료를 활용하여 탐구하는 데 필요한 첫 번째 단계이다.

고려해야 할 점

인터넷 자료를 검색, 관리, 평가하는 기술을 개발하는 것을 넘어서 교사가 생각해야 하는 다른 디지털과 정보 리터러시 이슈가 존재한다. 다음 부분에서 우리는 이러한 것들을 논의하고 학생들의 이해와 21세기 디지털 시민으로서의 성장을 도와주는 것들을 제안할 것이다.

저작권, 공정 사용, 표절　웹은 매쉬업[6] 프로그램들을 통해 미디어가 편집되고, 섞이고, 용도가 변형되는 공개적이고 사회적이며, 공유하는 환경으로 진화해왔다. 전통적인 저작권법은 이러한 활동을 제한하는 역할을 하였다. 모든 권리가 보장된다("all right reserved")는 기준은 다른 사람과 그들의 작품을 공유하기를 원하는 사용자들에게 장벽을 만들었다. 비영리 단체인 Creative Commons는 다른 사람이 무료로 사용하는 것을 합법적으로 가능하게 하는 자료의 양을 늘리기 위해 2001년 설립되었다. 이들은 일련의 권리를 규정하고 허락을 받은 수준에 따라 창작자가 사용할 수 있는 Creative Commons 라이선스를 개발하기 위해 법적 전문가와 면밀하게 협업해왔다. 창작자는 자신의 자료를 공공 도메인에 놓으면서 저작권 보호를 완전히 포기할 수도 있다. 일부의 권리를 지키고자 하는 사람들은 수용과 제한의 수준을 다르게 적용한 여섯 가지의 조건을 이용할 수 있다. 이 여섯 가지 주요 승인에 관한 정보는 http://creativecommons.org/about/licenses에서 확인할 수 있다.

　여전히 대부분의 웹 콘텐츠는 저작권 보호를 받고 있으나 적절한 인용 없이 잘못 사용되는 경우가 너무 많다. 표절된 자료를 확인하는 도구는 많다(예, Turnitin, 또는 http://PlagiarismDetection.org). 교사들이 이것들을 즉시 유용하게 활용할 수 있지만, 학생들이 학교의 학습적인 맥락을 벗어나 자기 모니터링을 해야 하는 세상으로 들어갈 때 필요하게 될 21세기 역량을 가르치는 것이 더 유익하다. 디지털로 자르고 복사하는 것의 용이성, 자료를 변형하고 결합하고 용도를 변경하는 매쉬업의 유행, Creative Commons를 통해 이용 가능한 저작권의 계층, 이 모든 것들이 학생들이 자신의 독창적인 작품을 만들기 위해 다른 사람의 작품을 확인하고, 바꾸어 표현하고, 정확히 인용하는 방법을 반드시 배우도록 만들고 있다. Plagiarism.org는 학생들이 이러한 기술을 배우는 것을 도와주는 훌륭한 사이트로 "표절이 무엇인가? 인용은 무엇인가? 어떻게 정보를 인용하는가?"와 같은 질문에 대한 답과 예시를 제공한다. 퍼듀(Purdue) 대학 온라인 글쓰기 연구실(http://owl.english.purdue.edu/)은 학생들이 다른 자료로부터 정보를 사용하여 글쓰기를 할 때

---

6) 역주: 웹 서비스나 공개 API를 제공하는 업체들에서 데이터를 받아 전혀 다른 새로운 서비스나 융합 애플리케이션을 만들어내는 것.

도움 받을 수 있는 또 다른 자원이다. Viper(www.scanmyessay.com)와 같은 무료 온라인 도구들에서 자신의 작품의 독창성을 확인하도록 가르치는 것은 그들이 책임감 있는 디지털 시민의 습관을 실천하도록 격려한다. 이 책의 7장에서 글쓰기를 지원하는 다른 도구들을 참고할 수 있다.

접근성 대 안전성 학생들이 공격적이고 부적당한 자료를 웹에서 보는 것을 걱정하는 많은 학교들이 특정한 단어나 문구를 차단하고 사이트로의 접근을 막는 필터링 프로그램을 설치한다. 안타깝게도 필터링 프로그램은 완벽하지 않다. 첫째로 이것은 증오, 폭력, 불법 약물을 조장하는 사이트를 차단하는 데 효과적이지 않다(Consumer Reports Staff, 2005). 둘째로 필터링 프로그램은 '가슴'이라는 단어로 검색하는 것이 부적당한지 아닌지 결정할 때 맥락을 고려하지 않는다. 그러므로 학생들이 유방암을 검색할 때 많은 합법적 웹사이트를 이용할 수 없다.

학교에는 필터링 프로그램의 유용성과 적절성에 대해 두 가지 생각이 존재한다. 첫 번째 입장은 "인터넷은 귀중한 정보를 전달하지만 위험하고 부적절한 자료를 담고 있어, 학생들을 보호해야 한다. 필터링 프로그램은 학생들이 그러한 웹사이트에 노출되지 않는 것을 도와준다"라는 것이다. 반대 입장에서는 학생들이 영원히 보호받을 수는 없고 학생들이 우연히 부적절한 웹사이트를 발견했을 때 어떻게 해야 할지를 배워야 한다고 주장한다. 그들은 학생들이 유용하고 합법적인 사이트를 찾을 확률을 높일 수 있는 효과적인 검색 기술을 가르칠 필요가 있다고 여긴다.

2000년에 통과된 어린이 인터넷 보호법(Children's Internet Protection Act: CIPA)은 정부로부터 재정지원을 받는 공공 도서관이 인터넷 필터링 프로그램을 설치하고 사용하도록 의무화하였다. 대법원이 2003년 CIPA에 대한 이의제기를 인정한 것에 이어 민주주의와 테크놀로지를 위한 센터(Center for Democracy and Technology)는 도서관이 언론의 자유와 건강한 정보 접속을 촉진하는 방식으로 CIPA 요구사항을 준수하도록 도서관을 도울 수 있는 지침들을 출간하였다. 2003년, 공공도서관의 96%가 차단 소프트웨어를 사용하고 있다(Kleiner & Lewis,

2003). 도서관 사서들은 어른이 사이트의 차단을 일일이 풀어야 하는 번거로움을 지적하고 학생들이 우연히 차단된 사이트를 발견해도 어른들에게 알려주지 않을 것을 두려워하며, 정당한 사이트가 차단되는 것에 대한 염려를 표현하였다. 그들은 또한 어떤 사이트가 차단되어야 하는지에 대한 결정이 교육자보다 테크놀로지 전문가나 소프트웨어 회사에 의해 이루어지는 과정에 대한 염려를 드러냈다 (Consumer Reports Staff, 2005).

여러 전략을 통합적으로 활용하여 타협점을 찾는 것으로 합리적인 해결안을 제시할 수 있을 것이다. 필터는 사용자가 걸러야 할 콘텐츠의 유형과 수준을 정하도록 한다. 검색사이트(예, 구글의 SafeSearch, Yahoo!Kids, Lycos SearchGuard, Ask for Kids)는 내장된 필터가 있을 수 있다. 어린 학생들에게는 보호를 강화하고, 나이 든 학생에게는 간섭을 줄여야 한다. 팝업 창을 막기 위해 브라우저 환경을 조정하여 원하지 않는 웹 콘텐츠를 줄일 수 있다. 하지만 테크놀로지는 이러한 문제를 처리하는 데 한계가 있다. 아마도 가장 중요한 이슈는 정보 리터러시가 중요한 능력이고, 교사와 학부모들이 학생들에게 가르쳐야 할 능력이라는 것이다. NetSmartz(www.netsmartz.org)는 학생들이 인터넷 사용의 중요 문제를 이해하도록 돕는 데 유용하다. Vicki Davis는 교사에게 학생을 부적절한 웹 자료나 사이버폭력으로부터 보호하기 위해 온라인 안전을 위한 다섯 단계를 학생들에게 가르치기를 권장하였다. 그녀의 권장사항 중 증거를 남기지 않고 삭제될 수도 있는 아이템에 대한 증거를 제공할 수 있는 스크린샷을 확보하라는 사항은 매우 주목할 만하다.

1. *Stop.* 클릭하는 것을 멈춰라.
2. *Screenshot.* 스크린샷을 하고 파일을 저장하고 인쇄하라.
3. *Block.* 불쾌감을 주는 친구는 차단하고 친구 명단에서 삭제하라.
4. *Tell.* 교사나 네트워크 관리자(만약 집이라면 부모님)에게 상황을 설명하고 스크린샷 복사본을 드려라. 문제가 있을 때 누군가가 도와주기 전까지 계속 말하라.
5. *Share.* 부모 또는 교사와 이야기를 한 후 문제가 논의하기에 적합하면,

인터넷 안전을 촉진하기 위해 다른 사람과 이야기를 공유하라(http://coolcatteacher.blogspot.com/2009/09/5-steps-to-online-safety.html).

사생활보호 특성, 기능성, 인터넷 사용에서의 개인 맞춤형 경험, 그리고 개인 정보의 누출은 상호 타협적인 거래 관계에 놓여있다. 우리는 검색하고, 인터넷으로 물건을 사고, 부가적인 서비스나 혜택을 받기 위해 웹사이트에 가입할 때 우리의 정보를 흘리게 된다. 그러한 데이터 수집이 개인적 관점에서는 무해한 것처럼 보이지만 시간이 흐를수록 우리의 습관, 선호, 행동이 축적되면서 믿기 어려울 만큼 많은 양이 된다. 검색엔진이 한 개인이 수행한 검색을 주목할 때, 이는 그 도구가 당신의 미래의 서비스, 즉 당신의 과거 검색들에 기초하여 검색을 추천하는 것과 같은 개인별 맞춤 서비스를 당신의 사생활 보호와 절충하면서 제시한다. 웹사이트나 검색엔진에 개인정보를 더 많이 노출시킬수록 당신의 정보가 오용될 가능성이 더 높아진다. 미국 컴퓨터 응급 준비팀(Computer Emergency Readiness Team: US-CERT)은 다른 사람에 의해서 수집될 수 있는 개인정보의 양을 제한하기 위한 방법을 제안하였다. 그것은 안전하게 검색하고 개인정보를 제공할 때 조심하고, 당신의 정보를 암호화할 수 있는 SSL[7]을 사용하는 사이트를 찾고, 쿠키사용을 제한하라는 것이다. 스파이웨어, 웹브라우저 보안설정, 쿠키, 그리고 다른 보안 문제에 관해 더 알고 싶은 사람은 US-CERT 웹사이트(www.us-cert.gov/cas/tips/ST05-008.html)를 방문해보기 바란다.

사생활보호 문제는 매우 중요하지만 사용자는 자신의 데이터나 행동에 관한 비밀을 항상 통제할 수 있는 것이 아니다. 2006년 5월, America Online(AOL)은 3월부터 5월까지 수십만 가입자들의 검색어 약 2천만 개를 승인 없이 유포하였다. 그 데이터는 회사가 사람들의 인터넷 검색습관에 관해 좀 더 알기 위해 설계된 한 특정 AOL 연구 웹사이트에 게시되었다. 비록 그 검색어들에 가입자 이름이 포함되어 있지는 않았지만, 일부 데이터는 검색 이면에서 사람들의 신원확인이 가능하

---

7) 역주: Secure Sockets Layer, 월드 와이드 웹 브라우저와 웹 서버 간에 데이터를 안전하게 주고받기 위한 업계 표준 프로토콜 (IT용어사전, 한국정보통신기술협회)

기에 충분한 정보였다(Nakashima, 2006).

놀랍게도 지금은 많은 사람들이 자유롭게 의도적으로 개인정보를 제공한다. 대부분의 정보는 상업적 상품 홍보를 위해 개인을 목표대상으로 삼고 일반 대중에게는 보이지 않는다. 하지만 소셜 소프트웨어는 사람들에게 블로그, 위키, 소셜 네트워크 사이트를 통해 공유하는 기회를 제공한다. 학생들에게 페이스북과 같은 사이트에 사진, 댓글, 자료 등을 게재할 때 의도치 않은 방문자가 볼 수도 있다는 것을 이해시키는 것은 중요하다. 학생들은 그들이 인터넷에 공유하는 자료를 다른 사람과 공유하게 될 수 있고, 결과적으로 그 정보가 여러 개의 데이터베이스에 저장될 수 있다는 점을 인식해야 한다.

3절 확산적, 학습자 주도 연구 프로젝트에서 지식 형성을 위해 정보 사용하기

확산적, 학습자 주도 연구 프로젝트에서 학생들은 관심 있는 분야를 확인하고 필요한 정보를 얻기 위한 계획을 세우고, 새로운 지식을 사용하여 창의적인 일을 생산하기 위해 정보를 얻으려고 인터넷 검색을 한다. "확산적(open-ended)"이란 학생들이 단순히 교사가 제시한 특정 질문에 대한 답을 찾기보다 그 주제에 대해 그들이 할 수 있는 한 많은 것을 배우도록 격려받는 것을 가리킨다. 좋은 교사는 이런 프로젝트를 활용하여 학생들이 어떤 정보가 중요한지를 판단할 수 있는 전략들을 개발하도록 도와서 학생들이 스스로 자신들의 질문을 만들도록 한다. "학생 주도(student-directed)"란 학생이 검색 전략에 대한 중요한 판단을 함으로써 검색결과로 나온 사이트 중 어떤 것이 가장 유용한지, 무엇을 선택해야 하는지, 언제 정보 제공자와 의사소통을 시작해야 하는 지에 대해 학생에게 책임이 있다는 것을 의미한다.

인터넷은 학습자의 지식 탐구를 촉진하는 도구이다. 인터넷은 엄청난 정보를 가지고 있지만, 정보가 유의미하고 반성적이고 활동적인 학습 활동을 통해 지식으로 변환되지 않는다면 단순한 정보 보관소에 불과하다. 학생들에게 찾아 모으기 놀이를 시키거나 웹사이트들의 모음을 제공하는 것은 학생들이 구체적인 결과를 위한 수단으로 검색을 사용하지 않는 한 학습에 거의 도움이 되지 않는다. 정보가 실제적이고 유의미한 학습과제 속에서 의도적으로 조작되고 재구성될 때, 인터넷은 강력한 교육적 도구가 된다. 소셜 북마킹, 트위터 같은 웹 2.0 도구는 정보의 잠재적 영역을 확대하였고 자료 기반을 확장하고 이해를 넓히기 위한 시각과 경험을 제공하는 사람들을 연결해 주었다.

복잡한 학습목표를 세우는 것은 인터넷 기반 학습의 가치를 강화시킨다. 탐구는 학생들이 탐구의 목적(문제를 해결하기 위해, 논쟁을 해결하기 위해, 해석을 구성하기 위해 등)을 분명하게 설정할 때 가장 효과적이다.

인터넷은 다양한 정보와 인간 자원에 대한 접근을 제공하는 것뿐만 아니라 비판적 사고 기술을 발전시키는 도구로도 사용될 수 있다. Riel(2000)은 "학습의 지식 중심적 측면에 대한 도전은 지식 구성 활동과 학생들이 과제에 필요한 정신도구를 개발하도록 지원하는 활동과의 균형을 맞추는 것이다."라고 주장한다.

웹퀘스트(WebQuests)와 웹퀘스트를 이용하여 검색하기

인터넷 정보를 사용하는 대중적이고 광범위한 교육적 테크닉의 하나는 웹퀘스트이다. 안타깝게도 창시자 Bernie Dodge가 구상한 웹퀘스트를 위한 강력한 탐구기반의 토대가 전자 활동지와 거의 유사한 많은 웹퀘스트들에서 무시되고 있다. 잘 설계된 웹퀘스트는 협동학습, 다양한 관점 고려, 정보의 분석과 통합, 지식 습득을 나타내는 독창적 결과물의 생성을 통합하고 있다.

좋은 웹퀘스트는 확산적인 학습자 주도 연구 프로젝트로서 그림 1.1에서처럼 유의미학습의 특징(실제적, 의도적, 활동적, 구성적, 협동적)을 예시로 보여준다. 팀 활동에 참가할 때 보통 학생들은 서로 다른 역할과 책임을 가정한다. 웹퀘스트나 다른 협동 프로젝트에서 역할을 배정하는 것은 개인의 강점을 인지하고 차별화하는 방법이다. 학생들은 글로 표현하는 것은 어려워하지만(기술적으로나 예술적으로) 디자인을 하라고 하면 놀라운 통찰을 보이기도 한다.

웹퀘스트 활동에서 사용될 정보를 검색하는 것은 일반적으로 교사의 검색이나 앞부분에서 소개된 eThemes와 같은 사이트를 통해 이미 선택된 웹사이트 목록에서부터 시작한다. 웹퀘스트에 참여한 학생을 위해 많은 정보검색과 평가 과정이 이미 이루어졌지만, 학생들은 웹퀘스트를 만들면서 스스로 주제를 선택하고 연구하는 데 주도권을 발휘하게 된다. 교사가 만든 잘 설계된 웹퀘스트에 참여하는 것은 훌륭한 학습 경험이 될 수 있으나 학생이 만든 웹퀘스트는 훨씬 더 큰 가치가 있다. 예를 들어 두 반의 화학 심화반 학생들이 '21세기 핵 문제'라는 주제를 브레인스토밍하고 문제를 확인하였다(Peterson & Koeck, 2001). 교사 주도의 브레인스토밍을 마친 후, 교사는 설정한 교육목표에 부합하도록 학생들의 반응들을 분류하였다. 학생 팀들은 하나의 카테고리를 선택하여 발전시켰고, 최종 웹퀘스트는 카테고리들을 통합하였다.

웹퀘스트를 개발하기 위해서 학생들은 기존의 웹퀘스트를 평가하여 구조를 이해하였고 GAP 모델을 소개받았다(Caverly, 2000, in Perterson & Koeck, 2001).

- 정보 모으기(Gathering information)
- 유의미 형식으로 정보 배열하기(Arranging information into meaningful formats)
- 다른 사람들에게 새로운 지식을 보여주기 위해 테크놀로지 도구 사용하기 (Using technology tools to Present that new knowledge to others)

정보를 검색하고 비판적으로 분석하는 것은 특히 학생이 과학에서 귀납적 사고를 개발하는 데 유용하다. 팀이 웹퀘스트에 어느 것을 포함시킬지 결정하는 것은 찾은 정보를 제시하고 방어하는 과정에서 좀 더 비판적 사고를 할 수 있도록 한다. 팀의 합의가 도출되면 팀 구성원은 Inspiration 프로그램을 사용하여 그들이 맡은 부분에 대한 개념도를 만든다. 각 팀에서 한 명은 웹 개발 기술을 가지고 있어, 웹퀘스트를 위한 실제 웹 파일을 만드는 일을 담당하였다. 웹퀘스트가 완성되었을 때 학생들은 대학교수나 예비교사들에게 발표했다. 학생들이 단순히 주어진 웹퀘스트에 참여하는 것이 아니라 직접 개발하는 실제적 프로젝트는 웹퀘스트 개념을 새로운 수준으로 높인다. 웹퀘스트를 개발하는 데 필요한 인지와 사회적 능력은 학생들에게 동기를 부여하는 심화학습 경험을 제공한다. 학생들은 다학문적 연결을 시도하였고, 인지적으로 도전받을 수 있었다. 동시에 학생들은 테크놀로지와 발표 능력을 경험하고 즐거워하였다.

웹퀘스트를 개발하거나 혹은 웹퀘스트를 통해 배우는 것, 둘 다 정보를 통합하고 논리적 사고를 적용하는 것을 수반한다. 하지만 웹퀘스트를 개발하는 것은 학생들이 단순히 문제에 반응하는 것이 아니라 그 문제를 창출하고 정의하는 것을 요구한다. 학생들은 미리 정해진 자료 안에서 정보를 평가하는 것 대신에 다른 사람에게 정보를 제공하기 위해 자료의 가치를 판단하고 자료를 검색하는 방법을 결정해야만 한다(Peterson & Koeck, 2001).

학생들은 웹퀘스트를 작성하면서 문제를 해결한다. 웹퀘스트 개발은 학생들이 설계한 과제를 완수하기 위해 수많은 의도적인 정보검색을 필요로 한다. 웹퀘스트 제작은 과제, 활동, 인터페이스, 절차들을 설계하는 것을 요구한다. 웹퀘스트에 포함되게 될 인터넷 자료들의 평가와 마찬가지로 이러한 활동들도 수많은 의사결정을 요구한다. 우리는 학생들이 웹퀘스트에 참여할 때보다는 웹퀘스트를 만들 때 더 가치 있고 건설적인 학습이 일어난다고 믿는다. 하지만 교사는 학생들이 웹퀘스트에 참여하고, 그것을 평가하고 의논하고, 잘 설계된 웹퀘스트를 위한 기준을 결정할 수 있도록 함으로써 학생들이 웹퀘스트를 만드는 일을 잘 준비하고 점진적 학습을 할 수 있도록 해야 한다. 교사들이 학생들의 웹퀘스트 제작을 지원하는 데 도움이 되는 Dodge의 자료들은 http://webquest.org/와 http://questgarden.com에서 찾을 수 있다.

과학적 탐구와 실험

탐구 과제와 관련된 엄청나게 많은 웹사이트들은 매우 상호적인 학습 경험을 제공하는 플래시 애니메이션과 같은 애플리케이션들을 통해 학생의 다양한 흥미를 지원한다. 예를 들면, Edheads 웹사이트(www.edheads.org)는 플래시를 사용하여 힘과 단순 기계, 기후, 인간의 몸에 관한 연구를 지원한다.

웹기반 과학 환경 탐구(Web-based Inquiry Science Environment, WISE, wise. berkeley.edu)는 5~12학년 학생을 위한 무료 과학 온라인 학습 환경이다. 국가과학재단(National Science Foundation)의 지원을 받는 이 사이트는 학생들이 실생활의 증거를 조사하고 현재 과학에서 논란이 되는 문제들을 분석할 수 있는 학습 환경을 제공한다. 무료로 교사가 등록하면 학생들의 교실을 확인할 수 있는 학생 등록 코드를 생성하여 학생들이 WISE에서 계정을 만들고 등록할 수 있게 해준다. 교사는 새로운 프로젝트를 만들거나 기존의 프로젝트를 복사하여 사용할 수 있고, 학생들을 평가하고 피드백을 줄 수 있는 관리 도구를 사용할 수 있다. WISE는 학생들이 아이디어를 창출하고 흥미분야를 촉진할 수 있는 좋은 시작점이 될 수 있다.

오직 웹브라우저만을 사용하여 특별한 WISE 소프트웨어는 내용을 제공하는 "증거" 웹페이지, 학생들이 숙고할 수 있게 하는 "노트"와 "힌트" 그리고 데이터 시각화, 인과적 모형 제작, 시뮬레이션, 학급 동료와 온라인 토론, 평가를 위한 다른 도구들을 통해 학생들을 이끈다(그림 2.8 참조). WISE는 학생이 실제적인 문제 해결 상황에서 사용할 수 있는 정보를 검색하도록 한다.

다른 WISE 프로젝트는 학생들이 질병의 생태와 어디서 유행하는지, 어떻게 퍼져 나가는지를 배우는 "말라리아 주기(Cycles of Malaria)"를 포함한다. 학생들은 말라리아의 확산을 통제하기 위한 세 가지 다른 전략을 비교한다. "빛은 얼마나 멀리 가나?"라는 프로젝트에서 학생들은 빛이 영원히 나아가는지 혹은 결국 소멸하는지에 대한 대립되는 가설들을 다룬다. 각각의 가설을 지지하는 다양한 시나리오를 살펴본 후 학생들은 학급 동료들과 논쟁한다. "뒷마당의 늑대들"에서는 학생들이 늑대 생태학과 먹이사슬 관계를 배우게 한다. 학생들은 늑대의 약탈, 사냥, 늑대 생애 관리에 대한 이슈를 포함해서 늑대의 개체 수 조정에 대한 서로 다른 견해를 조사하였다(http://wise.berkeley.edu/pages/intro/wiseIntro03.html).

학생들과 WISE 프로젝트를 해본 교사들은 이것이 교실 상호작용을 증가시키고 실제 생활 속에서 과학을 보여주며, 학생들에게 학습 동기를 주는 흥미로운 자원들을 제공한다고 보고했다. 한 선생님은 "처음에 동기가 없던 학생들이 토론을 위해 증거를 제시하면서 학습문제에 대한 많은 지식을 보여주었다."고 하였고 다

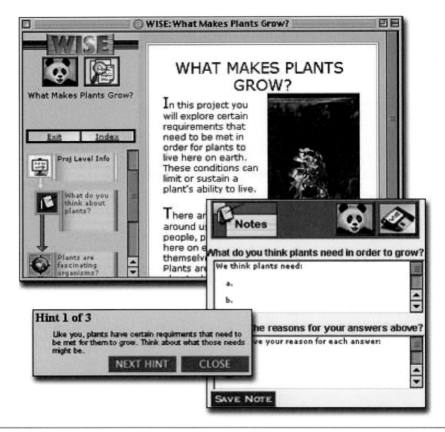

그림 2.8 4~6학년 대상 "식물이 어떻게 자라나?" 프로젝트에서 나타나는 WISE의 주요 기능 이미지: 브라우저 윈도우 목록은 WISE 탐구 단계와 실물에 관한 증거(맨 뒤)를, 학생들이 정보에 반응한 반성적 노트와 힌트(맨 앞)는 학생들이 질문에 답하는 활동을 지원한다.

출처: wise.berkeley.edu. 허가하에 게재.

른 선생님은 WISE가 학생들의 비판적인 사고능력을 키워주었다며 학생들이 '아 그거, 모두 사실이군요' 하고 인정하는 경향 대신 '그게 말이 되나요?'라는 질문을 하게 되었다고 하였다. 선생님은 좋은 점으로 프로젝트가 흥미를 끈다는 점, 그리고 학생들로부터 교과서를 읽고서는 나올 수 없었던 몇몇 좋은 질문들을 들을 수 있었다는 점을 지적하였다(http://wise.berkeley.edu/pages/what_teachers_say.php).

모바일 테크놀로지로 데이터 수집하기

> 모바일 기기는 아이들의 생활에 없어서는 안 될 부분으로 존재한다. 우리
> 의 국가적인 토론은 학습을 지원하는 데 모바일 기기를 사용할지, 하지 않
> 을지에 대한 것에서 어떻게, 언제 최상의 활용을 할 수 있는지를 이해하
> 는 것으로 변화되어야 한다. 두 세대 이전에 아이들과 가족들에게 Sesame
> Street가 TV의 교육적 잠재력을 소개한 것처럼, 모바일이 다음 세기에서
> 학습과 발견을 위한 원동력이 된다면 오늘날 아이들에게 유용할 것이다
> (Schuler, 2009, p.9).

오늘날 학생들은 테크놀로지에 관한 경험과 기대의 측면에서 몇 년 전 학생들과 매우 다르다. 이들은 다양한 모바일 테크놀로지 도구를 제외하면 삶의 기억이 없다고 말할 수 있는 디지털 세대이다. 모바일 기기는 다양한 형태가 있다. 아이팟, mp3 플레이어, 디지털 카메라, 개인용 디지털 보조기(personal digital assistants: PDAs), 소형 태블릿 노트북, 아이패드, 휴대전화를 포함한다. 이러한 기기들은 많은 젊은이들에게 일상 생활의 한 부분이 되고, 기기들 간의 기능성 구분이 모호해지고 있다. 휴대전화와 PDA는 사진촬영을 할 수 있고 달력 기능이 있다. iPod는 비디오 촬영을 할 수 있고 컴퓨터나 휴대전화로부터 전송한 팟캐스트(podcasts)나 비디오를 재생할 수 있다. 무선 액세스 접속점이 있는 어느 곳에서나 간편하게 인터넷에 접속해서 데이터를 업로드, 다운로드할 수 있는 것처럼 무선 테크놀로지는 수많은 것을 가능하게 하였다.

Prensky(2001, 2003, 2005)는 이런 세대를 가리켜 "디지털 원주민(natives)"이라고 명명하였으며 그렇게 태어나지는 않았지만 서서히 디지털 테크놀로지에 적응한 "디지털 이민자(nomad)"라고 구분하였다. 많은 "이민자"들은 "원주민"만큼 충분히 테크놀로지를 받아들이고 잘 사용하지만 우리는 원주민과 이민자의 인식, 가치, 테크놀로지 사용에 대한 기초적인 차이를 이해해야 한다. 한편으로는 우리는 학습 경험을 학생의 관련성, 흥미, 의미와 관계없이 설계할 위험이 있다.

휴대전화, iDevices, PDAs

많은 나라, 특히 유럽 국가, 중국, 일본, 필리핀은 휴대전화를 학습도구로 사용하고 있다(Prensky, 2005). Prensky는 "오늘날 휴대전화는 목소리, 단문 문자 서비스, 그래픽, 사용자 제어 운영 시스템, 다운로드, 브라우저, 카메라 기능(정지 사진, 동영상), 지도 찾기 기능 등 놀라운 기능을 가지고 있다"고 언급하였다. 일부는 감지장치, 지문인식, 음성인식 기능을 지니고 있다. 플러그인 스크린과 헤드폰뿐만 아니라 엄지 키보드와 스타일러스 펜은 휴대전화에서 입력과 출력이 모두 가능하게 변화시켰다"(p. 12). Prensky는 휴대전화가 학습을 보조하기 위한 애니메이션에 접속하고, 가이드가 안내하는 여행 이야기를 들려주고, 언어 또는 단어 훈련에 접속하기 위한 도구가 될 것이라고 상상한다.

한 십대 학생이 얼마나 빠르고 쉽게 휴대전화로 문자 메시지를 입력하는지를 목격하면 혁신적인 교사가 학생들이 휴대전화와 친숙한 것을 최대한 장점으로 활용하려는 미래가 예상되는 것이 당연하다. Kaiser 가족재단은 8살에서 18살의 학생 중 2/3(66%)가 자신의 휴대전화를 가지고 있고 이것이 5년 전에는 39%였다고 보고하고 있다(Rideout, Foehr, & Roberts, 2010). 이 수치를 통해 휴대전화가 TV나 라디오처럼 흔해질 정도로 증가할 것이라고 기대할 수 있다.

교사들은 손에 들고 쓸 수 있는 다른 형태의 기기가 교육에 효과적인 도구가 될 것이며 학생들의 동기유발에 긍정적 영향을 미칠 것이라 보고했다(Crawford & Vahey, 2002; Swan, van't Hooft, & Kratcoski, 2005; Vahey & Crawford, 2002). 상대적으로 적은 비용과 작은 크기의 모바일 기기는 유비쿼터스 학습과 데이터 수집에 이상적이다. 학생들은 실제적인 환경에서 모바일 기기로 데이터를 수집, 전시, 조작하여 가설을 확인할 수 있다. 무선이나 3G 테크놀로지의 사용으로 학생들은 현장학습 동안에 인터넷에 접속할 수 있다. 현장학습 일지를 문자, 음성, 동영상으로 기록할 수도 있다.

지난 몇 년 동안 초·중·고등학교에서 사용된 휴대용 기기들은 Window 운영체제로 작동되거나 Palm 운영체제[8]로 작동되는 소형 PC들이었다. 초기에는

---

8) 역주: 개인 휴대 정보 단말기(PDA)로 유명한 팜(Palm)사에서 개발한 휴대전화용 운영체제(OS)

PDA가 소형기기로 급격히 성장하였으나 아이패드, 아이팟 터치, 태블릿 PC, 휴대전화에 무색해졌다. Palm은 교육 프로그램을 중단하였고, 학교에서 사용되었던 PDA 모델을 이제는 지원하지 않고, '역사속의 기기'로 불릴 뿐이다. Palm 휴대용 기기에서 실행되는 응용프로그램의 대부분은 재사용되어 현재는 아이폰, 아이패드, 아이팟 터치에서 다운로드할 수 있다. 컴퓨터 같은 운영체제를 갖춘 스마트폰의 등장과 기능의 융합은 조사를 포함한 다양한 교육적 목적에 적합한 합리적 선택을 가능하게 하였다. Schuler(2009)가 말하길, "모바일 테크놀로지에서 GPS, QR 코드, 가속도계 등 최근 혁신이 어떻게 교육에 사용될 수 있는지 이해하는 것은 변화 가능한 모델을 개발하기 위해 매우 중요하지만 유비쿼터스화할 수 있는 기능을 고려하는 것도 중요하다고 언급하였다. 저렴한 비용으로 보다 대중적인 기능에 중점을 둔 휴대전화는 모바일 테크놀로지가 디지털 격차를 확장하는 것이 아닌 줄여나갈 수 있는 데 유용하다는 것을 확신하게 한다"(p.34).

아마도 소형기기 사용과 관련해서 가장 보편적으로 인지된 문제는 작은 화면 크기일 것이다. 작은 화면을 읽는 것은 많은 어른들에게 실행 불가능한 일이지만 아이들은 이를 어렵게 생각하지 않는다(Prensky, 2003). 많은 학생들은 휴대용 게임 기기의 크기와 휴대전화로 문자 쓰기에 익숙해져 있어 작은 화면에 문제가 없다. 그리고 일부 기기는 값싼 키보드를 구입하면 컴퓨터와 유사하게 데이터를 빠르고 쉽게 입력할 수 있다. 모바일 기기는 정보를 백업하기 위해 컴퓨터와 주기적으로 동기화해야 한다. 다른 관리 문제로 정기적인 재충전, 물리적 사용, 학교의 기기 저장 공간, 주인의식, 합리적 사용에 관한 정책이 필요하다.

센서 테크놀로지

센서 테크놀로지는 적색 교통카메라부터 자동 비누 배급기기, 위치추적 체제(global positioning systems: GPS)를 내재한 다양한 모바일 기기에 있는 센서에 이르기까지 우리 생활에 가까이 있다. 센서는 입력을 받아 디지털이나 아날로그 형식으로 저장되는 전기적이거나 시각적인 신호를 데이터로 전환하는 기기이다. 센서 테크놀로지는 과학적인 연구를 지원할 수 있다. *Probeware*[9]는 높은 수준의 상호작용 학습 경험을 위해 노트북 컴퓨터나 그래픽 계산기와 결합하여 사용될 수 있다. 예를 들어 Vernier's LabPro는 데이터 수집과 분석을 위해 센서들, 소프트웨어, 하드웨어 인터페이스의 집합체를 제공한다. 이런 유형의 패키지는 컴퓨터, 그래픽 계산기, 휴대용 기기나 GPS 장치와 결합되어 사용되거나 혹은 그 자체로 원격 자료 수집기로 사용될 수 있다. USB 연결은 탐침(probe)[10]으로부터 데이터 전송을 간편하게 한다.

모바일 기기의 Probeware 센서와 인터페이스는 실험을 진행하면서 데이터의 다양한 표상을 제시하여 상호작용적 탐구기반 학습을 촉진한다. 센서의 탐침은 학생들에게 과학적 실험을 좀 더 쉽게 수행하고 분석할 수 있게 한다(Tinker & Krajcik, 2001). Probeware는 실시간 데이터를 표, 그림, 미터, 수치로 제시하고 매우 시각적이다. 관계, 규칙, 원리를 즉각적이고 시각적 결과로 제시하며 변수의 조작이 쉽다.

탐침은 화학, 생물, 수학, 물리학 학습을 보조하는 데 사용될 수 있다. 탐침은 온도, pH 수준, 전압, 압력, 힘, 동작, 자기력 등을 측정할 수 있다. 탐침은 변환기를 사용하여 물리적 현상을 전기신호로 전환하고, 전기신호는 다시 아날로그 인터페이스 전기회로망에 의한 숫자나 디지털로 변환되어 사용된다. 아날로그 인터페이스는 센서로 조립되거나 컴퓨터와 센서 사이에서 별도의 장치로 사용될 수 있다.

디지털 탐침은 정보를 보정할 수 있고, 측정한 데이터를 디지털 형식으로 전환할 수 있는 마이크로컴퓨터 칩을 포함한다. USB 포트를 통해 노트북과 추가 소프트웨어 애플리케이션에 연결된 데이터가 전송한다. 내장형 블루투스 테크놀로지는 데이터 전송의 또 다른 방법이 된다. 블루투스는 블루투스 호환 기기와 가까운 곳에 있는 컴퓨터, 휴대전화, 기타 휴대용 기기 사이의 정보를 라디오 주파수를

---

9) 역주: 데이터 수집과 분석에 사용되는 장비와 소프트웨어를 지칭하는 용어
10) 역주: 특정 물질 부위, 상태 등을 검출하는 물질을 총칭한다.

사용하여 전송한다.

학생들은 무선 테크놀로지를 이용해서 다른 학생들과 수집한 데이터를 공유할 수 있다. 강의 수질에 대한 정보를 수집한 학생 소집단을 상상해보자. 팀 데이터는 모바일 기기로 공유되며, 학생들이 실제 데이터를 분석하고 경향을 파악하고 가설을 형성하고 다른 조사에 대해 안내한다. 휴대전화나 PDA에서 문서를 사용하여 학생들이 엑셀에 데이터를 입력하고 탐침이 연결된 그래픽 계산기로부터 데이터를 공유할 수 있다.

위성 위치 확인 시스템(GPS: Global Positioning System)

GPS는 24개 인공위성 네트워크로 구성된 위성기반 내비게이션 시스템으로 미국 국방부의 군사용 프로그램으로 개발되었으며, 일반인은 1980년대 사용하게 되었다. GPS는 무료이며 세계적으로 언제든지 어떤 날씨에도 작동한다.

내비게이션과 커뮤니케이션 기기 회사인 Garmin은 GPS의 기능을 다음과 같이 설명한다.

> GPS 위성은 지구를 매우 정확한 궤도로 하루에 두 번 회전하여 신호정보를 지구에 보낸다. GPS 수신기는 이 정보를 받아 사용자의 정확한 위치를 계산하기 위해 삼각측량을 사용한다. GPS 수신기는 2D 위치(위도, 경도)를 계산하기 위해 적어도 3개의 인공위성 신호에 연결되어야 하고 동선을 추적해야 한다. 4개나 그 이상의 위성 관측으로 수신기는 사용자의 3D 위치(위도, 경도, 고지)를 측정할 수 있다. 한 사용자의 위치가 결정되면 GPS 장치는 속도, 방위, 궤도, 이동거리, 목적지까지의 거리, 일출 및 일몰시간과 같은 다른 정보를 계산할 수 있다.

휴대전화와 같은 모바일 기기는 내장형 GPS의 훌륭한 원천이 되고, 2009년 후반에는 미국에서 휴대전화 절반에 이 장비가 탑재되었다(Schuler, 2009). 다른 경우로 작은 GPS 장치를 다른 모바일 기기와 연결하여 작동할 수 있다. 별도로 구입한 GPS 기기는 데이터 전송을 위해 노트북이나 데스크톱 컴퓨터와 함께 쓰일 수 있다. GPS 표준 수신기는 어떤 특정한 위치에서 당신의 위치를 지도에 표시해줄 뿐만 아니라 당신이 이동하고 있는 경로를 추적할 수 있다. 만약 수신기를 가지고 이동한다면 GPS는 당신의 위치가 어떻게 변화했는지 파악하기 위해 GPS 위성과 지속적인 의사소통을 유지한다.

GPS 장치는 지오캐싱(geocaching)[11]과 같은 흥미로운 활동에 사용되기도 한다. 지오캐싱은 보물찾기처럼 웹사이트에 GPS 좌표로 위치가 표시된 숨겨진 것을 물리적으로 찾는 것을 말한다. 은닉처 용기에는 일지와 보상아이템이 들어있다. 찾은 사람은 다음 사람을 위해 무언가를 남겨야 하고, 일지에 날짜와 시간을 기록한다. 지오캐싱은 학생들의 문제 해결 능력, 수학적 사고, 지도 제작 능력을 자연스럽게 사용하게 한다. 지오캐싱은 지리, 환경, 생물 학습과 연계될 수 있다. 학생은 길을 찾으며 식물, 동물, 바위, 역사적 장소 등 다양한 것을 통해 추가적인 학습을 한다. 교사들은 종종 자연 가이드북, 디지털 카메라, 오디오/비디오 녹음기, 메모지가 GPS 활동에 유용하다고 한다. 센서 테크놀로지는 학생들이 지오캐싱이나 다른 GPS 활동을 할 때 현장에 가지고 가기에 적합하다. 지오캐싱 온라인 사이트는 많은데, 이 중 지오캐싱을 시작하기에 좋은 사이트는 The Official Global Hunt 사이트(www.geocaching.com)이다. GPS 장치와 모바일 기기는 지리 정보 시스템(GIS: geographic information systems)[12]과 함께 사용되기도 한다(9장 참조).

현장 실험 실행하기

이제 학생들의 실제적 학습상황에서 모바일 테크놀로지가 어떻게 사용되는지를 알기 위해 모바일 테크놀로지의 사용 사례를 살펴보자. 다음 사례는 특히 작은 휴대용 기기 영역에서 테크놀로지의 급격한 변화의 특성을 강조한 것이다. Palm PDA가 현장 활동에서 사용되었으나 다른 모바일 기기(예, 아이패드, 스마트폰, 노

---

11) 역주: 지오캐싱은 지구를 뜻하는 지오(geo)와 은닉처 · 귀중품을 뜻하는 캐시(cache)의 합성어다. 휴대용 GPS를 활용해 누군가가 숨겨놓은 물건을 찾는 '첨단 보물찾기'다.

12) 역주: 지리공간 데이터를 분석 · 가공하여 교통 · 통신 등과 같은 지형 관련 분야에 활용할 수 있는 시스템.

트북 컴퓨터)로 쉽게 대치할 수 있다. PDA 응용프로그램으로 널리 사용되었던 것은 Documents to Go와 Sketchy인데, 이는 사용자가 마이크로소프트 오피스 파일을 컴퓨터와 휴대용 기기 간에 전송할 수 있도록 하였다. Documents to Go와 Sketchy 모두 아이튠즈(iTunes)를 통해 사용 가능하고 매일 개발되고 있는 수천 개의 애플리케이션 중 하나이다.

수질 분석(Water Analysis) 수질 평가는 종종 휴대용 탐침을 사용하여 수행된다(Vahey & Crawford, 2002). 학생들은 휴대용 기기를 가까운 시내나 물가에 가져간다. 학생들은 개인별로 개울을 따라 다른 지점에서 측정을 한 후, 서로 간에 자료를 전송하거나 하나의 단위로 자료를 모은다. 학생들이 교실로 돌아온 후 휴대용 기기는 모아진 자료를 분석하고 그래프를 그리는 데 사용된다. 많은 교사들에게 물 표본을 구하기 위해 가까운 곳의 물을 찾는 것은 비교적 쉬운 일이다. 수질 분석 결과에 따라 학생들은 수질을 개선하기 위한 해결책을 조사하고 수중생물과 양서류의 생활에 미친 영향에 관한 가설을 세우고, 유출이 발생하는 곳이 어디인지 결정하거나 정수를 위한 계획을 설계한다.

NatureMapping NatureMapping 프로그램(http://naturemappingfoundation.org)은 전문가와 지역사회와 학교를 연결하는 실제적인 작업의 데이터 수집과 GIS(9장 참조) 사용을 결합한다. 프로그램의 비전은 "주로 학교를 통해 지역사회와 천연 자원 기관, 학계 및 토지 설계자를 연결하는 전국 네트워크 만들기"이다. NatureMapping은 종 식별, 데이터 수집, 데이터 분석, 통계, 그래픽, 컴퓨터, 원격 감지, GIS, 지역 네트워킹, 인터넷 등을 포함한다.

　　Diane Petersen(2005)은 Washington의 Waterville에 위치한 Waterville 초등학교에서 1999년 초에 4학년 학생들이 지역 농부들과 함께 멸종 위기의 짧은 뿔 도마뱀에 관한 데이터를 수집하기 시작한 NatureMapping을 묘사하였다. 도마뱀을 자주 목격한 농부들은 언제 어디서 도마뱀을 봤는지에 대한 정보를 기록했다. 이후에 농부들과 학생들은 협동하여 지도상의 현장을 찾고 데이터로 표를 만들었다. 디지털 지도에 농부의 현장에 대한 안테나 사진을 이용하여 도마뱀 목격을 묘사하는 컴퓨터 지도가 만들어졌다. 학생들은 또한 관련 데이터를 제시하기 위해 스프레드시트를 만들었다. 그 다음, 학생들은 질문을 만들고 데이터를 분석하고, 질문에 답하기 위한 정보를 그래프로 그리기 위해 필요한 것을 선택했다. Petersen은 이 프로젝트가 학교와 지역사회의 관계를 강화했다고 설명하였다. 학생들의 진지하고 실제적인 기여는 학생들 자신을 과학자로 바라보고 테크놀로지를 사용하여 작업과 협력을 향상시키는 결과를 가져왔다. 처음엔 학생들이 데이터를 모았으나, 나중엔 농부들이 종종 현장에서 정보를 기록할 수 있어서 대부분의 데이터를 제공하였다. 그러나 학생들은 모바일이나 정보를 기록하기 위한 간단한 기록 장치를 사용하여 유사한 방식으로 자료수집을 할 수 있다.

식목일/지구의 날 나무 탐사 현장 데이터를 수집하기 위한 모바일 기기의 효과적이면서도 쉬운 사용 사례를 살펴보자. Missouri 주 Hallsvill에 있는 한 시골 학교의 4학년 교사인 Suzanne Stillwell은 식목일/지구의 날 활동을 설명하기 위해 학생들의 실험실로 학교 운동장을 사용하였다. 활동을 시작하기 전에 학생들은 매회 45분씩 3회 동안 테크놀로지를 어떻게 사용하는지 연습하는 시간을 가졌다. 학생들은 또한 학교 운동장의 나무로부터 수집할 수 있는 자료에 대해 브레인스토밍을 하였다. 학생들이 수집하기로 결정한 정보는 나무의 둘레(지상으로부터 1미터 위), 나무 그림자의 길이(하루 중 정확한 시간에 측정했을 경우, 나무의 높이에 관계되는), 잎의 형태, 나무의 식별이었다. 학생들은 나무의 그림자 측정에 관한 이해를 돕기 위해 이 웹사이트(http://micro.magnet.fsu.edu/primer/java/scienceopticsu/shadows)를 이용하였다.

각 팀은 학교 운동장에 있는 두 그루의 나무를 선택하고 다음 활동을 수행했다.

1. 휴대용 기기의 카메라를 사용하여 나무의 사진을 찍었다.
2. 잎의 표본을 수집하고 사진을 찍었다.
3. 나무 둘레를 센티미터로 측정하고 휴대용 기기상에서 'Document to Go'의 엑셀 표에 정보를 기록하였다.
4. 나무의 그림자를 측정하고 휴대용 기기상에서 'Document to Go'의 엑셀 표

에 정보를 기록하였다.

교실로 돌아온 다음, 학생들은 나무에 관한 정보를 다른 두 팀에게 전송했다. 그리하여 각 팀은 여섯 개의 나무에 대한 정보를 갖게 되었다. 학생들은 컴퓨터에 나무 데이터를 업로드하고 나무 둘레와 높이에 관한 정보를 보여주는 그래프를 만들었다.

학생들은 Missouri 주, 환경부 수목 매뉴얼과 온라인 자원 사이트의 도움으로 (www.grownative.org/index.cfm과 www.mdc.mo.gov/nathis/plantpage/flora/motrees/) 나무를 식별하기 위해 나뭇잎 샘플과 디지털 사진을 이용하였다.

이 프로젝트는 학생들이 휴대용 기기를 이용하여 수행한 최초의 프로젝트 중 하나였기 때문에 학생들은 과제에 대해 높은 관심을 보였다. 일부 학생들은 나무 사진을 엑셀 파일에 그래프, 데이터 표와 함께 입력하는 방법을 파악했다. 학생들은 데이터를 기록하고 휴대용 기기를 사용하여 정보를 공유하는 데 강한 동기를 가지고 있었다.

Denali 국립공원 화재 승계 연구　마지막 사례는 센서 테크놀로지가 다른 모바일 기기와 함께 어떻게 사용될 수 있는지를 보여준다. 2004년 여름, 알래스카 Denali 국립공원 보존지역의 화재 지역 세 곳의 초목 복구를 면밀히 관찰하여 연속 화재에 대해 연구하기 위해 Denali Borough 학구는 국가공원 서비스의 동부 소방 관리과와 팀이 되었다. 우선 학생들은 디지털 카메라와 SmartList to Go(휴대용 기기의 데이터베이스를 관리 가능한 프로그램)를 갖춘 팜 휴대용 기기를 사용하여 관찰한 식물과 동물의 현장 가이드를 작성한다.

다음으로 학생들은 각 화재 지역에서 영구 동토층의 온도와 깊이를 측정하기 위해 Vernier 온도센서(ImagiWorks)와 소프트웨어(ImagiProbe)를 사용하였다. Document to Go 소프트웨어(www.dataviz.com/products/documentstogo/)를 이용하여 마이크로소프트 엑셀 스프레드시트로 온도 데이터와 각각의 단면에서 발견된 식물 종의 수를 기록할 수 있다.

휴대용 기기는 노트북 컴퓨터와 동기화되어 종의 전체 수에 대한 데이터를 전

그림 2.9 연속 화재에 대한 학생들의 Sketchy 애니메이션

출처: Concord Consortium

송하고 결합하였다. 참가자들은 또한 휴대용 기기에서 Sketchy를 이용해 애니메이션 그림을 그려 연속 화재에 대한 개념을 표현하였다(그림 2.9).

이들 각각의 사례에서 학생들은 교실을 넘어 현장의 데이터 수집을 수반한 활동적이고 실생활적인 과제에 참여한다. 테크놀로지의 사용은 학생들에게 중요한 질문에 답하기 위해 데이터를 측정하고, 기록하고, 조작하고, 공유하고, 표상하는 것을 가능하게 한다. 이러한 활동을 통해 학생들은 탐구하는 과학자의 역할을 수행하고, 세계와 관련된 흥미롭고 실제적인 과제를 통해 동기가 향상된다.

5절 온라인 설문조사 도구를 이용하여 의견 구하기

우리는 사람들이 모든 종류의 사물에 대해 어떻게 생각하는지 알아보기 위한 시장조사 및 의견을 묻는 설문이 넘쳐나는 문화 속에 살고 있다. 특정 후보자, 이슈, 혹은 미디어의 성격에 관한 당신의 의견은 무엇인가? 당신이 가장 선호하는 것은 무엇인가(빈칸을 채우시오)? 얼마나 자주 이 상품을 구입하고 이 잡지를 읽고, 이 레스토랑에서 식사하는가? 최근의 환경 문제에 관해 어떻게 생각하는가? 그 문제를 해결하기 위해 무엇을 기꺼이 하거나 하지 않을 것인가? 표본추출은 전화, 설문지 웹사이트를 통해 이루어진다.

온라인 설문조사 도구는 교육과정에 대한 자료수집을 가능하게 한다. 이러한 도구는 기능성, 사용성, 비용 측면에서 다양하다. 일부 온라인 설문조사 웹사이트는 무료이다(예, Free Online Surveys). 다른 설문조사 도구들은 무료 선택에서 유료 구독까지 다양한 종류의 서비스를 제공한다. 빈번한 사용자는 유료 설문조사 사이트가 제공하는 추가 기능을 환영할 것이다(예, SurveyMonkey, Cool Surveys, Zoomerang). 무료 설문조사 사이트는 일반적으로 허용되는 질문, 응답, 그리고/또는 참여자의 수를 제한한다. 유료 조사도구는 설문조사, 사용자 옵션, 결과를 여과하는 자료분석 도구에 대해 무제한 사용이 가능하여 데이터 패턴을 찾는 데 유용하다. 다른 설문조사 도구의 기능은 결과 공유, 스프레드시트로 파일을 내보내기 위한 파일 다운로드, 편견을 줄이기 위해 무작위 순서로 답안을 배열하는 것, 설문조사 작성자가 지정하는 질문에 대한 응답을 요구하는 것을 포함할 수 있다.

일부 온라인 설문조사 도구는 설문조사 웹사이트상에 설문조사가 만들어진 후에 실시간 참여자 응답을 지원한다. 한 예로 Poll Everywhere(http://www.polleverywhere.com/)는 휴대전화 문자 메시지, 트위터, 또는 웹 서베이에서 전송된 응답을 수집하고, 파워포인트나 애플 키노트 프레젠테이션에서 활성도표로 데이터를 저장할 수 있다. 다른 설문조사 도구인 Mobiode(http://www.mobiode.com/)는 휴대전화로 응답을 수집하고, 웹 인터페이스나 엑셀에서 실시간으로 결과를 제시한다. 비록 많은 학교가 현재 휴대전화 사용을 금지하고 있지만, 우리는 학생들이 학습을 향상시키기 위해 이 장치를 사용할 수 있는 날을 마음속에 그려본다. 학생들은 도시의 재활용 계획의 영향에 관한 프레젠테이션을 제작하고, 프레젠테이션 중에 학급에서 다른 학생들의 재활용 습관을 알아보는 조사를 할 수 있다. 물론, 학생들은 손을 들어 간단하게 이러한 질문에 응답할 수 있지만, 이 방법은 익명성을 제공하고 자동으로 결과를 그래프로 보여준다.

한 3학년 교사가 식품영양 단원 공부를 시작함에 있어 간단한 설문조사를 사용한 것을 설명하였다. 학생들은 자신의 식습관과 영양지식에 관한 질문에 대답하면서 수학기능도 배웠다. 자료가 수집된 이후에 학생들은 매일 아침을 먹는 학생의 수, 탄산음료를 마시는 횟수, 12가지 아이템 목록 중 학생들이 가장 좋아하는 음식 등에 관한 정보를 제시하는 그래프를 작성하였다. 이 결과는 학생들이 가장 선호하는 음식으로 쿠키를 선택한 원인, 우리의 식습관에서 설탕의 영향, 원인과 결과, 건강한 음식 섭취, 좋은 음식을 선택하는 방법에 관한 토론을 위한 출발점 역할을 하였다.

영양 설문조사는 학급 내에서 수행되는 반면, 온라인 설문조사는 광범위한 청중으로부터 자료 수집을 가능하게 한다. 처음으로 혼자 설문조사를 제작하는 학생들은 잘 구조화된 설문조사 문항을 만들기 위한 안내가 필요하다. Timmerman(2003)은 개방적인 질문과 폐쇄형 질문의 차이를 설명하고, 좋지 않은 질문과 잘 쓰여진 질문의 예를 확인하고, 응답을 분석하여 그래프로 만드는 쉬운 방법을 고려하기를 제안한다. 표 2.2는 좋은 설문조사를 만들기 위한 예와 제안을 제공한다.

설문조사 참여자는 설문의 목적에 따라 본래 학급의 구성원이거나 학교 내 또는 다른 학교의 학생, 다른 국가의 학생, 교사, 또는 학부모일 수 있다. 사회단체나 조직은 잠재적 응답자를 파악하는 데 사용될 수 있다. 예를 들어, 학생들은 환경 설문조사에 대한 전문가 의견을 구하기 위해 오듀본 협회(Audubon Society)나 세계 야생동물 연맹(World Wildlife Federation)에 연락할 수 있다.

학생들은 설문조사를 제작할 때 의도적이고 실제적인 학습에 참여한다. 설문조사의 목적을 파악하는 것, 필요한 정보에 관한 의사결정을 하는 것, 정보를 유도하기 위해 잘 설계된 질문들을 제작하는 것, 정보를 얻기 위한 가장 적합한 응답을 선택하는 것은 많은 인지적 과정을 수반한다. 데이터가 수집된 이후에 학생들은 결과, 결정적 경향, 가능한 원인 및 결과와 그들의 목적을 알려주는 다른 현상에 대해 분석하고 평가해야 한다. 따라서 온라인 설문조사는 데이터 분석에서 절정에 달하거나 더 큰 포괄적 프로젝트의 시작이 될 수 있다. 평가적 관점에서 온라인 설문조사에 관한 더 많은 정보를 얻으려면 10장을 보라.

표 2.2 설문문항 제작에 대한 제안

짧게 핵심만 묻고 불필요한 질문은 생략하기	불필요(X)	얼마나 자주 집에서 저녁을 먹나요? 보통 몇 시에 먹나요?
	수정(O)	얼마나 자주 집에서 저녁을 먹나요?
간단한 단어를 사용하기	복잡(X)	당신이 좋아하는 식당을 얼마나 주기적으로 자주 방문하나요?
	수정(O)	얼마나 자주 좋아하는 식당에서 외식을 하나요?
한 질문에 한 개념만 포함하기	한 개념 이상(X)	소파천의 어떤 색과 질감을 좋아하나요?
	수정(O)	당신은 소파천이 마음에 드나요? 또는 1) 당신은 소파천의 색깔을 좋아하나요? 2) 당신은 소파천의 질감을 좋아하나요?
편견이 있거나 편향적인 질문을 피하기	편향적(X)	학교의 학기가 너무 일찍 시작된다는 말에 동의하지 않습니까?
	수정(O)	학교의 학기 시작이 너무 빠른가요?
응답자가 혼동하기 쉬운 불명확하고 복잡한 질문을 피하기	혼동하기 쉬운(X)	학교의 학기 시작에 대해 어떻게 생각합니까?
	수정(O)	학교의 학기 시작 시기에 대한 당신의 의견은 어떻습니까?
질문이 하나 이상을 포함하여 응답자가 하나는 동의하나 다른 것은 동의하지 않는 중복된 질문을 피하기	중복 포함(X)	학교의 학기가 너무 빨리 시작하고 학교 운영위원회에서 무언가 해야 한다는 데 동의합니까?
	수정(O)	학교의 학기 시작이 너무 빠른가요? (응답자가 예로 응답한 경우) 학교 운영위원회는 이 문제에 대한 조치를 취해야 할까요?

6절 결론

학생들은 관련되고, 흥미로운 현상을 탐구하고 문제 해결을 위해 수집한 정보를 사용하고, 가설에 대답을 찾고, 다른 사람들에게 알려주는 기회를 얻었을 때, 중요하고 가치 있는 학습에 참여하게 된다. 우리가 살펴보았듯이 테크놀로지는 학생의 탐구를 확장하고 지원할 수 있다. 인터넷 자원들은 텍스트 파일을 넘어 오디오, 비디오, 그래픽과 온라인 시뮬레이션을 널리 사용하게 한다. 온라인 설문조사

사이트와 같은 도구들은 학생들에게 전 세계의 참가자로부터 데이터 수집을 위한 방법을 제공한다. 이제는 디지털 정보사회이며, 학생들이 잘 교육받은, 지적인 21세기 정보와 지식의 소비자이자 생산자가 되기 위해 온라인 환경을 이해하는 것이 필수적임을 의미한다.

현 시대는 또한 모바일 사회이다. 무선기기는 아이들의 일상생활에 침투한 유연한 학습 환경에 참여하는 것을 가능하게 한다(Inkpen, 1999; Soloway et al., 2001). Soloway는 "오늘날의 아이들은 디지털 키즈가 아니다. 디지털 키즈는 1990년대에 있었다. 오늘날의 아이들은 모바일이며 여기에 차이점이 있다. 디지털은 생각의 낡은 방식이며 모바일은 새로운 방식이다"(in Schuler, 2009). 일반적으로 학생들이 데이터를 수집하는 과정에 초점을 둔 전통적인 실험실 환경은 분석과 문제 해결을 지원하는 모바일 기기를 이용하여 개선될 수 있다. 학생들은 자료를 수집, 제시하고, 가설을 검증하기 위해 모바일 기기를 조작할 수 있다. 테크놀로지들이 제공하는 것이 많다고 해도 그것의 가치는 교사가 교육과정에 어떻게 통합하느냐에 의해 크게 결정된다. 인터넷과 모바일 테크놀로지는 활동적이고 성찰적이고 복잡한 학습을 촉진하는 데 신중히 사용할 때, 최고의 가치를 지닌다.

이 장에 서술된 탐구 활동과 관련된 NET 표준

3. 연구와 능숙한 정보 활용

    a. 전략을 세워서 탐구를 수행한다.

    b. 다양한 출처와 미디어로부터 정보를 검색, 조직, 평가, 종합하며 윤리적으로 활용한다.

    c. 구체적인 과제 수행에 적합하게, 정보 출처와 디지털 도구를 평가하여 선정한다.

    d. 자료를 처리하고 결과를 보고한다.

4. 비판적 사고, 문제 해결, 의사결정

    a. 조사를 위하여 실제적인 문제와 중요한 질문을 확인하고 정의한다.

    b. 해결책을 도출하기 위하여 활동을 계획하고 관리하거나 프로젝트를 완수한다.

    c. 해답을 확인하기 위하여 자료를 수집하여 분석하거나 정보에 기반하여 결정한다.

    d. 다양한 절차와 관점을 활용하여 대안적인 해결책을 탐색한다.

6. 테크놀로지 작동과 개념

    a. 테크놀로지 시스템을 이해하고 활용한다.

이 장에 서술된 탐구 활동과 관련된 21세기 역량

효과적으로 추론하기

■ 상황에 적합한 다양한 종류의 추론(귀납적, 연역적)을 사용한다.

판단과 의사결정하기

■ 증거, 논쟁, 주장, 믿음을 효율적으로 분석하고 평가한다.

■ 주요한 대안적인 관점을 분석하고 평가한다.

■ 정보와 주장을 연결하고 종합한다.

■ 정보를 해석하고 최적의 분석에 기반하여 결론을 내린다.

■ 학습 경험과 과정을 비판적으로 반성한다.

정보에 접근하고 평가하기

■ 정보에 효율적이며(시간), 효과적으로(출처) 접근한다.

■ 정보의 적합성을 비판적으로 평가한다.

정보를 사용하고 관리하기

■ 당면한 이슈나 문제에 대해 정보를 정확하고 창의적으로 사용한다.

■ 다양한 출처에서 정보의 흐름을 관리한다.

■ 정보의 사용과 접근에 관한 윤리적 · 법적인 이슈에 대한 기초적인 이해를 적용한다.

미디어를 분석하기

■ 어떻게, 왜, 어떤 목적으로 미디어 메시지가 구성되었는지 이해한다.

■ 어떻게 개인이 메시지를 다르게 해석하고 어떻게 가치와 관점이 포함되는지, 배제되는지, 어떻게 미디어가 믿음과 행동에 영향을 주는지 조사한다.

■ 미디어 접근과 사용에 관한 윤리적 · 법적인 이슈의 기초적인 이해를 적용한다.

테크놀로지를 효과적으로 적용하기

■ 정보의 조사, 조직, 평가, 의사소통을 위한 도구로 테크놀로지를 사용한다.

■ 지식경제에서의 성공적 수행을 위해 디지털 테크놀로지(컴퓨터, PDA, 미디어플레이어, GPS 등), 대화 · 네트워크 도구와 소셜 네트워크를 사용하여 정보에 접근하고 정보를 관리, 통합, 평가, 생성한다.

■ 정보 기술의 접근과 사용에 관한 윤리적 · 법적인 이슈의 기초적인 이해를 적용한다.

7절 생각해볼 점

당신이 인터넷 자원, 모바일 기기, 다른 탐구적 테크놀로지를 학생과 함께 사용할 때 생각해볼 수 있는 질문들을 제시하였다.

1. 이러한 도구들이 수업에 포함되었을 때 교수학습에 주는 시사점은 무엇인가?

2. 모바일 기기가 교육과정에 어떤 영향을 줄 수 있을지, 혹은 줄 것인가?

3. 모바일 기기는 기존 교육과정을 보강하기 위해 어떻게 사용될 수 있을까?

4. 모바일 기기 사용을 위한 자금, 지원, 훈련을 누가 제공할 것인가?

5. 어떤 사람들은 학생들이 모바일 기기를 사용하는 것이 불필요하고, 경솔하며 모바일 기기는 장난감정도일 뿐이라고 주장하면서 모바일 기기 사용을

반대한다. 당신은 어떻게 반응하겠는가?

6. 우리는 이러한 기기의 효과성을 어떻게 평가할 수 있을까?

7. 우리는 학생들의 모바일 기기 사용을 어떻게 관리할 것인가?

8. 만약 학생들이 모바일 기기를 분실하거나 훼손하면 어떤 일이 발생할 것인가?

9. 모바일 기기는 물리적으로 어떻게 관리되어야 할까? 특히 학생들이 밤에 집으로 가지고 간다면?

10. 우리 학생들은 어떤 정보 리터러시 능력을 갖추어야 하는가?

11. 인터넷 검색에 참여하기 이전에 학생들이 알 필요가 있는 것은 무엇인가?

12. 학생들의 정보검색이 유의미한 맥락에서 실행되는가?

13. 학생들은 인터넷 검색으로 얻은 정보를 어떻게 사용하는가?

14. 인터넷이란 무엇인가? 그것은 컴퓨터인가, 프로그램인가, 사람들이 저장하고 사용 가능한 멀티미디어 문서인가? 아니면 아이디어를 제공하는 사람들인가? 아니면 인터넷은 단순히 정신을 의미하는가?

15. 인터넷에서 학생들이 바람직하지 않은 자료를 접하게 되었을 때, 보호와 정보에 대한 자유로운 접근과의 적절한 균형은 무엇인가?

참고문헌

Caverly, D. C. (2000). Technology and the "Knowledge Age." In D. B. Lundell & J. L. Higbee(Eds.), Proceedings of the First Intentional Meeting on Future Directions in Developmental Education [Online] (pp. 34–36). Minneapolis: University of Minnesota, General College and The Center for Research on Developmental Education and Urban Literacy. Available: education.umn.edu/CRDEUL/pdf/proceedings/1-proceedings.pdf

Consumer Reports Staff. (2005, June). Filtering software: Better but still fallible. *Consumer Reports*, PDC 36–38. Retrieved from www.consumerreports.org/cro/electronicscomputers/internet-filtering-software-605/overview/index.htm

Costa, A., & Kallick, B. (2000). *Habits of mind: A developmental series.* Alexandria, VA:

Association for Supervision and Curriculum Development.

Crawford, V., & Vahey, P. (2002). *Palm Education Pioneers Program: March, 2002* Evaluation Report. Menlo Park, CA: SRI International.

Fidel, R., Davies, R. K., Douglass, M. H., Kohlder, J. K.,Hopkins, C. J., Kushner, E. J., et al. (1999). A visit to the information mall:Web searching behavior of high school students. *Journal of the American Society for Information Science, 50*(1), 24–37.

Foley, S. (2006, August 13). To Google or not to Google? It's a legal question. *The Independent.* Retrieved from www.independent.co.uk/news/business/news/to-google-or-not-to-googleits-a-legal-question-411600.html

Harris, S. D. (2006, July 7). Dictionary adds verb: To Google. *San Jose Mercury News.* Retrieved from www.mercurynews.com.

Inkpen, K. M. (1999). Designing handheld technologies for kids. *Personal Technologies Journal, 3*(1/2), 81–89.

Johnson, L., Levine, A., & Smith, R. (2007). *2007 Horizon Report.* Austin, TX: The New Media Consortium.

Johnson, L., Smith, R., Levine, A., & Haywood, K. (2010). *2010 Horizon Report: K–12 edition.* Austin, TX: The New Media Consortium Retrieved from www.cosn.org/horizon/

Jonassen, D. H., & Colaric, S. (2001). Information landfills contain knowledge; searching equals learning; hyperlinking is good instruction; and other myths about learning from the Internet. *Computers in Schools, 17*(3/4, Pt. I), 159–170.

Kelly, D. (2000). Online research skills for students. *Classroom Connect, 7*(2), 6.

Kleiner, A., & Lewis, L. (2003). *Internet access in U.S. public schools and classrooms: 1994–2002*(NCES 2004-011).Washington,DC: U.S. Department of Education, National Center for Education Statistics.

Nakashima, E. (2006, August 8). AOL takes down site with users' search data. *Washington Post,* p. D01. Retrieved from www.washingtonpost.com/wp-dyn/content/article/2006/08/07/AR2006080701150.html

Petersen, D. (2005, April). NatureMapping Takes Kids—and Technology—Outside and into Active Learning. *Edutopia.* Retrieved from www.edutopia.org/naturemapping

Peterson, C. L., & Koeck ,D. C. (2001).When students create their own webquests. *Learning & Leading with Technology 29.*

Prensky, M. (2001). Digital natives, digital immigrants. *On the Horizon, 9*(5), 1–2. Retrieved July 16, 2006, from www.marcprensy.com/writing

Prensky, M. (2003)."But the screen is too small . . ." Sorry,"digital immigrants"—cell phones—not computers—are the future of education. Retrieved from www.marcprensky.com/writing/

Prensky, M. (2005). Learning in the Digital Age. *Educational Leadership, 63*(4), 8–13. Retrieved from www.siprep.org/prodev/documents/Prensky.pdf

Rideout,V., Foehr,U., & Roberts, D. (2010). *Generation M2: Media in the lives of 8- to*

18-yearolds. Kaiser Family Foundation:Menlo Park, CA.

Riel, M. (2000, September 11 & 12).New designs for connected teaching and learning. Paper presented at the Secretary's Conference on Educational Technology, Washington, DC. Retrieved from www.gse.uci.edu/mriel/whitepaper/

Schacter, J., Chung, G. K.W. K., & Dorr, A. (1998). Children's Internet searching on complex problem: Performance and process analyses. *Journal of the American Society for Information Science, 49*, 840–850.

Shuler, C. (2009). *Pockets of potential: Using mobile technologies to promote children's learning.* New York: The Joan Ganz Cooney Center at Sesame Workshop.

Soloway, E., Norris, C., Blumenfeld, P., Fishman, B., Krajcik, J., & Marx, R. (2001). Log on education: Handheld devices are ready-at-hand. *Communications of the ACM, 44*(6), 15–20.

Swan, K., van't Hooft, M., & Kratcoski, A. (2005).Uses and effects of mobile computing devices in K–8 classrooms. *Journal of Research on Technology in Education, 38*(1), 99–112.

Tallman, J., & Joyce, M. (2005, June). *What's new with the I-Search research/writing process?* Paper presented at the American Association of School Librarians 12th National Conference and Exhibition, Chicago, IL.

Timmerman, A. (2003). Survey says online survey tools have rich instructional applications. *Learning & Leading with Technology, 31*(2), 10–13, 55.

Tinker, R., & Krajcik, J. (Eds.). (2001). *Portable technologies: Science learning in context.* New York: Kluwer Academic/Plenum.

Vahey, P., & Crawford, V. (2002). *Palm Education Pioneers Program: Final evaluation report.* Menlo Park, CA: SRI International.

Web-based Education Commission. (2000). The power of the Internet for learning: Moving from promise to practice (Report).Washington, DC: U.S. Department of Education.

Chapter 03

테크놀로지와 함께
실험하기

| 이 장의 목표 |

1. 마이크로월드가 가설 생성을 어떻게 도와주는지 서술한다.
2. 테크놀로지 시뮬레이션이 어떻게 실험을 도와줄 수 있는지 보인다.
3. 게임이 학생의 수행에 미치는 영향에 관해 예측한다.
4. 다중 사용자(multiuser) 가상 환경이 어떻게 학습을 향상시키는지 서술한다.
5. 상이한 테크놀로지로 실험하는 것이 어떻게 NETS와 21세기 역량을 개발시키는지 서술한다.

1절 인과적 추론 학습하기(learning to reason causally)

이 장에서 우리는 실험을 수행하기 위하여 어떻게 학생들이 테크놀로지를 사용할 수 있는지를 기술하고자 한다. 실험은 가설을 검증하기 위하여 요인들을 조사하거나 검사하는 한 가지 형태이다. 이 장의 표제처럼, 탐구에는 가설설정, 추측, 숙고 및 검증이 따른다. 이러한 정신적 활동들의 공통점은 무엇일까?

탐구, 가설설정, 추측, 실험, 숙고 및 검증은 모두 학생들이 인과관계를 추론할 수 있어야 가능하다. 즉, 가설과 추측을 생성하고 그것을 검증하기 위해서는 학생들이 원인-결과에 대한 관련성을 이해하고 적용해야 하는 것이다. 인과관계 추론은 두 종류의 근본적인 사고방법을 도와준다. 일련의 조건들이나 사건의 제반 상태를 파악하여 그것 때문에 발생할 수 있는 효과를 도출하는 추론을 예측(prediction)이라 한다. 일련의 조건에서 어떤 변화의 효과를 예상하는 것은 과학적 실험(즉, 가설 생성)의 핵심이다. 예측의 두 가지 주요 기능은 사건을 예상하고, 둘째 과학적 가정들을 증명하거나 아니면 반박하기 위하여 가설을 검증하는 것이다. 예측은 경제학자가 시장의 변화에 기초하여 경제적 변화를 예상할 때, 또는 기상학자가 날씨 조건의 변화를 토대로 기상의 변화를 예상할 때 일반적으로 사용된다. 예측은 실험의 가설이기 때문에, 실험과정을 도와준다. 예컨대, 물리학자는 물체에 미치는 힘이 클수록 물체의 상태에 변화가 클 것이라는 예측(가설)을 하고, 그 과학적 예상의 타당도는 경험적으로 검증받는다. 심리학자는 환경적 조건, 예컨대 스트레스의 변화가 사람의 행동에 영향을 미칠 것이라는 예측을 할 수도 있다. 예측은 원인과 결과 사이의 결정론적 관계를 가정하고 있다. 즉 원인에서의 요인들은 확실하게 결과를 가져오게 한다. 아리스토텔레스는 모든 것이 인과의 법칙에 따라 결정된다고 믿었다. 예측과 가설설정은 과학적 탐구의 기초이기 때문에 대부분 과학 교과의 표준이 된다.

어떤 결과나 상태가 원인을 모르는 경우라면, 추리(inference)가 요구된다. 즉, 결과로부터 원인을 이끌어내는 역행추론은 추리의 과정을 필요로 한다. 추리의 기본 기능은 진단이다. 진단은 원인, 기원 또는 이미 일어난 무언가에 대한 이유를 찾아내는 것이다. 의학에서 진단은 질병이나 이상의 원인이나 기원을 찾는 것이다. 예를 들어, 비정상이라고 생각되는 증상이나 가족력, 환자의 검사결과에 기초하여 의사는 질병 상태의 원인을 추리하는 것이다. 수업이 문제중심학습일 경우를 제외하고 추리는 예측보다 학교 교육과정에서 흔히 일어나는 것이 아니다. 문제는 추리와 예측 모두를 필요로 한다.

테크놀로지 사용에 의하여 향상될 수 있는 가장 중요한 사고방법에는 인과관계 추론이 있다. 인과관계 추론은 가장 중요하고 가장 흔히들 사용되는 사고하는 방법의 하나다. 이 장에서 우리는 많은 테크놀로지들(마이크로월드, 가상 실험실, 가상 세계, 시뮬레이션 및 게임)을 기술할 것이다. 그 테크놀로지들은 학생들이 가설을 세우고, 추측과 숙고를 하는 등의 활동을 하는 동안에 그들이 인과관계에 따라 생각할 수 있도록 만들 것이다.

2절 마이크로월드로 가설설정하기

마이크로월드(microworld)는 Seymour Papert(1980)가 탐색적 학습환경을 설명하기 위하여 만들어낸 용어로서 그 탐색적 환경에서 Logo 거북을 사용하여 기하학의 원리를 학습하도록 하였다. Logo는 학습자에게 간단한 명령을 제공하는 매우 쉬운 컴퓨터 프로그래밍 언어인데, 학습자는 Logo를 이용하여 전산화된 거북에게 명령을 내림으로써 학습자 자신의 개인적, 시각적 세계를 창조할 수 있다. 학습자는 거북을 보다 정교하게 연출하려는 노력으로 스크린에서 거북을 조작하기 위하여 명령어를 입력한다. 이렇게 함으로써 학습자는 거북을 조작하는 것에 담겨있는 변인들과 절차, 회귀와 같은 "유력한 아이디어"에 익숙해지게 된다. Papert에 따르면, 컴퓨터는 "함께 생각하는 대상"이어야 한다. Logo는 마이크로월드, 즉 실제 세계에 존재하는 문제와 닮은 제한된 문제공간을 만들 수 있는 이상적 환경이라고 Papert는 주장한다. 마이크로월드는 학습자에 의해 만들어지기 때문에 본질적으로 학습자에게 흥미로운 것이다(내가 할 수 있는지를 알기 위한 실험). 학생들은 간단한 명령어를 사용하여 간단한 물체를 스크린에 만든다. 학생들은 또한 다른 절차들을 필요로 하고 간단한 절차를 포함한 복잡한 절차도 만들 수 있다. 이렇게 만들어지는 프로젝트들이 마이크로월드가 되는 것이다.

비록 Logo 마이크로월드의 이론적 근거가 강하다고 하더라도, Logo 마이크로월드를 만들기 위해 사용된 절차들과 프로그래밍 기술들은 잘 일반화될 수 있는 것이 아니다. 비록 Logo가 구문론적으로 간단한 언어이지만, 마이크로월드를 만들기 위한 충분한 기술을 습득하기에는 수개월의 연습이 필요하며, 어떤 학생들은 결코 익숙해지지 않는다. 더욱이, 많은 교사들은 그러한 프로그래밍 기술을 가르치는 것에 대해 부담스러워한다.

그럼에도 불구하고 문제탐색과 실험공간으로서 마이크로월드는 참으로 유용한 아이디어다. 프로그래밍 언어를 학습할 필요 없는 Logo의 탐험적인 이점을 제안한 많은 다른 마이크로월드 환경들이 개발되었다. 그것들은 실재의 제한된(또는 단순화된) 버전으로서, 학습자가 시스템의 범위 내에서 변인과 실험을 조작할 수 있다. 비록 이러한 종류의 마이크로월드가 반드시 학생들로 하여금 자신들의 탐색공간을 형성하도록 해주지는 못하지만, 학습자가 환경을 탐험하고 조작하며 실험하는 방법으로 자신의 사고를 표상할 수 있도록 해준다.

마이크로월드는 서로 다른 지식의 영역에서 많은 형태로 나타날 수 있다. 기본적으로 마이크로월드는 종종 실제 세계의 현상이 시뮬레이션 형태로 구현되는 탐색적 학습환경이다. 그 안에서 학습자는 물체 또는 대상을 조작하거나 만들고 서로의 효과를 검증한다. "마이크로월드는 학생들에게 세상의 어느 한 부분에 대한 간단한 모형을 제공하는데"(Hanna, 1986, p. 197), 이를 통해 학습자들은 그 현상을 조정·통제하며 조작하는 그 현상에 대한 깊은 지식을 구성할 수 있게 된다. 마이크로월드는 학습자에게 마이크로월드 내에서 물체를 탐색하고 검증하는 데 필요한 관찰과 조작도구를 제공한다. 그것들은 학습자가 가설 검증과 고찰과 같은 고차원적 사고를 하도록 만드는 데 매우 효과적인 것으로 증명된 것들이다.

ThinkerTools과 같은 마이크로월드의 좋은 예들은 많이 있다(White, 1993). 이러한 환경은 적어도 2가지 주요한 성격을 공유하고 있다. 대체로 현상에 대한 하나의 표상을 제공하는 것이며, 학습자가 무언가를 시도했을 때 즉각적인 피드백을 제공하는 것이다. 학습자는 마이크로월드 안의 어떤 물체가 어떻게 작동하는지에 관한 예측을 한다. 예측에 기반하여 학생은 대상을 조작하고, 마이크로월드는 학생의 조작에 따라 물체가 어떻게 움직이는지 보여준다. 시스템이 수행하는 방식은 어떤 영역에 대한 학습자의 개념적 모델을 수정하기 위하여 반드시 해석하고 사용해야 하는 피드백으로서 기능한다. 중요한 것은 이런 피드백이 마이크로월드 사용의 자연스러운 결과로서 발생하도록 하는 것이다.

Interactive Physics

Interactive Physics(www.design-simulation.com/IP/)는 운동량, 힘, 가속 등과 같이 물리학에서 다루어지는 주제에 대한 마이크로월드를 제공하는 사이트이다. Interactive Physics 내에서 각 실험은 물리학적 현상을 시뮬레이션하는 마이크로월드인데, 그 안에서 학습자는 중력, 공기저항, 물체의 탄성, 다양한 매개변수들과 같은 세상의 여러 속성들을 쉽게 조작할 수 있다. 더욱 중요한 것은 학습자가 도구를 이용하여 뉴턴 물리학 현상을 모델링하기 위해 자신의 실험을 설계할 수 있다는 것이다. 가설을 검증하기 위하여 실험을 설계할 수 있도록 해주는 것은 탐색 기반의 과학 수업 패러다임이 지향하는 핵심적인 측면으로 현재 대다수 과학 교과에서 표준으로 장려되고 있다.

그림 3.1의 실험은 그림의 좌측에 보이는 도구모음을 이용하여 학생들이 개발한 것으로 10킬로그램의 추에 1킬로그램의 추진력을 주었을 때의 효과를 검증하는 것이다. 학습자들은 격자, 자, 선, 축, 질량의 중심, 질량의 이름을 밝힘으로써 세상의 시선을 변화시킬 수 있으며 사물의 움직임을 보여줄 수 있다. 또한 학생들은 자신들이 지정한 변인들에서 변화의 효과를 측정하기 위해 속도, 가속도, 운동량, 다양한 힘(마찰, 중력, 공기), 회전과 같은 측정계량기를 선택할 수도 있다. Interactive Physics는 마이크로월드의 훌륭한 예인데, 그 이유는 학생들이 실험을 계획하고 이용하는데 간단하며, 또한 실험을 수행할 때 개념적 이해에 대한 즉각적인 피드백을 얻을 수도 있기 때문이다. 더욱이 테크놀로지로 이러한 실험을 시뮬레이션함으로써 교사와 학교는 장비구입에 많은 돈을 사용하거나 실제 물리 실험을 준비하는 데 요구되는 많은 시간을 허비할 필요가 없다.

SimCalc

SimCalc(www.kaputcenter.umassd.edu/projects/simcalc)은 초등학생에게 미적분 개념을 가르치기 위해 설계된 마이크로월드다. SimCalc은 애니메이션으로 이루어지는 모습과 역동적인 그래프로 구성되어 있는데, 그 안에서 애니메이션 주인공은 수

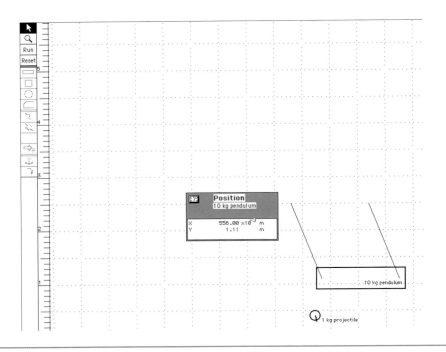

그림 3.1 Interactive Physics에서의 실험

학적 공식으로 정의된 그래프에 따라 움직인다. 시뮬레이션 안에서 주인공의 움직임을 탐구하고 그 움직임 활동의 그래프를 관찰함으로써 학생들은 미적분의 중요 아이디어를 이해하기 시작한다. 그림 3.2에 예시로 보여준 SimCalc 활동에서 학생들은 2개의 움직임을 비교함으로써 속도와 위치 그래프가 서로 어떻게 관련되는지를 배운다. 학생들은 녹색과 빨간색 그래프의 움직임을 비교해야 하는데, 이렇게 하기 위해 학생들은 어느 쪽의 그래프든지 변화시킬 수 있다. 학생들은 시뮬레이션을 계속하여 자신들이 올바른 답을 구했는지를 확인한다. 학생들은 또한 MathWorld(http://mathworld.wolfram.com)에 접속하여 자신의 신체 움직임을 입력하기도 한다. 예를 들어, 학생은 교실을 가로질러 걸을 수 있고, 그 걷는 움직임은 측정 장비를 통해 MathWorld에 입력할 수 있다. MathWorld는 그들의 움직임을 좌표로 나타낼 수 있는데, 이를 통해 학생들은 자신의 움직임 특성들을 탐색할 수 있게 된다.

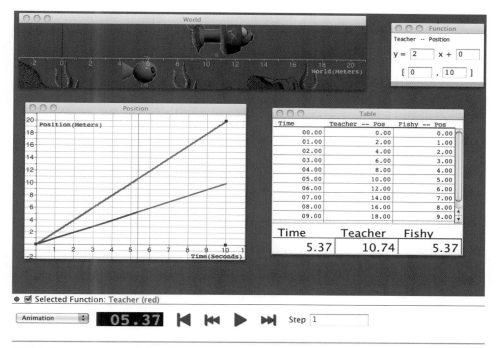

그림 3.2 MathWorld에서의 실험

Massachusetts 대학교, 허가 후 게재

마이크로월드는 일반적으로 특정 교과에 맞춰져 있다. SimCalc은 수학 학습을 지원하는 것에 유용한 반면에 Interactive Physics는 물리학의 개념들을 검증하는 데 유용하다. 거의 모든 마이크로월드는 수학과 과학 학습결과를 지원하도록 개발되었다. 마이크로월드는 다른 목적에 사용될 수는 없다. 그러나 마이크로월드는 학생들에게 매우 흥미로워서 학생들은 대체로 특정한 마이크로월드로 실험하는 것에 많은 노력을 기울인다.

3절 시뮬레이션으로 실험하기

우리가 기술하는 다음 두 번째 종류의 환경은 시뮬레이션 형태이다. 시뮬레이션은 어떤 실재나 사건의 상태 또는 과정을 모방한 것이다. 시뮬레이션은 학습자가 물리적 또는 추상적 시스템 내에서 주요 특성들이나 변인들을 조작하게 함으로써 현상들을 모방한다. 계산 능력 때문에 컴퓨터는 실제 삶의 상황을 시뮬레이션하는 데 자주 사용된다. 시뮬레이션 설계자는 학습자가 어떻게 그 시스템이 작동하는지 볼 수 있도록 하는 현상의 모델을 개발한다. 변인들을 변화시킴으로써 학생들은 시스템의 행동 즉(이 장 초반에 기술된) 인과관계 추론의 한 형태에 관해 예상을 할 수 있다. 독자는 마이크로월드와 시뮬레이션이 어떤 차이가 있는지 궁금할 것이다. 쉬운 답은 많지 않다. 마이크로월드는 상당히 구체적인 현상을 다루는 시뮬레이션의 한 형태다. 항상 그런 것은 아니지만, 마이크로월드는 종종 학습자에게 자신의 모델을 표상할 수 있도록 하는 기능을 갖추고 있다. 반면에 시뮬레이션은 보다 광범위한 현상이나 시스템에 적용될 수 있다.

시뮬레이션은 광범위한 교수와 훈련 상황에서 사용되고 있다. 세부적인 면과 복잡한 면에서 엄청나게 다양한 시뮬레이션이 있다. 인터넷을 검색해보면, 수백 개의 상업적으로 개발된 교육용 시뮬레이션들을 찾을 수 있다. 예컨대, 아주 많은 의학용 시뮬레이션이 의학 훈련을 위해 존재한다. 전형적으로 이러한 시뮬레이션들은 의학도들에게 비디오를 통하여 모의환자를 제공하고 그 모의환자를 치료하면서 환자의 진찰, 검사의 지시, 진단과 검증을 하도록 만든다(추론하기). 모의환자들은 컴퓨터 화면에 견본 형태로 제시되어 조작이 가능하다. 어떤 복잡한 의학 시뮬레이션에서는 실제 의료진이 가상으로 수술을 할 수도 있다. 비행 시뮬레이션은 조종사 훈련에 중요한 부분이다. 조종사들은 비행 명령에 기초하여 실제로 움직이는 가상 조종석에 앉아 시뮬레이션이 제공하는 복잡하고 극적인 상황에 대처해야 한다. 조종사들이 비행 시뮬레이션 훈련에서 여러 문제점들을 훈련받았기 때문에 많은 탑승객들이 실제의 항공 사고에서 생존할 수 있었다. 이런 시뮬레이션들은 운송산업과 군대에서 광범위하게 사용되고 있다.

실험실 시뮬레이션

실험실 시뮬레이션은 가장 많이 보급되어 사용되는 교육용 시뮬레이션이다. 그림

3.3에 묘사되어 있는 물리학 및 화학 실험실 시뮬레이션처럼 많은 시뮬레이션은 인터넷에서 접할 수 있다(예, http://phet.colorado.edu). 학습자는 이러한 시뮬레이션을 통하여 다양한 액체의 pH를 검증할 수 있다.

NASA의 Classroom of the Future는 매력적인 시뮬레이션을 개발하였다. 가장 최근의 혁신은 CyberSurgeons(가상 외과의사)이다(http://site.cybersurgeons.net). CyberSurgeons 시뮬레이션은 고등학교 학생들을 위한 과학 지식과 기술을 적용하기 위한 실제적인 방법을 제공한다. 그 시뮬레이션은 인체 시스템과 질병의 과정에 관련한 많은 국가와 주의 과학 교과의 표준을 다룬다. 그 임무를 완성하기 위하여 학생들은 병원선(船) 외상팀 소속의 가상 외과의사가 된다. 그 가상의 배는 높은 수준의 병원과 의학 연구 장비, 최첨단 의사소통 시스템, 정보를 중계하는 인공위성 통신망을 갖추고 있다. 임무는 웹과 비디오 컨퍼런스를 이용하여 West

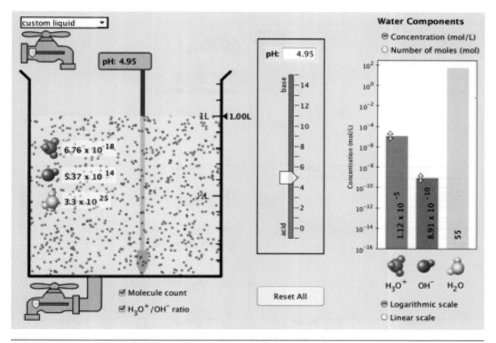

그림 3.3 온라인 화학 시뮬레이션

Boulder의 Colorado 대학교, PhET Interactive Simulations의 허가 후 게재. 온라인 주소: http://phet.colorado.edu

Virginia 주 Wheeling에 위치한 Wheeling Jesuit 대학교 교육공학센터의 Challenger 학습센터와 학생들의 교실을 접속하는 것이다.

생방송 시뮬레이션 이전에 학생들은 어떻게 간단한 자료집을 분석하여 의학 상황에 적용해야 하는지를 학습한다. 임무를 수행하는 날에 학생들은 Challenger 학습센터의 전문적인 교육가 역할을 하는 "진료소장"과 생방송으로 60분에서 90분간 연결한다. 학생들이 아마존 강을 여행할 때, 학생들 팀은 항구에 위치한 연구부서로부터 경보를 받는다. 실시간으로 학생들은 다양한 질병을 진단하고 치료법을 제안한다(그림 3.4에서 제시하는 처방패드를 참조). 학생들은 그 임무를 하는 과정에서 증상, 가능성 있는 조건, 시험결과, 및 선택적 치료에 연결된 데이터베이스를 포함하는 다양한 컴퓨터의 도구모음을 사용할 수 있다. 시뮬레이션은 학생들이 배운 것을 적용하도록 만들어 주는데, 이를 통하여 학생들은 더 잘 이해한다.

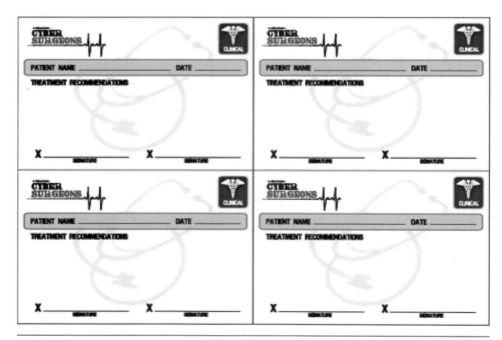

그림 3.4 학생 가상 외과의사의 처방패드

Wheeling Jesuit 대학교, 교육공학센터의 허가 후 게재

도시 시뮬레이션

학교 내에서(특히 사회과 과목에서) 가장 인기가 있고 효과적인 시뮬레이션은 도시 시뮬레이션이다. 도시 시뮬레이션은 어떻게 도시들이 다양한 정책결정에 반응함으로써 발전하는지를 이해해야 하는 도시 설계자를 위해 개발되었다. 도시 시뮬레이션은 컴퓨터 게임에서 종종 발생하는 측면들을 포함하고 있다(이 장의 다음 절에 나오는 게임에 대한 서술 참조). SimCity(http://simcitysocieties.ea.com/index.php)는 최초의 도시 시뮬레이션의 하나였는데, 이제는 여러 버전으로 나와있다. 이 안에서 학생들은 토지 사용과 교통에 관해 의사결정을 한다. SimCity를 플레이하는 동안에 학생들은 Sim이라고 불리는 캐릭터를 창조할 수 있는데, 이 Sim 캐릭터들은 다른 Sim들을 끌어들이고, SimCity 참여자에게 도시 주변에 무슨 일이 발생하는지 피드백을 제공한다. Sim들은 또한 도시 삶을 경험한다. 교통체증에 걸리기도 한다. 참여자들은 또한 도시를 둘러싼 산, 계곡, 숲을 비롯하여 회오리 바람, 화산, 별똥별과 같이 공동체에 위협이 되는 것들도 창조 가능하다. 학생들은 도시를 경영하고 자원을 공유하거나 경쟁하는 지역의 또 다른 도시를 연결하는 시장으로서의 역할을 한다. 시장은 또한 자연적이거나 비자연적인 재난에 대처하기 위하여 응급차량을 파견할 수도 있다. SimCity는 또한 인터넷을 통하여 집단 플레이나 컴퓨터 컨퍼런스, 채팅도 가능하다. SimCity와 같은 시뮬레이션의 복잡성은 학생들이 조직의 체제적 본질을 이해하는 데 도움을 준다. SimCity 안에서의 문제점들은 정치·사회·경제·문화적인 것들이며 이런 문제점들은 단일한 관점을 가지고는 해결할 수 없는 것들이다. 이것은 전 세계적으로 실제 도시들을 괴롭히는 문제점들의 본질이다.

시뮬레이션 개발도구

학생들의 학습 요구에 부응하는 시뮬레이션이 존재할 때, 그 시뮬레이션들은 유의미학습을 위하여 현명하게 사용되어야 한다. 시뮬레이션이 없을 때(이 경우가 더 많음) 자신의 시뮬레이션을 개발하고 싶을 것이다. 시뮬레이션 개발은 복

잡한 설계와 개발과정일 수 있어서 그 과정을 모두에게 권하는 것은 아니다. 성
공적인 개발을 위해서는 개발 작업에 헌신적일 필요가 있다. 다행스럽게도 시
뮬레이션 개발에 도움을 줄 수 있는 많은 시스템들이 존재한다. 그 중 가장 좋은
것은 네덜란드의 Twente 대학교에서 개발된 것이다. 이 시뮬레이션 개발도구는
SimQuest(www.simquest.com)다. 영어로 된 설명이 있기 때문에 걱정하지 않아도
된다. 또한 무료임을 잊지 마라. 교사로서 당신이 시뮬레이션을 개발할 시간이 없
다고 해도(이는 충분히 이해할 만하다) 당신의 학생들은 시뮬레이션을 개발하는
데 있어서 어려움이 없을 것이다. 학생들은 시뮬레이션을 개발할 때 시뮬레이션
을 플레이할 때보다 더 많은 것을 배운다.

예컨대, 하수처리장 시뮬레이션은 SimQuest를 사용하여 만들어졌다(그림 3.5).
그것은 하수 테크놀로지에 관한 일련의 교육과정에 적용될 수 있으며 그런 교육
과정의 시작과 마지막 지점에서 사용될 수 있다. 이 시뮬레이션에서 학생들은 하

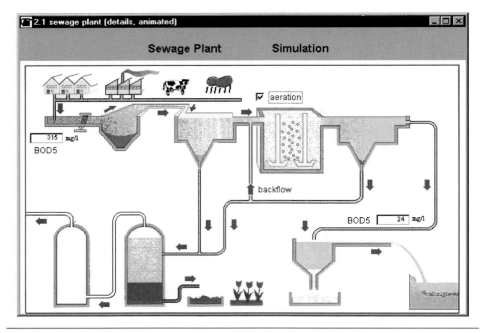

그림 3.5 하수처리장 시뮬레이션

출처: van Joolingen과 de Jong (2003). SimQuest. 허가 후 게재

수처리장을 조정할 수 있다. 이 시뮬레이션은 생물학적 과정이 어떻게 작동하는 지에 대해 학습하는 데 유용하다.

Massachusetts 공과대학(MIT)의 연구자들(Klopfer, 2008)은 손으로 쥘 수 있는 크기의 장치(http://education.mit.edu/drupal/ar)로 증강현실(AR) 시뮬레이션을 만들 수 있는 소프트웨어를 개발하였다. 이 시뮬레이션들은 실제와 거의 유사한 상황 속으로 학생들을 유인함으로써 학생들이 생태학, 환경과학, 지질학, 보건학, 역사 학, 경제학, 지역사회학, 수학과 언어예술학 등의 과학적 개념과 원리를 이해하는 데 도움을 준다.

환경조사관(Environmental Detectives: ED)이라는 실외 게임을 플레이하는 어떤 사람이 독성물질 유출의 원인을 적발하려고 시도하였다. 그들은 GPS가 달린 손으 로 쥘 수 있는 크기의 컴퓨터를 이용하여 모의 환경 자료를 수집하고 분석했으며 가상의 인물들과 면담도 하였다. 이러한 시뮬레이션들은 특정한 지리적 장소에 관한 것으로서, 학생들을 관련 활동에 참여시킨다. 연구자들은 또한 실외 증강현 실 개발 프로그램(toolkit)을 개발하였는데, 이것은 드래그 앤 드롭 기반 환경의 증 강현실 게임 개발 프로그램이다.

4절 게임 속으로 탐험하기

게임은 오락의 가장 오래된 형태이다. 스포츠 게임, 보드 게임, 소셜 게임과 더불 어 새롭게 등장한 비디오와 컴퓨터기반의 게임은 교실에서 유의미학습을 지원하 는 데 사용될 수 있다. 이 절에서는 상이한 종류의 컴퓨터 게임이 교실에 사용될 수 있는 방법을 설명하였다.

컴퓨터 기반의 교육용 게임의 가장 오래된 형태는 퀴즈 문제가 쇼라는 맥락 속 에 들어있는 퀴즈 게임이다. 예컨대, Games2Train(www.games2train.com)은 교사가 퀴즈게임을 만들 수 있도록 해주는 Pick-it!이라는 도구를 제공한다(그림 3.6 참조). 그것은 TV 퀴즈 쇼인 Jeopardy와 유사한데, 게임 참여자가 퀴즈의 주제, 점수, 경

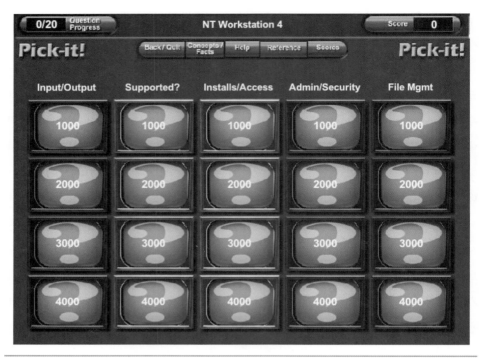

그림 3.6 Pick-it! 인터페이스

기를 선택할 수 있다. 이러한 게임들이 얼마나 학습의 유의미성을 갖게 되는지는 학생들에게 요구하는 반응의 본질에 달려있다. 교사가 그 게임에 암기력 이외에 다른 고차원 질문을 추가하지 못할 이유가 없다고 하더라도 오로지 암기력만 요구하는 게임이 종종 있다.

Sid Meier의 Civilization(http://civilization.com)과 같은 좀 더 복잡한 게임은 문명을 관리하는 동안에 발생하는 복잡한 문제 해결 상황으로 학생들을 끌어들인다. 학생들은 수메르인에서부터 신비스런 마야인까지 상이한 문명을 선택하여 탐험할 수 있다. 이 게임 안에서 학생들은 인공위성 이미지를 사용하여 세상을 지도 위에 배치할 수 있다. 그들은 군대를 동원하여 다른 문명을 공격하거나 다른 문명들과 동맹관계를 맺을 수 있다. 그들은 자신의 문명을 강제하기 위하여 원하는 형태의 정부(예컨대, 파시즘, 봉건제, 부족국가, 제국주의)를 선택할 수 있다. 그들

그림 3.7 Civilization의 상이한 도시들

출처: 2005 Sid Meier의 *Civilization III*, Firaxis Games, Take-Two Interactive사

은 또한 잘 개발된 무역 시스템을 사용하여 자원, 무역경로와 테크놀로지 전파를 관리할 수도 있다. 그림 3.7은 서로 평화롭게 또는 폭력적으로 상호작용하는 것을 학습해야만 하는 매우 많은 문명들을 보여주고 있다. 문명은 명백히 사회 수업에 적당한데, 이런 수업에서 교사는 세계가 정치적, 군사적, 사회적, 문화적, 역사적으로 복잡성을 갖고 있다는 것을 학생들이 이해하기를 기대한다.

　Civilization과 같은 특히 복잡하고 상호작용성을 갖는 게임들은 학습자가 유의미학습을 하도록 해준다. Gee(2003)는 다양한 원칙들을 발견하였고 이것들은 학습에 관하여 많은 것을 가르쳐주는 현대의 게임설계의 기초가 된다. 그 원칙들은 다음과 같다.

능동적, 비판적 학습의 원칙

(학습분야가 설계되고 제시되는 방식들을 포함하여) 학습환경의 모든 측면이 수동적 학습이 아니라 능동적이며 비판적 학습을 격려하도록 설정되어야 한다.

기호 영역의 원칙

학습은 어느 정도는 기호 분야를 숙달해야 하고 어느 정도는 친근한 집단이나 상호연결된 집단에 참여하는 것을 수반한다.

"사회심리적 모라토리엄(moratorium, 일시정지)" 원칙

학습자는 현실 세계의 영향력이 낮아질 때 모험을 할 수 있다.

헌신적 학습의 원칙

학습자는 자신의 실생활 신분의 확장으로서(많은 노력과 연습이 요구되는) 확장된 약속 안에서 참여한다. 여기서 확장은 어떤 의무감을 느끼는 가상 신분과 강제적 성격의 가상 세계와 관련된다.

신분(identity)의 원칙

학습자가(가상 신분을 개발함으로써) 실제 선택권을 갖는 방법으로, 그리고 새로운 신분과 오래된 신분 사이의 관련성을 중재할 풍부한 기회를 갖는 방법으로 신분들을 취득하며 역할에 참여한다. 신분에는 사회적이며 성찰하는 학습자로서 3가지로 구성된 역할(현실의 다양한 신분, 가상 신분, 투사된 신분)이 존재한다.

실습의 원칙

학습자는 실습이 지루하지 않은 상황(예컨대, 학습자가 자신의 기일에 맞추어 하도록 제한되고 지속적인 성공을 경험하는 가상 세계)에서 많은 것을 얻으면서 많은 실습을 한다. 학습자는 과업에 많은 시간을 사용한다.

탐사의 원칙

학습은 세계를 탐사하는(무엇인가를 하는) 순환과정이다. 그 순환과정은 1) 탐사에 기초하여 행위의 성찰과 가설의 형성, 2) 가설을 검증하기 위한 세계에 대한 재탐사, 3) 가설의 수용 또는 재고이다.

상황적 의미의 원칙

기호(단어, 행위, 물체, 인공물, 상징, 문자 등)의 의미는 체화된 경험에 상황적으로 연결되어 있다. 의미는 추상적이거나 상황과 동떨어져 있지 않다. 기초적인 것부터 고차원까지 어떤 의미가 구성되었든지 체화된 경험을 통하여 발견된다.

다중 양식의 원칙

의미와 지식은 단지 단어가 아니라 다양한 양식(이미지, 문자, 상징, 상호작용, 추상적 설계, 소리 등)을 통하여 만들어진다.

발견의 원칙

과도한 정보를 주는 것을 최소화하는 것은 학습자가 실험하고 발견하는 데 풍부한 기회를 제공한다.

모든 컴퓨터 게임이 이러한 원칙들을 표상하고 있지는 않다. 많은 게임들은 학습자에게 재미있지도 않고 오로지 회상과 기억만을 끌어들이는 과제에 경쟁하도록 만들고 있다. 이것들은 교실 시간을 때우는 데 좋을 것이며, 아마 학생들은 그것을 즐기기조차 할 것이다. 어떤 테크놀로지 기반의 활동이든지 당신은 학생들이 참여하도록한 과제의 본질을 점검해야만 한다.

5절 가상 세계로 몰입하기

학생들은 또한 시뮬레이션과 게임의 많은 측면들이 결합된 가상 세계와 상호작용하는 법을 배울 것이다. 가상 세계는 실제적이며, 3차원적 컴퓨터 시뮬레이션인데, 그 안에서 사용자는 다른 사용자들과 상호작용하는 동안에 자신을 아바타와 동일시하게 된다. 많은 가상 세계가 서로 함께하거나 경쟁하는 여러 사용자들을 지원한다. 이 모의세계는 실제 세계와 유사하게 기능을 하는 것처럼 보인다. 수많은 상업적 가상 세계가 교실에서 사용될 수 있다. 예를 들어, Entropia Universe는 경제적 가상 세계인데, 그 세계에서 Entropia 통화는 실제 세계의 기금과 거래하거나 가상의 땅과 장비를 구입하는 데 사용되거나 Virtual Universe 안에 있는 가상의 인물(아바타)을 도와줄 수 있다. Entropia가 현금 경제를 반영하고 그 세계 안에서 가상의 물품들은 실제로 실질적인 현금 가치(인터넷에서 자주 거래된다)를 갖고 있기 때문에, 가상 물품들은 매매 가능하며 그 수익금은 다른 형태의 통화로 저장도 가능하다. 수많은 가상 세계가 복잡한 사용자 상호작용을 지원하고 있다.

다수의 사용자를 위한 최고의 가상 환경은 Quest Atlantis이다(http://atlantis.crlt. indiana.edu/). Quest Atlantis는 3차원 몰입 환경의 9~16세 학생들의 학문 기준에 맞추어진 다양한 학습과제를 지원하기 위해 설계된 가상 세계이다(Barab, Thomas, Carteaux, & Tuzun, 2005; 그림 3.8 참조). Quest Atlantis는 상업적 게임의 속성들을

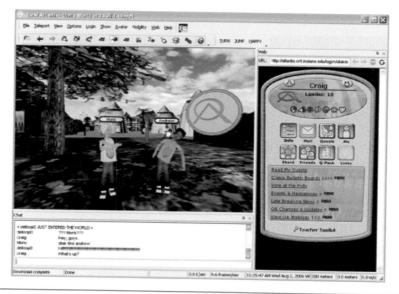

그림 3.8 Quest Atlantis에서 탐사하는 학생들

허가후 게재

연구에 기반한 교육용 실습에 결합하고 있다. Quest Atlantis는 놀이는 어린이가 깊은 수준의 사고를 하게 만든다는 믿음에 기초하여 설계되었다. Quest Atlantis는 (다양성 이슈를 강조하는) Unity World, (영양을 강조하는) Ecology World와 Healthy World와 같은 3차원 세계를 포함하고 있다. 학생들은 상이한 탐구를 완성해가는 동안에 아바타를 사용하여 이러한 세계들에서 움직이며, 또 다른 아바타를 만나며, 협동적이고 사회적 책무가 부여된 활동들에 참여한다. 탐구는 교육적으로 재미있도록 설계된 교육과정 과제다. 예를 들어, Habitat Village in Ecology World의 탐구는 다음과 같은 목표를 갖고 있다.

- 당신의 주변에 살고 있지만 잘 알지 못하는 한 동물을 선택하시오.
- 그 동물의 서식지, 즉 어디서 살고 있는지, 무엇을 집으로 사용하는지 찾아내시오.
- 그 동물과 집에 대한 이야기를 개인적 디지털 기기를 이용하여 작성하고 제출하시오.

이러한 탐구를 완성함으로써 학생들은 현장연구의 수행, 다른 사람과의 인터뷰, 공동체가 직면한 문제에 대한 연구의 수행, 상이한 관점에서 현재 사건의 조사, 저널 작성, 문제의 해결과 같은 사회적이며 교육적인 유의미 활동에 참여할 수 있다. 자신들의 탐구를 완성하면서 학생들은 스승이나 조언자뿐만 아니라 다른 학생들과 대화를 하게 된다. 전 세계의 수천 명의 학생들이 교실에서 정기적으로 Quest Atlantis를 이용하고 있다.

Quest Atlantis는 컴퓨터 게임 그 이상이다. 그것은 아동들을 여러 교육적 과제에 몰두하도록 만드는 가상 세계로 이루어져 있다. 그 교육적 과제에는 재난으로부터 Atlantis를 구하는 모험, 환경에서 교육적 탐구, 교사를 위한 단원 계획, 만화 잡지, 소설, 보드 게임, 일련의 사회적 책무들, 환경을 이용하는 다양한 인물들 등이 있다. 이런 가상 세계에 대한 연구결과는 학생들이 상당한 양의 과학과 사회 분야를 학습할 뿐만 아니라 교육적으로 강한 자기효능감을 얻고 있다고 밝히고 있다. 많은 가상 세계가 온라인으로 접근 가능하다. 다음은 몇 가지 예이다.

SparkTop(www.sparktop.org)은 학습부진아를 위한 사이트다. 아이들은 그 사이트에서 함께 어울릴 공동체, 창의적이 될 수 있는 낮은 스트레스의 기회, 자신들의 독특한 재능과 강점, 어째서 자신들이 간혹 힘들어 하는지에 대한 정보, 긴장을 풀고 재미를 느끼는 시간 등을 발견할 수 있다. 그 사이트는 여러 음성 명령어와 문자 명령어를 갖고 실행할 수 있는 다양한 게임, 퀴즈, 음악, 메시지판, 애니메이션 프로그램 및 많은 긍정적인 메시지를 제공한다.

Woogi World(www.woogieworld.com)는 그 사이트의 문장을 인용하여 표현하면 "전 세계의 초등학생들이 학업적 성취와 미래의 지도자로 성장하기 위한 연령에 적합한 핵심적 교육내용, 21세기 필수 역량, 사이버 안전 및 보안성, 책임 있고 윤리적인 행동을 학습할 수 있는 안전한 가상학교"이다.

8세부터 14세 학생을 위하여 연구자와 교육자가 개발한 Whyville(whyville.net/smmk/nice)는 "탐색과 의사소통을 통하여 학습하도록 만드는 온라인 가상 세계다. 전세계에서 우리 사이트를 방문하는 사람들은 우리의 시민이 되어 상호작용하고, 학습하고 재미를 얻는다. 그들은 수학과 물리학에서부터 예술사와 경제학 및 윤리교육에 이르는 교육활동에 참여한다. Whyville은 자체적으로 신문, 상원의원, 해변, 박물관, 시청과 시청앞 광장, 교외, 심지어 경제까지 가지고 있는데, 그 안에서 시민들은 교육용 게임에 참여함으로써 가상화폐(clams)[1]를 획득한다."

가장 대중적으로 사용되는 가상 세계는 Second Life(secondlife.com)인데, 그것은 그 환경 안에 있는 사람들이 전적으로 건설하고 소유하고 있는 3차원 가상 세계다. 비록 Second Life가 전 세계의 수백만 명의 사용자의 오락용 수단으로서 개발되었지만, 이제 상당히 광범위하게 교육분야, 주로 고등교육에서 사용되고 있다. 전 세계의 수백 개 대학들이 Second Life 안에서 교실을 운영한다.

Second Life에서 사용자들은 그 환경 안에서 자신을 대신할 아바타를 창조한다. 사용자들은 상이한 과제를 돕도록 건설된 가상 세계에서 상호작용한다. 다음은 몇 가지 그 예이다.

---

1) 역주: whyvill.net에서 통용되는 화폐 단위

- 영국의 Manchester 시 의회는 Second Life 안에서 일부의 토지를 구매하고 학교를 세웠다. 그 학교에서 학생들은 실제 학교를 재건설하고 새롭게 하는 계획을 세울 것이다(Marley, 2008).
- Dysart(2009)는 Second Life의 많은 멋진 적용방안을 다음처럼 기술하였다.
  - 환태평양 교류(Pacific Rim Exchange)는 California 주 Modesto 시 학교의 학생들이 가상으로 일본의 Kyoto Gakuen 고등학교의 학생들과 문화적 교류에 대한 상호작용이 가능하도록 만든다. 이것은 Skoolaborate(www.skoolaborate.com)로 알려진 교류 프로젝트의 절정을 보여주었다.
  - New York 주의 Suffern 시 Suffern 중학교의 벼룩시장 수학(Flea Market Math)은 주어진 예산을 넘지 않도록 지도하면서 가상의 벼룩시장에 가서 쇼핑하도록 만듦으로써 학생들에게 1달러의 가치를 가르친다.
  - Kidz Connect 프로젝트는 학생들이 일련의 협력적인 수행과 스토리텔링 워크숍에 참여하도록 만든다. 이것은 학생들에 의한 원래의 수행을 최고점에 달하게 만드는데, 이런 수행은 Second Life에서 생성된 것이다.

유치원에서 고등학교 교실과 대학교 강의실에 이르기까지 수천 개의 Second Life의 적용 사례들이 있다. 많은 예들은 면대면 교실을 단순히 복제한 것인데, 그 이유는 교육자가 보다 혁신적인 적용의 발전 방법에 대하여 확신이 없기 때문이다. 혁신성에 덧붙여 많은 다른 문제점이 발생한다. 사람들이 면대면 환경에서 보다 가상 세계에서 다르게 상호작용하고 의사소통을 하기 때문에, 다음과 같은 많은 잠정적 문제들이 대두된다(Pfeil et al., 2009).

- 정체성: 독특한 별명을 지닌 자신의 아바타를 창조하는 것은 참여자에게 독특한 정체성을 갖게 하고 교사, 다른 사람에게 신분이 노출되지 않고 활동할 수 있게 한다.
- 새로운 의사소통 유형: 학생들에게는 자신이 누구와 교신하는지를 아는 일이, 교사에게는 학생의 기여도를 평가하는 일이 어렵게 된다.
- 새로운 교육학적 역할: 가상 세계에서의 수업은 학생과 교사 사이의 권력 관

계에 영향을 미치기 때문에 얼마나 많이 개입해야 하는지를 아는 것이 어렵게 된다.

6절 결론

게임이나 시뮬레이션에서 몇몇 수치를 변화시키면 무슨 일이 발생할까에 관한 예상을 하기 위해서는 인과관계 추론이 필요하다. 테크놀로지로 실험하기는 학생들로 하여금 이러한 인과관계 추론을 학습하도록 만든다. 이것은 매우 중요한데, 그 이유는 인과관계 추론이 대부분의 과학 탐구기준에 연결되어 있는 가장 기본적인 사고 기술이기 때문이다. 인과관계 추론은 많은 테크놀로지 기반 학습환경들, 예컨대 마이크로월드, 시뮬레이션, 게임, 및 가상 세계에 의하여 촉진된다. 마이크로월드는 한정된 수의 인과관계성에 초점을 맞춘 탐색적 환경으로서 학습자들이 조작하고 검증해야 하는 세계를 단순화한 표상으로 제공한다. 시뮬레이션은 많은 성격을 마이크로월드와 공유하고 있지만, 시뮬레이션이 보다 복잡하고 종종 학생들이 조작해야 할 다양한 변인들을 갖고 있다. 보다 복잡한 환경은 시뮬레이션 기저에 보다 정교한 모델을 요구하는데, 이것 때문에 시뮬레이션 설계와 실행이 더 어려워진다. 게임은 자기 자신과 혹은 다른 사람과의 경쟁을 첨가한다. 수백, 수천 명의 사람들이 언제든지 인터넷 기반의 게임을 즐기고 있다(총으로 하는 1인용 슈팅 게임이 아닌). 어떤 게임들은 교실 학습목표 달성에 적절히 도움을 준다. 가상 세계는 마이크로월드, 시뮬레이션, 게임의 성격을 교육적으로 의도된 환경으로 통합하여 학생들이 먼 거리의 세계를 탐색하고 학습탐구를 추구하도록 만든다. 비록 교육적 목표를 지원하는 가상 세계의 수는 소수이지만 가상 세계는 학생을 유의미학습에 참여시키는 데 가장 커다란 잠재력을 갖고 있다.

이 장에 서술된 활동과 관련된 NET 표준

1. 창의성과 혁신

　　c. 모델과 시뮬레이션을 사용하여 복잡한 시스템과 이슈를 탐색한다.

　　d. 경향성을 확인하여 가능성을 예상한다.

4. 비판적 사고, 문제 해결, 의사결정

　　a. 조사를 위하여 실제적인 문제와 중요한 질문을 확인하고 정의한다.

　　c. 해답을 확인하기 위하여 자료를 수집하여 분석하거나 정보에 기반하여 결정한다.

　　d. 다양한 절차와 관점을 활용하여 대안적인 해결책을 탐색한다.

5. 디지털 시민정신

　　b. 테크놀로지는 협력, 학습, 생산성을 지원하므로 테크놀로지를 사용하는 것에 긍정적인 태도를 보인다.

　　c. 평생학습을 위한 개인적인 책임감을 보인다.

6. 테크놀로지 작동과 개념

　　a. 테크놀로지 시스템을 이해하고 활용한다.

　　b. 응용프로그램을 효과적이고 생산적으로 선정하여 활용한다.

이 장에 서술된 활동과 관련된 21세기 역량

　효과적으로 추론하기

　　■ 상황에 적합한 다양한 종류의 추론(귀납적, 연역적)을 사용한다.

　체제적 사고 사용하기

　　■ 복잡한 구조에서 전체적인 성과를 창출하기 위해 전체의 각 부분이 어떻게 서로 상호작용하는지 분석한다.

　판단과 의사결정하기

　　■ 증거, 논쟁, 주장, 믿음을 효율적으로 분석하고 평가한다.

- 주요한 대안적인 관점을 분석하고 평가한다.
- 정보와 주장을 연결하고 종합한다.
- 정보를 해석하고 최적의 분석에 기반하여 결론을 내린다.
- 학습 경험과 과정을 비판적으로 반성한다.

문제 해결하기

- 다양한 종류의 친숙하지 않은 문제를 통상적인 방식과 혁신적인 방법 모두로 해결한다.
- 다양한 관점을 분명히 하고, 좀 더 나은 해결책을 이끌기 위한 중요한 질문을 파악하고 묻는다.

7절 생각해볼 점

1. 추리와 예측은 동전의 양면과도 같은가? 만일 예측할 수 있다면, 마찬가지로 추리할 수 있을 것이라고 믿는가? 추리는 예측처럼 전이가 잘 이루어질 것인가?

2. 의사들은 추리적 사고를 통해 진단을 한다. 추리를 필요로 하는 다른 과제는 무엇이 있을까?

3. 우리는 같은 사건의 시사점에 대해 정기적으로 이야기를 나눈다. 당신은 학생들이 도출할 필요가 있는, 학습목표에 관련된 시사점을 생각할 수 있는가?

4. 마이크로월드는 특히 학생들이 예측(가설)을 생성하고 검증하도록 만드는 데 특히 효과적이다. 학생들이 추리를 검증하는 데 어떻게 마이크로월드를 이용할 수 있는가?

5. 만일 SimCalc가 3학년 학생들이 미분의 원리를 이해하는 데 도움을 준다면, 학생들이 수요와 공급을 이해하도록 도와주기 위하여 어떤 종류의 마이크

로월드를 설계할 것인가?

6. 시뮬레이션은 수십 년 전부터 존재해왔다. 컴퓨터가 시뮬레이션을 어떻게 보다 더 효과적으로 만드는가?

7. 학생들은 시뮬레이션에서 실패할 수 있다. 유의미학습의 한 가지 관점은 "빠른 실패"이다. 학생들이 무언가를 시도해보고 실패를 빨리 경험할수록 보다 빨리 학습을 시작할 것이다. 그 이유는 무엇일까? 당신의 교실에 이 원칙을 어떻게 사용할 것인가?

8. 좋은 시뮬레이션은 만들기 어렵다. 만일 수업을 위해 시뮬레이션을 만들었다면, 어떤 활동을 지원할 것인가? 학생들은 어떤 변인들을 조작할 수 있는가? 변인들은 어떻게 서로에게 영향을 주겠는가?

9. Gee(2003)는 게임이 유의미학습을 이끌어내는 근거에 대한 36개의 원칙을 발견하였다. 그의 원칙들이 시뮬레이션과 마이크로월드에도 적용되는가?

10. Gee의 원칙 중의 하나는 신분을 만들고 그 신분으로 활동하는 것에서 학습이 일어난다고 한다. 왜 학생들이 다른 신분들의 가정과 검증을 좋아할 것이라고 생각하는가?

11. Gee의 탐사의 원칙에 의하면 학습은 세계를 탐사하고 이런 행위를 성찰하며 가설을 형성하는 순환과정이이라고 한다. Donald Schön(1983)은 그의 책에서 성찰적 실행가에 대해 서술하였다. 성찰적 실행가의 성격은 무엇이라고 생각하는가?

12. Gee의 상황학습의 원칙은 1장에서 기술한 유의미학습의 성격과 유사하다. 상황은 어떻게 체화된 경험이 되는가?

13. 대부분의 게임은 어느 정도의 경쟁을 포함한다. 경쟁이 학습에 좋은 때는 언제이고 해로운 때는 언제인가?

14. 가상 세계는 학생들이 자신의 세계에서 도피하여 다른 규칙들이 적용되는 새로운 세계에 들어가도록 만든다. 왜 그것은 학생들에게 흥미를 유발하는가?

참고문헌

Barab, S. A., Thomas, M., Dodge, T., Carteaux, R., and Tuzun, H. (2005). Making learning fun: Quest Atlantis, a game without guns. *Educational Technology Research and Development 53*(1), 86–108.

Dysart, J. (2009). Learning: The next generation. *American School Board Journal, 196*(11), 30–31.

Gee, J. P. (2003). *What video games have to teach us about learning and literacy.* New York: Palgrave Macmillan.

Hanna, J. (1986). Learning environment criteria. In R. Ennals, R. Gwyn, & L. Zdravchev (Eds.), *Information technology and education: The changing school.* Chichester, UK: Ellis Horwood.

Klopfer, E. (2008). *Augmented learning research and design of mobile educational games.* Cambridge, MA: MIT Press.

Marley, D. (2008). Pupils help create school that's just out of this world. *Times Educational Supplement* no. 4785 (April 25), 5.

Papert, S. (1980). *Mindstorms: Children, computers, and powerful ideas.* New York: Basic Books.

Pfeil,U., Ang, C. S., and Zaphiris, P. (2009). Issues and challenges of teaching and learning in 3D virtual worlds: Real life case studies. *Educational Media International, 46*(3), 223–238.

White, B. Y. (1993). ThinkerTools: Causal models, conceptual change, and science education. *Cognition and Instruction, 10*(1), 1–100.

Chapter 04

테크놀로지와 함께 디자인하기

David Crismond, Jane L. Howland, David Jonassen

| 이 장의 목표 |

1. 디자인이 무엇인지 설명하고, 디자인이 학습자의 유의미학습을 어떻게 촉진하는지 서술한다.
2. 다양한 종류의 디자인 작업을 가능하게 하는 테크놀로지 도구를 소개한다.
3. 테크놀로지가 반복적인 디자인과 반성적 사고를 어떻게 지원할 수 있는지 서술한다.
4. 초 · 중등 학생을 위한 테크놀로지 기반 디자인 프로젝트의 예를 제시한다.
5. 디자인하기가 NETS와 21세기 역량의 개발을 어떻게 지원할 수 있는지 서술한다.

1절 디자인을 통해 학습하기

디자인은 무엇인가? 디자인이란 우리 삶의 모든 부분에 스며들어 있는 일상적인 활동이다. 우리는 어떤 측면에서 모두 디자이너이고, 대부분의 사람들은 분명히 다른 사람들의 디자인을 소비하고 있다. 전문 분야 혹은 개인적인 생활에서 상품, 창작물, 절차, 시스템, 활동, 모형을 비롯한 다른 결과물을 디자인한다. 사람들은 어디에서나 어떠한 형태로든 디자인에 참여한다. 소프트웨어 프로그램 작성하기, 건물 설계하기, 새로운 자동차나 자동차의 10,000개 부품 중 일부를 디자인하기, 작곡하기, 책이나 극, 단편극, 기사, 시를 쓰기, 신상품을 위한 마케팅 캠페인 만들기, 새로운 음식 만들기, 입간판 광고 디자인하기, 집의 내장과 외장 꾸미기, 혹은 케이크 장식하기와 기타 수천 개의 일이 디자인과 관련되어 있다.

디자인 문제는 사람들이 해결하려고 시도하는 가장 복잡하고 비구조화된 문제들 중 하나이다(Jonassen, 2004). 문제 해결에서 사용되는 많은 전략이 디자인 전략과 유사하다(McCormick, 1998, p. 231):

문제 해결	디자인
문제 정의하기	요구나 기회 발견하기
대안적 해결안 만들기	디자인 아이디어 창출하기
해결안 선정하기	프로토타입이나 상품을 기획하고 만들기
해결안을 실행하고 평가하기	디자인을 평가하고 성찰하기

종종 일련의 주어진 제약 속에서 여러 기준을 충족시키는 최적의 해결책을 찾는 것이 디자인의 목표로 언급된다. 그러나 현실세계의 디자인 문제는 막연하게 정의되거나 목표와 한계점이 부분적으로만 진술되고, 하나의 "옳은" 답보다는 다양한 해결책이 존재하며, 맞다는 것을 입증할 수 없다. 디자인 문제를 어떻게 규정하느냐에 따라 해결안의 종류를 결정하게 되는데 디자인이 어렵고 해결하기 어려운 것은 이 때문이다(Buchanan, 1995; Churchman, 1967). 심지어 "완벽한 수업"이라 할지라도 매우 다른 방식으로 가르쳐질 수 있지 않겠는가? 궁극적으로 디자이너는 원하는 디자인에 대한 관점이 변할지도 모를 고객을 만족시켜야 하는데, 이는 디자인이라는 비구조화된 문제 해결의 전 과정이 새롭게 시작될 수도 있음을 의미한다.

학교의 기술교육, 컴퓨터 프로그래밍, 음악, 수학, 과학 수업과 공학과 미디어예술 강의에서 디자인의 도전적 과제를 발견할 수 있다. 그리고 점점 증가하고 있는 디자인 대회와 같은 비형식 교육 상황에서 디자인은 각광을 받고 있다. FIRST Robotics와 Lego 디자인 대회(www.usfirst.org), Science Olympiad(www.soinc.org), ThinkQuest(www.thinkquest.org) 같은 대회에서 초 · 중등 학생들은 연령별로 네 유형의 경기에 참여할 수 있다. 이들 대회에서는 모든 연령의 학생에게 효과적인 유의미학습의 기본 접근방식으로서 디자인을 사용하여 기억에 남을 만한 맥락 속에서 개념을 이해하도록 동기를 부여한다.

2절 SketchUp으로 디자인하기

디자이너가 하는 일을 생각할 때, 전형적으로는 브레인스토밍한 아이디어를 빠르게 스케치하기 위해 화이트보드 주변에 모여 있는 집단을 상상한다. 혹은, 정면, 측면, 상면 도안과 부품의 규격이 명확하게 표시된 정투상(orthographic projection)[1] 도안을 만드는 제도대 위에 몸을 숙이고 있는 사람을 생각한다. 오랜 고민 없이 불쑥 시작하고 간단한 프로토타입을 쉽게 만들고 개략적인 그림이나 말로 의사소통을 하는 젊은 디자이너에게도 해당되는 말인지는 의문이지만(Bilda, Gero, & Purcell, 2006; Kimbell, 2004; Welsh & Lim, 1999), 디자이너에게 반드시 필요한 필수적인 절차적 기술은 스케치하고 그림을 그리는 것이라고 여겨진다(Ullman, Wood, & Graig, 1990).

학습자에게 디자인 과제를 줄 때 생기는 난점 중 하나는 나의 아이디어를 많은 사람들이 살펴보고 공유할 수 있도록 유용한 시각 자료로 변환시킬 수 있는 "그래픽 리터러시"가 부족하다는 점이다. 근래에 잘 개발된 테크놀로지 도구인 컴퓨터 지원 설계(CAD: computer aided design) 프로그램이 디자이너의 생각을 시각화하는 것을 돕기 위해 사용되고 있다.

1960년대 초에 개발된 최초의 CAD 프로그램에서 사용자는 라이트 펜(light pen)을 사용하였고, 키보드로 명령어를 입력하였고, 오실로스코프(oscilloscopes)[2]를 그림을 그리고 간단한 선, 원, 곡선을 조작하기 위한 화면으로 사용했다.

오늘날의 CAD 프로그램은 디자이너가 가상으로 만들고 생각을 검토하고 디자인의 구조적 특성과 색깔, 표면적 질감을 변경할 수 있도록 함으로써 시각화를 돕는다. 실물과 매우 유사한 물체의 주요 세부내용을 살피기 위해서 조립 물질, 핸들, 도구 없이 화면상에서 회전을 시키거나 확대 혹은 축소를 할 수 있다. 이후 디자인 단계에서, CAD 프로그램은 물리적인 프로토타입을 만들기 위한 최종 도

---

1) 양면에 직교하는 광선을 물체에 대고 그 형태를 평면상에 그리는 것. 정투상도는 모양을 정밀하고 정확하게 표시할 수 있다.

2) 역주: 전류 변화를 화면으로 보여주는 장치

안을 만드는 데 유용하다. 디자인의 전 과정에서 잉크가 전혀 마르지 않는 펜을 사용하고, 완벽하게 삐뚤어지지 않는 선을 그리며, 제도 책상에서 수년간 일했던 사람만 숙달할 수 있었던 매우 읽기 쉬운 글씨체의 텍스트를 작성하고, 발표에 적합한 질 높은 도안을 만들어낼 수 있다.

구글의 SketchUp(SketchUp.google.com)과 같은 프로그램은 디자이너가 기본적인 2차원의 모양으로부터 시작하여 "밀기/당기기(push/pull)"를 하거나 다른 도구를 사용하여 3차원의 물체를 만들어 냄으로써 "밑바닥에서부터 만들었던" 건물이나 방을 시각화하도록 돕는다. 평면도는 건물이 되고, 육지 측량은 나무와 사람으로 채울 수 있는 조각된 지형이 된다. 디자이너는 집의 형태와 장소가 적합하게 보일 때까지 집을 서로 다른 위치에 옮겨 놓을 수 있다. 건축에 사용되는 SketchUp과 같은 CAD 시스템이 제공하는 또 다른 요긴한 점은 어떤 것이 건축되기 전에 사용자가 가상으로 만들어진 공간을 돌아다니며 "건설된 환경"에 대한 느낌을 갖도록 하는 "워크스루(walk-through)" 기능이 있다는 것이다.

SketchUp은 Hofstra 대학의 수학, 과학, 기술교육 협력(Math Science Technology Education Partnership) 교육과정 개발 프로젝트에서 중요한 부분을 차지했다. 이 프로젝트에서 중학생들은 처음에 SketchUp을 사용하여 최근에 배운 수학을 적용하여 자신만의 침대를 디자인한 다음에 실제 규모의 방 모형을 만들었다. "침실 디자인" 교육과정에서는 학생이 주어진 예산 안에서 침실에 유용한 서로 다른 기하학적인 물체로 작업하는 지식 기술 생산자(Knowledge Skill Builder) 활동이 활용되었다. 학생들은 침실 창문의 전체 면적이 침실 바닥의 전체 면적의 20퍼센트와 같거나 커야 한다는 건축 법규를 충족시키기 위해 방의 창문과 바닥의 면적을 계산해야만 했다. SketchUp의 도구를 이용하여 창문의 치수를 측정하고, 방과 창문의 모양과 크기를 조정하고, 벽의 색깔과 질감을 변경하였다. 그리고 SketchUp의 "3D Warehouse"를 사용하여 무료로 기존에 디자인된 수천 개의 가구와 인공물 중에서 필요한 것을 자신의 방으로 복사하여 붙여 넣을 수 있었다(그림 4.1).

Washington 주, Seattle에 있는 9세 학생은 아파트의 축소 모형을 그리도록 한 학교 프로젝트에서 SketchUp을 사용하였다. 처음에는 SketchUp을 수업도구로 사

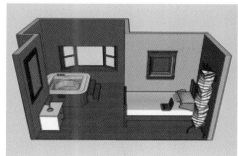 

그림 4.1 학생들은 구글의 SketchUp으로 침실에 대한 도면을 디자인하고 실제 모형으로 구현함

Hofstra 대학 Technological Literacy 센터

용하는 것에 대하여 회의적이었던 교사는 "기하학, 측정, 논리, 문제 해결, 예술, 원근법 등 다방면으로 교육과정과 관련된다는 것을 발견했습니다."라고 말했다 (https://docs.google.com/Doc?id=dc837t9h_71f68nnbcb).

SketchUp은 건축가가 건물을 디자인하는 것을 돕기 위해 개발되었지만, 시각화를 위해서도 매우 우수한 도구이다. SketchUp은 9장에서 다루어질 지형의 시각화를 위해서뿐만 아니라, 학생들이 각도, 부피, 모양과 같은 수학적인 개념을 시각화하는 데 도움이 된다. Isle of Man에 있는 Laxey 학교의 John Thornley 교사는 디자인 테크놀로지 수업에서 5세에서 10세까지의 학생들에게 SketchUp을 사용하여 상자를 만들고 포장재와 상자 디자인을 하도록 하였다(그림 4.2). 학생들은 다른 컴퓨터 프로그램에서 포장재를 위한 디자인을 만들고, 이미지(jpg) 파일로 저장한 뒤 SketchUp 문서에 디자인을 삽입하였다. 그 후 학생들은 실제 상자를 만들기 위해 소프트웨어로 만든 디자인을 사용하였다. Thornley 교사가 가르치는 학생들은 그림 4.3에서와 같이 등대

그림 4.2 SketchUp에서 디자인한 학생의 상자

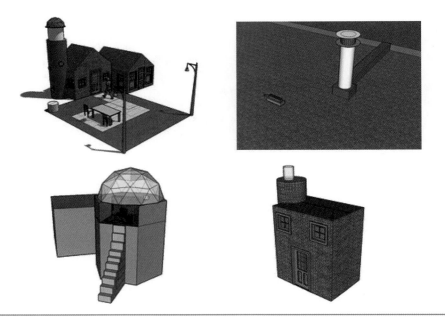

그림 4.3 SketchUp으로 만든 학생의 등대 디자인

를 만들기 위해서도 SketchUp을 사용하였다.

　　Thornley 교사는 "5살인 어린이들과 SketchUp을 사용합니다. 이 프로그램을 사용하면 교사가 간단한 안내만 주어도, 아이들이 결과물을 빨리 만들어내고, 매우 빠른 속도로 배웁니다. 전통적인 방식으로 자신을 표현하는 데 어려움을 겪는 학생들이 SketchUp을 이용하여 선생님의 기대를 훨씬 뛰어넘는 작품을 만들어내는 것을 알게 되었습니다. 우리는 이미 자폐증으로 힘들어 하는 아이들에게 큰 성과를 거두었습니다. 원근법을 적용해서 그림을 그리는 SketchUp의 기능으로 어린이들이 자신의 생각을 매우 쉽게 개념화할 수 있습니다."라고 말했다(http://docs.google.com/Doc?id=dc837t9h_69ckn7f2gv).

　　인터넷상에서 SketchUp에 대한 무료 튜토리얼이 많이 제공되고 있다. Harwood Podcast Network에서 만들어진 튜토리얼 비디오는 애플의 아이튠즈 프로그램을 통해 팟캐스트로 제공되고(www.apple.com/itunes/download), Mac과 PC 모두에서 작동된다. 캐스트의 제목은 "SketchUp: A 3-D Toolbox"이고, 현재 SketchUp의 기본적인 내용(선택, 밀기/당기기, 이동 도구)과 더 높은 수준의 주제(예컨대, Simple Staircase, 3D Warehouse, Sunlight Simulation)에 관한 40개 이상의 팟캐스트가 저장되어 있다.

3절 시뮬레이션 소프트웨어로 디자인을 테스트하고 이해력 높이기

연방 정부의 국립 과학 재단 자금을 지원받는 많은 연구 프로젝트에서는 학생이 질문을 탐색하고 과학과 공학의 큰 흐름과 관련된 연구를 수행해보는 디자인 활동을 하였다. 교사는 학생들이 디자인 작업할 시스템이 어떻게 작동하는가에 관한 "장치 지식(device knowledge)"(Vattam & Kolodner, 2006)뿐만 아니라 과학 및 공학과 연관된 원리를 깊이 이해할 필요가 있다(Johnson, 1988; McCormick, Murphy, & Davidson, 1994).

시뮬레이션 소프트웨어를 사용하면 학생의 사고를 도와줄 수 있고 초기 디자인 기획을 보완할 수 있다(3장 참조). 과학수업에서 학생은 시뮬레이션의 도움을 받아 후손에게 유전적 특성이 어떻게 전달되고(자연 선택), 회로를 통해 전류가 흐를 때 전자의 움직임은 어떠하며(옴의 법칙), 합력(net force)[3]을 받는 물체의 움직임은 어떠한가(뉴턴 역학)와 같은 물리적 세계의 작동방식에 대한 정신모형을 구성할 수 있다. 시뮬레이션은 실제 세계에서 규칙에 근거한 행동을 사용자가 보기 편하게 만든 소프트웨어이고 그 이면에는 복잡한 수학적 계산으로 작동한다. 이 프로그램은 학생이 어떻게 시스템이 작동하고, 시스템 안의 요소들이 어떻게 상호작용하는지를 인과적으로 설명할 수 있도록 돕는다. 잘 디자인된 시뮬레이션을 통해 추상적 이론과 자연의 법칙을 실제 세계와 연결하여, 이론과 법칙을 보다 잘 이해하고, 학습하고, 전이할 수 있다(White, 1993). 다음에 설명할 프로그램

---

3) 역주: 물체에 작용하는 모든 힘을 벡터 합한 것으로 실제로 물체의 운동 상태를 바꾸는 힘으로 알짜 힘이라고도 한다.

을 비롯하여 몇몇 시뮬레이션 프로그램은 디자이너에게 어떤 디자인이 다른 디자인보다 더 잘 작동할지를 보여줌으로써 디자인 아이디어에 대한 피드백을 신속히 전달하고, 계획한 장치의 잠재적 문제점을 밝히는 데 도움을 준다.

투석기 시뮬레이션 기기

학년 말에 Missouri 주에 위치한 Columbia의 과학 교사인 Doug Steinoff와 기술 교사인 Craig Adams는 Jefferson 중학교 학생들에게 중력 구동 투석기를 만들도록 하였다. 테니스 공에 연결된 밧줄로 공을 던져서 3m와 49m 사이에 놓여 있는 목표물을 맞힐 수 있도록 장치를 디자인하고 만들도록 했다. 학생들은 초안을 테스트하는 단계뿐만 아니라 최종 디자인 대회에서 최고점을 얻도록 정확하게 작동하는 투석기를 만들어야 했다.

반복적 디자인은 효과적인 디자인을 위해 중요하다. 반복적 디자인을 위해서 학생들은 아이디어를 제안하고 프로토타입을 만들어 테스트하며, 중간 디자인의 문제점을 진단하고 해결하여, 신속히 개선점을 적용할 수 있어야 한다. 투석기를 합판이나 2×4 목재로 만드는 경우처럼 많은 건축물이 관여된 디자인을 할 때 늘 생기는 문제는 하나의 디자인 계획을 세우고 테스트하는 데 너무나 많은 프로젝트 시간을 사용한다는 것이다. 결국 적은 수의 테스트로 인해서 최종 프로젝트 산출물이 완전히 실패하거나 거의 작동하지 않게 된다.

시뮬레이션 프로그램은 Adams와 Steinoff 교사가 발견한 것처럼 디자인 교육의 이러한 딜레마를 해결하는 데 도움이 될 수 있다(그림 4.4). 이들 교사는 학생의 투석기 제작 작업을 세 부분으로 나누었다. 학생들은 투석기의 레고 모형을 만들고 검증하고, 초기 디자인 계획을 만들기 위해 투석기 시뮬레이션 기기를 사용한다. 그 다음, 작거나 큰 프로토타입을 만들고 검증한다.

실제 프로토타입을 위해서 톱질을 하고, 평형추를 고르고, 방아쇠를 디자인하기 전에 투석기 시뮬레이션 프로그램(www.algobeautytreb.com)을 이용하여 가상으로 발사체를 던지는 장치를 작동시켜 볼 수 있다. 소프트웨어의 인터페이스는 간단하다. 사용자가 투석기 디자인의 핵심 변수(화면의 왼쪽 중앙)의 값을 적는다.

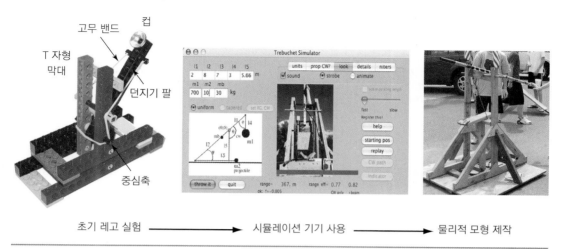

그림 4.4 중력 구동 투석기 제작 디자인 활동 과정: 레고 모형 검증, 투석기 시뮬레이션 기기 사용, 작동 장치 제작

그리고 시뮬레이션 테스트의 다중프레임 사진을 보여주는 "스트로브(strobe)" 화면
이나, 애니메이션 화면을 선택한다(그림 4.5 중앙). 그 다음으로 "던져라" 버튼을
눌러 평형추와 투석기 팔을 움직이고, 발사체가 날아가는 각도와 공이 얼마나 멀
리 이동하는지("거리")를 관찰한다.

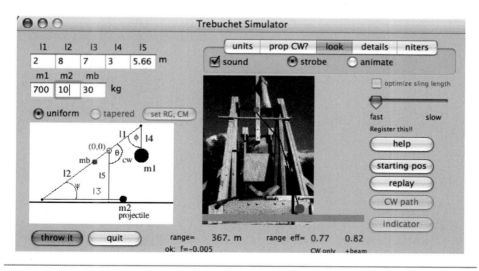

그림 4.5 다른 디자인으로 테스트한 결과는 투석기 시뮬레이션 프로그램의 하단에 나타남

시뮬레이션 기기를 이용하여 발사체(M2), 평형추(M1), 투석기 팔(L2), 평형추 팔(L1), 투석기 디자인의 다른 부분에 대한 값을 변경하면서 가상실험을 할 수 있다. 각각의 실험 결과는 시뮬레이션 기기 화면 아래 부분에 나타난다. 학생들은 작동 중인 장치를 막대로 보여주는 애니메이션 화면을 봄으로써 투석기가 어떻게 작동하고, 어떤 핵심 변수가 이 장치의 수행에 영향을 미치는지에 대한 질적인 의미를 이해할 수 있다.

Steinoff와 Adams 교사는 학생들이 직감을 따르거나 어림짐작하여 디자인하는 것을 피하고 증거에 기반해서 디자인 결정을 내릴 수 있도록 돕기 위해서 투석기 시뮬레이션 기기를 사용하였다. "우리는 학생들이 성공하기 위한 패턴을 발견하길 바랍니다. 학생들이 할 일은 최대의 효율성을 위해 그 패턴을 조작하는 것입니다." 가상 테스트를 한 후 학생들은 첫 번째 물리적 프로토타입을 개발하기 위한 일련의 유용한 지식을 갖게 된다. 학생들은 자신의 아이디어를 손으로 직접 만들어보고 테스트하는 것보다 시뮬레이션을 사용할 때 더 큰 자신감과 더 적은 시간으로 기기를 만들고 수정할 수 있다.

4절 게임과 애니메이션 디자인으로 문제 해결하기

유의미한 학습환경 조성을 위한 학습 테크놀로지 사용에 관한 일부 초기 연구들에서는 소프트웨어 디자인을 내용영역으로 삼았다. 사실 Seymour Papert(1980)의 Logo 프로그래밍 언어는 초기 구성주의 교육학이 실시된 맥락들 중 하나였다(Kafai, 2005). Logo를 사용하는 학생은 컴퓨터 명령어를 적고 "생각을 자극하는 사물"을 통제할 수 있었다(Turkle, 1995). Logo는 화면 속의 거북이를 사용하여 화면에 그림을 그렸다. 어린이들은 거북이가 명령어에 따라 움직이고 그림을 그리는 것을 봄으로써 프로그램의 오류를 찾는 데 필요한 구체적이고 유용한 피드백을 즉각적으로 받았다. 이는 주로 텍스트와 숫자로 조작할 수 있는 BASIC과 같은 언어로 프로그램을 만드는 아이들의 모습과 대조적이었다. 비록 추후 연구에서 학습결과가 원래 학습이 이루어진 맥락에 국한된다는 발견이 있었으나(Pea, Kurland, & Hawkins, 1985), 1980년대의 연구에 따르면, 어린이들은 Logo에서 프로그램하는 것을 배울 뿐만 아니라 좀 더 반성적이고 창의적으로 생각하였다(Clememt & Gullo, 1984).

그 이후로 Logo에서 영감을 받은 많은 제품이 개발되었다. 화면에 보이는 다수의 인물을 창의적으로 통제할 수 있는 "microworlds", 학습자들이 실제 세계의 레고 블록을 컴퓨터상에서 조작할 수 있는 "construction kits"와 학생들이 친구들을 위해 소프트웨어를 디자인할 수 있는 환경이 개발되었다(Kafai, 2005).

독창적인 제품을 만들거나 '고전적'인 기존의 프로그램을 재디자인할 때, 게임과 애니메이션 디자인 과정은 복잡한 문제 해결과 의사결정을 거친다. 학생들은 가설을 설정하여 예측하고, 규칙을 만들어서 검증하며, 성공적이지 않을 경우에는 초기 시도로부터 배워야 한다. 학생들은 능동적이고, 의도적이며, 실재적이고, 구성주의적이고, 협력적 학습 과정에 참여할 때 21세기 역량과 NETS와 관련된 다양한 능력들을 사용하게 된다. 이 절에서는 학생들이 게임과 시뮬레이션을 만들 수 있도록 돕는 소프트웨어에 대하여 살펴보겠다.

Scratch

Scratch는 사용자가 디지털 비디오와 오디오를 조작하여 객체 기반 프로그램을 제작할 수 있도록 돕는 소프트웨어이다. Scratch 프로그램은 일반적인 컴퓨터 플랫폼에서 작동되며, 학생들은 Scratch 프로그램에서 컴퓨터 프로그래밍의 기초적 내용을 학습하는 동안 포토샵과 유사한 도구를 사용하여 디지털 이미지를 만들고, 오디오 트랙과 음악을 추가하고 재생하며, 영상 작업을 할 수 있다. Scratch의 인터페이스는 프로그래밍 행동을 표상하기 위해 Logo 형식의 벽돌 비유를 사용한다. 사용자가 삽입하고, 이동하고, 결합하며, 드롭다운 메뉴를 통해 변수의 값을 정하는 가상 프로그래밍 블록으로 코드 작성을 대체한다.

Scratch는 다양한 문화권의 어린이와 십대 청소년의 관심을 끌고, 학생들이 자신의 프로젝트에 자랑스러움을 느끼게 하며, 오랜 시간 지속적으로 Scratch를 사용할 경우에는 고급 프로그래밍 기술을 배울 수 있도록 돕는다.

　Scratch의 메인 화면(그림 4.6)은 다섯 개의 주요 작업 창으로 구성된다. 왼쪽의 "블록(Blocks)" 팔레트에는 불러온 디지털 이미지, 스프라이트(Sprite), 음악을 프로그래밍 과정을 통해("control" 명령어가 그림 4.6 왼쪽에 보임) 조작하는 프로그래밍 도구모음이 있다. 중앙의 왼편에 있는 "스크립트(Script)" 영역에서는 마치 퍼즐조각을 맞추듯이 블록을 끌어서 일련의 절차를 만들 수 있다. 절차가 맞지 않는 경우에는, 퍼즐 조각들의 불일치에 상응하는 시각정보를 제공받는다. Scratch는 프로그램이 작동할 수 있는 형태를 갖출 때까지 학생들이 프로그램을 변경하도록 안내한다. 스크립트는 오른쪽 아래에 표시된 "스프라이트(Sprites)"를 조작한다. 오른쪽 상단의 녹색 "go" 깃발을 클릭하면 전체 프로그램이 작동되며, 그 결과는 "스테이지(Stage)" 영역에서 볼 수 있다.

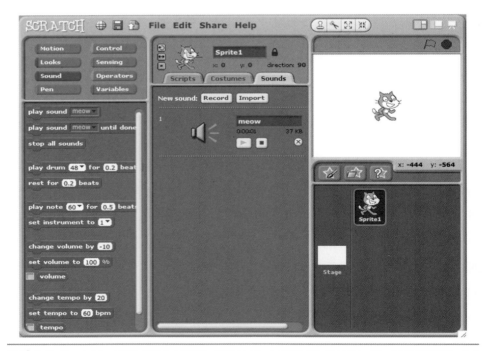

그림 4.6 Scratch는 프로그래밍, 그래픽, 사운드 툴, 스크립트를 작성하는 곳, 스프라이트(Sprite)를 움직이게 하는 스테이지(Stage)(오른쪽)의 서로 다른 부분으로 구성됨

프로그램이 적시에 피드백을 주는 기능은 학생이 생산적인 방식으로 "사색 (tinker)"하는 것을 돕고, 모듈 프로그래밍을 유의미하게 경험하고 학습하는 것을 지원한다. 또한, 학생들은 이러한 특성을 이용하여 상호작용적인 이야기, 애니메이션, 게임, 뮤직비디오, 미디어 예술의 다양한 창의적인 프로젝트를 만들 수 있다. Scratch는 MIT Media Lab에 있는 Lifelong Kindergarten Group에서 개발되었다 (http://scratch.mit.edu). 프로그램은 무료로 다운로드 가능하다. 교육자들이 이야기를 나누고, 자료를 교환하고, 질문을 올리는 온라인 공간인 Scratch-Ed(www.scratch-ed.org)도 여러분에게 흥미로울 것이다.

iStopMotion과 Stagecast Creator

초등학생 정도의 나이 어린 디자이너는 Boinx에서 제작한 소프트웨어 iStopMotion (www.istopmotion.com)을 통해 자신의 애니메이션 영화를 제작하고 저속 촬영 영상을 만들 수 있다. 맥(Mac) 컴퓨터, 디지털 카메라, 웹캠을 사용하여 촬영하고, 배우기 쉬운 응용프로그램을 사용하여 프레임 단위로 애니메이션을 만들 수 있다. 이 프로그램으로 영화 파일을 제작할 때, "어니언 스키닝(onion skinning)" 기능을 이용하여(그림 4.7) 인접한 프레임들을 병렬로 쉽게 배치할 수 있다. 사용자는 덜 컥거리는 움직임 없이 안정적인 비디오 화면을 만들 수 있으며, 따라서 재촬영과 재수정의 필요가 없다. 점토(claymation) 영화도 iStopMotion으로 쉽게 제작할 수 있다. 어린이들은 쉽게 조작할 수 있는 점토 인형을 사용하여 각 프레임의 장면을 만들고, 점토 인형의 자세와 모양을 변형시킴으로써 종합적으로 원하는 이야기를 말할 수 있다.

Minnesota 주의 Minnetonka에 있는 Glen Lake 초등학교의 매체 전문가인 George Rota는 교사들과 함께 학교에서 애니메이션과 점토 영화를 제작한다. 그는 iStopMotion을 초등학교에 있는 모든 6학년 학생들에게 소개해주고, 학생들은 사회와 어학 수업의 일부분으로 iStopMotion을 이용하여 애니메이션 과제를 수행한다. 세 명 혹은 네 명이 모둠을 이루어 주제를 조사하고, 영화를 계획할 때 색인 카드를 이용해서 주요 장면에 대한 스토리보드를 만든다. 비디오의 길이는 일반적

그림 4.7 iStopMotion의 "어니언 스키닝" 기법은 아주 매끄러운 애니메이션이나 파노라마 효과를 내기 위해서 인접한 프레임들 간의 매우 적합한 분량의 "점프(jump)"를 돕는다.

으로 제목과 크레딧(credit)을 제외하고 20초에서 60초인데, 최종 영화는 이 길이의 두 배 정도 된다.

애플이 개발한 Stagecast Creator는 맥과 윈도우즈, 유닉스 시스템에서 작동되고, 프로그래밍 언어보다는 시각적 인터페이스를 사용하여 사람들이 이야기, 게임, 상호작용적인 시뮬레이션을 제작할 수 있도록 돕는 또 다른 응용프로그램이다.

AgentSheets

Colorado-Boulder 대학에서 연구를 통해 개발한 AgentSheets는 초 · 중등 학생들이 테크놀로지로 응용프로그램을 디자인함으로써 STEM 분야에 참여하도록 돕는 것을 목표로 한다. AgentSheets 3에서는 "프로그래밍 친구(programming buddy)"와 같은 에이전트를 만들어 "대화적 프로그래밍(Conversational Programming)" 모형을 사용할 수 있다. 에이전트는 문법(syntax)뿐만 아니라 의미(semantics)를 분석하고 피드백을 제공하도록 설계된 환경에서 돌아다닌다. 에이전트는 사용자의 논리에 대하여 피드백을 주고 개념적인 실수를 찾아냄으로써 학생들이 자신이 만드는 규칙과 조건이 가져올 결과를 고려하도록 돕는다. 예방적 문제 해결 메시지는 학생들이 자신이 작성한 명령문이 의미하는 바를 실시간으로 경험할 수 있도록 하고, 그 결과 상호작용적이고 반복적인 디자인 과정을 촉진한다.

AgentSheets는 교사를 위한 방대한 자료가 구비된 Scalable Game Design 위키 (http://scalablegamedesign.cs.colorado.edu/wiki/Scalable_Game_Design_wiki)를 제공한다. 튜터리얼 시뮬레이션 샘플(예, 산사태, 전염/바이러스, 생태계, 전력, 양식장)은 수학과 과학 교육과정(예, 확률, 비율, 기하급수적 증가 대 선형적 증가)에서 개념 학습을 지원하는 데 사용될 수 있다. 그리고 시뮬레이션 자료를 그래프로 전환하고, 최적선을 결정하거나 통계적 예측을 함으로써 자료 분석을 할 수 있다. 이 시뮬레이션은 관련 수업 계획, 학습 결과, 국가 표준(예, NETS·S, NSES, NCTM Math), 채점 전략 샘플, 상세한 사용 지침서, 시뮬레이션으로 질문을 탐색하는 것에 관한 제언과 연결되어 있다. 예를 들면, Forest Fire Design 시뮬레이션을 통해서 나무의 밀도와 바람의 방향을 조작함으로써 서로 다른 변수들이 산불에 미치는 영향과 이들 변수가 산불이 확산되거나 소멸되는 확률에 어떠한 영향을 미치는지 공부할 수 있다. "Frogger 만들기"는 1981년 Sega에서 개발한 고전 아케이드 게임을 기반으로 한다. 학생들은 개구리가 장애물과 포식자를 피해 강 건너편에 도착해야 하는 원본 아케이드 게임을 재설계해야 한다. 수업 계획서를 비롯하여 학습 결과와 표준, 채점 전략의 샘플, 몇몇 상세한 사용 지침서를 통해서 Frogger 게임의 가장 기초적인 수준에서 보다 높은 수준까지 만들 수 있다. AgentSheets가 학생과 교사를 위해 제공하는 풍부한 자원과 지원은 학생이 지나친 좌절을 경험하지 않고 디자인 작업에 성공할 수 있도록 돕는다. 특히 "프로그래밍 친구"는 학생들이 디자인 딜레마 문제를 해결할 때 도움을 준다. 이는 테크놀로지로부터 배우는 것이 아니라, 테크놀로지를 활용하여 학습하는 것을 보여주는 매우 유익한 예이다.

작곡 소프트웨어로 음악 디자인하기

마이크로컴퓨터에서 플러그인 사운드 카드를 사용하거나 다양한 악기를 합성한 소리를 만들기 시작하면서 컴퓨터에서 작곡을 하고 악보를 그리는 응용프로그램이 사용되었다. 이들 프로그램과 애플의 GarageBand를 포함한 차세대 프로그램은 사용자가 작곡을 하고 수정하고 재생할 수 있는 많은 음악 트랙을 가지고 있다. 프로그램에 따라서 음표를 입력하기 위해서 직접 녹음을 하거나, 기타 콘트롤러나 컴퓨터와 연결된 MIDI 키보드로 연주를 하거나, 혹은 오선지에 마우스로 음표하나하나를 기입하는 "옛날 방식"을 사용할 수 있다. 이러한 응용프로그램으로 작곡을 하는 것은 워드 프로세서로 글을 쓰는 것과 비슷하다. 백지에서 시작하는 사용자는 응용프로그램을 활용하여 자료를 손쉽게 입력하고, 형식을 맞추고, 악보를 검토, 수정, 저장함으로써 최종적으로 곡을 완성한다.

MIT 대학의 음악과 도시교육 전공의 명예교수인 Jeanne Bamberger는 교육적으로 강력하고, 우아하면서 무료로 음악을 디자인할 수 있는 소프트웨어인 Impromptu를 만들었다. 이 프로그램은 어린이 프로그래밍 언어인 Logo로부터 영감을 받아 제작되었다. Impromptu의 작업공간(그림 4.8)은 학생들이 "Tuneblocks"라고 불리는 악보 그룹에서 선율을 만드는 동안 음악적 직관을 개발하도록 돕는 다섯 영역과 메뉴바로 구성된다(Bamberger, 2001, 2003). "Tuneblocks"는 음악 내용과 주제를 찾고 저장하는 공간이며, 이전에 기록된 악곡들에 기반하여 사전에 만들어진 블록들을 프로그램의 "목록(catalog)"으로부터 불러올 수 있는 장소이다. 사용자는 Tuneblocks에 색이나 추상적인 패턴을 부여하여 Tuneblocks를 서로 구별할 수 있다. 그 다음으로 프로그램 메인 창에 있는 "Playroom"에서 원하는 방식으로 Tuneblocks를 배열할 수 있다.

이 프로그램의 핵심은 Logo나 Scratch에서 보았던 것과 같이 초등학생이나 그 이상의 사용자가 작곡을 할 때 오선지의 개별 음표로 작업하기보다는 소리의 그룹이나 음악 "청크(chunk)"로 작업할 수 있도록 하는 방식에 있다. 이 프로그램은 훨씬 더 적은 수의 부분을 포함하고 각 부분은 자체적으로 익숙한 의미를 담고 있

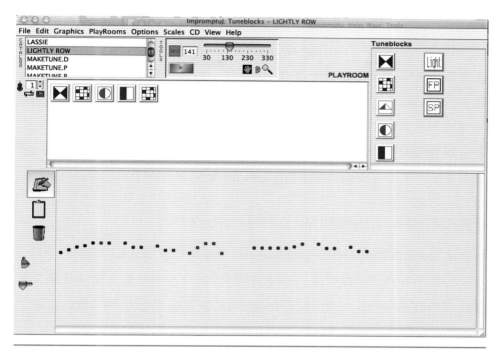

그림 4.8 Impromptu 프로그램은 5개의 작업영역을 가진다. 도구 영역에 있는 세 개의 커서 유형으로 Tuneblock들을 이동하고 듣고 수정할 수 있다.

기 때문에, 사용자가 작곡을 개념적인 총체로 이해할 수 있도록 돕는다. 이 장에서 설명한 많은 프로그램이 공유하고 있는 방법과 같이, Impromptu가 사용자에게 제공하는 즉각적인 피드백은 사용자가 음악적 의미를 이해하는 데 있어서 자신만의 실험을 할 수 있도록 도와준다. 그리고 Impromptu는 "Graphics" 영역(메인 창의 하단)에서 Tuneblocks의 행에 포함된 음들을 다양한 표상으로 보여주고, 음의 높이나 리듬 혹은 둘 모두에 따라서 개별 음의 상대적인 관련성을 보여준다. 1980년대 이후로 다수의 표상을 사용함으로써 학생들이 더욱 유연하고 전이가 용이한 방식으로 이해하는 것을 돕고 있다.

Impromptu는 사용자가 음악을 디자인하는 과정에 대한 기록을 계속 저장할 수 있도록 노트패드(Notepad)를 제공한다. 학습자들은 노트패드를 이용하여 Don Schön(1983)이 언급한 "성찰적 실천"에 더 쉽게 참여할 수 있다. 성찰적 실천은 디자이너가 원하는 목표를 세우고, 그 목표를 달성하기 위해서 실험적이라고 보이는 부분적인 해결책과 "조치(moves)"를 만들고, 그 결과를 리뷰하고 문제점을 찾는 것을 말한다. 그러한 성찰을 통해 산출물뿐만 아니라 디자인 목표 자체를 수정할 수 있다(Adams, Turns, & Atman, 2003). Impromptu는 디자이너가 음악 블록들에 대해 가지고 있는 의도와 재생시 들리는 소리에 기반하여 대안적인 음악 블록을 발전시키고 정리하고 만들 수 있는 "자료와의 대화(conversation with materials)" 같은 것을 가질 수 있도록 지원한다(Bamberger & Schön, 1991).

관련 프로그램과 테크놀로지: Musical Sketch Pad

Musical Sketch Pad(http://creatingmusic.com)는 초등학생을 대상으로 설계된 온라인 작곡 환경이다. 이 프로그램은 어린이들이 연필을 사용하여 몇 개의 악기 소리(트럼펫, 클라리넷, 피아노, 드럼)로 연주되는 악보를 그릴 수 있는 매력적인 도구(그림 4.9)를 제공한다. 다른 색으로 표상된 각각의 소리를 동시에 재생할 수 있고, 세 개의 연주 속도 중의 하나로 들을 수도 있다.

이 프로그램의 선율 그리기 도구의 장점은 어린이들이 프로그램 속에서 음악을 입력할 수 있는 속도이다. 개별 음표를 수정하기 위해서는 새로 만든 악보의 세션을 반드시 지정하여 지우개 도구로 지우거나 프로그램의 정반대, 역방향, 평

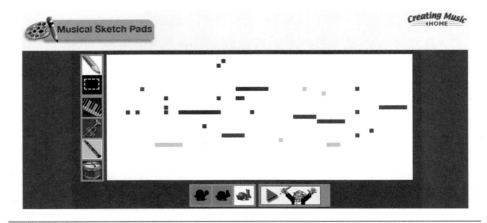

그림 4.9 Musical Sketch Pad

행 추적 도구를 사용할 수 있다. 그러나 일단 그리게 되면, 다른 소리들이 분리된 층이 아니라 하나의 악보로 나타난다. 인터페이스가 가지는 접근성과 어린 사용자에게 주는 매력이 있는 반면에 어린이들은 크게 분리된 음표들을 포함하는 음악의 패턴을 만드는 것이 어렵다고 느낄 수 있다.

5절 Design Compass 개선하기: 디자이너가 하는 것을 계속 추적하기

Design Compass는 학생의 디자인 작업과 사고를 도와주는 또 다른 유형의 소프트웨어 테크놀로지이다(Crismond, Hynes, & Donahy, 2010). 이 프로그램은 Tufts University와 City College of New York이 협력적으로 개발하였다. 학생들은 자신이 디자인할 때 사용하는 전략에 대한 기록을 이 소프트웨어로 만들 수 있다. 모둠으로 작업을 할 때, 각 팀별로 한 사람을 "기록자"로 선정해서 Design Compass가 나타내는 디자인 주기(cycle)에서 팀의 작업 중인 단계(예, 브레인스토밍)를 클릭하도록 한다. 팀이 다른 디자인 전략 단계(예, 연구)로 넘어가기 위해서 다음 단계를 클릭하기 전에, 기록자는 팀이 그 시간 동안 스케치한 것, 만든 것, 작업한 것을 짧은 노트나 디지털 사진으로 입력한다. Compass는 클릭을 할 때마다 클릭한 시간, 해당 전략, 전략 수행에 소요된 총시간을 보여주는 "디자인 기록"이라는 스프레드시트에 항목을 만든다. 프로그램의 두 번째 보기 탭인 "그래프(Graph)"를 클릭하면 전체 기록에 접근할 수 있다(그림 4.10 우측). 또한 사용자는 팀이 각 디자인 전략에서 얼마나 많은 시간을 사용했는지를 막대그래프로 볼 수 있다.

그래프 화면은 학생들이 프로젝트 기간 동안 얼마나 많은 시간을 전략별로 사용했는지에 대한 피드백을 제공하고, 다음번 작업에서 디자인 과정을 어떻게 증진시킬 수 있을지 파악하도록 돕는 패턴을 제공한다. 또한 이 소프트웨어는 교사가 주기적으로 디자인 팀을 만날 때 사용할 수 있도록 풍부한 대화의 소재를 제공

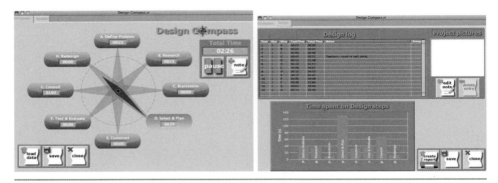

그림 4.10 학생들은 Design Compass를 사용하여 실시간으로 디자인 단계를 기록하고(왼쪽), 기록 화면에서 전략 사용의 패턴을 검토할 수 있다(오른쪽).

한다. 지난번 교사와의 만남 이후에 무엇을 했는지를 학생들의 불완전한 기억에 의존하는 것이 아니라 팀이 밟아온 단계의 순서를 보고, 노트를 읽고, 무엇이 이루어졌는지를 보여주는 사진을 볼 수 있다. Design Compass와 관련된 정보와 수행된 연구를 www.designcompass.org에서 볼 수 있다.

6절 결론

이 장에 서술된 많은 테크놀로지는 어떻게 디자인이 과학, 수학, 음악, 컴퓨터 프로그래밍 분야에서 큰 주제를 탐색하고 배우도록 학습자에게 더 좋은 맥락을 제공하고 학습자의 동기를 향상시키는지 보여준다. 디자인은 21세기의 새로운 리터러시로 등장하고 있는 것 같다. 다음 '국가 과학교육 표준(National Science Education Standards)'의 최근 안에서는 모든 초·중등 교사가 학생들이 배우도록 도와야 하는 핵심 주제로 공학 디자인을 강조하였다. "디자인된 세계를 이해하는 것의 중요성과 과학, 기술, 공학, 수학의 교수와 학습을 통합시키는 것의 필요성을 인식하여 공학과 기술을 자연과학과 대등하게 여겼다"(National Research Council, 2010년 7월 12일 원고, p.1-1). 다양한 상황에서 디자인을 도울 수 있는 프로그램이 더 많이 개발되고, 교사가 스스로를 디자이너로 인식하고, 디자이너에게 필요한 전략을 배우고, 교실에서 효과적인 디자인 과제를 활용한 교수법에 친숙해질 때 디자인 분야에서 유창성을 개발하는 것이 현실이 될 것이다.

디자인이 모든 교육 문제를 치료하는 만병통치약은 아니지만, 교사가 교실에서 학생들의 학업에 부가적으로 의미를 더하여 사용할 수 있는 추가적인 도구이다. 디자인 과제가 더 자주 사용되고 이 장에서 언급했던 것과 같은 학습 테크놀로지에 의해서 디자인 활동이 더욱 촉진될 때 교사는 전이 가능한 개념을 생성하는 디자인 과제의 잠재력을 더 많이 실현할 수 있을 것이다. 동시에 교사는 학생들에게 학습의 즐거움과 유의미한 문제를 혁신적으로 해결하려는 욕구를 심어줄 수 있다.

이 장에 서술된 디자인 활동과 관련된 NET 표준

1. 창의성과 혁신

　　a. 기존 지식을 적용하여 새로운 아이디어, 결과물, 과정을 만들어낸다.

　　b. 자신이나 모둠을 표현하기 위하여 독창적인 작품을 창작한다.

　　c. 모델과 시뮬레이션을 사용하여 복잡한 시스템과 이슈를 탐색한다.

2. 의사소통과 협력

　　a. 다양한 디지털 환경과 미디어를 활용하여 동료, 전문가 또는 다른 사람들과 상호작용하고 협력하며 출판한다.

　　b. 다양한 형태의 미디어를 활용하여 다수의 사람들과 효과적으로 정보와 아이디어를 소통한다.

　　c. 다른 문화권의 학습자와 함께 활동함으로써 문화를 이해하고 글로벌 마인드를 개발한다.

3. 연구와 능숙한 정보 활용

　　a. 전략을 세워서 탐구를 수행한다.

　　b. 다양한 출처와 미디어로부터 정보를 검색, 조직, 평가, 종합하며 윤리적으로

활용한다.

c. 구체적인 과제 수행에 적합하게, 정보 출처와 디지털 도구를 평가하여 선정한다.

4. 비판적 사고, 문제 해결, 의사결정

a. 조사를 위하여 실제적인 문제와 중요한 질문을 확인하고 정의한다.

b. 해결책을 도출하기 위하여 활동을 계획하고 관리하거나 프로젝트를 완수한다.

c. 해답을 확인하기 위하여 자료를 수집하여 분석하거나 정보에 기반하여 결정한다.

d. 다양한 절차와 관점을 활용하여 대안적인 해결책을 탐색한다.

6. 테크놀로지 작동과 개념

a. 테크놀로지 시스템을 이해하고 활용한다.

b. 응용프로그램을 효과적이고 생산적으로 선정하여 활용한다.

c. 시스템과 응용프로그램의 문제를 해결한다.

이 장에 서술된 디자인 활동과 관련된 21세기 역량

창의적으로 생각하기

■ 다양한 아이디어 창출 기술(예, 브레인스토밍)을 사용한다.

■ 새롭고 가치로운 아이디어(가치를 증대하고 근본적인 개념)를 창출한다.

■ 창의적 노력을 향상시키고 극대화하기 위해 아이디어를 정교화, 정제, 분석, 평가한다.

다른 사람과 창의적으로 함께 일하기

■ 다른 사람들과 효과적으로 새로운 아이디어를 개발, 실행, 의사소통한다.

■ 새롭고 다양한 관점에 대해 개방적인 태도를 보이고 관심을 가져야 한다. 단체의 의견과 피드백을 일에 반영한다.

■ 일의 독창성과 혁신성을 나타내면서, 새로운 아이디어를 적용하는 데에 있

어서 현실적 한계점을 이해한다.

■ 실패를 새로운 학습 기회로 여긴다. 창의성과 혁신은 장기적으로 작은 성공과 빈번한 실수의 순환에서 온다는 것을 이해한다.

효과적으로 추론하기
■ 상황에 적합한 다양한 종류의 추론(귀납적, 연역적)을 사용한다.

체제적 사고 사용하기
■ 복잡한 구조에서 전체적인 성과를 창출하기 위해 전체의 각 부분이 어떻게 서로 상호작용하는지 분석한다.

판단과 의사결정하기
■ 정보를 해석하고 최적의 분석에 기반하여 결론을 내린다.
■ 학습 경험과 과정을 비판적으로 반성한다.

문제 해결하기
■ 다양한 종류의 친숙하지 않은 문제를 통상적인 방식과 혁신적인 방법 모두로 해결한다.
■ 다양한 관점을 분명히 하고, 좀 더 나은 해결책을 이끌기 위한 중요한 질문을 파악하고 묻는다.

명확히 대화하기
■ 다양한 팀과 맥락에서 구두로, 서필로, 비언어적 의사소통 능력을 사용하여 생각과 아이디어를 효과적으로 설명한다.

타인과 협력하기
■ 다양한 팀과 효과적으로, 정중하게 일하는 능력을 보인다.
■ 공통의 목표를 완수하기 위해 필요한 조정과 타협을 할 의지와 의사를 가지고 있다.
■ 협력적 일에 대한 공유된 책임을 인식하고 각 구성원의 개인적 기여에 대한

가치를 인정한다.

미디어제품을 생산하기

■ 가장 적합한 매체 작성 도구, 특징 및 형식에 대해 이해하고 활용한다.

7절 생각해볼 점

1. 무엇이 흥미롭고 효과적인 디자인 문제를 만드는가? 단일의 "최적의" 해결책으로 수렴되는 문제는 디자인 공간을 유의미하게 탐색하는 정신에 위배되는가?

2. 학생이 테크놀로지 기반의 디자인을 학습하는 동안, 디자인의 과정에서 어떤 전략이 강조될 수 있는가? (후보 주제로는 "래피드 프로토타이핑(rapid prototyping)" 하기, 시뮬레이션 프로그램 사용하기, 더 나은 디자인 결정을 위해 인터넷 조사하기, 반복적인 디자인을 지원하고 학생이 하는 것을 더 잘 시각화하는 CAD 프로그램에서 더욱 빠른 피드백 받기가 있다.)

3. 학생들이 자신의 디자인을 지속적으로 탐색하고 수정하고 개선하도록 어떻게 동기를 유발할 것인가? (학생들이 "작동되네. 다 끝난 건가"라고 자주 말하는데, 유의미하게 반복적인 디자인을 하도록 돕는 것이 필요하다.)

4. 손으로 하는 디자인과 비교하였을 때, 이 장에 서술된 컴퓨터 기반 보조가 어떤 장단점을 가지는가? (CAD 시스템 사용시 두 가지 불리한 점은 학생들이 물체에 대한 느낌을 전혀 갖을 수 없다는 것과 언제 프로젝트가 종료되는지를 실제로 모른다는 것이다.)

5. 언제 그리고 어떻게 교사가 디자이너로서 활동하는가? (수업이 종료된 후에, 수업을 수정하는가? 교실에서 학습자의 필요에 따라 교과서의 내용을 조정하는가?)

참고문헌

Adams, R. S., Turns, J., & Atman, C. J. (2003). Educating effective engineering designers: The role of reflective practice. *Design Studies, 24,* 275–294.

Bamberger, J. (2001). *Developing musical intuitions: A project-based introduction to making and understanding music.* New York: Oxford University Press.

Bamberger, J. (2003). The development of intuitive musical understanding: A natural experiment. *Psychology of Music, 31*(1), 7–36.

Bamberger, J., & Schön, D. (1991). Learning as a reflective conversation with materials. In F. Steier (Ed.), *Research and reflexivity.* Newbury Park, CA: Sage.

Bilda, Z., Gero, J. S., & Purcell, T. (2006). To sketch or not to sketch. *Design studies, 27*(5), 587–613.

Buchanan, R. (1995).Wicked problems in design thinking. In V. Margolin & R. Buchanan(Eds.), *The idea of design: A design issues reader* (pp. 3–20). Cambridge, MA: MIT Press.

Churchman, C. W. (1967). Wicked problems. *Management Science, 14*(4), 141–142.

Clement, D. H., & Gullo, D. F. (1984). Effects of computer programming on young children's cognition. *Journal of Educational Psychology, 76*(6), 1051–1058.

Crismond, D., Hynes, M., & Donahy, E. (2010). "The Design Compass: A computer tool for scaffolding students' metacognition and discussions about their engineering design process." Paper presented at the AAAI Spring Symposium on Using Electronic Tangibles to Promote Learning: Design and Evaluation, Palo Alto, CA, March 22–24.

Gurstelle, W. (2004). *The art of the catapult.* Chicago: Chicago Review Press.

Johnson, S. D. (1988). Cognitive analysis of expert and novice troubleshooting performance. *Performance Improvement Quarterly, 1*(3), 38–54.

Jonassen, D. H. (2004). *Learning to solve problems.* San Francisco: Pfeiffer.

Kafai, Y. B. (2005). Constructionism. In R. K. Sawyer (Ed.), *The Cambridge handbook of the learning sciences* (pp. 35–46). Cambridge, UK: Cambridge University Press.

Kimbell, R. (2004). Ideas and ideation. *Journal of Design and Technology Education, 9*(3), 136–137.

Klahr, D., Triona, L. M., & Williams, C. (2007). Hands on what? The relative effectiveness of physical versus virtual materials in an engineering design project by middle school children. *Journal of Research in Science Teaching, 44*(1), 183–203.

McCormick, R. (1998). Problem solving and the tyranny of product outcomes. *Journal of Design and Technology Education, 1*(3), 320–341.

McCormick, R., Murphy, P., & Davidson, M. (1994). Design and technology as revelation and ritual. *IDATER '94,* 38–42.

Papert, S. (1980). *Mindstorms: Children, computers, and powerful ideas.* New York: Basic Books.

Pea, R., Kurland, D. M., & Hawkins, J. (1985). Logo programming and the development of thinking skills. In M. Chen & W. Paisley (Eds.), *Children and microcomputers: Formative studies* (pp. 193–212). Beverly Hills, CA: Sage.

Schön, D. (1983). *The reflective practitioner: How professionals think in action.* New York: Basic Books.

Turkle, S. (1995). *Life on the screen: Identity in the age of the Internet.* New York: Simon & Schuster.

Ullman, D. G., Wood, S., & Craig, D. (1990). The importance of drawing in the mechanical design process. *Computers and Graphics, 14*(2), 263–274.

Vattam, S. S., & Kolodner, J. L. (2006). Design-based science learning: Important challenges and how technology can make a difference. *Proceedings of the International Conference of the Learning Sciences,* pp. 799–805.

Welch, M., & Lim, H. S. (1999). Teaching sketching and its effect on the solutions produced by novice designers. *IDATER'99,* 188–194.

White, B. (1993). Intermediate causal models: A missing link for successful science education? In R. Glaser (Ed.), *Advances in instructional psychology* (Vol. 4, pp. 172–252). Hillsdale, NJ: Lawrence Erlbaum Associates.

Chapter 05

테크놀로지와 함께
의사소통하기

| 이 장의 목표 |

1. 온라인 의사소통이 학습자의 학습을 어떻게 향상, 확장시킬 수 있는지 서술한다.
2. 동시적 의사소통 방법과 비동시적 의사소통 방법의 행위 유발성(affordance)을 비교한다.
3. 다른 사람들과 정보를 공유하는 적절한 의사소통 방법을 확인한다.
4. 교수목표를 달성하기 위한 의사소통 테크놀로지를 활용한 학습활동을 개발한다.
5. 21세기 역량과 NETS의 개발을 지원하는 다양한 의사소통 도구와 과정을 서술한다.

1절 21세기 미디어 아이들

오늘날 학생들은 전반적으로 기술적으로 능숙할 뿐만 아니라 미디어에 대한 접근과 사용 그리고 미디어와의 관계가 기성세대와 근본적으로 다르다. 과거 학생들은 상호 충돌하는 감각정보를 입력할 경우 주의력이 분산된다고 꾸지람을 들었지만, 오늘날의 아이들은 동시적 멀티미디어 자극과 상호작용이 편안할 정도로 익숙하다.

2004년 Kaiser 가족재단은 젊은 사람들은 하루 평균 6.5시간 동안 미디어를 사용하고, 중복된 미디어의 사용을 고려하면 실제로는 매일 평균 8.5시간 동안 미디어에 노출되어 있다고 보고하였다. 2009년까지 평균 사용 수준은 하루에 한 시간

이상씩 증가하여, 성인 노동시간의 대부분을 차지하게 되었다(Rideout, Foehr, & Roberts, 2010). 2004년 젊은 사람들은 5년 전 미디어에 소비했던 시간과 같은 시간을 소비하는 반면에 한 가지 이상의 매체를 동시적으로 소비하는 시간은 16%에서 26%로 증가하였다(Rideout, Roberts, & Foehr, 2005). 그 비율은 전체 매체 노출 시간이 하루에 10시간 45분이 되면서, 2009년에는 29%로 증가하게 되었다. 휴대전화, 아이팟(iPod) 그리고 휴대용 비디오 플레이어와 같은 모바일 기기의 사용 시간이 전체 미디어 소비의 20%를 차지하게 되었다.

예를 들어, 전형적인 십대의 일상을 5분간 관찰해보자. Melissa는 아이팟으로 음악을 들으며 노트북 컴퓨터로 수십 명의 친구들과 페이스북을 통해 실시간 메시지를 주고받으면서 TV를 흘깃 보고 있다. 그녀는 듣고 있는 신곡의 가사와 기타 악보를 다운로드하면서 온라인으로 주문하고자 하는 축구화의 가격을 확인하고 있다. 그녀의 휴대전화 오디오 알림소리는 Ben에게서 새로운 메시지가 도착했다는 것을 알려준다. 그러나 답장 메시지를 하기 전에 휴대전화가 먼저 울린다. 그녀의 가장 친한 친구가 찾고 있는 새 옷에 대해 그녀의 의견을 구하고자 하는 전화였다. Melissa는 쇼핑몰에 가기를 원하지 않았기 때문에 Katie는 휴대전화로 옷의 사진을 찍어서 Melissa에게 보냈다. 그 사이에 Melissa는 어제 찍었던 사진들을 아이폰에서 Flickr 계정에 게시하려고 했던 것을 기억해냈다.

이러한 미디어 멀티태스킹은 교육자들에게 무엇을 의미하는가? 초·중·고등학교 학생들은 정보의 홍수 세대이며 언제 어디서나 즉각적인 의사소통에 익숙하다. 이러한 행동들은 교실구조, 교육과정, 학교에서의 테크놀로지 사용에 관한 우리의 사고 방식에 대해 강한 시사점을 남긴다. 비록 미디어의 강한 노출이 학습과정에 미친 영향에 관한 연구가 부족하지만 학생들의 감각입력에 대한 성향을 무시할 수 없는데, 이는 새로운 학생 세대들의 주의, 동기, 흥미를 놓칠 수 있는 위험이 있기 때문이다.

6장에서는 테크놀로지 기기와 인터넷 자원이 공동체의 정보와 협업을 도울 수 있는 몇 가지 방법에 관해 소개할 것이다. 이번 장에서는 개인과 집단이 생각을 공유하고 교환할 수 있는 활동 및 프로그램과 관련된 의사소통 테크놀로지를 검토하고자 한다. 이번 장에서 소개하는 대부분의 테크놀로지를 활용한다면 학습 공동체 형성에 기여할 수 있고, 이는 학생들이 사회적 협상과 공유지식 형성에 참여하게 만드는 유의미학습의 중요한 요소가 된다. 학습 공동체를 이끄는 의사소통을 제공해왔던 기술적인 돌파구는 바로 인터넷과 관련된 네트워크 테크놀로지다. 특히 월드와이드웹 인터넷은 보존된 정보를 검색할 수 있는 중요한 원천이다. 인터넷은 흩어진 사람들과 자원들을 연결해주는 의사소통 매체가 되어왔다. 왜 그럴까? 다양한 측면에서 인터넷의 강점은 분산화라는 특성에 있다.

인터넷은 근본적으로 분산화된 네트워크이면서 사용자들과 기관들을 연결해주고, 모든 종류의 상호작용을 가능하게 해준다. 인터넷은 학생과 교사를 포함한 사람들 간의 관계를 맺어 일관된 학습공동체를 형성해주는 의사소통 수단이 될 수 있다. 일부 사람들은 원격통신이 면대면 상호작용을 대체할 것이라고 우려하지만, 오히려 테크놀로지가 사람들을 연결해주는 수단을 촉진시켜 주고 관계형성과 사회적 교환의 기회를 증가시켜 주고 있다는 인식이 확산되고 있다 (Rideout, Roberts, & Foehr, 2005). 페이스북과 같은 소셜 네트워크 공간의 압도적인 성장세는 결속하기를 원하는 인간들의 바람을 포착하고 지원해주는 온라인 집단들의 힘을 보여준다. 온라인 의사소통이 면대면 관계에 얼마나 영향을 끼치느냐는 온라인 세계에 자신이 얼마나 깊게 빠지느냐에 달려있다. 가족과 친구들과의 실제적 상호작용으로부터 고립되는 십대들은 중요한 사회적 관계를 잃어버릴 수 있다. 가까운 관계가 악화된다면 테크놀로지에 의해 증가하고 있는 소셜 네트워크가 가치 있을까? 또는 온라인상의 우정이 면대면 상호작용을 어려워하는 사람들에게 중요한 지원을 제공할 수 있을까? 연구자들은 이와 같은 질문에 대해 한동안 탐구할 것이다. 우리는 가치 판단을 강요하는 것보다 새로운 테크놀로지를 잘 활용하는 데 미치는 온라인 의사소통의 영향을 비판적으로 평가해야 한다.

인터넷은 서로 얘기하고, 차이점을 인식하고, 다양한 의견을 조정하고, 서로 역할모델과 청중이 되면서 사람들의 연결을 유지해주는 아교 역할을 해준다. 따라서 인터넷에 의해 등장할 미래 교육에서 개인이 고립되거나 개인이 목표가 되지는 않을 것이다. 오히려 전자통신 기기의 힘으로 사람들이 협업하는 공동체 중심의 미래가 될 것이다.

2절 토론 게시판과 VoiceThread로 비동시적으로 생각 교환하기

비동시적 온라인 의사소통은 면대면 의사소통과 그 외 테크놀로지 기반 형태(예, 전화 대화 및 화상회의)의 의사소통과 몇 가지 점에서 다른, 보다 큰 장점을 갖고 있다. 온라인 토론은 면대면 대화의 대역폭이나 풍부함을 갖고 있지 않은 것이 사실이다. 온라인 토론은 신체 언어, 목소리 톤, 억양, 방언, 말의 속도와 쉼 등 중요한 의사소통 단서들을 가지고 있지 않다. 하지만 저자들은 온라인 토론이 이러한 한계점을 가질지라도 분명하게 의사소통을 하고 있다는 점에 주목하면서 유용하게 활용될 수 있다고 생각한다.

주요 전자통신 판매회사의 TV 상업광고를 바꾸어 표현하면, 인터넷에는 인종도, 성별도, 나이도, 질병도 없다. 단지 사람들과 사람들이 이야기하는 마음만 존재한다. 이는 문자 기반 토론 게시판의 경우 명확하게 나타난다.

온라인 의사소통은 종종 *비동시적*(실시간이 아닌)인데, 이것은 중요한 측면에서 차별화되는 점이다. Howard Gardner(Gardner & Lazear, 1991; Gardner, 2000)는 다중지능이론을 제안하였는데 지능은 하나의 능력이 아니라 개별적 능력들의 연속이라고 하였다. 그는 "당신은 얼마나 똑똑합니까?"라고 묻기보다는 "당신은 어떻게 똑똑합니까?"라고 물어야 한다고 제안했다. Gardner는 일부 사람들은 언어지능이 높다고 믿었다. 그들은 종종 언어적으로 능숙하고 고무적인 대화를 이끌 수 있는 능력을 갖추었다. 그들은 전통적인 학교환경에서 잘하는 경향성을 갖고 있다. 그러나 언어지능이 높은 것이 반드시 사고력이 우수하거나 의사소통을 잘한다는 것을 의미하지는 않는다. 어떤 사람들은 생각을 고려하고 대답을 생각해내는 데 시간이 더 필요할 수 있다. 그들은 즉흥적으로 말하지 않으므로 그들의 생

각을 발전시켜 공유하기 전에 화제가 전환되어 실시간 대화에서 최소의 기여를
한다.

온라인 대화의 몇몇 형태에서 생각할 기회가 주어지고 말할 때, 사람들은 새로
운 자유와 수준 높은 참여를 경험할 수 있다. 사람들은 다른 사람들의 의견을 분
명히 들을 수 있고, 그들의 응답은 종종 인상적이다. 앞에서 언급한 대로 편견을
제거한다면, 인터넷에서 수많은 끈끈한 우정(일부는 국적과 세대를 넘어서)과 심
지어 사랑까지도 일어나는 이유를 쉽게 이해할 수 있다.

비동시적 토론 게시판

비동시적 토론 게시판은 인스턴트 메시지 서비스(instant messaging services)처럼 실
시간으로 메시지가 보내지는 것과 다르게, 메시지가 컴퓨터에 저장될 수 있는 장
점이 있으나 단점 또한 있다(Woodley, 1995). 어떤 사람들은 비동시적 의사소통보
다 즉각적인 응답과 피드백을 더 선호한다. 짧은 주제문에서 메시지 내용을 파악
하는 것은 어렵고, 토론 게시판의 게시글을 읽는 것은 종종 꽤 많은 시간이 소비
된다. 'Threading'(메시지를 남겨 반응하는 것, 반응들은 원래의 포스팅 아래 순서
대로 한 그룹으로 모아짐)은 온라인 토론 게시판의 중요한 특징으로 메시지를 조
직화해주며 토론을 비교적 쉽게 따라 갈 수 있게 한다. Woolley는 토론 게시판의
바람직한 몇 가지 속성을 다음을 포함하여 논의하였다.

- 조직의 흥미와 개인의 흥미에 대해 다른 주제로 분리된 회의
- 포스팅 날짜, 댓글 수, 제목을 보여주는 유용한 주제목록
- 사용자들이 날짜, 저자, 핵심어로 메시지를 찾을 수 있도록 도와주는 검색필
  터 도구

전통적인 토론보다 비동시적 의사소통이 갖는 장점이 무엇일까? 테크놀로지
를 통해 이야기하지 않고 단지 면대면 대화를 하는 것은 왜 안 되는가? 테크놀로
지로 매개한 토론에 참여하기를 원하는 몇 가지 이유가 있다. 첫째, 토론, 논쟁, 협
력적인 노력은 공통된 장소에 있거나 멀리 떨어져 있는 사람들의 집단 간에서 발

생한다. 학생들이 대화하고 배우기 위해 같은 장소에 있어야만 하는 것은 아니다. 많은 교실이 가상공간에서 네트워크 체제로 전 세계 학생들을 연결하여 의사소통하고 학습하는 학습의 공간으로 변화하고 있다. 실시간 채팅과 즉각적 문자 메시지의 즉시성은 많은 것을 제공하지만, 비동시적 의사소통은 국제 교류와 프로젝트 과제를 촉진하면서 학습자 간 협력을 지원해줄 수 있다. 다른 사람의 포스팅에 대한 반응의 편리함은 학생들이 다른 시간대를 넘어 의사소통을 할 때 사실상 필수품이 되었다. 시카고에 있는 학생에게 낮 2시에 실시간으로 채팅하는 것은 적당하지만 태국, 방콕에 있는 팀 멤버에게 이 시간은 이른 새벽 2시로 매우 졸릴 시간이다.

비동시적 온라인 의사소통의 두 번째 장점은 학생들이 그들의 생각이나 응답을 형성하기 전에 심사숙고할 수 있게 해준다는 것이다. 온라인 의사소통은 주제에 대해 조사하고 주장을 개발할 수 있는 기회를 제공할 뿐만 아니라 학생들이 개인 또는 집단의 입장을 적절히 제시하는 기회를 준다. 온라인 의사소통은 당신이 말하기 전에 무엇을 말할지에 대해 생각하도록 돕는다.

셋째, 아마도 가장 중요한 것으로 비동시적 온라인 의사소통은 다른 유형의 사고를 지원한다. 비록 학급 내 대화가 유용한 학습방법일지라도 학생들은 건설적으로 대화하는 방법에 관해 잘 알지 못한다. 비동시적 토론은 학생들이 의견을 남길 때 학생들에게 필요한 지원과 개발을 상기시킬 수 있고, 미래의 사용을 위해 과거 대화내용을 저장하여 학생들을 안내하고 보조한다.

비동시적 토론 게시판은 다양한 면에 있어서 교실수업을 보조할 수 있는 능력을 갖고 있다. 비동시적 토론 게시판은 학생들이 교실공간을 넘어서 새로운 생각과의 만남, 문화적인 다양성, 독특한 협력 방식 등 새로운 학습경험의 열린 창으로 다른 학생들과 연결해줄 수 있다. 또한 비동시적 토론은 교실활동을 풍요롭게 해줄 수 있는 확장된 대화의 수단을 제공하여 제한된 교실 공동체 내에 유용한 활동이 된다. 대부분 중·고등학교에서의 50분 학습시간은 심도 있는 대화를 나누기에는 불충분한 시간이다. 전형적인 교실장면에서 학생들이 유의미한 대화에 어느 정도 접근하고 중요한 사고를 막 시작하려고 할 때, 수업 종료 벨소리가 울리면서 학습의 기회가 갑자기 멈춘다. 학교시간 외의 유의미한 주제에 대한 협력과 대화는 학생들에게 수업 한 시간을 넘어 존재하는 교실 공동체를 더욱 깊게 만들어줄 수 있는 기회를 준다. 또한, 비동시적 토론 게시판은 다른 별도의 강좌를 수강하는 학생들을 연결하여 대화에 참여하는 생각의 범위를 넓힌다.

비동시적 토론 게시판은 제2외국어 학습을 지원하는 데 있어 매우 훌륭한 수단이다. 언어 학습자들은 서로 흥미 있는 주제(예, 음악 또는 패션)나 관련 있는 주제로 다른 나라의 원어민과 대화를 나눌 수 있다. 이러한 방법으로 학생들은 단지 동사의 활용과 어형변화만이 아니라 언어를 사용해서 의사소통하는 방법을 학습한다. 비동시적 토론 게시판은 학습자에게 생각을 고려하고 분명히 할 수 있는 시간을 제공하고, 즉흥적으로 수행하기 어려운 과제를 제공하여 특히 비원어민 학습자들에게 효율적이다.

다음 절들에서는 비동시적 토론 게시판의 적용 사례를 제시한다.

논쟁을 위한 토론 게시판

우리는 비동시적 토론 게시판이 논쟁을 지원할 때 가장 유용하다고 주장한다. 논쟁은 원칙(근거)에 의해 지지된 주장(해결책)과 증거, 그리고 잠재적 반론에 대한 반박으로 구성되어 있다. Blair와 Johnson(1987)에 따르면, 좋은 논쟁은 세 가지 기준을 충족시켜야 한다: (1) "전제와 결론 사이에 적절한 관계가 있는가?"(관련성) (2) "전제는 결론에 대하여 충분한 증거를 제공하는가?"(충분성) (3) "전제가 참이며 개연성이 있고, 신뢰할 수 있는가?"(신뢰성) 어떤 지식분야에 대해 사고하는 필수적 방법인 논쟁의 도구로서 온라인 토론 게시판을 사용하는 몇 가지 이유가 있다. 논쟁은 학습의 인식론적 수준을 더욱 깊고 성숙하게 한다. 또한 논쟁은 개념적 변화를 이끌어준다(Asterhan & Schwarz, 2007; Baker, 1999; Nussbaum & Sinatra, 2003; Wiley & Voss, 1999). 개념적 변화는 새로운 관점을 수용하는 구조를 인식하면서 학습자들이 사용하고 있는 개념과 개념을 포함한 개념적 구조에 대한 이해를 바꿀 때 발생한다. 논쟁은 사회적 구성주의자들의 의미해석의 개념과 관련된다. 학생들은 반성적 상호작용(논쟁)을 사용하여 학습하고 지식을 사회적으로 협력하고 구성한다(Driver et al., 2000; Newton et al., 1999).

반박, 종합, 그리고 판단하기를 포함하여 논쟁을 좀 더 잘 하도록 격려할 수 있는 몇 가지 전략이 있다(Nussbaum & Schraw, 2007). 반박 전략은 명백하게 적대적인 전략으로 학생들은 대안적 해결안을 인정하고 다른 사람의 주장을 반박하는 것을 배운다(다른 사람들은 무슨 해결안을 추천할지, 어떻게 그 이유에 대해 답변할 것인가?). 종합 전략은 학생들이 양 측의 장점을 결합하여 절충하는 입장을 개발한다(타협이나 혹은 창의적 해결안이 있는가?). 판단하기 전략에서는 학생들이 대안적 주장들을 평가하고, 이슈에 대한 증거의 영향력에 근거하여 가장 강력한 주장을 지지하는 법을 배운다(어느 편이 더 설득력 있는가? 왜 그런가?). 학생들에게 그들이 수업을 진심으로 이해했는지를 설명하라고 요구하는 것은 그들을 논쟁에 참여시키는 것이다. 다음으로, 학생들이 자신의 주장에 대해 재고하고, 좀 더 정당한 주장을 제시할 수 있도록 증거를 진술하도록 한다. 또한 온라인 토론 게시판에서 토론의 첫 문장을 시작하는 말을 목록에서 선택하도록 하는 것은 논쟁을 지원한다. Oh와 Jonassen(2007)은 시작하는 말 사용이 학생들을 다른 관점에서 생각하게 하고, 학생들이 더 많은 증거를 사용하도록 도왔다고 하였다.

유목적적 커뮤니티 웹사이트의 토론 게시판

학생들과 교사들이 ePals(www.ePals.com)나 ThinkQuest(6장 참조)와 같은 웹사이트를 통하여 협업에 참여할 때, 구체적인 프로젝트와 관련된 혹은 좀 더 일반적인 공동체 대화를 할 수 있는 토론 게시판과 몇 개의 통합된 의사소통 도구를 사용한다.

프로젝트 토론 게시판이 협력 프로젝트 과제에서 아이디어를 공유하고 과제를 관리하는 데 중요한 역할을 하는 반면에, 일반적인 토론 게시판은 젊은 사람들에게 다른 사람들과 어떤 것이든 관심 있는 주제에 관한 생각을 교환하는 수단을 제공한다. 프로젝트 과제에 초점을 둔 대화는 인지적 영역에서의 지식 형성에 중요하다. 학생들이 시작하고, 학생들의 삶과 개인적 관심에 초점을 둔 비공식적 대화는 인지적 학습결과뿐만 아니라 정서적 영역에서 생산적인 학습결과를 가져올 수 있다. 지식, 이해, 인내 그리고 다른 관습 및 의견과 신념에 대한 존중이 커질수록 협력집단에서 함께 일할 수 있는 능력에 긍정적인 영향을 미친다. 비공식적인 대화는 세계경제에서 발생할 수 있는 미래의 상호작용을 위한 기초를 형성할 수 있다.

테크놀로지와 성장하는 세계경제로 인해 국가들 사이의 경계가 사라짐에 따라 서로에 대해 잘 알고 많은 정보를 가져야 하는 필요성이 증가하고 있다. ePALS 학생 포럼에서 "Haiti 지진"에 대한 메시지를 게시한 브라질 학생은 지진에 대한 본인의 경험을 공유하였고, 지진으로부터 회복하고 있는 Haiti 사람들에 대한 근심을 표현하였다. 또 다른 포럼에서는 다른 나라의 좋은 예절에 대해 호기심을 갖고 있는 브라질 학생이 다음과 같은 질문을 올렸다. "여러분 나라에서는 사람들과 인사할 때 어떤 규칙이 있습니까? 여러분은 언제 악수를 합니까? 여러분은 언제 키스를 합니까? 여러분의 나라에서 무례하게 보이는 행동은 무엇입니까?" 이 질문들과 대답들은 다른 문화 간의 상호작용에 있어 매우 중요한 의미를 가진다. 종업원의 세심함과 기본적인 문화적 기대와 규율에 관한 지식이 국제적인 기업의 업무처리에 영향을 줄 것이라고 추정하는 것은 타당하다.

그림 5.1은 ePALS 토론 포럼의 일반적인 구조를 보여준다. 원 글에 대한 응답자들의 응답 옆에 표기된 국기로 각자의 국적이 분명하게 드러난다. ePALS의 독특한 특징 중 하나는 그림 5.1에 보이는 것처럼 사용자들이 번역도구를 사용하여 메시지를 다양한 언어로 변환시킬 수 있기 때문에 보다 많은 독자들에게 유용할 수 있다.

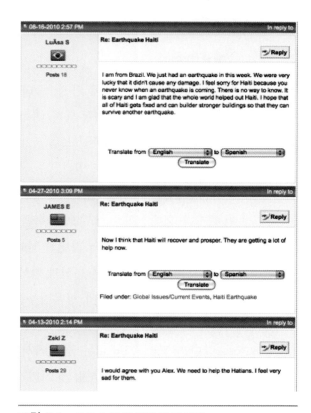

그림 5.1 ePALS 학생 포럼의 메시지

코스웨어의 토론 게시판

교사들은 교육과정의 다양한 요구를 확장하며 지원하기 위해 ePALS와 같은 웹사이트를 통한 토론을 활용할 수 있을 뿐만 아니라 자신의 수업을 듣는 학생들로만 구성된 온라인 대화를 조직하길 바란다. 많은 교사들은 특히 중·고등학교에서, 면대면 수업에 코스웨어를 통합하여 사용한다. 대중적으로 사용되는 프로그램은 Blackboard 시스템이다. 이 온라인 환경은 토론 게시판을 포함하여 내장된 의사소통 도구를 제공한다. Blackboard의 토론 게시판 메시지는 글쓴이, 날짜, 또는 주제로 정렬될 수 있고 핵심어로 검색할 수 있다. 또한 메시지들을 선택하여 한 페이지에 수합하고 편집할 수 있다. 토론 게시판은 일반적으로 텍스트 기반이지만, Blackboard는 목소리 게시판도 제공한다. 텍스트 기반의 토론 게시판과 유사한 방식으로 목소리 게시판에서도 학생들이 오디오 메시지를 녹음할 수 있다.

VoiceThread

VoiceThread는 사람들이 사진, 슬라이드 프레젠테이션, 문서와 동영상을 포함한 미디어 파일들로 비동시적 대화를 할 수 있는 웹기반 애플리케이션이다. VoiceThread는 하나의 파일(그림 5.2)로 구성할 수도 있고, 앨범처럼 미디어 파일의 모음으로 구성할 수도 있다.

　나레이션은 파일을 업로드한 후에 마이크나 웹캠으로 오디오나 비디오를 녹음하거나 휴대전화로 오디오를 녹음하거나 글상자에 글자를 넣어 추가할 수 있다. 그림 5.3은 여러 개의 화면과 VoiceThread를 보여준다. 이것은 화면의 오른쪽 하단, 녹음과 내비게이션 옵션과 함께 정사각형 네모로 표시된다. 이 화면의 녹음된 오디오를 듣고 난 후에, 방문자들은 화면 옆을 따라 위치한 아이콘이 가리키는 대로 의견을 남길 수 있다.

　간단한 VoiceThread는 구글에서 수집한 공공 사용 사진, Flickr의 Creative Commons에서 권한을 허락한 이미지나 파워포인트 슬라이드로 구성된다. 그림 5.4는 매체를 업로딩하는 초기 옵션을 보여주고 있다. "Media Sources"를 클릭하면

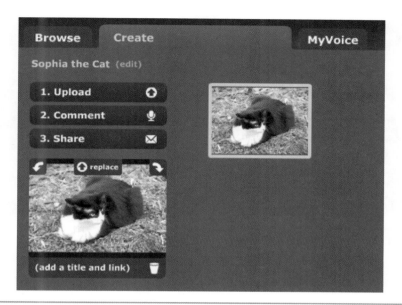

그림 5.2 한 화면으로 구성된 VoiceThread

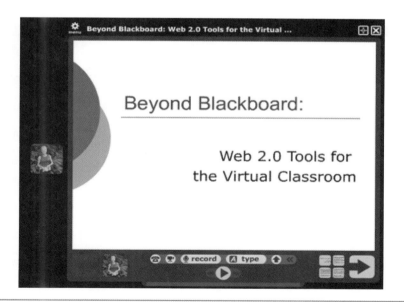

그림 5.3 VoiceThread 녹음과 내비게이션 옵션

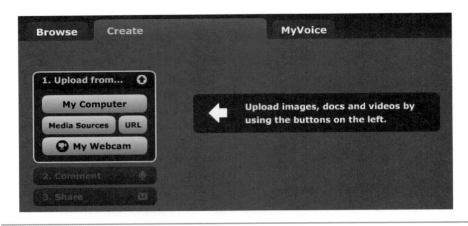

그림 5.4 파일 업로딩을 위한 VoiceThread 초기 옵션

Flickr, 페이스북, 다른 VoiceThread, 700,000장 이상을 소장한 New York공립도서관에 업로드된 이미지에 접근할 수 있도록 해준다.

　학습 목적과 학습 결과에 따라 학생들은 미술 수업 시간에 그림을 비평할 수 있고, 역사적 혹은 현재 발생하는 사건의 사진에 대해 토의할 수 있거나, 광고가 대중을 설득하기 위해 어떻게 고안되었는지 설명할 수 있다. 교사들은 VoiceThread를 학생들의 토의 활동을 위해 사용할 수 있고, 학생들이 자신의 VoiceThread를 만드는 학습 활동들을 계획할 수 있다. 출판 옵션의 범위는 VoiceThread를 만든 학생이 VoiceThread에 대해 볼 수 있는 사람과 의견을 남길 수 있는 사람의 범위를 지정하여 사생활을 보호할 수 있다. 또한 VoiceThread는 개인부터 학급 계정까지 몇 가지 계정 옵션을 제공한다.

　의견을 남기면 화면의 팔레트에서 색상을 선택하고 마우스 또는 트랙패드[1]를 사용하여 슬라이드 위에 낙서를 하거나 그림을 그릴 수 있다. 낙서는 특정한 의견이 선택되어 재생될 때만 슬라이드상에 보여진다. 이것은 사용자들이 의견을 남길 때 시각 매체 화면을 강조하거나 주석을 달 수 있게 한다. VoiceThread의 소유자는 수정 기능을 이용해 남긴 의견들이 외부에 자동적으로 보이지 않도록 미리

---

1) 역주: 평판 모양의 센서에 손가락을 갖다대는 것으로 마우스 포인터의 조작을 하는 포인팅 장치의 하나이다. 제조사에 따라 슬라이드 패드, 터치 패드라고도 불린다.

보고 승인하여 지정할 수 있다. 또한 수정 기능은 교사들이 학생과 개별적으로 개인적인 대화를 할 수 있고 평가 도구로서 사용할 수 있게 한다. 많은 VoiceThread는 이미지로 구성되기 때문에 학생들이 미디어 저작권과 미디어 파일을 인용하는 방법에 대해 학습할 수 있는 소중한 기회를 가질 수 있다. 각각의 VoiceThread 슬라이드는 제목과 내용을 가지고 있고, 이미지의 웹 주소 링크를 제공할 수 있다. ImageCodr.org는 Flickr 이미지들에 부여된 Creative Commons 허가(2장 참조) 수준을 결정하기 위한 무료 온라인 도구로, 학생들이 VoiceThread에 삽입하기를 원하는 이미지들에 대한 정보를 제공한다.

Bill Ferriter(2007)는 학생들이 VoiceThread에 가치 있는 의견을 내기 위해 정보를 수집하고 연결하며 질문하고 의견을 제시할 것을 제안하였다. VoiceThread는 학생들에게 비교, 대조, 평가, 설명되고 옹호되는 의견을 만들도록 유도하여 비판적 사고를 촉진한다. Ferriter의 시작 문장 목록은 학생들이 응답을 만들 때 학생들의 사고를 안내한다.

- 이것은 나에게 ~을 상기시킨다.
- 이것은 ~과 유사하다.
- 나는 ~이 궁금하다.
- 나는 ~을 인식하고 있다.
- 나는 ~을 더 알고 싶다.
- 나는 ~에 놀랐다.
- 만약 내가 ~했었더라면, 나는 ~하였을 것이다.
- 비록 그것이 ~할지라도
- 나는 ~에 대해 확신이 없다.

VoiceThread 디지털 도서관은 범주별로 조직된 VoiceThread 프로젝트의 데이터베이스이다. 다음은 교사들이 초·중·고등학교 학생들과 함께 VoiceThread를 활용한 사례들이다.

- 쓰기 평가 대신에 학생들이 Edgar Allan Poe에 대해 배운 것에 관해 의사소통하기 위해 "Poe에 대해 알고 있는 것"이라는 VoiceThread를 만들었다.
- 고등학교 고학년 학생들은 전교 문학 프로젝트의 마지막 과제로 "삶에서 오늘이 갖는 의미"라는 VoiceThread를 만들었다.
- "내가 온 곳은"은 4학년 학생들이 자신의 배경에 대한 자화상과 개인적으로 의미 있는 시를 특색으로 하였다. 학생들은 과제의 음성 발표를 공유하고 서로 간의 문화적인 차이점을 탐구하였다.
- "7학년이 환경과 함께 간다"는 환경적인 이슈를 홍보하는 상호작용적 VoiceThread이다.
- 5학년은 학생들이 주도한 학부모 회의를 위한 디지털 포트폴리오를 제작하기 위해 VoiceThread를 사용하였다. 이것은 가족들과 친구들이 보고 학생들의 작품과 학습에 대한 의견을 남길 수 있도록 했다.
- 11학년은 남북전쟁 이후 시대에 관한 학습에서 NCLeartn.org의 노예 이야기를 활용하여 "재건시대" VoiceThread에 참여하여 자유 노예의 경험에 대해 응답하였다. 교사는 학생들이 토론을 내면화하였고, 비판적 사고를 사용하여 자유 노예가 어떻게 세계 대공황과 사회변화에 대응했는지를 추측했다고 보고하였다.

고려해야 할 점

트위터와 문자 메시징의 유행은 학생들이 글을 쓸 때 축약된 언어를 쓰는 결과를 초래하였다. 비록 철자법 검색기능이 유용할지라도 메시지를 주의 깊게 쓰는 것이 중요하다. 학생들은 글쓰기의 맥락과 독자를 이해해야 한다. 교사는 채점기준으로 작문 세칙을 포함할 수 있다. 이런 주제는 비동시적인 토론 게시판에서 논쟁을 야기할 수 있는 기회를 제공하여 학생들에게 생각하고 그들의 사고를 표현할 수 있는 기회를 제공한다.

온라인 의사소통은 학생들이 의사소통 즉, 대화에 유의미하게 참여할 수 있다는 것을 가정한다. 이를 위해서 학생들은 메시지를 해석하고, 적절한 응답을 생각하고, 조리 있는 응답을 할 수 있어야 한다. 대부분의 교사들은 모든 학생들이 설득력 있고 논리적인 담화를 할 수 있는 것은 아니라는 것을 인지하고 있다. 학생들은 왜 할 수 없을까? 먼저 대부분의 학생들은 학급 학습환경에서 중요한 토론에 참여할 기회가 좀처럼 없었다. 학생들은 지식을 암기하고, 활동지를 작성하기에 바빴다. 따라서 학생들이 대화를 시도하도록 지원하는 것이 필요하다. 지식 포럼과 같은 환경(6장)은 학생 담화를 지원할 수 있는 내재된 구조를 제공한다. 학생들이 이러한 내재된 보조기능이 없는 토론 도구를 사용할 때, 교사들이 학생을 도울 수 있는 다른 방법들이 있다.

Salmon(2002)은 동기가 높고 활동적이며 능숙한 진행자가 성공적인 컴퓨터 회의에 기여한다고 믿었다. 우리의 목표는 토론활동에서 비판적 사고를 촉진하는 것이다. 교사는 피상적인 대화(예, "난 동의한다.", "나도 역시"), 즉, 핵심에서 벗어나거나 오개념, 불확실하고 부정확한 생각을 표현하는 것을 경계해야 한다. 논의의 초점을 더 분명하게 하고 대화의 깊이를 좀 더 깊게 하도록 교사들이 사용할 수 있는 전략이 있다(Collison, Elbaum, Haavind, & Tinker, 2000). 교사가 비유나 유추적으로 시범을 보이는 것은 학생들에게 아이디어를 서로 연결하고, 검토되지 않은 이슈를 전면에 내세우며, 다양한 관점을 격려하고 인정하는 데 도움을 준다. Collison 외(2000)는 참여자의 대화로부터 의미를 추출하기 위해 "전 영역 질문" 방법을 제시하였다. 그림 5.5의 질문들은 온라인 토론에서 토론 조정자가 참여자 간의 유의미한 대화를 조성할 수 있는 방법을 보여주고 있다.

온라인 학습 촉진하기: 조정자를 위한 효율적인 전략

토론 조정자들은 학생들이 핵심 포인트에 집중하도록 돕고, 관련 깊은 아이디어를 확인하게 하고, 대화의 방향과 목적을 유지하도록 안내함으로써 학생들의 토론 능력을 지원할 수 있다. 토론을 잘 형성하고 올바르게 지도하는 조정자로서 의사소통 과정을 인식하는 것은 건설적인 온라인 토론에 기여하는 특징에 관한 이해를 돕고, 결과적으로 양질의 게시물을 유도할 수 있다. 그림 5.6과 같이 일반적인 지침은 학생들에게 효과적인 온라인 대화에 기여하는 것에 관한 공통된 이해를 제공해준다.

"그래서 뭐가 어떻다는 것인가!"라는 반응을 조사하는 질문들	의미나 개념적 어휘를 명확하게 하는 질문들	가정, 출처, 근거를 탐구하는 질문들	원인과 효과 또는 결과를 확인하기 위한 질문들	적절한 조치를 고려하게 하는 질문들
어떻게 관련되거나 중요한가? 누구에게? 어느 지지층에게? 개인 또는 집단인가? 어떤 관점이 중요성을 전할 수 있을까? 나에게/우리에게/그들에게 주는 중요성인가? 어떤 독자를 가정하였는가? 만약 우리가 이러한 사실을 모두 안다면, 그것이 가져다주는 이익은 무엇인가? **얼마나 다급한가 혹은 흥미로운가?** 즉시 고려해야 할 필요가 있는가? 아니면 추후에 또는 포럼에서 자세하게 다룰 정도로 남겨둘 수 있는가? 주목할 만한 이슈인가 아니면 나 또는 가까운 집단과 약간 관련이 되는가? **어떤 맥락인가?** 이슈나 질문이 보다 큰 관점이나 전략의 일부분인가?	**애매모호함이 있는가?** 용어가 명확한가 또는 일반적으로 사용되는 의미인가? 대체 가능한 의미가 존재하는가? 수량사가 의미를 더 분명하게 해줄 수 있는가? 얼마나 많이? 얼마나 오래? 얼마나 적게? 어느 정도? 명시적 비교는 의미를 분명하게 해줄 수 있는가? **일반적으로 받아들여지는 알려진 개념인가?** 전문적이거나 기술적인 이해에 기반한 용어인가? 일반적인 사용에서 전문적 용어로 의미가 변화된 것인가? 설득이 용어의 정의와 혼동되어 사용되었는가? 다른 분야에서의 비슷한 예는 무엇인가?	**어떤 특성을 가정하는가?** 주장 또는 현상은 현실적인가, 독특한가, 측정가능한가, 이로운가, 해로운가, 중립적인가? 반대 가정은 똑같이 타당한가? 성별, 독자의 구분에 있어 선입견이나 편견이 있는가? 발화자는 본인 혹은 독자에 관해 어떤 가정을 하고 있는가? **확신할 수 있는 것인가?** 주장을 지지해주는 증거는 무엇인가? 증거는 어떻게 주장이 사실임을 증명하는가? 확신이나 불신 혹은 가치를 부여해주는 근거는 무엇인가? 증거를 확실하게 하는 절차나 과정은 무엇인가? 유추를 지원하는 것은 무엇인가?	**근본적인가 혹은 부차적인가?** 주장/조건이 근본적인 혹은 부차적인 원인과 결과인가? 다른 기제를 위한 도화선인가? 그것은 무엇인가? **내부적인/외부적인 vs. 체계적인 상호작용인가?** 원인/결과 기제가 체제의 내부인가 아니면 부분적으로 외부인가? 상호작용에 영향을 미치는 외부 요인은 무엇인가? 추정되는 원인들은 서로 관련이 있는가? 실제로 작용하기 위해서 어느 수준이 되어야 하는가? 결과는 장기적인가 아니면 단기적인가? 결과는 누구를 위한 것인가? 적용하기 위한 한계점과 시나리오는 무엇인가? 가장 성공적인 경우와 가장 실패한 경우는 무엇인가? 가장 개연성 있는 경우는 무엇인가? 왜 그런가? 만약 원인/결과가 피드백을 통하여 체제적으로 연결되어 있다면, 피드백을 제어하는 핵심은 무엇인가?	**누가 무엇을 어떻게, 언제, 누구와 함께, 왜 하는가?** 빠른 수정이 필요한가? 혹은 아니면 더 신중한 관점이 필요한 것인가? 내가/우리가 어떤 것을 해야만 하는 것인가? 함께, 개별적으로, 집단으로서 해야 하는 것인가? 지금 해야만 하는 것인가? 언제 해야 하는 것인가? 헌신해야 하는 것은 무엇인가? 참여한 사람들이 효과적으로 행동하기에 너무 가까운가? 어떤 계획 혹은 전략들이 효과적일 수 있을까? 어떤 수준/조건이 먼저 다루어져야 할까? **다음에 와야 할 것은 무엇인가?** 효과성은 어떻게 평가되었는가? 처치에 대한 어떤 지속적인 관찰 혹은 재평가가 필요한가? 보충해줄 수 있는 계획이 있는가? 누가 지도할 것인가? 어떤 조건하에서 작용할 수 있는가?

그림 5.5 Collison 외(2000)의 전 영역 질문

상황에 따라 교사들은 지정한 포럼에서 구체적인 주제와 관련되지 않은 일반적인 토론 포럼을 제공하기를 원할 수 있다. 이것은 학생들에게 흥미로우면서 다른 포럼에서 주제의 목적에 맞는 대화를 할 수 있는 기회를 준다. 다른 포럼과 관련 없는 "쉼터", "휴게실"과 같은 토론 포럼을 만듦으로써 교사는 계획만큼이나 가치 있는 대화를 유도할 수 있다. 교사들은 기존의 포럼에서 나온 생각을 기반으로 새로운 포럼들을 만들고, 학생들에게 토론분야를 결정하도록 참여시킬 수 있다. 많은 학생들은 온라인 환경이 학생들 사이에서의 대화를 증진시킬 수 있다고 생각한다. 앞에서 언급한 대로, 학교 구조는 시간적 제한 때문에 종종 유의미한 대화를 할 수 없게 한다. 교사들은 비동시적 토론 게시판을 교육과정에 통합하여 운영하는 해결책을 통해 학생들에게 사방의 막힌 벽과 극히 짧은 시간적 제한을 넘어 상호작용할 수 있는 기회를 제공할 수 있다.

- ■ 토론 게시판은 적어도 매주 두 번 접속해야 한다(한 개의 최초 포스팅과 한 개의 댓글이 요구됨).
- ■ 토론 게시판의 포스팅은 상호작용을 극대화하기 위해 정해진 토론기간 이내에 일찍 시작해야 한다.
- ■ 글 제목은 정보를 안내하고 설명적으로 작성한다. 누군가에게 답하는 글을 쓸 경우에는 주제를 더 잘 반영하는 제목으로 변경한다. 글 제목이 "Re: 나의 생각"인 것과 같이 20개의 응답을 가질 수 있는 시나리오는 가능한 한 피한다.
- ■ 게시글은 가치 있는 것이 되어야 한다. "아이디어에 감사하다. 많은 도움이 될 것이다." 또는 "나는 당신이 무엇을 의미하는지 알고 있다."와 같은 응답들은 포럼 환경에서의 적절한 게시글이 아니다. 만약 메시지가 전체 학급이 읽기에 중요한 것이 아니라면, 해당 학생들에게 이메일을 직접 보낸다.
- ■ 게시된 메시지는 다음 한 가지 혹은 그 이상을 통하여 논의되고 있는 주제에 대한 집단의 전체적인 이해에 도움이 되어야 한다.
  - ■ 새로운 관점이나 다른 관점으로 주제를 검토하기
  - ■ 더 심도 있게 쟁점을 설명하기
  - ■ 주제에 관련되고 효과적인 질문하기
  - ■ 주제에 대해 의미 있게 정교화하기
  - ■ 원본 메시지를 정교화하고, 반박하며, 수정하고, 설명하기 위해 답글 쓰기
- ■ 면대면에서 대화할 때 우리가 갖는 의사소통 신호가 없기 때문에 오해의 가능성이 더 크다는 것을 기억해야 한다. 그러므로 언어선택을 신중하게 하고, 포스팅을 제출하기 전에 작성한 글을 읽도록 한다.

그림 5.6 효과적인 온라인 토론을 위한 지침

3절 채팅과 인스턴트 메시징으로 아이디어를 동시적으로 교환하기

토론 게시판과 같은 비동시적 의사소통 도구들은 게시판에 메시지를 포스팅하여 분산적 환경에서 사용자들이 의견을 교환할 수 있는 수단을 제공한다. 이전 절에서 보여준 것처럼 이러한 의사소통 방법은 장점을 가진다. 하지만 때때로 학생들은 좀 더 면대면 상호작용과 유사한 방식으로 의사소통하기를 바란다. 동시적 의사소통 도구를 사용하여 즉각적이고 실시간으로 아이디어를 교환할 수 있다.

인스턴트 메시징

인스턴트 메시징은 인터넷으로 연결된 컴퓨터나 모바일 네트워크를 통해 연결된 모바일 기기를 통해 두 사람 사이에 전송되는 실시간 의사소통의 한 형태이다. 초기에는 문자 메시지만을 지원하였지만 Skype, Google Talk, AOL Instant Messenger(AIM), Windows Live Messenger와 같은 클라이언트 프로그램들이 웹캠 지원, 미디어 공유, 다수의 사람과의 연결, 휴대전화와 모바일 기기에서 설치 가능한 버전 등 다양한 기능들을 제공해 주었다. 페이스북과 같은 소셜 네트워크 사이트들과 Sakai, Moodle과 같은 수업관리 시스템들, ePals와 ThinkQuest와 같은 협동 프로젝트 웹사이트들도 인스턴트 메시지 기능을 제공해준다.

Skype와 같은 메시징 소프트웨어는 사용자들이 현재 정보 또는 "친구 목록"을 활용하여 이야기하는 대상을 제어할 수 있다. 만약 사용자가 목록에 개인정보를 제공하지 않는다면, 사용자 화면 이름을 제공한 개인에게서만 메시지를 받을 수 있다. 이러한 채팅 환경에서 일대일 대화는 별도의 작은 대화창에서 이루어진다. 동시에 여러 개의 사적인 대화가 가능하지만 사용자들은 대화창들과 대화내용들을 동시에 관리해야만 한다. 젊은 사람들에게 인스턴트 메시징 환경에서 다수의 대화를 관리하는 것은 쉽게 터득할 수 있는 기술이다. 또한 사용자들을 채팅방으로 초대하여 여러 명과 함께 공유된 대화를 나눌 수 있다.

인스턴트 메시징은 일반적으로 의사소통을 증진시켜 주고 협업을 쉽게 해준다. 인스턴트 메시징의 동시적인 특성은 학생들에게 공동 작업을 가능하게 하고, 한 명 또는 한 명 이상의 개인들과 즉각적으로 의견을 교환할 수 있게 한다. 인스턴트 메시징과 그룹 채팅은 실시간 의사소통이 필요할 때 다른 학생들과 연결할 수 있는 유용한 교실 학습 도구를 제공한다. 인스턴트 메시징과 그룹 채팅의 선택은 일대일로 대화할 것인지 아니면 여러 사람들이 같은 대화창에서 그룹으로 의사소통할지를 결정하는 것에 따라 다르다. 동시적 대화의 경우 교사가 대화과정을 관찰하기 어렵기 때문에, 동시적인 대화의 장점이 무엇인지 주의 깊게 고려할 필요가 있다.

인스턴트 메시징의 비공식적 사용은 학교 방과 후 외부에서 발생하며 많은 젊은이들의 일상적인 활동을 반영한다. 많은 학생들이 저녁시간에 온라인 활동을 하고 인스턴트 메시징이 온라인 활동의 필수적인 것이 되었다. 인스턴트 메시징을 통하여 과제에 대한 질문을 주고 친구들 간에 서로 도움을 제공하는 것은 지극히 당연해졌다. 원거리로 협력적 프로젝트를 함께 하는 학생들 사이에도 유사한 형태의 질문과 도움이 나타난다.

ePALS, Global Schoolhouse, iEARN(6장 참조)과 같은 공동체 중심의 웹사이트는 채팅과 메시징 서비스를 포함하여 몇 가지 의사소통 도구들을 제공하면서 다른 사이트에는 없는 안전 요소를 제공하고 있다. 교사들은 학생들이 채팅방과 인스턴트 메시징 사용의 분명한 목적을 확인하길 원하기 때문에, 이러한 유목적적 웹사이트들이 적어도 초기에는 교사들에게 최상의 자원을 제공할 수 있다. 대화가 프로젝트 과제 중심으로 이루어지거나 조건이 어느 정도 구조화되도록 함으로써 학생들의 도구 사용이 건설적이고 학습 목표를 지원하도록 보장하는 데 도움이 된다.

채팅에 참여한 개인의 신분을 확인하는 능력은 온라인 대화의 안전을 결정하는 중요한 요인이다. 교사는 학생과 학부모에게 개인의 사생활과 안전을 유지하면서 온라인 의사소통의 긍정적인 면을 잘 활용하는 방법에 관한 인식을 형성하기 위해 그림 5.7의 지침 목록을 공유할 수 있다.

> **온라인 의사소통을 위한 안전 지침**
> ■ 실명 대신 익명을 사용한다.
> ■ 이름의 성(姓), 전화번호, 집 주소, 혹은 부모님의 직장 주소와 같은 개인 정보를 절대로 누설하지 않는다.
> ■ 인터넷 채팅방의 비밀번호를 절대로 공유하지 않는다.
> ■ 채팅방에서 만났던 누군가를 만나는 것에 동의하지 말고, 누군가 당신을 만나려고 하면 선생님께 알린다.
> ■ 만약 외설적이거나 부적절한 메시지를 받았다면 선생님에게 알린다.
> ■ 온라인으로 이야기한 사람은 실제 인물과 다른 척을 할 수도 있다는 사실을 인식한다.
> ■ 만약 누군가가 무례하고 불쾌하게 한다면 대화에 참여하지 않고 무시한다.

그림 5.7 안전한 온라인 의사소통을 위한 지침

4절 프레젠테이션 테크놀로지로 정보 공유하기

수년간 초·중·고등학교 교실에서 파워포인트의 활용은 아주 흔해졌다. 어떤 도구도 가치가 내재되어 있지 않고, 사용자들에게 그 가치가 달려있다. 도구의 디자인과 한계점은 우리가 할 수 있는 일을 범위를 규정한다. 프레젠테이션 소프트웨어는 종종 남용되어 많은 경우 학습을 확장하는 데 사용되기보다는 정보를 바꾸어 말하는 도구로 사용되었다. 먼저 기존의 프레젠테이션 소프트웨어의 장점과 단점을 알아보는 것으로 시작하려 한다. 그 다음, Prezi와 SlideShare와 같은 소셜 소프트웨어를 사용하여 아이디어를 공유하는 혁신적인 방법들을 탐색하고, 마지막으로 대화형 화이트보드(interactive whiteboards: 예, SmartBoard, Promethean)를 효율적으로 활용하는 방법을 알아볼 것이다.

파워포인트

효과적으로 프레젠테이션을 제작하는 능력은 초·중·고등학교 교육의 고학년뿐만 아니라 일상생활과 직장의 다양한 분야에서 요구된다.

프레젠테이션 제작은 쓰기 전에 생각 정리하기(쓰는 목적 정하기, 아이디어의 조직화, 배열), 메시지 작성, 수정 등 다른 종류의 쓰기에서 요구되는 것과 동일한 기술을 필요로 한다. 마이크로소프트의 파워포인트는 이러한 과정들을 지원해주는 몇 가지 내재된 도구들을 제공한다. 우리는 이 제품이 어떻게 프레젠테이션 쓰기를 지원하는지 간단하게 소개하고 제품의 잠재적인 단점에 대해 논의하고자 한다.

마이크로소프트의 파워포인트를 언급하면, 백 개의 슬라이드로 구성된 프레젠테이션에 대해 쏟아지는 비판과 졸린 눈들을 쉽게 짐작할 수 있다. "파워포인트의 죽음"(Bumiller, 2010)이라는 구절은 생각의 연결이나 깊이를 전달하는 데 실패하고 수많은 항목을 담은 슬라이드로 구성된 지나치게 많은 프레젠테이션의 특성을 포착한 표현이다. 교사들은 확실히 파워포인트 프레젠테이션을 사용하는 합당한 이유를 갖고 있으나, 학생들에게 자기만의 프레젠테이션을 만드는 방법은 가르치지 않는다. 실제로 많은 교사들이 프레젠테이션 소프트웨어를 피상적으로 사용하는 것에 대한 논쟁의 여지가 있다. 그러나 이 책에서 언급한 많은 테크놀로지 도구들처럼 우리가 학생들의 손에 도구들을 주고 학생들에게 프레젠테이션을 제작하라고 할 때, 그들은 소중한 기술을 배울 수 있다.

파워포인트는 학생들이 효율적인 프레젠테이션을 제작하도록 도와줄 수 있는 몇 가지 기능들을 제공해준다.

- *자동 내용 슬라이드(AutoContent) 마법사* [2]. 파워포인트는 다양한 유형의 프레젠테이션(예, 설득용, 상황 보고용, 교육용)을 위한 준비된 슬라이드 세트를 제공한다. 각 세트는 선택한 프레젠테이션 유형(예, 설득용)의 일반적인 목적에 적합한 내용 개요가 구조화되어 있다.
- *개요 보기*. 파워포인트 소프트웨어는 텍스트와 텍스트의 계층 구조를 볼 수 있는 개요 보기를 제공한다. 이 모드에서 텍스트를 보거나 텍스트를 편

---

2) 역주: 마이크로소프트 오피스 2007 이후 버전에서는 자동내용 슬라이드 마법사 기능이 지원되지 않고, 템플릿이 내재되어 제공됨.

집할 수 있다. 이 모드는 위계적으로 조직된 프레젠테이션 내용에 대해 생각하고 표상할 수 있도록 지원해준다. 개요 보기 기능은 교사가 학생들의 프레젠테이션 구조를 빨리 보고 피드백을 줄 수 있는 방법을 제공한다.

- **텍스트의 위계적 구조화.** 블릿과 하위 블릿 사용(초기 블릿의 들여쓰기) 혹은 숫자가 있는 목록과 하위 목록을 통해 텍스트 간의 위계적 관계를 쉽게 나타낼 수 있다. 이 기능은 프레젠테이션 제작자들이 개별 슬라이드의 개념들 사이의 관계를 고려하도록 지원해준다.

- **링크 삽입.** 파워포인트는 다른 애플리케이션의 연결을 위한 다양한 유형의 삽입을 지원한다. 사용자들은 원하는 부분을 인터넷 URL과 연결하거나 혹은 마이크로소프트 워드, 엑셀, 또는 다른 파워포인트 문서를 링크로 삽입할 수 있다. 프레젠테이션 모드일 때, 사용자들은 지정한 페이지로 바로 이동할 수 있다. 정보의 형태가 다양함을 고려할 때, 프레젠테이션 안의 링크 기능은 학습자들이 여러 정보 자원들을 매끄럽게 불러올 수 있도록 해준다.

- **노트.** 사용자들은 프레젠테이션을 구두로 전달할 때나 누군가가 프레젠테이션을 읽을 때, 슬라이드 내용의 이해를 돕기 위해 각 슬라이드에 노트를 자세히 기술할 수 있다. 교사들은 긴 설명을 슬라이드 노트에 입력하는 반면, 핵심 포인트만을 포함한 프레젠테이션 슬라이드를 만드는 것의 중요성을 강조하기 위해 이 기능에 주목할 필요가 있다.

파워포인트는 또한 학습자들이 효율적인 프레젠테이션을 제작하는 것을 방해할 수 있다. 대부분의 기능들은 프레젠테이션의 일부인 시각 디자인, 그래픽 그리고 애니메이션에 초점이 맞춰져 있다. 비록 우리가 학습 결과물로서 텍스트와 슬라이드 디자인의 가치를 인정할 지라도, 만약 효율적인 프레젠테이션을 제작하는 것이 근본적인 목적이라면 학생들이 시각적 디자인 기능에 지나치게 많은 시간을 소비하는 것을 조심할 필요가 있다. 예를 들어 Oppenheimer(2004)는 원고 쓰기에 단지 7시간이 걸렸지만, 이를 파워포인트 프레젠테이션으로 제작하는 데 17시간을 소비한 학생에 대해 이야기했다. 다음은 몇 가지 잠재적인 위험들이다.

■ *Font-itus.* 이 용어는 너무 많은 글꼴(예, 맑은 고딕, 신명조)과 너무 많은 글꼴 유형(예, 밑줄, 진하게, 기울임) 또는 글자 크기와 색상의 사용을 지칭한 용어이다.

■ *지나친 슬라이드 전환.* 파워포인트는 바둑판 패턴을 사용한 페이드, 한쪽 방향에서 다른 쪽 방향으로 사라지는 페이드, 마치 베네치아 블라인드를 걷는 것처럼 나타나는 슬라이드 페이드 기능을 제공해준다. 학생들은 페이드 기능 중에 한 가지를 선택하고, 프레젠테이션 내내 일관성 있게 사용하는 것이 적절하다. 그러나 학습자들은 이러한 효과에 지나치게 도취되어 산만함을 줄 수 있다.

■ *어울리지 않는 슬라이드 템플릿.* 파워포인트는 다양한 슬라이드 배경과 글꼴 블릿 유형, 그래픽을 조합한 "디자인 템플릿"을 제공해준다. 어떤 템플릿은 추상적인 반면, 어떤 템플릿은 주제가 드러날 정도로 구체적이다. 템플릿은 시각적 단순성과 복잡성의 관점에서도 매우 다양하다. 템플릿은 잘 어울리는 글꼴과 색상 세트로 이미 만들어져 있어 학습자들이 쉽게 사용할 수 있다. 그러나 학습자들은 프레젠테이션 정보와 맞지 않는 그래픽을 사용한 템플릿을 선택하거나 자신의 프레젠테이션 이미지들과 충돌하는 배경 그래픽이 포함된 템플릿을 선택하는 것에 대해 주의해야 한다. 다행히 프레젠테이션을 제작하는 동안 어느 시점에서 디자인 템플릿을 다른 템플릿으로 변경하는 것은 용이하다.

■ *지나치게 많은 슬라이드.* 파워포인트는 슬라이드를 쉽게 만들어낼 수 있는데, 이것은 장점과 단점을 모두 갖고 있다. 학습자들은 슬라이드 개수가 적지만 주의 깊게 설계할 때가 많은 수의 슬라이드를 사용한 것보다 효과적임을 깨달을 것이다.

이러한 위험들에 대응하기 위해 교사들은 프레젠테이션 요구사항에 대한 안내를 제시할 수 있다. 예를 들어 프레젠테이션 제작 시 최대 네 가지의 글꼴과 명확히 정해진 개수의 색상과 애니메이션만을 사용하도록 규정할 수 있다. 다른 방법으로 교사들은 프레젠테이션 제작에 대한 단계적인 접근을 요구할 수도 있다. 학생들에게 처음에는 프레젠테이션에 텍스트만 사용하도록 하고, 나중에 슬라이드에 삽입할 그래프, 애니메이션, 그림 등 시각적 요소들을 문자로 표시하도록 할 수 있다. 그러면 교사들은 학생들이 그래프나 애니메이션 등 주의를 분산시키는 기능들을 활용하기 전에 프레젠테이션 텍스트를 명확하게 제작하게 할 수 있다.

또한 교사들은 학습 활동으로 학생들에게 기존의 파워포인트 프레젠테이션을 평가하게 할 수 있다. 교사나 학생들은 인터넷 검색으로 손쉽게 다양한 종류의 프레젠테이션을 찾을 수 있다. 이 활동은 프레젠테이션을 지원해주는 파워포인트의 기능들을 어떻게 활용하는지, 무엇을 피해야 하는지, 자신만의 가이드라인을 세우도록 도와줄 수 있다.

잠재적인 단점들과 관계없이 학생들에게 파워포인트로 프레젠테이션을 제작하도록 하는 것은 모든 학년에서 많이 활용되는 활동이다. 다음 예시는 어떻게 프레젠테이션 제작이 다른 교과(예, 과학 또는 역사)의 맥락 안에서 활용되는지 보여준다.

교외의 초등학교 1학년 교사는 동물에 대한 조사 프로젝트의 일부로 파워포인트를 사용하였다(KITE, 2001a). 학생들은 인터넷을 사용하여 동물들의 그림을 검색하고 다운로드하였다. 학생들은 인터넷에서 찾은 동물 그림과 그 동물들에 대해 수집한 과학적 사실을 이용하여 단어 문제를 만들고, 단어 문제들을 조합하여 파워포인트 프레젠테이션을 제작하였다.

소셜 프레젠테이션 소프트웨어: Google Presentaions, SlideShare, Prezi

웹 기반 프레젠테이션 소프트웨어는 인터넷을 통하여 프레젠테이션 제작을 협력적으로 할 수 있도록 해주며 그 결과물들을 다른 사람들과 공유할 수 있게 해준다. 구글 문서 프레젠테이션은 기존의 파워포인트를 업로드하거나 새로운 프레젠테이션을 만들 수 있고, 다른 사람들과 함께 협업하고 볼 수 있다. 구글 프레젠테이션은 사용자들이 프레젠테이션을 함께 만들고 공유할 수 있도록 해주지만 그 기능들은 파워포인트와 매우 유사하다. 그림 5.8은 제작 진행 중인 프레젠테이션

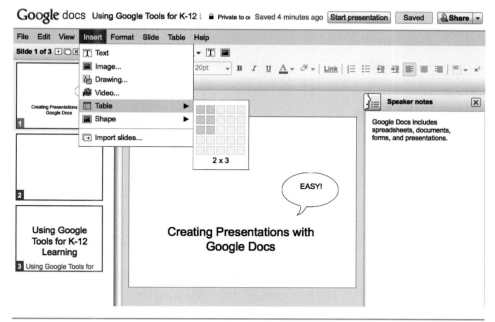

그림 5.8 구글 문서로 프레젠테이션 제작하기

을 보여준다.

SlideShare(www.slideshare.net)는 사용자들이 프레젠테이션뿐만 아니라 문서와 pdf 파일까지도 업로드하고 공유할 수 있도록 해주는 사회적 미디어 사이트이다. SlideShare는 학습자 간 공유를 지원해주는 웹 2.0으로, 사용자에게 전 세계적으로 공유할지, 아니면 교실처럼 작은 지역으로 공유할지, 공유하는 커뮤니티를 한정할 수 있는 선택 권한을 준다. 개인은 공유된 프레젠테이션에 의견을 남겨서 정적인 프레젠테이션을 대화의 장으로 변화시킬 수 있다. SlideShare에는 해당 슬라이드에 오디오를 녹음할 수 있는 부가 기능이 있다.

Prezi(www.prezi.com)는 파워포인트와 매우 다른 인터페이스를 제공하고, 비선형적이고 상호작용적인 프레젠테이션이 가능하다. 개념적으로 이것은 사용자들이 창의적이고 선형적인 프레젠테이션의 제약 없이 사용할 수 있는 더 큰 자유를 가질 수 있음을 의미한다. 사람의 사고는 비선형적일 수 있다. Prezi의 열린 결말과 독특한 디자인을 활용하여 학생들은 사용하고 있는 정보를 분석하고, 정보들을 연결하며, 정보의 시각적인 표현이 메시지에 어떻게 영향을 끼치는지에 대해 생각할 수 있다. Prezi를 통해 사용자들은 관계들과 맥락을 보여줄 수 있다. 전체 프레젠테이션은 처음부터 그래픽으로 시작된다. 누군가가 그래픽의 일부를 클릭하면 다음으로 바로 뛰어넘어 이동할 수 있다. 그러나 Prezi를 제작할 때 사용자들은 그림 5.9에서 보여지는 것처럼, 화면의 아래에 있는 내비게이션 컨트롤을 사용하여 이동 경로를 지정해 주어야 한다. Prezi는 오디오, 비디오, 애니메이션, 그래픽, 텍스트를 통합해줄 수 있으며, 비선형적인 모드로 메시지를 의사소통하기 위해 확대/축소, 회전할 수 있는 멀티미디어 프레젠테이션 수단이다. 그림 5.9에 보이는 "재미있게 배우기?"라는 제목의 Prezi는 "시작"과 "도착"으로 이루어진 보드 게임처럼 생겼다. 독자는 설계된 경로를 따라갈 수도 있고, 학습에서 사용되는 게임의 유용성을 설명해주는 텍스트, 유튜브 비디오, 웹사이트에 접근하기 위한 개별 공간을 클릭할 수도 있다. 사람들은 정적인 프레젠테이션을 보는 것보다 이 사례의 게임처럼 동적인 경험에 더 적극적으로 몰입한다.

발표용 하드웨어: 대화형 화이트보드

초·중·고등학교 교실에서 대화형 화이트보드(Interactive Whiteboards: IWB)의 인기는 하늘을 찌른다. 이 테크놀로지는 전자 칠판 또는 값비싼 오버헤드 프로젝터

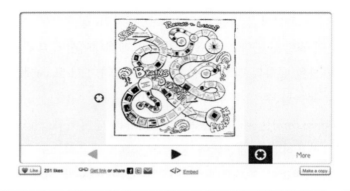

그림 5.9 재미있게 배우기? Maria Andersen의 Prezi

출처: http://prezi.com/ri_b-gw3u8xl/playing-to-learn

이상으로 자주 사용된다. IWB의 특성은 학생들을 복잡하고 목적지향적인 학습 활동, 즉 활발한 협동, 조사, 토론 그리고 창작 활동 등에 참여시키기보다는 전통적인 교사 중심의 수업을 증진해준다. IWB 현상은 우리의 교육체제에서 근본적인 문제를 주목하게 한다. 많은 교사와 행정가들은 학생중심학습과 개별화학습을 지지하는 반면에 그것에 대한 의미를 고려함 없이 겉치레적이고 유행적인 테크놀로지에 흔들리고 있다.

이 책의 1장에서 언급하였듯이 테크놀로지 교수내용지식(technological pedagogical content knowledge: TPACK)은 교과 안에서 구체적인 교수법을 사용하여 다양한 사고와 학습 유형을 지원하는 테크놀로지에 대한 고려로 학습에 관한 지식의 측면(TPLACK)을 포함한다. 하드웨어 프레젠테이션 도구로서 IWB는 오버헤드 프로젝터에서 찾을 수 없는 많은 기능들을 제공해줄 수 있다. 그러나 유의미한 학습을 위해 어떻게 사용해야 할까? IWB를 활용하고 있는 교사들 대부분은 TPLACK 모형의 맥락에서 IWB를 옹호하기 어려울 것이다. 심지어 대부분의 교사들은 "상호작용성" 조차도 학생들의 깊은 사고와 학습을 가져다주는 활동보다 더 피상적이라고 설명한다. Manzo(2010)는 피타고라스의 정리와 삼각형 분류 법칙을 학습하고 있는 9학년을 설명하였다. IWB를 활용한 상호작용 방식은 게시판을 제어펜을 사용해서 가볍게 두드려 도형을 이동하는 것이다. 학습이 끝날 때쯤 학생들은 교대로 펜을 사용하고, 학습 평가를 위해 리모컨을 활용한다.

궁극적으로 IWB의 가치는 표현의 수단으로서 그것이 사용되는 활동에 따라 달라진다. IWB를 사용하기 위한 표준 교육과정 자료는 있지만 비판적 사고 없이 일반적으로 수용하여 사용하기보다는 "유의미학습"의 시각을 통해 평가되어야 한다. IWB를 활용할 수 있는 교육과정은 세계적 정보화를 추구하는 사회에서 성공하기 위해 필요한 지식과 기술들을 발달시키기보다는 표준화된 시험을 잘 치르기 위해 준비하는 학습을 강조한다.

정보 의사소통 테크놀로지의 효과성에 대한 공식적인 평가는 대화형 화이트보드(IWB)를 포함하고 학생들의 학습을 향상시키는 데 화이트보드를 어떻게 사용할 수 있는지 서술되어 있다(Kent, 2010). Kent는 깊은 사고가 높은 수준의 애매모호한 활동들에 의해 촉진될 수 있다고 결론을 내렸다. 그가 제시한 예는 다음과 같다.

■ 학생들은 IWB 활동으로 자신들 반응의 중요성과 정당화를 위해 대상을 배열한다.

■ IWB를 사용하여 인터넷 뉴스 웹사이트의 최근 사건을 보고하였다. 그 뉴스 사이트는 사건의 한 가지 관점만 포함했다. 교사와 학생들은 웹사이트가 포함하지 않은 사건과 관련된 이슈를 논의하고 사건을 해석하는 다양한 방식에 대해 소개한다.

■ IWB를 "과제 게시판" 활동을 위해 사용한다. 학생들은 인터넷에서 찾은 잡지 표지를 분석하고 이미지들의 유사점과 차이점을 분석한다.

비슷하게도 "IWB를 활용하는 101가지 방법과 자료 프로젝터" 위키(http://useict.wikispaces.com/100+ways+to+use+IWB+and+DP)에는 다른 사람들과 의사소통하기 위해 Skype 활용하기, 웹사이트나 동영상 보기, 그리고 함께 Wordle 지도 만들기와 같은 학급 전체 활동들에 대한 안내가 되어있다.

1학년 교사 Kathy Cassidy는 "나 역시 교사 중심 수업으로부터 IWB를 활용하지 않기 위해 많이 노력하였다. 나는 학급 전체나 소집단으로 수학이나 과학 개념을 이해하는 데 도움이 되는 게임을 많이 했다. 그러나 내가 가장 좋아하는 것은 그 내용들을 동영상으로 만드는 것이다. 나는 문서 카메라(document camera)를 갖고 있어서 식물 뿌리와 같은 것을 함께 공유해볼 수 있다." Cassidy 교사는 학생들이 수학 용어 문제를 만들고 공유하는 수단으로서 IWB를 사용하였다. 그림 5.10은 검은 화면으로 시작되는 애니메이션의 마지막 화면을 보여주고 있다. Cassidy 교사의 학생 중 한 명이 그가 만든 간단한 스토리를 이야기한다: "다섯 마리의 개가 들판에서 뛰고 있다. 세 마리가 더 왔다. 5 더하기 3은 8과 같다." 애니메이션을 저장하고 유튜브에 업로드한다. 그리고 가족, 친구들, 그리고 다른 사람들과 함께 공유하기 위해 학급 블로그와 위키에 삽입하여 사용한다(6장 참조). 작품을 만들고 공유하기 위해 IWB를 사용하는 것은 친구들에게 수학 개념을 설명해주는 것처럼 생각을 표현하는 경험을 줄 수 있다.

그림 5.10 대화형 화이트보드에서 제작한 수학 애니메이션

5절 화상회의를 통해 연결하기

100여 년 전, John Dewey는 중요한 지식과 도구들을 전달하는 학교와 교실에 의존한 복잡한 사회의 위험에 대해 언급하였다.

> 사회의 구조와 자원들이 점점 더 복잡해짐에 따라, 학교교육의 필요성은 점점 더 커지고 있다. 그리고 학교교육이 성장함에 따라 학교에서 얻은 지식과 사회에서 직접 얻은 경험 사이에 바람직하지 않은 분열이 생기고 있다. 이러한 위험은 지난 몇 세기 지식과 기술의 급격한 팽창으로 인해 과거의 어느 때보다 더 커지고 있다(Dewey, 1951, p.11).

지난 몇 십 년 동안의 학교교육 상황을 떠올려보면 불행하게도 Dewey가 경고했던 위험이 발생하고 있다. 실생활 경험과 학교 학습 사이의 괴리는 심각한 문제다. 다양한 테크놀로지는 만약 지원적 환경에서 적절하게 사용된다면 학교와 학생들의 교실 밖 경험을 연결해주는 가교 역할을 수행할 수 있다. 또한 테크놀로지는 학습과 상호작용을 지원해주는 의사소통 도구로서 실생활의 맥락에서 전문가와 학생들을 연결해준다. 화상회의는 쌍방향으로 비디오와 오디오를 전송하여 두개 이상의 장소에서 동시적 상호작용을 가능하게 한다. 다음 절에서는 화상회의 시스템의 종류에 대해 논의하고 학습증진을 위해 화상회의를 활용하는 방법에 대해 알아보겠다.

전문가와의 연결

대화형 화상회의(interactive videoconferencing: IVC) 또는 웹 화상회의는 직접 만나기 어려운 전문가들을 실제 상호작용으로 학생들과 연결해줄 수 있는 엄청난 잠재력을 제공해주는 테크놀로지이다. Merrick(2005)은 초·중·고등학교가 표준화된 시험을 통한 책무성을 강조하는 요즘, 교사들이 비교적 낯선 새로운 테크놀로지를 교실 수업에 적용하는 것에 대해 주저할 수 있다고 인정하였다. 시험에서 다루어질 내용을 직접 가르치는 것이 좀 더 효율적이지 않은가? 우리는 화상회의 테크놀로지를 통한 전문가와의 만남이 교육과정을 더욱 풍부하고 깊게 강화시킬 수 있다는 Merrick의 의견에 동의한다.

특히 모든 지식 영역을 다루는 초등학교 교사들은 화상회의를 통하여 이용할 수 있는 풍부한 보조 자료의 가치를 빠르게 인식할 수 있을 것이다. 초등학교 교육과정은 추가적인 자원과 학생들의 동기를 촉진하는 학습을 위한 새로운 접근에 의해 향상될 수 있다. 학생들은 해당 지식 영역의 전문가의 지식을 얻을 수 있을 뿐만 아니라 상호작용을 통해 중요한 대인관계 능력을 실천하고 배울 수 있다. 또한 화상회의는 학생들이 교실 학습을 실생활에 적용할 수 있도록 관계를 증진해주고 학교와 공동체 사이에 가교 역할을 해줄 수 있다.

기술적 고려 사항

저렴한 데스크톱 화상회의는 웹캠이라고 불리는 데스크톱 비디오카메라의 활용으로 가능하다. 컴퓨터와 연결한 USB 기기들은 인터넷을 사용하여 회의를 하기 위해 사용자들을 연결한다. 초기 화상회의는 느린 모뎀 속도로 데이터 전송에 제한이 있어서 덜커덕거리는 비디오와 같은 결과를 초래했다. 빠른 속도(브로드밴드)의 케이블과 디지털 직통 라인(digital subscriber line: DSL) 인터넷 연결은 데스크톱 화상회의의 질을 많이 향상시켰다. 대부분의 컴퓨터들은 내장된 비디오 카메라 장비를 갖추게 되었다. 내장된 카메라를 활용하거나 저렴한 웹캠과 연결하여 유사한 장비를 갖춘 어떤 누구와도 화상회의를 할 수 있게 되었다. 웹캠과 인터넷 접속 외에도 사용자들은 컴퓨터 스피커, 마이크, 그리고 화상회의를 지원해주는 소프트웨어(종종 무료)를 필요로 하게 되었다. 비록 일부 웹캠에 마이크가 내장되어 있지만 사용자들은 스피커 헤드폰과 함께 마이크가 결합된 헤드셋을 사용할 경우 화상회의의 품질에 더 쉽게 만족할 수 있다.

많은 컴퓨터 프로그램들을 데스크톱 화상회의에 참여하는 데 이용할 수 있다. Skype는 인터넷을 통하여 일대일 통화와 25명까지 참여할 수 있는 화상회의를 지원해주는 무료 통화 소프트웨어 프로그램이다. Skype는 일반통화선(아날로그) 대신에 브로드밴드 인터넷 연결을 활용하여 전화를 가능하게 해주는 Voice-over Internet Protocol 테크놀로지를 사용한다. 또한 Skype는 웹캠과 함께 데스크톱 화상회의에 사용할 수 있다. AOL 인스턴트 메신저, Google Talk, MSN 메신저와 같은 인스턴트 메시징 프로그램들은 동영상 메시지를 가능하게 해준다.

마이크로소프트의 NetMeeting, Elluminate, Dimdim과 같은 애플리케이션은 다지점 데이터 회의, 즉 한 번에 여러 사람들 사이에 회의를 가능하게 하는 데이터 협력을 가능케 한다. Blackboard 코스 관리 소프트웨어는 Wimba Classroom을 포함한 Wimba 도구들을 웹 회의 애플리케이션에 통합하였다. 이러한 웹 회의 환경에서 사용자들은 화이트보드 또는 공유된 프로그램의 기능을 활용하여 오디오, 비디오로 함께 이야기하고 일하면서 의사소통할 수 있다.

여러 곳을 연결해줄 수 있도록 하는 전용 시스템이 종종 사용되고 있다. 이러한 시스템들은 일반적으로 비디오 카메라를 원격 통제할 수 있는 제어판의 특징을 갖고 있다. 전용 시스템은 제어 컴퓨터, 스피커, 오디오와 비디오 신호를 압축하여 변환해주는 하드웨어와 소프트웨어, 모니터 등의 부품들을 하나의 장치로 통합한다. Polycom은 많이 사용되고 있는 전용 화상회의 시스템이다. 다지점 시스템은 여러 곳에 떨어져 있는 사용자들이 동시에 연결할 수 있다.

지질학자와의 화상회의 상호작용

1학년 교사 Kathy Cassidy는 Skype를 사용하여 학생들과 다른 교실의 동료들, 전문가와 연결하였다. 바위를 학습하는 동안 학생들은 그들이 배우고자 하는 것들을 목록으로 만들었고, 그 다음에 Oregon의 지질학자 Trish Gregg 박사와 이야기를 하였다. 한 학생이 "왜 어떤 돌은 수정같이 생겼을까요?"라고 질문하자, 지질학자는 바위가 수정으로 이루어졌지만 그것들은 너무 작아서 현미경 없이는 볼 수 없다고 설명하였다. 박사는 학생들에게 부드러운 바위를 보여주었고, 강이 바위 형성에 어떤 역할을 하는지에 대해 설명하였다. 학생들은 울퉁불퉁한 바위와 무겁고 가벼운 화산 바위를 비교하였다. Gregg 박사는 돌을 탐구하기 위해 돌망치로 어떻게 돌을 부수는지 보여주었다. 학생들은 자신들의 경험과 질문을 전문가에게 이야기했다. 전문가는 지질학자의 직업 활동을 보여주면서 자연 세계의 이해를 깊게 하는 질문과 대화를 촉진하였다.

Dyer 지역 천문학자와의 화상회의 상호작용

Scott Merrick은 여러 나라 학생들이 Vanderbilt Dyer 관측소의 학자들과 화상회의 프레젠테이션에 참가한 VIA Dyer(Videoconferencing Interactions with Astronomers at Dyer) 프로그램을 보조하였다. 그는 다음과 같이 그의 경험에 대해 기술하였다.

> 이 기간 동안 같은 주제에 대해 반복 발표하는 것을 여러 번 보았다. 훌륭한 예는 Bob O'Dell의 "천문학 관측소"이다. 지구에 추가적 천체 망원경이 왜 필요한가에 대한 논의를 포함한 멋진 발표였다. 이어지는 질문/대답 섹션에서 나는 종종 O'Dell이 같거나 유사한 질문들을 받는 것을 들었다. 그는 앞서 대답한 것에 의해 정보를 받아 대답하는 한편, 새로운 대답을 좀 더 다르게, 좀 더 실제적이고 흥미롭고 더 적절하게 제시하였다. 그는 IVC에서 점차 향상되었을 뿐만 아니라 청중의 성실한 참여를 고취시키는 주제에 대해 분명히 열정적이었고 정통한 지식을 갖고 있었다. 그것은 틀에 박힌 발표가 아니라 대화였다.
>
> 예를 들어 O'Dell은 발표하는 동안 컴퓨터로 만든 오리온 대성운의 모

습을 3분 동안 이야기하였다. 학생들이 인터넷 구글을 사용하여 검색하고, 디지털 비디오를 내려받는 한편, 애니메이션을 제작한 500명의 한 팀을 지휘한 O'Dell의 설명을 IVC를 통해 동시에 들을 수 있었다. O'Dell의 팀은 수학적 모델과 허블 망원경에 의해 지구로 보내진 이미지들을 사용하여 애니메이션을 제작하였고, O'Dell은 허블 망원경의 설계를 맡게 된 첫 번째 팀 프로젝트 과학자였다. IVC는 학생들에게 주어진 교과의 최근 연구에 관여한 사람들과 즉각적으로 상호작용할 수 있는 독특한 기회를 제공한다(Merrick, 2005, pp. 1-2).

두 번째 Vanderbilt 대학 화상회의 사례는 초 · 중 · 고등학교 과학교육을 향상하기 위한 목적으로 매주 Vanderbilt 대학 연구원, 의사, 박사후 연구원, 대학원생, 의대생, 과학 전문가가 참가한 화상회의다(McCombs et al., 2004).

Missouri 대법원 판사와의 화상회의 상호작용

앞에서 제시된 예들은 과학 교육에 기반한 경우이지만, 비디오 화상회의는 어떤 내용 영역에서도 활용될 수 있다. Missouri에 있는 고등학생들은 두 명의 Missouri 대법원 판사와 한 명의 헌법 전문가인 Missouri 대학 교수와의 상호작용을 통해서 윤리에 대한 중요한 이해를 하게 되었다(Heavin, 2006). 헌법의 날 기념으로 이루어진 화상회의에서 패널 구성원들은 학생들이 선택한 주제들, 예를 들면 테러와의 전쟁, 종교 학교, 학교에서 이루어지는 약물 검사와 약물 탐지견 등과 관련된 법에 대해 토론하였다. 화상회의 동안 학생들은 패널에게 이메일을 통해 질문할 수 있는 기회를 가졌다.

이 프로그램은 Missouri 법원이 교육 솔루션 지구촌 네트워크(Education Solutions Global Network: ESGN)와 협력하여 제공한 것이다. ESGN은 교육 및 훈련을 위한 Missouri 학교 위원회가 제공하는 인터넷 기반 비디오 방송 배급 네트워크다. ESGN은 다시 보기가 가능하도록 녹화(음)된 생생한 사건들의 디지털 동영상과 오디오의 방송을 제공한다. 다른 ESGN 화상회의 프로그램에는 탁월한 사냥꾼인 동물들과 도망의 예술가인 동물들의 미스터리를 탐구하는 "위에서 아래

까지: 약탈자와 먹이"라는 자연 시리즈가 있다. 이 시리즈는 Missouri 주의 Spring-field에 위치한 Wonders of Wildlife Museum과 Springfield 수족관에서 만들어졌는데, Alaska와 Mexico를 포함한 50여 개 학교 지역군과 연결되었다.

마찬가지로 Vanderbilt 가상학교는 많은 학교들과 동시에 연결되어 있다. 학교 기관장은 "Tennessee 대학에서 가교 역할을 함으로써 동시에 많은 학교들과 연결할 수 있다. 한 지역의 학생들이 다른 지역의 학생들을 보고 이야기를 들을 수 있기 때문에 매우 훌륭하다."라고 설명하였다(Jackson, 2005). 계속해서 아래의 말을 하였다.

> 가장 인상 깊었던 화상회의는 우리가 처음 홀로코스트 생존자 시리즈를 진행할 때였다. 80대 후반의 사랑스럽고 친절한 여성인 Mira Kimmelman은 아우슈비츠에서의 경험에 대해 6개 학교 학생들과 대화를 나누었다. 그녀의 이야기가 거의 한 시간 정도 지속되었지만, 초등학생과 중학생들은 꼼짝하지도 않고 앉아 숨죽여 들었다. 그녀의 말이 끝난 후 학생들은 차례로 그녀에게 나치, 세계대전, 그녀의 가족들에 대해 질문하였다.

그림 5.11은 AT&T의 Knowledge Network Explorer에서 제시한 학생과 전문가의 연결뿐만 아니라 동료 연결, 가상 현장방문, 그리고 어떤 학교들에서는 가능하지 않은 과정 개설을 위한 화상회의에 대한 제안을 보여주고 있다.

California 주의 Pacific Bell 프로그램(Videoc conferencing for Learning)은 파트너 학교의 학생 화상회의 집단의 개념을 소개하고 화상회의의 긍정적인 결과를 보여주었다. 특히 화상회의는 다음과 같은 역할을 한다.

- 동기 유발
- 의사소통 능력 및 발표 기술 향상
- 학생들이 질문을 더 잘하는 방법 학습
- 외부 세계와의 의사소통 기회 증진
- 학생들이 교과서보다 원 자료로부터 학습
- 주제 내용에 대한 이해 증진(www.kn.pacbell.com/wired/vidconf/intro.html)

교육과정과 교수
- 학생들은 고급 심화학습, 외국어, 또는 음악 강좌와 같이 학교에서 제공하지 않는 수업을 수강한다.
- 교사들은 원격으로 다른 교사들과 함께 학습주제에 대한 전문적인 지식이나 독특한 접근 방법 등을 공유하면서 팀 티칭을 한다.
- 학생들은 계발 및 개선에 도움을 주는 튜터들과 만난다. 이러한 방법은 학교 교육과정을 지원해주는 원격 강좌의 중요한 특성이다.
- 사서는 학생들이 도서관을 방문하기 전에 도서관 서비스와 지역 학교 도서관 여행을 위한 안내를 제공해준다.

가상 현장 답사
- 학생들은 해양단원의 일부학습으로 돌고래 조련사, 어부, 동물인권 보호운동가 등과 함께 공개 토론회를 구성하고 진행한다.
- 사서는 테크놀로지, 보조 입력 장치, 혹은 연구와 관련된 화이트보드의 질문과 대답을 공유하면서 문서를 활용한다. 그리고 온라인 목록을 활용하여 탐색된 질의들을 실제로 입증한다.
- 학생들이 스포츠, 훈련, 건강에 관한 조언과 피드백을 받기 위해 올림픽 훈련 센터에 있는 운동선수들과 연결한다.
- 학생들은 원격 사이트를 통해 연극을 관람하는 동시에 배우들과 상호작용을 한다.
- 적은 수로 구성된 학생 집단이 학습하고 있는 교재의 저자와 면담한다.
- 교사와 학생은 원격으로 많은 청중들 앞에서 역사적 인물이나 문학의 등장인물로 역할극을 함으로써 특별한 경험을 공유한다.
- 그래픽 아트를 학습하는 학생들은 피드백과 평가를 받기 위해 전문가나 고객들과 함께 문서를 공유한다.

학교 교류 프로젝트
- 교사들과 학생들은 동료 상담, 2개 국어 사용, 그리고 학생 자치와 같은 영역에서 다른 학교 교사들이나 학생들과 함께 정보를 구성하고 교환한다.
- 학생들은 다양한 문화와 경제적인 삶, 윤리적인 삶 등 다양한 삶의 방식들을 경험하기 위하여 "비디오 친구"를 맺어 의사소통한다. 또한 비디오 친구는 외국어 연습에 있어 탁월한 기회를 제공해준다.
- 뛰어난 프로그램을 가지거나 프로젝트 모델인 학교를 다른 학교들에게 알린다.
- 토론, 맞춤법 대회, 혹은 연구회의 등 학교 간 대회들이 쌍방향 비디오를 통해 시행된다.
- 비디오 화상회의는 원거리 그룹들이 학습 과제를 맡고 동료들 간의 학습을 도와주는 분산 협동 학습을 촉진한다.
- 분산화된 프로젝트는 협동과 의사소통을 위해 비디오 화상회의 기술을 사용한다.

공동체 간 연결
- 마을 회의, 공청회, 학교 운영 위원회, 법원 운용 및 다른 자치 관련 활동
- 공중 위생 토론
- 특정 관심 혹은 취미 지원
- 영어, 문학, 직업 훈련 등과 같은 성인 교육 분야
- 가상 저자 여행

그림 5.11 AT&T Network Explorer의 화상회의 아이디어와 예시

SERC(Smithsonian Environmental Research Center) 교육 이사인 Mark Haddon은 Smithsonian의 화상회의에 대한 모험을 설명하였다. SERC의 연구 프로젝트는 해안과 바다 생활 연구를 포함한 다양한 야외 연구로 구성되어 있다.

> 본질적으로 우리는 화상회의 기술을 활용하는 학교들의 콘텐츠 제공자이다. 이것은 이런 학교들의 학생들에게 자신의 교실에 앉아서 Smithsonian을 방문하고 우리 주변 환경에서 발견되는 다양한 형태의 생명에 대한 모든 것을 배울 수 있도록 해준다. 많은 학교들이 좋은 장비를 갖춘 콘텐츠 제공업체를 찾고 있다. 왜냐하면 콘텐츠 제공업체는 화상회의의 활용을 더 정당화해주며 더 많은 학교들이 화상회의에 참여하도록 장려하기 때문이다. 화상회의는 학습 내용이 어디에 있는가에 구애받지 않고 학교가 학생들에게 양질의 교육을 제공하는 훌륭한 방법으로 발달되어 왔다 (German, 2004에서 인용).

고려해야 할 사항

화상회의 장비의 비용과 필요한 기반시설은 확실히 중요한 고려 사항이다. 대부분의 시스템들이 사용하기가 꽤 편리하지만, 그럼에도 불구하고 교사들은 다른 사람들과의 화상회의 일정을 잡기 전에 훈련을 받아야 할 것이다. 시차는 항상 장거리 지역 간의 중요한 요인이기 때문에 동시적 대화의 일정을 잡으려 하면 시차가 많이 나지 않는 지역의 대상자로 화상회의를 제한하게 된다. 화상회의를 시작하기 전에 모든 장비들이 원활하게 작동이 잘 되는지 확인해야 한다. 화상회의 중에는 집중을 방해하는 소음을 막기 위해 사용하지 않는 마이크는 묵음상태로 해놓아야 한다. 사용자들은 조명, 음향, 참여자의 위치와 같은 기본적인 요소들을 고려해야 한다.

기술적인 면 이외에 화상회의 참여자들과 계획자들이 관계자 모두에게 최적화된 경험을 제공하기 위해 할 수 있는 일이 몇 가지 있다. 테크놀로지가 지원역할을 유지하도록 하고 도구 자체에 몰입되지 않도록 유의해야 한다. 영국 작가이자 발명가인 Arthur C. Clarke는 "훌륭한 도구와 매력적인 비디오 화면에 너무 도취되기 전에 상기해야 할 점은 정보는 지식이 아니며, 지식은 지혜가 아니고, 지혜는 예지력이 아니라는 점이다. 각각은 다른 나머지들에 기인하고 있기 때문에 우리는 그것들 모두가 필요다"고 말했다(Clarke, n.d.). 여러분이 계획을 할 때, 본질적인 초점은 학생들을 위한 의도된 학습의 결과물이어야 한다. 다른 학습 활동들과 관련하여 화상회의의 구조를 생각해보라. 학생들을 준비시키기 위해 무엇을 할 수 있는가? 학생들이 화상회의에서 최대한 많은 것을 얻고 탐구 질문을 할 수 있도록 도와주는 배경지식이 있는가? 화상회의를 시작하기 전에 학생들이 질문들을 미리 만들어 보도록 하라. 물론 학생들이 화상회의 중에 질문을 떠올리겠지만, 그것에만 의존하지 않도록 하라. 선행 사고와 반성은 단지 즉흥적인 질문에 의존하는 것보다 더 심도 있는 탐구를 하도록 할 수 있다. 가능하다면, 학생들을 전체 화상회의 계획에 참여하게 하라.

만약 학생들이 처음 화상회의 기술을 접한다면, 화상회의 과정에서 상대방을 어떻게 존중할 것인지에 대한 지도가 필요할지 모른다. 학생들이 발표자를 보고 있을지라도, 자신들 역시 다른 사람에게 보여진다는 것을 기억할 필요가 있다. "talking head" 모델을 넘어서는 상호작용에 참여할 수 있도록 계획하라. 누군가의 강의를 단순히 보고 듣는 것은 별다른 의미가 없는 반면에, 모든 참여자에게 있어 정보의 공유, 질문, 발표, 다른 활동의 제시가 일어나는 양방향 상호작용에는 상당한 학습 가능성이 있다.

화상회의 카메라가 꺼졌을 때 학습이 끝나는 것이 아님을 기억하라. 화상회의를 이용한 추후 활동들을 계획하고, 학생들을 화상회의 경험에 바탕하고 그것을 확장하는 건설적인 작업과 분석에 참여시켜라.

6절 팟캐스트(Podcasts)와 인터넷 라디오로 방송하기

블로그가 누구에게나 온라인 텍스트 출판을 가능하게 해주는 것과 마찬가지로 팟캐스팅은 우리가 온라인 라디오나 TV 프로그램과 같은 것을 만들어낼 수 있게 해준다. 두 가지 종류의 인터넷 테크놀로지가 오디오 파일들을 전송한다. 첫째, 스트리밍 오디오는 사용자가 라디오나 TV를 듣는 것처럼 실시간으로 내용을 전송하여 들을 수 있도록 한다. 인터넷 라디오의 두 번째 유형인 팟캐스팅은 오디오 녹음테이프나 CD와 같이 내용을 녹음했다가 다음에 들을 수 있도록 하는 형태로 오디오를 제공한다.

인터넷을 통한 오디오 파일의 전송은 MP3의 발명과 함께 엄청난 기술적 진보를 이루었다. 1990년대 중반 MP3로 불린 압축된 오디오 형태는 인터넷을 통한 디지털 스트리밍 오디오를 가능하게 해주었다. MP3 기술을 이용하여 오디오 신호를 더 작은 크기의 디지털 파일로 변환할 수 있고, 인터넷을 통해 빠른 시간 내에 파일을 전송할 수 있다. 노래나 녹음된 이야기를 생각해보라. 이것의 소리 속에는 우리의 귀가 곡조나 가사를 이해하기 위해 필요한 것보다 훨씬 더 많은 데이터가 포함되어 있다. MP3 기술은 이해에 필요한 데이터는 모으고 그 중 일부의 데이터는 버림으로써 소리의 질과 파일 크기의 균형을 조절한다. 다행히도 우리의 감각은 제거된 데이터가 너무 많지만 않다면 그것에 대해 인지하지 못하며, 결과적으로 적절한 크기로 파일을 압축할 수 있다. 코덱 프로그램이나 기기들은 오디오 스트림을 압축 또는 압축 풀기를 하고, 서버는 데이터를 저장하는 역할을 한다.

스트리밍 매체에 더하여 또 다른 형태의 인터넷 라디오가 출현했다. "방송"과 "아이팟"을 혼합한 용어인 팟캐스팅은 누구나 팟캐스트를 제작하여 제공할 수 있도록 해줌으로써 오디오 방송을 훨씬 쉽도록 해주었다. 스트리밍 오디오는 대부분의 학교에서는 사용하기 어려운 진보된 기술을 요구하기 때문에 이어질 부분은 팟캐스팅에 초점을 두고 있다.

팟캐스팅(Podcasting)이란 무엇인가?

오늘날 가장 빠르게 확산되는 테크놀로지 중 하나가 팟캐스팅이다. 2005년 USA 투데이는 구글 검색에서 "팟캐스팅" 검색이 6개월 만에 몇 백 번에서 687,000번으로 증가하였다고 보도하였다(Acohido, 2005). 5년 후 "팟캐스팅" 검색은 14,400,000번을 기록하였다. 분명히 팟캐스팅은 인기가 있고 성장 중인 활동이다. 애플은

2010년에 팟캐스트를 이용할 수 있는 국가를 23개국에서 90개국으로 확대하였는데, 이는 44억의 잠재적 청중을 추가하는 조치였다(Wizzard Media, 2010).

팟캐스팅은 누구든지 인터넷을 통해 전 세계에 제공되는 오디오 또는 비디오 콘텐츠의 독립적인 프로듀서와 배급자가 될 수 있도록 해주었다. 블로그에서와 마찬가지로 팟캐스트로 출판할 수 있는 것들의 범위는 광범위하다.

팟캐스트는 MP3 파일로 저장되어 RSS(Really Simple Syndication)를 통하여 인터넷상에서 이용 가능하도록 제작된 오디오 레코딩이다. MP4 압축 기술을 사용하여 오디오와 비디오 데이터를 모두 전송하는 비디오 팟캐스트가 오디오 팟캐스트에 합류하였다. 사용자들은 보거나 듣기 원하는 오디오 콘텐츠나 비디오 콘텐츠를 선택하거나 "구독"한다.

많은 웹사이트들이 RSS 언어와 팟캐스트 피드를 포함하고 있어 웹사이트의 내용을 요청하거나 구독할 수 있게 해준다. 예를 들면 National Public Radio(www.npr.org)는 RSS 피드를 구독하면 자동적으로 받아볼 수 있는 팟캐스트 프로그래밍을 제공해준다. *National Geographic*에서부터 *New York Times*나 스포츠 채널 ESPN, Philadelphia Museum of Art, 그리고 Culinary Podcast Network와 같은 뉴스나 매체 사이트까지, 상상할 수 있는 거의 모든 주제에 대한 오디오(종종 비디오) 콘텐츠가 있다.

팟캐스트(Podcast) 제작과 청취. 팟캐스트를 다운로드해주는 소프트웨어는 구독 서명한 팟캐스트의 RSS 피드를 확인할 것이다. 새로운 팟캐스트가 추가되면 피드가 업데이트되고, 이 소프트웨어는 여러분의 컴퓨터에 그 새로운 파일을 다운로드해준다. 이 파일은 컴퓨터의 맥 또는 윈도 애플리케이션(예를 들면 아이튠즈)에서 재생할 수 있다. 또한 아이튠즈에서 컴퓨터에 연결된 아이팟이나 아이폰과 같은 모바일 기기 동기화를 통해 이 파일을 전송할 수 있다. 팟캐스팅 애플리케이션이 몇 가지 있지만, 아이튠즈가 가장 많이 사용되고 있다. 아이튠즈는 잘 조직화된 팟캐스트들의 디렉터리를 제공하는데 팟캐스트들을 구독 등록하면, 아이튠즈를 열 때마다 그 팟캐스트들의 새로운 버전이 있을 경우 자동적으로 다운로드해준다.

만약 아이팟을 갖고 있다면, 아이팟을 컴퓨터에 연결해보자. 그러면 아이튠즈를 통해 다운로드된 팟캐스트들이 아이팟으로 동기화될 것이다. 무선 인터넷 연결이 가능한(블랙베리나 아이폰 같은) 스마트폰에서 RSS 피드 확인, 팟캐스트 다운로드, 재생 기능을 제공하는 소프트웨어를 설치할 수 있다.

애플 웹사이트(www.apple.com/itunes/)는 아이튠즈 플레이어를 무료 다운로드로 제공해준다. 아이튠즈를 설치했다면 Library 메뉴의 "팟캐스트" 링크를 선택하라. 바탕화면의 밑부분에서 팟캐스트 관리 옵션을 제공해주는 "Setting" 버튼을 찾을 수 있을 것이다. 또한 "Podcast Directory"에 연결된 것을 볼 수 있을 것이다. 그 연결로 많은 범주 목록으로부터 선택할 수 있는 아이튠즈 뮤직 스토어로 접근할 수 있다. 여러분이 원하는 팟캐스트 옆에 있는 "Subscribe" 버튼을 클릭하라. 대부분의 팟캐스트는 "Subscribe" 버튼을 제공한다. 그러나 웹페이지에 위치한 팟캐스트에 대한 바로가기 URL은 "Advanced" 메뉴를 활용해서 들어갈 수 있다. "Subscribe to Podcast"를 클릭하거나, 텍스트 상자 창에 있는 URL로 들어가라.

아이튠즈 이외의 많은 다른 프로그램들, 즉 iPodderX, Juice, Playpod, Podspider 등에서도 팟캐스트 듣기를 할 수 있다. "팟캐스트 소프트웨어" 검색으로 수천 개의 결과가 나온다. Podcasting News 웹사이트는 팟캐스트를 제작하고 재생하는 소프트웨어별로 분류해놓은 양질의 팟캐스트 컬렉션을 갖고 있다(www.podcastingnews.com/topics/Podcasting_Software.html).

팟캐스트를 제작하는 기본적인 기술은 컴퓨터, 마이크 그리고 소프트웨어를 사용하여 오디오 녹음을 하는 것을 포함한다. Audacity와 같은 무료 오디오 소프트웨어는 팟캐스트 콘텐츠를 녹음하고 편집하는 데 활용된다. 매킨토시 사용자들에게, 애플의 GarageBand는 훌륭한 솔루션이다. FeedBurner나 Feeder와 같은 프로그램들은 XML이라는 언어로 작성된 RSS 피드를 제공해줄 수 있다. 그리고 나서 MP3와 피드 파일을 웹서버에 업로드하고 웹페이지나 블로그에 팟캐스트 링크를 올린다.

교실에서의 팟캐스팅

학생들은 다른 사람들의 팟캐스트를 들으면서 많은 것을 배우기도 하지만 스스로 자신의 방송을 제작하는 경험이 훨씬 더 가치 있다. 학생들이 만든 웹퀘스트 (WebQuests)에서 팟캐스트를 설계하고 제작하기 위한 인지적 요구는 다차원적이다. 학급에서 제작한 팟캐스트는 팟캐스트의 목적과 내용을 결정하는 과정에서 학생들이 협업할 수 있는 기회를 제공해준다. 다른 사람들을 참여시킬 것인가, 아니면 오로지 학생들로 구성하여 제작할 것인가? 학생들에게 인터뷰 질문들을 만들 기회를 줄 것인가? 학생들에게 팟캐스트를 함께 만들 집단 구성원들이나 전문가들을 초빙할 기회를 줄 것인가?

　학생들이 제작한 팟캐스트는 학생들에게 실제 청중에게 방송할 수 있는 기회를 준다. 그리고 학생들로 하여금 팟캐스트 작업을 진행하기 위한 준비 작업에 있어서 전문가가 될 수 있도록 동기를 줄 수 있다. 학생들은 자료를 다시 반복하기보다는 독창적 자료를 포함하거나 기존 자료에 대한 분석이나 심도 있는 이해가 있는 팟캐스트를 만들어야 한다. 팟캐스팅은 의미 있는 교육과정의 통합을 지원하는 도구다. 그리고 팟캐스트 제작의 기술적인 측면들은 학생들에게 특별한 학습 기회를 제공해준다. 어떻게 자료를 배열하고 장면 간의 전환에 사용될 무료 저작권인 음악 또는 오디오 자료를 찾거나 제작하고, 대중에게 말하기를 연습하고, 팟캐스트의 가치를 확대시켜 주는 부가적인 자원들을 위치시키는지를 결정하는 것들은 팟캐스트 제작의 가치 있는 요소들이다.

　또한, 팟캐스트는 학생들 사이의 연결을 강화시킴으로써 협업에 있어 중요한 요소가 될 수 있다. 텍스트 기반의 의사소통 대신에 학생들은 서로 간에 대하여 더 알게 되는 개인적 메시지들을 기록할 수 있다. 디지털 스토리텔링은 학생들이 경험들을 공유하거나 자신의 작품을 제작할 수 있도록 한다. 국제적인 협업은 제2외국어 능력을 실행해 보거나 새로운 언어를 학습할 수 있는 기회들을 제공해준다. 또한 학생들은 음악을 공유하거나 제작할 수 있고, 거리에서 도시 소리를 녹음하면서 걸을 수 있다. 팟캐스트는 협동적 프로젝트에서 기획이나 진행 중인 과제를 논의하는 데 사용될 수도 있으며 더 많은 청중과 프로젝트 결과물들을 공유하는 도구가 될 수 있다. 팟캐스트는 문자보다 구두 의사소통에 능숙한 학생들이 더욱 탁월해질 수 있는 기회를 준다.

팟캐스트에 가치를 더하기 위한 한 가지 기술은 다른 매체를 통하여 콘텐츠를 확산시키는 것이다. 일반적인 방법은 팟캐스트와 블로그를 결합시키는 것이다. 블로그에 생각을 글로 표현할 수 있고, 그 블로그의 게시글과 관련되는 다른 웹사이트나 팟캐스트를 연결할 수 있다. 멀티미디어 사용은 사용자들이 다양한 양식을 사용할 수 있도록 함으로써 텍스트, 오디오, 비디오의 속성들을 결합시킨다.

Radio WillowWeb Nebraska 주 Omaha에 있는 Willodale 초등학교에서 테크놀로지 전문가인 Tony Vincent가 Radio WillowWeb 팟캐스트를 시작하였는데, 그 팟캐스트는 어린이들을 위해 어린이들이 만든 온라인 라디오 프로그램/팟캐스트이다. Radio WillowWeb은 초등학생들이 만든 최초의 팟캐스트들 중 하나였으며 많은 다른 학교들이 테크놀로지의 교육적 활용을 시도할 때 안내 지침으로 활용되었다.

5학년 학생들은 학생들의 지식을 공유하는 7가지 부분으로 구성된 소리와 빛에 대한 쇼를 팟캐스트로 제작하였다(그림 5.12). 팟캐스트에서 학생들은 귀가 어떻게 작용하고 청력을 어떻게 보호하며, 왜 색맹이 발생하는지를 설명하였다. 다른 학생들은 헬렌 켈러를 "인터뷰하였고," 활용할 수 있는 실험을 설명하면서 "Reeko's Mad Scientist Lab"을 리뷰하였다. 학생들은 시를 나누고 청각 장애자와 시각 장애자들을 위한 보조 장치를 설명하였다. "Vocabulary Theater" 부분에서는 반딧불의 예시를 통하여 생물 발광에 대하여 설명하였다. 사용자들은 팟캐스트 웹페이지에 있는 링크를 통해 관련된 정보로 이동할 수 있다. Radio WillowWeb은 아이튠즈 K-12 교육 범주 안에서 찾을 수 있다.

Our City "Our City" 팟캐스트 웹사이트(www.learninginhand.com/OurCity/)는 세계 곳곳의 학생들이 교사의 도움을 받아 자신이 사는 도시에 대한 기록을 제출하도록 초대한다. 그 결과 웹사이트는 거대한 New York 시로부터 Wisconsin 주의 Busy Brown Deer의 작은 마을에 대한 기술까지를 아우르는 풍요로운 여행담으로

Willowcast #19

Posted April 26, 2006

Fifth graders in Ms. Sanborn's class have studied sound and light. Spencer host this show about these two important forms of energy. There are seven segments packed with interesting information:

- Ear-Regular Radio Show **by Hannah**
  - ○ Let's Hear It for the Ear!
- Interesting Interview **by Mandy**
  - ○ Helen Keller Photograph Collection
- Vocabulary Theater **by Tyler**
- Wonderful Website **by Will**
  - ○ Reeko's Mad Scientist Lab
- Did You Know? **by Stephen**
- Poetry Corner **by Shelby**
- Incredible Inventions **by Jessie**

Spotlight on Sound & Light

MP3 | 10 minutes 36 seconds | 10.2 MB

If the show doesn't play automatically, click here.

XML

그림 5.12 Radio WillowWeb의 팟캐스트

채워지고 있다. 독일의 학생들은 "우리의 베를린"을 기술하였고, Brunei의 6학년 학생들은 "우리 열대 우림의 꿈"을 팟캐스트하였다. "Our City" 팟캐스트들은 청취자들에게 어린이의 관점에서 바라본 여러 나라의 각 지역에 대한 그 사람들의 시각을 제공한다. 더욱 중요한 것은 "Our City" 팟캐스트들은 학생들이 동료 청취자를 위한 결과물을 제작하면서 내용과 과정 기준을 충족하도록 제작하는 수단이 된다는 것이다. 학생 개발자들은 팟캐스트에 포함될 정보를 비판적으로 평가하고 선택하며 스크립트를 쓰고, 추가적인 정보를 찾고, 다양한 기술적인 과제를 수행해야 한다.

Ram Radio North Carolina 주에 있는 Sandy Ridge 초등학교에서는 450피트의 범위를 가진 저출력 송신기로 학교 외부로 매일 방송하는 프로그램인 "Ram Radio"를 통해 팟캐스트를 지원하고 있다. 프로그램은 학교 웹사이트(http://sres.ucps.k12.nc.us/RockinTheRidge.php)에서도 청취할 수 있다. 최근 한 방송은 학생 아나운서의 다음과 같은 말로 시작했다.

안녕하세요! 여러분은 103.3 Rockin' The Ridge Ram Radio를 듣고 계십니다. 우리의 목적은 Sandy Ridge 초등학교의 Ram Radio 팟캐스터들이 21세기 테크놀로지 기술을 활용하여 매일 방송되는 라디오 팟캐스트를 제작할 수 있도록 하는 것입니다. 학생들은 연구를 수행하고 다른 사람과 협력하는 가치 있는 능력을 학습하고, 우리 학교와 사회에 즐거움과 유용한 정보를 제공하는 프로그램을 만들 수 있는 제작 기술들을 학습하게 될 것입니다.

ColeyCasts California 주 Murrieta에 있는 Brent Coley 교사의 5학년 학생들은 학습한 내용을 다른 학생들과 함께 공유하기 위한 ColeyCasts를 제작한다. ColeyCasts는 Literature Circles Book Trailers, 태양계, 인간 신체 체계, 문법 시간, 놀라운 아메리카 등과 관련된 방송 커리큘럼을 가지고 있다. Coley 교사는 이러한 팟캐스트로 학생들 작품을 전시하고, 다른 교사들과 아이디어를 공유하며, 학부모-교사-학생 의사소통을 강화하는 데 활용한다. ColeyCasts를 제작하는 것은 학생들이 교육과정에 부합하는 지식들을 기억하도록 도와주는 실제적인 프로젝트이다. Coley 교사는 다음과 같이 말했다.

학기 첫날, 아이튠즈를 열어 교실에 있는 LCD 프로젝터로 비춰주는 순간은 내게 아주 특별한 시간이다. 나는 스크린을 가리키고 말한다. "여러분 작품이 여기에 실릴 거예요." 학생들이 자신이 만든 팟캐스트를 온 세상이 다 볼 수 있게 될 거라는 것을 깨닫는 순간 그 학생들의 얼굴을 보는 건 무엇과도 바꿀 수 없이 가치 있는 일이다. 나는 학생들에게 그들이 제작한 팟캐스트를 나뿐만 아니라 많은 사람들이 청취하기 때문에 최선을 다해야 한다고 말하면서 우리 팟캐스트와 웹사이트가 인기 있다는 점을 활용한다. 학생들에게 세계 각처의 학생들이 우리 ColeyCasts를 청취한다는 것을 알려줌으로써 이 지구촌 청중들은 학생들이 질 높은 결과물을 열심히 제작할 수 있도록 실제로 도와주게 되는 것이다.

학생들은 ColeyCasts 제작의 모든 단계에 활발하게 참여한다. 이런 활동의 협동적인 특성은 "여러분이 재미를 느낄 때 더 많이 배울 수 있다. 모든 친구들은 더 잘 만들기 위해 자신의 생각을 공헌한다."라고 말한 학생에게서 잘 드러난다. 교사나 학급 동료들에게 보여주기 위해 인위적인 작품을 만드는 것이 아니라 ColeyCasts의 넓은 청취자들이 실제성을 제공해준다. 또 다른 학생은 다음과 같이 표현하였다. "우리는(웹사이트를 통해서) 때때로 태평양, 호주 그리고 세계 곳곳에서 온 사람들을 만난다. 이건 진짜 멋진 일인데, 왜냐하면 이것은 사람들이 얼마나 흥미를 느끼는지를 보여주기 때문이다." 마지막으로 ColeyCasts를 제작하는 것은 참여하는 학생들의 학습을 강화시켜 준다. Literature Circles Book Trailers 제작에 대해 이야기하면서 한 학생은 "여러분은 다시 돌아가서 책의 일부를 확인할 수 있다. 이것이 우리가 읽고 있는 것을 배울 수 있도록 도와준다"라고 말했다. 그림 5.13은 학생들이 만든 창의적이고 독창적인 태양계 팟캐스트를 보여준다.

학생들이 제작한 ColeyCasts에 더하여 Coley 교사는 학생들의 시험 준비를 도와주기 위한 오디오 리뷰인 StudyCasts를 제공한다. 시험은 거의 모든 학생들의 교육적인 경험의 불가피한 일부다. 그리고 일반적으로 유의미한 학습에는 거의 도움이 되지 못한다. 그러나 StudyCasts와 같은 자원들을 통하여 학습을 지원해주는 교사들은 학생들에게 학습을 다지고 반성할 수 있는 기회를 제공해줄 수 있다. 교사가 제작한 팟캐스트들은 여러 내용 영역의 교육과정에 걸치는 안내를 제공해줄 수 있다. 그리고 학생들의 메타인지 기술을 위한 조언과 멘토링을 제공해주며 가정과 학교 사이의 간극을 이어줄 수 있다. 뉴스레터나 가정통신문의 보완 장치로서의 팟캐스트는 교사가 학부모에게 말하는 것처럼 더 개인적으로 느낄 수 있도록 대안을 제공해준다.

팟캐스팅으로 시작하기

Coley는 팟캐스팅에 관심이 있는 교사들을 위해 Podcasting Resouces(www.mrcoley.com/podcasting)를 제공한다. 이 웹페이지는 안내 지침, 계획 시트, 튜토리얼 비디오, 유용한 링크 등을 포함하고 있다. 예를 들어 "How We Create a ColeyCast"에서는 팟캐스팅의 과정을 사전제작, 레코딩, 사후제작, 출판 등 네 단계로 조언한다. Coley는 다음과 같이 말했다.

나는 여러분이 천천히 시작하고, 여러분이 소화할 수 있는 것보다는 작게 작업을 하라고 조언해주고 싶다. 여러분의 목표를 너무 높게 잡지 마라. 나중에 실망할 뿐이다. 예를 들어 주간 팟캐스팅을 하겠다고 목표를 잡는 것보다 팟캐스트를 제작하고 싶은 몇 가지 주제를 잡아라. 이 과정에 익숙해진다면 여러분의 팟캐스팅을 보다 잘 활용하게 될 것이다. 나는 경험을 통해 작고 현실적인 목표를 갖고 시작하는 것이 더 낫다는 것을 알았다. 줄여가면서 작업을 하는 것보다 추가하면서 일하는 것이 항상 더 용이하다.

The Solar System
The Sun, Eight Planets, and Other Celestial Objects
An Enhanced Podcast
Posted May 29, 2010

Michael hosts ColeyCast #44, an episode that is out of this world! Ever wondered which planet lies on its side, or which planet has 63 moons? Listen to this broadcast and you'll find out!

Segment Listing

- The Sun by Desarae
- Mercury by Tristan
- Venus by Tori
- Earth by Aaron
- Mars by Kiya
- Joke Time with Randi
- Jupiter by Gabe
- Saturn by Walker
- Uranus by Quinton
- Neptune by Anthony K.
- Other Objects by Angela
- Joke Time with Zachary

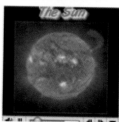

12 minutes 42 seconds

Opening and Closing Music:
"The Battle" by J. Underberg
Courtesy of Podsafe Audio

Download Instructions:
Right-click (Control-click for Mac users) on the link below, and then select "Save Target As..."

- Download ColeyCast #44 (12.8 MB)

그림 5.13 ColeyCast #44: 태양계

팟캐스팅으로 작업하는 데 필요한 자원, 제안 그리고 교육자의 경험 등을 담고 있는 많은 웹사이트가 있다. 애플 웹사이트(www.apple.com/itunes/podcasts/)의 팟캐스팅 설명에 더하여 www.speedofcreativity.org/resources/podcast-resources의 "Podcast Help"도 조언과 유용한 자원 링크를 제공한다. "Podcast Directory for Educators(http://recap.ltd.uk/podcasting/index.php)"와 Education Podcast Network(http://epnweb.org)는 학교 팟캐스트, 주제 팟캐스트, 교육 뉴스 팟캐스트들에 대한 링크를 포함하고 있다. 또한 팟캐스팅 기술에 흥미 있는 사람들을 위한 조언과 자원들을 제공해준다.

또한, Radio WillowWeb 팟캐스트의 개발자인 Tony Vincent는 앞서 설명한 대로 교사들이 팟캐스트를 실험하고 시작할 수 있는 방법으로서 "Our City" 팟캐스트를 제공해준다. 이 웹사이트에 참여하려면 교사들과 학생들은 MP3 오디오 파일을 제작하여 그 파일을 Vincent가 제공하는 웹 주소로 보내면 된다. RSS 피드와 게시는 알아서 이루어지기 때문에 교사들에게 "상황을 살펴보고" 어떻게 팟캐스트가 교육과정에 효과적으로 활용될 수 있는지를 탐색하는 간단한 방법을 제공한다. 또한 Vincent는 팟캐스트를 시작하려고 노력하는 교사들을 돕기 위해 다운로드할 만한 예제들과 계획 책자, 논의 포럼 등을 제공해준다.

KidCast: Podcasting in the Classroom 웹사이트(www.intelligenic.com)의 목적은 교육에서 팟캐스팅 적용을 탐구하는 것이다. 학생들의 팟캐스트 경험에 관해 질문하도록 제안하는 것을 포함하여 어떻게 교실에서 팟캐스트 활동을 적용할 수 있을지를 생각할 수 있도록 해준다. 학생들은 교육 소비자일까? 생산자일까? 아니면 둘 다일까? 학생들을 팟캐스트 제작자로 참여시키는 것은 교사가 제작한 팟캐스트를 수동적으로 듣는 것보다 더 많은 가치를 준다. "Where in the World?"라는 팟캐스트 프로젝트는 학생들이 지역에 대한 단서를 가지고 팟캐스트를 만들면서 지리, 지역공동체, 그리고 문화 분야를 융합하도록 한다. 팟캐스트 URL은 RSS 피드를 업데이트해주는 프로젝트 코디네이터에게 보내진다. 팟캐스터를 들으려면 학생들은 www.intelligenic.com/where/rss.xml에서 구독신청을 한 다음 단서를 연구하기 위하여 인터넷을 사용하면서 추론한다.

비디오 캐스팅은 팟캐스트에 시각적인 요소를 더함으로써 추가적인 감각 자극을 제공하고 부가적인 학습 양식들을 수용한다. Kidcast 제작자인 Dan Schmit 는 비디오 팟캐스팅에서 초보 교사들이 저지르기 쉬운 실수를 다음과 같이 말 하였다.

- 영상 개발의 첫 번째 단계 중 하나로서 청중을 고려하지 않는다.
- 관계된 질문에 대한 더 큰 학문적인 탐구보다는 분리된 개별적인 주제를 고 려한다.
- 시간과 노력을 제작/개발에만 지나치게 많이 투입하고 콘텐츠의 질과 제작 과정에서 대화에는 충분한 시간과 노력을 투자하지 않는다.
- 안전 문제와 보안과 같은 사항들에 대한 걱정을 피한다. 개인적 정보와 신 분을 보호하기 위해 어떻게 계획하고 있는지에 대해 행정가와 학부모와 함 께 솔직하게 이야기하라. 창의적인 작품을 만들어라. 학생들이 만드는 비디 오의 경우 사람이 나와 말하는 것은 흥미롭지도 않고 훨씬 안전하지 못한 방식이다.

Schmit는 다음과 같은 제안을 하였다.

- 게시하기 전에 모든 것을 미리 보고 다시 검토한다. 교사는 안전, 신용, 저작 권 준수와 도덕성의 파수꾼 역할을 해야 한다.
- 여러분이 만든 작품을 반성한다. 건설적인 비평에 초점을 맞추고 여러분의 쇼를 시청하고 청취함으로써 지속적인 발전을 위한 새로운 아이디어를 끌 어내도록 한다. 또한 다른 학생이 만든 쇼를 구독한다. 여러분의 접근 방법 과 장점을 비교하고 대조한다.
- 쉽게 한다. 작게 시작하고 교사와 학생들이 학문과 기술적인 기능에서 성장 할 수 있도록 한다(Schmit, 2010).

팟캐스트를 설계할 때 학생들의 "호기심을 끄는 것" 또는 청중의 주의를 끌거 나 더 많이 보기를 원하도록 하는 것으로 시작하도록 하라. 팟캐스트를 부분으로 분해하고 다양함, 속도, 목소리를 고려하라. 잘 설계된 팟캐스트를 듣고 성공적으로 만든 요인들을 분석하라. 팟캐스팅은 단지 학생들에게 내용지식을 학습하게 할 뿐만 아니라 청중을 위한 실질적인 제작물을 만드는 과정에서 능동적인 학습, 협업, 대화를 위한 기회들을 제공해준다. 학생들이 팟캐스트를 유의미학습을 지원해주는 도구로 사용할 수 있도록 학습 기회를 제공하는 교사들은 교육과정 목표와 기준들을 충족시키면서 학생들이 흥미를 가질 수 있도록 동기를 부여할 수 있다.

7절 결론

이 장에서 학습을 증진시킬 수 있는 의사소통의 몇 가지 형태를 소개하였다. 제공되지 않았던 경험들을 학생들에게 노출하고, 해당 분야의 권위자인 전문가의 지식과 전문성을 교실에서 접할 수 있도록 하며, 학생들과 협업 파트너 사이의 상호작용을 허용함으로써 학습이 이루어졌다.

온라인 토론, 채팅, 블로그, 인스턴트 메시징은 면대면 상호작용을 대체하는 것을 의미하지 않는다. 온라인 의사소통이 사람들을 연결해주는 기회를 주기는 하지만 우리를 고립되게 하거나 분리시키기도 한다. 원거리에 있는 사람들과 우리를 묶어주는 테크놀로지를 생각 없이 사용할 때 우리의 직접적인 관계들을 방해할 수도 있다. 만약 같이 저녁 식사를 하는 사람이 맞은편에 앉은 친구를 무시하고 다른 사람과 전화 통화를 한다면, 의사소통에 문제가 발생할 것이다. 우리가 원거리에 있는 사람들과 온라인 관계를 유지하느라 가족들을 무시하거나 소홀히 할 때 우리에게 테크놀로지를 이용한 의사소통의 장점이 사라진다. 그러나 우리는 학생들이 의사소통 도구의 지원을 받아 합리적인 대화에 참여하고 원거리에 있는 다양한 청중과 협력하고, 글로써 자신을 표현하는 것을 배울 수 있다는 것을 보여주고자 하였다.

테크놀로지, 특히 광대역 인터넷 접속의 발전은 사용자들이 손쉽게 오디오와 비디오의 소비자일 뿐 아니라 참여자이며 생산자가 될 수 있도록 해주었다. 우리는 화상회의를 학습을 지원하는 독특한 상호작용의 방법으로 활용하는 것의 논거들과, 특히 학생들이 제작을 할 경우, 팟캐스팅을 지지하는 이유들을 제시하였다. 단지 교사를 위해서 하는 것보다는 실제 청중을 위하여 콘텐츠를 생산하는 것이 유의미한 학습 경험을 가져다준다. 우리는 여러분이 오늘날 젊은이들의 일상 생활에서의 매체 활용 현실을 제고하고, 이 장에서 기술한 테크놀로지 아이디어들의 일부를 교육과정과 통합하는 창의적인 방법들을 생각해보길 희망한다. 미래학자이며 저자인 앨빈 토플러는 다음과 같이 말했다. "21세기 미래의 문맹은 읽거나 쓰지 못하는 사람이 아니라, 배우려 하지 않고 낡은 지식을 버리지 않으며 재학습하지 않는 사람들이다."

이 장에 서술된 의사소통 활동과 관련된 NET 표준

1. 창의성과 혁신

　　a. 기존 지식을 적용하여 새로운 아이디어, 결과물, 과정을 만들어낸다.

　　b. 자신이나 모둠을 표현하기 위하여 독창적인 작품을 창작한다.

2. 의사소통과 협력

　　a. 다양한 디지털 환경과 미디어를 활용하여 동료, 전문가 또는 다른 사람들과 상호작용하고 협력하며 출판한다.

　　b. 다양한 형태의 미디어를 활용하여 다수의 사람들과 효과적으로 정보와 아이디어를 소통한다.

　　c. 다른 문화권의 학습자와 함께 활동함으로써 문화를 이해하고 글로벌 마인드를 개발한다.

　　d. 프로젝트 팀과 함께 독창적인 작품을 만들고 문제를 해결하는 데 기여한다.

3. 연구와 능숙한 정보 활용

　　a. 전략을 세워서 탐구를 수행한다.

　　b. 다양한 출처와 미디어로부터 정보를 검색, 조직, 평가, 종합하며 윤리적으로 활용한다.

    c. 구체적인 과제 수행에 적합하게, 정보 출처와 디지털 도구를 평가하여 선정한다.

    d. 자료를 처리하고 결과를 보고한다.

4. 비판적 사고, 문제 해결, 의사결정

    a. 조사를 위하여 실제적인 문제와 중요한 질문을 확인하고 정의한다.

    b. 해결책을 도출하기 위하여 활동을 계획하고 관리하거나 프로젝트를 완수한다.

    c. 해답을 확인하기 위하여 자료를 수집하여 분석하거나 정보에 기반하여 결정한다.

    d. 다양한 절차와 관점을 활용하여 대안적인 해결책을 탐색한다.

5. 디지털 시민정신

    a. 정보와 테크놀로지를 안전하고 합법적이며 책임감 있게 사용하는 것을 옹호하고 실천한다.

    b. 테크놀로지는 협력, 학습, 생산성을 지원하므로 테크놀로지를 사용하는 것에 긍정적인 태도를 보인다.

    d. 디지털 시민정신을 위한 리더십을 보인다.

6. 테크놀로지 작동과 개념

    a. 테크놀로지 시스템을 이해하고 활용한다.

    d. 현재의 지식을 새로운 테크놀로지의 학습에 적용한다.

이 장에 서술된 의사소통 활동과 관련된 21세기 역량

  창의적으로 생각하기

- 다양한 아이디어 창출 기술(예, 브레인스토밍)을 사용한다.
- 새롭고 가치로운 아이디어(가치를 증대하고 근본적인 개념)를 창출한다.
- 창의적 노력을 향상시키고 극대화하기 위해 아이디어를 정교화, 정제, 분석, 평가한다.

다른 사람과 창의적으로 함께 일하기

■ 다른 사람들과 효과적으로 새로운 아이디어를 개발, 실행, 의사소통한다.

■ 새롭고 다양한 관점에 대해 개방적인 태도를 보이고 관심을 가져야 한다. 단체의 의견과 피드백을 일에 반영한다.

판단과 의사결정하기

■ 증거, 논쟁, 주장, 믿음을 효율적으로 분석하고 평가한다.

■ 주요한 대안적인 관점을 분석하고 평가한다.

■ 정보와 주장을 연결하고 종합한다.

■ 정보를 해석하고 최적의 분석에 기반하여 결론을 내린다.

■ 학습 경험과 과정을 비판적으로 반성한다.

문제 해결하기

■ 다양한 관점을 분명히 하고, 좀 더 나은 해결책을 이끌기 위한 중요한 질문을 파악하고 묻는다.

명확히 대화하기

■ 다양한 팀과 맥락에서 구두로, 서필로, 비언어적 의사소통 능력을 사용하여 생각과 아이디어를 효과적으로 설명한다.

■ 지식, 가치, 태도, 의도를 포함하여 의미를 해석하기 위해 효과적으로 경청한다.

■ 다양한 목적(예, 정보 전달, 지시, 설득, 동기 부여)을 위해 의사소통을 사용한다.

■ 멀티미디어와 테크놀로지를 사용하고 그것의 영향을 평가할 뿐만 아니라 선험적 효과성에 대해 판단하는 방법을 안다.

■ 다양한 환경(다양한 언어사용을 포함한)에서 효과적으로 의사소통한다.

미디어를 분석하기

■ 어떻게, 왜, 어떤 목적으로 미디어 메시지가 구성되었는지 이해한다.

■ 어떻게 개인이 메시지를 다르게 해석하고 어떻게 가치와 관점이 포함되는
  지, 배제되는지, 어떻게 미디어가 믿음과 행동에 영향을 주는지 조사한다.

■ 미디어 접근과 사용에 관한 윤리적·법적인 이슈의 기초적인 이해를 적용
  한다.

미디어제품을 생산하기

■ 가장 적합한 매체 작성 도구, 특징 및 형식에 대해 이해하고 활용한다.

■ 다양한 다문화 환경에서 가장 적합한 표현과 해석을 이해하고 효과적으로
  활용한다.

테크놀로지를 효과적으로 적용하기

■ 정보의 조사, 조직, 평가, 의사소통을 위한 도구로 테크놀로지를 사용한다.

■ 지식경제에서의 성공적 수행을 위해 디지털 테크놀로지(컴퓨터, PDA, 미디
  어플레이어, GPS 등), 대화·네트워크 도구와 소셜 네트워크를 사용하여 정
  보에 접근하고 정보를 관리, 통합, 평가, 생성한다.

■ 정보 기술의 접근과 사용에 관한 윤리적·법적인 이슈의 기초적인 이해를
  적용한다.

8절 생각해볼 점

1. 멀티태스킹을 하는 미디어 소비자는 실제로 자신이 받아들이고 있는 모든
   감각 정보를 처리할 수 있을까? 아니면 다양한 감각을 적절하게 조절하는
   것을 배우고 있는가?

2. 교육자들은 수업이나 교실활동에서 사용되는 테크놀로지와 학생들의 개인
   적 용도의 테크놀로지를 어느 정도로 일치하게 해야 할까?

3. 온라인 채팅이나 인스턴트 메시징은 수업에 도움이 될까? 학생의 학습을

도울 수 있을까 아니면 "참된(real)" 수업을 방해할까? 무엇이 "참된(real)" 수업일까?

4. 화상회의를 수업에 어떻게 접목할 수 있을까? 전문지식을 제공하고, 함께 협력하고, 학생들에게 새로운 관점을 제공해줄 당신의 파트너는 누가 될 것인가?

5. 이 장에서 소개된 테크놀로지들은 학부모들이 학교에 참여할 수 있는 수단이 될 수 있을까? 만약 된다면 어떤 방식으로 가능할까?

6. 화상회의가 의사소통에 도움이 되는 것은 참여자들이 서로 볼 수 있어서일까? 아니면 "말하는 사람의 얼굴"만 보여주기 때문일까?

7. 동시적으로 얼굴을 대면해서 하는 의사소통보다 비동시적으로 문자 중심의 의사소통을 하는 것의 장점이 있는가? 어떤 경우에 그런가?

8. 학생들과 팟캐스트를 활용하는 것이 실제 학습을 증진시키는가? 아니면 단지 새로운 버전의 수동적 정보 전달일 뿐일까?

9. 다양한 측면에서 오디오 팟캐스트는 라디오 방송을 청취하는 것과 유사하다. 수업에서 라디오 방송이 일반적으로 활용되는가? 왜 사용되는가? 혹은 왜 사용되지 않는가? 사용되지 않는다면, 팟캐스트를 사용하는 것이 더 나을까?

10. 도서관은 팟캐스트를 통해 제공되는 정보에 어떻게 접근해야 하는가? 인쇄 매체에 점차적으로 다른 형태의 미디어가 더해지고 있다. 하지만 이런 것들이 어떻게 관리되고 사용자에게 제공되고 있는가?

참고문헌

Acohido, B. (2005, February 9). Radio to the MP3 degree: Podcasting. *USA Today*. Retrieved from www.usatoday.com/money/media/2005-02-09-podcasting-usat-money-cover_x.htm

Asterhan, C. S. C., & Schwarz, B. B. (2007). The effects of monological and dialogical argumentation on concept learning in evolutionary theory. *Journal of Educational Psychology, 99*(3), 626–639.

AT&T Knowledge Network Explorer (n.d.). *Videoconferencing for learning: Examples and ideas.* Retrieved from www.kn.pacbell.com/wired/vidconf/ideas.html

Baker, M. (1999).Argumentation and constructive interaction. In. J. Andriessen & P. Coirier (Eds.), *Foundations of argumentative text processing* (pp. 179–202). Amsterdam: Amsterdam University Press.

Blair, J. A., & Johnson, R. H. (1987). Argumentation as dialectical. *Argumentation, 1*(1), 41–56.

Bumiller, E. (2010, April 26). We Have Met the Enemy and He Is PowerPoint. *New York Times.* Retrieved from www.nytimes.com/2010/04/27/world/27powerpoint.html

Clarke, A. (n.d.). Retrieved from www.linezine.com/7.3/themes/q2002.htm

Collison, G., Elbaum, B., Haavind, S., & Tinker, R. (2000). *Facilitating online learning: Effective strategies for moderators.* Madison, WI: Atwood Publishing.

Dewey, J. (1916). *Democracy and education: An introduction to the philosophy of education.* New York: Macmillan.

Driver, R., Newton, P., & Osborne, J. (2000). Establishing the norms of scientific argumentation in classrooms. *Science Education, 84*, 287–312.

Ferriter, W. (2007). Using voicethread for collaborative thought. Retrieved from http://teacherleaders.typepad.com/the_tempered_radical/2007/11/using-voicethre.html

Gardner, H. (2000). *Intelligence reframed: Multiple intelligences for the 21st century.* New York: Basic Books.

Gardner, H., & Lazear, D. C. (1991). *Seven ways of knowing, teaching for multiple intelligencies: A handbook of the techniques for expanding intelligence.* Victoria, BC: Hawker Brownlow Education.

German, H. (2005). Amuseum on the go. *Converge Online.* Retrieved from www.convergemag.com/story.php?catid=231&storyid5100461

Heavin, J. (2006, August 16). School kids get chance to talk shop with judges. *Columbia Daily Tribune.* Retrieved from http://archive.columbiatribune.com/2006/aug/20060816news007.asp

Jackson, L. (2005, January 12). Videoconferencing deserves a second look! *Education World.* Retrieved from www.educationworld.com/a_issues/chat/chat127-2.shtml

Kent, P. (2010). ICT and Pedagogy in the Flaxmere Cluster of Schools.Australian Capital Territory Department of Education and Training. Retrieved from http://iwbrevolution.ning.com/forum/topics/pedagogically-how-iwbs-can-be

KITE. (2001a). Case 8235–1. Kite Case Library. Retrieved from http://kite.missouri.edu

Manzo, K. (2010). Whiteboards' impact on teaching seen as uneven. *Education Week Digital Directions.* Retrieved from www.edweek.org/dd/articles/2010/01/08/02whiteboards.h03.

html

McCombs, G., Ufnar, J., Ray, K., Varma, K., Merrick, S., Kuner, S., et al. (2004). *Videoconferencing as a tool to connect scientists to the K–12 classroom.* Paper presented at the annual meeting of the American Educational Research Association, Montreal. Retrieved from www.vanderbilt.edu/cso/download.php?dl=file&id=62

Merrick, S. (2005). Videoconferencing K–12: The state of the art. *Innovate: Journal of Online Education, 2*(1). Retrieved from www.vanderbilt.edu/cso/download.php?dl=file&id=244

Newton, P., Driver, R., & Osborne, J. (1999). The place of argumentation in the pedagogy of school science. *International Journal of Science Education, 21*, 553–576.

NMC: The New Media Consortium and National Learning Infrastructure Initiative. (2005). *The Horizon Report.* Retrieved from www.educause.edu/LibraryDetailPage/666?ID=C SD3737

Nussbaum, E. M., & Sinatra, G. M. (2003).Argument and conceptual engagement. *Contemporary Educational Psychology, 28*(3), 384–395.

Nussbaum, E. M., & Schraw, G. (2007). Promoting argument-counterargument integration in students writing. *Journal of Experimental Education, 76*(1), 59–92.

Oh, S., & Jonassen, D. H. (2007). Scaffolding argumentation during problem solving. *Journal of Computer Assisted Learning, 23*(2), 95–110.

Oppenheimer, T. (2004). *The flickering mind: The false promise of technology in the classroom and how learning can be saved.* New York: Random House.

Rideout, V., Roberts, D., & Foehr, U. (2005). Generation M:Media in the lives of 8–18-year-olds. Kaiser Family Foundation Study Retrieved from www.kff.org/entmedia/upload/Executive-Summary-Generation-M-Media-in-the-Lives-of-8-18-Year-olds.pdf

Rideout, V., Foehr, U., & Roberts, D. (2010). Generation M2: Media in the lives of 8–18-yearolds. Kaiser Family Foundation Study. Retrieved from www.kff.org/entmedia/8010.cfm

Salmon, G. (2002). *E-tivities: The key to active online learning.* London: Kogan Page.

Schmit, D. (2010, May 19). Kidcast #62—Some Thoughts About Video Podcasting. [Web log comment]. Retrieved from www.intelligenic.com/blog/

Toffler, A. (n.d.). Retrieved from www.quotationspage.com/quotes/Alvin_Toffler/

"Wizzard Media Sees Market for Podcast Apps Explode with iTunes Expansion." Press Release, June 30, 2010. Retrieved from www.marketwatch.com/story/wizzard-media-sees-marketfor-podcast-apps-explode-with-itunes-expansion-2010-06-30?reflink=MW_news_stmp

Woolley, D. (1995). *Conferencing on the web.* Retrieved from http://thinkofit.com/webconf/wcunleash.htm

Chapter 06

테크놀로지와 함께
공동체 형성하기와 협력하기

| 이 장의 목표 |

1. 독자에게 협력적 프로젝트 과제를 지원하는 테크놀로지 도구를 소개한다.
2. 어떻게 테크놀로지가 온라인 학습 공동체의 형성, 발달, 활동을 촉진할 수 있는지 서술한다.
3. 다양한 협력적 목적을 달성하기에 적절한 테크놀로지를 알아본다.
4. 지식생성(knowledge-building) 환경이 지속적인 탐구와 체계적인 추론을 어떻게 지원하는지 설명한다.
5. 위키(wiki)가 협력, 디자인, 지식의 공동 구성과 표상을 지원하기 위해 어떻게 사용될 수 있는지 서술한다.
6. 동료 및 전문가와 관계를 맺고 협력하기 위해 테크놀로지를 사용하는 학습활동을 서술한다.
7. 초·중등 교육에서 학습 공동체의 이점을 열거하고 설명한다.
8. 어떻게 다양한 협력 도구와 절차가 NETS와 21세기 역량의 개발을 지원하는지 서술한다.

1절 공동체란 무엇인가?

Margaret Riel은 한 어머니가 4세의 딸에게 이메일 메시지에 관해 설명한 이야기를 말했다.

> 어머니는 컴퓨터 화면의 글이 "사람이 말하는 것처럼 전화선을 지나서 다른 편에 있는 컴퓨터에 전달된단다. 그리고 그 컴퓨터는 그 메시지를 다른 컴퓨터에 보낼 거야. 그렇게 내 메시지는 전 세계로 보내진단다."라고 설명했다.
>
> 아이는 색칠 연습을 하다가 올려보며, "말하는 드럼 같아요."라고 말했다.
>
> 놀라서 말문이 막힌 어머니는 "말하는 드럼이라고?"라고 물었다.
>
> "네, 말하는 드럼 같아요." 어머니는 생각을 하더니, 얼마 전 아프리카에서 온 이야기꾼이 딸의 유치원에 방문해서 아이들에게 아프리카 드럼을 보여준 것을 기억했다. 마을 사람들이 축제나 시장에 대한 메시지를 이웃에게 전달할 때, 드럼을 사용해서 그 메시지를 마을 간에 전달했다.

역사적으로, 사람들은 공동체의 목표와 활동을 돕기 위한 의사소통 방법을 발견했고, 난관을 극복했으며, 그 과정에서 상당한 독창성을 발휘했다. 문자를 사용하기 이전부터 오늘날 매체로 가득한 사회에 이르기까지, 사람들은 의사소통을 돕기 위해서 테크놀로지를 발명하고 사용해왔다. 오늘날, 사람들은 최근까지 상상할 수 없었던 방식으로 서로 의사소통을 할 수 있다.

새로운 테크놀로지로 공동체의 개념이 바뀜에 따라서, 공동체라는 개념은 다양한 방식으로 사용되고 세계적인 관점으로 확대되었다. 인터넷을 통해 공동체는 지리적인 경계를 넘어서 전 세계의 사람들과 함께 교류하고 학습할 수 있다. 아이디어 공유를 위한 일방향의 의사소통이 확대됨으로써 위키, 블로그, 화상 채팅, 웹 컨퍼런싱, 소셜 네트워크와 같은 새로운 도구가 학습 공동체를 확장시킬 수 있다.

웹은 사용자가 내용을 작성하기 위해서 더 이상 기술적 전문성을 필요로 하지 않는 참여적 공간이다. 정보를 소비하는 공간으로서 웹의 변하지 않는 속성은 상호적이며 사회적으로 연결된 공간으로 발전하였다.

웹 2.0은 하나의 소프트웨어나 물리적인 것이 아니다. 오히려 웹 2.0은 제2세대 웹의 본질이 근본적으로 변했음을 나타낸다. 웹 2.0의 핵심은 사용자의 집단 지성을 연결하기 위한 일련의 원리와 실천이다(O'Reilly, 2005; 2009).

웹 2.0의 주요 요소인 소셜 소프트웨어는 사람들이 컴퓨터 매개 의사소통을 통해 만나거나 협력하고, 온라인 공동체를 형성하는 것을 돕는다. 리스트서브(listservs), 토론 소프트웨어, 유즈넷(Usenet) 그룹과 같은 초기의 테크놀로지에서 발전한 현재의 소셜 소프트웨어는 블로그, 팟캐스팅, 위키, 페이스북과 마이스페이스(MySpace)와 같은 소셜 네트워킹 공간을 포함한다(Alexander, 2006). 사람들마다 웹 2.0과 같은 소셜 소프트웨어의 의미를 다르게 생각한다. 그러나 그 핵심은 테크놀로지를 사용해서 사람을 모으고 온라인 공동체에서의 공유 활동을 지원하는 기능에 있다. Hargadon(2010)은 소셜 네트워킹을 부정적으로 생각하는 교육자가 있다는 것을 인정하면서, 소셜 네트워크 테크놀로지의 교육적 사용을 지칭하기 위해서 교육적 네트워킹(educational networking)이라는 용어를 제안했다.

오늘날 협력이 업무 현장에서 매우 중요한 기술이기 때문에, 정보를 공유하고 새로운 내용을 함께 창조하기 위해서 전 세계의 사람들과 관계를 맺을 수 있도록 온라인 협력 환경을 지원하는 테크놀로지가 교육을 위해 가장 중요한 도구이다(Johnson, Smith, Levine, & Haywood, 2010). Partnership for 21st Century Skills(2009)는 글로벌 의식(Global Awareness)을 핵심적인 21세기의 간학문적 주제로 선택하였고, 협력 기술을 글로벌 경제에서 성공을 위해 필요한 능력으로 선정하였다.

경제학자이자 교육자이며 사회 과학자인 Kenneth Boulding은 "우리가 도구를 만들고, 도구는 우리를 만든다"고 말했다(2006; Boyd, 2003; Roper, 2006). 예를 들어, 휴대전화가 널리 보급된 이후 사적 대화와 관련된 행동과 관습이 얼마나 급진적으로 변화하였는지를 고려하면, 이러한 현상을 분명히 알 수 있다. 그러나 다양한 공동체의 관계 형성과 유지를 돕는 새로운 도구가 개발됨에 따라서, 도구를 사용하는 방식이 원래의 목적과 달라지기도 한다. 이러한 변화는 종종 사용자에 의해서 야기된다. 사용자의 요구를 보다 잘 충족시키기 위해서 테크놀로지를 수정하고 개선하기 때문이다. 웹 응용프로그램이 더 정교화되고 더 많은 행위 유발성(affordance)을 가질수록 사용자가 이러한 변화를 더 크게 이끌 수 있다.

웹 2.0을 최초로 개념화한 사람 중 하나인 O'Reilly(2005)는 지속적인 발전을 웹 2.0 개발의 근본적인 특징으로 여겼다. 앞으로 살펴볼 것과 같이, 지식생성 환경과 관련된 연구자와 개발자는 유동성과 공동체 구성원에 의한 발전이라는 공동목표를 비전으로 삼는다.

2절 Knowledge Forum으로 지식 생성하기

연구 중심의 Horizon 프로젝트(NMC, 2005)는 지식을 구성하고 공유하는 과정과 지식 그 자체의 중심이 변하는 것을 테크놀로지의 중요한 동향으로 보고했다. 학습자는 지식 구성에 참여하는 것을 원하며, 점점 더 지식 구성에 참여할 것을 기대한다. 소셜 네트워크와 지식 웹을 가능하게 하는 테크놀로지는 협력 활동과 팀 활동을 촉진함으로써 지식 구성의 수단을 제공한다. Scardamalia와 Bereiter(2005)는 지식 생성 능력이 새로운 교육과학을 필요로 하는지 질문하였다. 그 새로운 교육과학은 생각이 사회적 인지과정으로부터 발생하는 것이며, 생각을 실재적이며 향상될 수 있는 것으로 여긴다는 점에서 독특하다. 생각이 향상될 수 있다는 개념은 웹 2.0을 공동체 구성원에 의해 지속적으로 개선될 수 있는 유동적 공간으로 보는 O'Reilly의 관점(2005; 2009)과 유사하다.

Scardamalia와 Bereiter(1996)는 학교가 지식생성을 지원하기보다는 제한한다고 주장한다. 학교는 (1) 개별 학생의 능력과 학습에 집중하고, (2) 학습의 증거로서 밖으로 보여줄 수 있는 지식, 활동, 기술만을 요구하며, (3) 교사에 의해 지혜(지식)와 전문성이 축적된다. 학생의 지식은 교육과정에 대한 이해의 증거 이외에는 낮게 평가되거나 무시되는 경향이 있다. 아는 것과 믿는 것은 중요한가, 중요하지 않은가? 학교는 학생의 지식에 초점을 두어야 하는가, 아니면 학생의 지식생성을 지원해야 하는가?

지식생성 공동체의 목표는 학생이 "학습을 목표로 적극적이고 전략적으로 추구하는" 즉, 의도적인 학습(intentional learning)을 지원하는 것이다(Scardamalia, Bereiter, & Lamon,1994, p.201). 학생들의 의도적인 학습을 포함한 학습은 학교 활동의 부산물이다. Scardamalia와 Bereiter는 학생들의 의도적인 학습을 돕기 위해 학생들이 자신들의 지식생성 공동체(Computer-Supported Intentional Learning Environments 혹은 CSILEs와 Knowledge Forum)에서 자신들의 지식 데이터베이스를 만들 수 있는 환경을 개발했다. 따라서 학생의 지식을 "평가하고, 차이와 부족함을 점검하고, 첨가하고, 수정하고, 재구성하기 위해서 지식을 객체화하고 명시적으로 표상할 수 있다"(p.201).

Knowledge Forum 4는 사용자가 단순히 과제를 완성하는 것이 아니라 아이디어를 만들고 계속 발전시켜 나갈 때 협력 과정을 돕는 지식생성 환경이다. 진정한 지식생성 환경에서 학습은 아이디어에 중점을 두고 더 깊은 수준의 이해를 돕는다. Knowledge Forum은 문제 정의, 가설 설정, 연구, 정보 수집, 협력, 분석을 통해 지식생성의 공유 과정을 지원하는 협력적 데이터베이스이다. Knowledge Forum은 과학적 방법에 기반을 두고 최신 인지심리학 연구에 따른 체계적인 탐구 모형을 사용한다.

CSILEs와 Knowledge Forum에 대한 수많은 연구가 수행되었고, 긍정적 학습 효과가 일관성 있게 발견되었다(Scardamalia et al., 1994). 지식생성 환경에 관한 연구에 따르면, 이 환경에서 이루어지는 지속적인 탐구활동이 학생의 능력에 상관없이 기초 능력과 상호작용의 정도를 향상시킬 뿐만 아니라 개념 발달에 있어 점수를 향상시킨다고 한다. 학생의 자신감과 탐구활동의 질적 향상도 보고되었다.

공동체 구성원은 Knowledge Forum을 활용해서 노트를 저장하고, 아이디어를 연결하며, 지식을 생산하기 위한 데이터베이스를 만든다. 사용자는 문자, 그래픽, 동영상 혹은 첨부파일의 형태로 아이디어를 제공할 수 있다. 공동체의 개인들이 서로의 생각에 대해 질문하고, 추가하고, 참고문헌을 달고, 주석을 달 때, 지식생성 과정의 핵심인 아이디어들이 연결되고, 확대되며, 정교화된다.

Knowledge Forum의 핵심 구성요소는 아이디어 발전에 중요한 역할을 하는 "Rise above" 노트이다. "Rise above"의 아이디어는 철학적 개념인 변증법에 근거한 것이다. 변증법에 따르면, "다양하거나 대립되는 아이디어들을 다루는 가장 좋은 방법은 승자를 정하거나 타협점을 찾는 것이 아니라, 상반된 점을 뛰어넘으면서 대립되는 모든 아이디어의 가치를 지닌 새로운 아이디어를 창조하는 것이다"(Scardamalia, 2004, p.7). Knowledge Forum의 구조화된 환경의 디자인은 아이디어와 지식의 생성 과정을 촉진시킨다. 학생의 지식생성 과정은 Knowledge Forum 시스템 안의 지원도구의 도움을 받는다. 그림 6.1과 6.2에서 어린 학생들이 "사람은 기계인가?"라는 문제를 생각하고 있다. 그림 6.1에 따르면, Marta는 사람과 기계가 모두 움직인다는 추론에 근거하여 사람은 기계라는 신념을 가지고 있다.

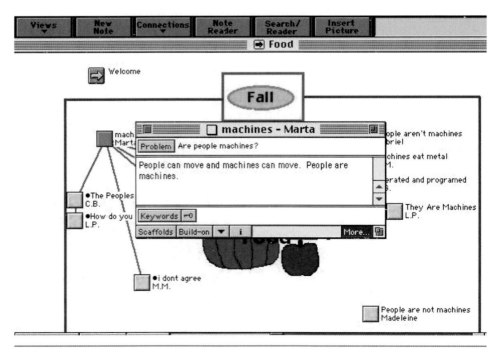

그림 6.1 신념을 진술하는 Knowledge Forum 노트

출처: Knowledge Forum(www.knowledgeforum.com)의 허가 후 게재

그림 6.2에서 M.M.은 Marta의 생각에 이의를 제기한다(동의하지 않는다). 열려 있는 노트가 그 주장에 대한 근거를 보여준다. M.M.은 사람과 기계의 차이점을 설명함으로써 기계가 움직이는 것처럼 사람이 움직이기 때문에 사람은 기계라는 Marta의 지나치게 단순한 결론을 반박한다.

Knowledge Forum에서 학생은 학습의 조직자가 된다. 지식생성 과정을 위해 학생들이 문제를 만들고, 자신의 학습목표를 정의하며, 지식 기반을 습득하고 생성하여, 다른 학생들과 협력하는 것이 필요하다. Knowledge Forum의 고유한 구조 때문에 전 과정에서 정보 공유가 이루어진다. 학생은 내장된 스캐폴드를 통해서 "우수 학습자(expert learner)"가 보여주는 사고 전략의 단서를 얻는다.

학습은 Knowledge Forum 활동의 부산물이 아니라, 직접적인 목표이다. 학생들이 학습목표를 의식적이고 목표 지향적으로 추구함으로써 학교를 더 유의미하게

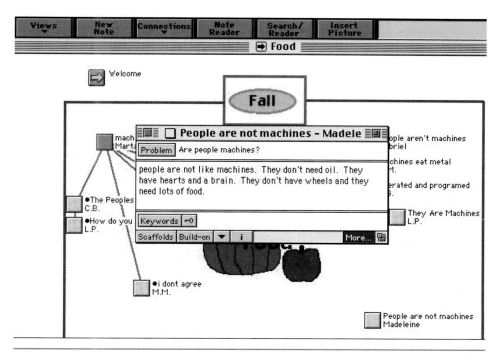

그림 6.2 다른 학생의 신념에 반대하는 Knowledge Forum 노트

출처: Knowledge Forum(www.knowledgeforum.com)의 허가 후 게재

만들 수 있다. Knowledge Forum의 참여자는 과학자처럼 문제에 접근하고, 문제에 대한 가설이나 이론을 만들고, 그 다음에 연구, 관찰, 해석을 통해 이론을 확인하거나, 수정하거나, 폐기한다. 또한 참여자는 과학자처럼 협력하고, 서로 작업한 것을 검토하고, 확인된 결과를 발표한다. Knowledge Forum은 사용자가 다양한 관점에서 정보에 접근하고, 그 지식으로부터 새로운 관련성을 만들어내는 것을 지원한다.

Knowledge Forum은 학생이 문제 영역을 개념화하고 연구하는 것을 돕기 위해 설계된 종합적인 탐구 모형이기 때문에 다양한 과목에 적용될 수 있다. Knowledge Forum은 사려 깊고, 논리적이며 글로 작성된 담화에 참여하는 것을 돕는 명시적인 구조를 제공한다. 학생은 사고와 추론을 연습해야 한다. 서면 보고서는 추론을 필요로 하지만, 독자의 질문에 답할 수 없는 일방향의 독백인 경우가 많다. 교실에서의 구두 토론도 추론의 기회를 제공하지만, 연구에 따르면 똑똑한 학생이 토론을 주도하면서 많은 학생이 소극적인 관찰자로 남는 경우가 많다고 한다. Knowledge Forum과 같은 프로그램은 글쓰기 과제와 토론의 가장 좋은 점들을 결합하려고 한다. 의사소통의 매체는 글로 쓴 단어이지만, 상호작용은 교실 토론과 유사하다. 그러나 프로그램은 글쓰기 과제나 토론보다 체계적인 추론을 위한 보다 많은 스캐폴딩과 지원을 제공한다. 프로그램 안의 구조는 학생이 주장의 근거를 제시하고, 대립하는 근거와 가설을 고려하며, 급우들의 반론이나 의문에 신중하게 반응하도록 유도한다. 구조화된 담화는 학생이 체계적인 추론의 규범과 규칙을 배울 수 있도록 도우며, 이는 다시 덜 구조화된 다른 환경에서 가치를 발휘한다.

교사나 교과서가 아닌 학생이 지식을 가지고 있을 때, 학생은 지식을 받아들이고 재생하기보다는 지식을 생성하는 데 전념한다. 지식생성은 사회적 활동이며 혼자서 하는 파지와 재생 활동이 아니다. 테크놀로지는 각 공동체 구성원이 구성한 아이디어를 저장하고, 조직하며, 재구성하는 매체를 제공함으로써 지식생성 공동체에서 중요한 역할을 한다. 비록 지식생성 테크놀로지 환경에서 지식은 상품으로 여겨지지만, 학생 공동체에게 있어 지식은 학생이 소유하고 자랑스러워할 수 있는 것으로 사고의 종합을 나타낸다. 이런 관점에서 보면, 학교의 목표는 지식생성 공동체를 조성하는 것이어야 한다.

3절 위키를 활용하여 공동으로 지식 구성하기

Knowledge Forum처럼 위키는 학생들이 지식생성 공동체에서 함께 활동할 수 있는 환경을 제공한다. 위키는 사용자가 내용을 추가, 삭제, 편집, 변경할 수 있는 웹사이트를 위한 오픈 소스(open source) 서버 소프트웨어이다. 위키의 기본적인 특징은 원 문서에 접근하는 것을 허용하는 "편집(edit)" 링크이다. 일부 위키는 내용변경을 위해서 등록 절차를 요구하지만, 다른 위키는 완전히 개방되어서 등록을 요구하지 않는다. 최초의 위키인 WikiWikiWeb(http://c2.com/cgi-bin/wiki)은 1995년 위키 개발자 Ward Cunningham에 의해 만들어졌다. WikiWikiWeb은 최소한의 디자인 요소를 가지지만, 더 많은 구조와 특징을 지닌 다른 위키 시스템도 개발되었다(Lamb, 2004). 많은 위키의 인터페이스는 단순하게 보는 대로 얻는(WYSIWYG-What-you-see-is-what-you-get) 웹 저작 도구와 같다. 이러한 단순성 때문에 위키는 다른 사람들과의 지식 구성을 위한 사용자 친화적이며 효과적인 협력 도구가 될 수 있다. 위키 참여자들이 위키의 내용과 완수해야 할 과제, 함께 작업할 때 발생하는 다른 이슈들에 대해서 지속적으로 대화하는 것을 촉진하는 토론 페이지는 위키의 상호작용적이고 협력적인 특성을 잘 보여준다.

위키에 대한 주된 비판점은 누구나 위키 페이지를 만들고 편집할 수 있기 때문에 내용이 정확하지 않을 수 있다는 점이다(Winkler, 2005). 위키에 내용을 추가하거나 변경하기 전에 그 내용을 검토받지 않아도 된다는 점은 사실이다. 그러나 이는 모든 웹페이지에 해당되는 사실이며, 학생들이 정보 리터러시 교육을 받고 미디어를 평가하는 기술을 가지는 것이 매우 중요하다는 점을 강조한다. 역설적이게도 위키가 오픈 소스로서 가지는 특징은 사용자가 계속 내용을 확인하고 수정함으로써 내용에 대한 지속적인 동료 검토가 가능하기 때문에 위키에 부정확한 내용이 남아있는 것을 막아준다. 각 위키 페이지의 글과 연결된 탭처럼, 위키는 사용자가 페이지를 편집하고, 다른 편집자들과 페이지에 대해 논의하며, 이전에 편집된 페이지의 기록과 과거 형태를 볼 수 있다는 특징을 가진다. 그러므로 변경사항을 문서화하는 것이 자유롭게 이루어질 수 있다.

여러 언어로 된 종합적인 위키 백과사전인 위키피디아는 사용자에게 사전에 등록된 자료에 오역이나 편견이 존재할 수 있음을 알려준다. 위키피디아 페이지에서 읽은 내용의 중립성에 대한 논란이 있다는 노트를 발견할지도 모른다. 그리고 Talk 페이지에서 정확성과 공정한 정보 등에 관한 논의를 할 수 있다. 잘못된 정보를 즉각적으로 수정하는 능력과 관련된 관리와 투명성이 모든 구성원이 기여할 수 있는 협력적인 정보생성 공동체를 만든다.

예를 들어, 과학 정보의 정확성에 대한 조사에 따르면, 위키피디아와 브리태니커 백과사전 간에 매우 작은 차이만 발견되었다(Giles, 2005). 그와 동시에, 12살의 어떤 소년은 인쇄된 『브리태니커 백과사전』에서 편집자가 인정한 다섯 개의 오류를 발견했다(Parkinson, 2005). *Nature*(2005)의 한 편집위원은 과학자들에게 위키피디아의 주제를 검토하고 편집할 것을 촉구하면서 위키피디아가 동료에 의해 검토된 최신 정보가 있는 "무료의 고품질 세계적 자료"가 될 수 있다고 언급하였다.

위키피디아는 위키미디어 재단의 일부이다. 이 재단은 무료로 개방된 내용을 포함하는 위키 기반의 프로젝트를 개발하고 유지하는 것을 목표로 하는 비영리 교육 회사이다. 오픈 소스 소프트웨어를 포함해서 융통성 있는 저작권을 지닌 콘텐츠와 소프트웨어를 나눠주는 새로운 방법을 찾는 것이 최근 테크놀로지의 경향이다(NMC, 2005). 비영리 기구인 Creative Commons(http://creativecommons.org)는 사용자가 창작물을 공유하고 Creative Commons license로 표시된 온라인 글과 멀티미디어를 사용하는 것을 허용한다. Creative Commons license는 "모든 권리 소유"라는 현재의 저작권법 내에서 만들어졌고, "일부 권리 소유"는 일정 범위 내에서 무료로 자발적으로 제공된다(2장 참조). 위키미디어 재단의 프로젝트는 Creative Commons license를 선택적으로 적용한다.

가장 널리 알려진 위키미디어 재단의 프로젝트는 위키피디아이지만, 이 회사는 여러 언어로 된 사전과 동의어사전(thesaurus)인 Wikitionary와 인용문 백과사전인 Wikiquote를 가지고 있다. Wikisource는 다양한 언어로 된 무료 출판물과 원본 글의 온라인 도서관이다. 위키미디어 재단의 다른 프로젝트에는 Wikiversity, Wikinews, Wikispecies가 있다.

교실에서의 위키

위키는 지속적으로 발전하고 향상될 수 있는 협력적 공동 제작 활동에 학생들이 참여할 수 있도록 환경을 제공한다. 학생들이 공동으로 만든 아이디어를 평가하고, 아이디어의 정확성과 타당성에 대한 결정을 내리고, 지식생성 공동체에 참여할 때, 위키가 지원하는 고차원의 공유와 수정 기능으로 높은 수준의 비판적 분석도 가능하다. 위키가 제공하는 협력적 환경에서 학생들은 글쓰기 실력을 개발할 뿐만 아니라 디자인 작업에 참여할 수 있다. 학생들이 내용과 구조를 결정하기 위해 함께 작업할 때 완성도 높은 위키 출판물을 디자인하는 데 필요한 복잡한 사고가 증진된다.

유대인 대학살(Holocaust) 위키 프로젝트 California에서 고등학교 역사 교사인 Dan McDowell 교사는 학생들을 위해서 유대인 대학살 위키 프로젝트를 개발했다. 첫째, 학생들은 유대인 대학살의 영향을 받은 국가에서 온 가족을 만든다. Dan 교사는 프로젝트를 다음과 같이 서술했다.

> 기본적으로 학생들은 유대인 대학살 시기의 가족에 관한 시뮬레이션(자신의 모험을 생각하고 선택함)을 만듭니다. 학생들은 실제적인 의사결정 상황을 떠올리고, 찬성과 반대 의견을 서술하며, 각 결정의 결과를 만들고, 유대인 대학살에 대한 조사를 반영하여 상황을 묘사해야 합니다. 그 자체만으로도 훌륭하지만, 정말로 좋은 부분은 학생들 모두(약 30개의 다른 그룹)가 시뮬레이션을 위키에 만드는 것입니다. 위키를 사용해서 학생들은 쉽게 웹페이지를 만들고(Dreamweaver와 이론적인 내용을 가르치려고 하지 않음), 각자가 작업한 것을 편집하고, 페이지를 쉽게 연결할 수 있습니다.

유대인 대학살 위키 프로젝트에서 중요한 점은 McDowell 교사의 프로젝트 설계에서 의사결정 지점이라는 요소이다(그림 6.3). 학생들은 복잡한 선택의 상황에 직면하게 되고, 그 선택의 결과는 학생들이 만든 가족에게 잠재적으로 중대한 영향을 미칠 수 있다. 학생들은 선택의 결과를 분석하고 유대인 대학살에 대한 조사

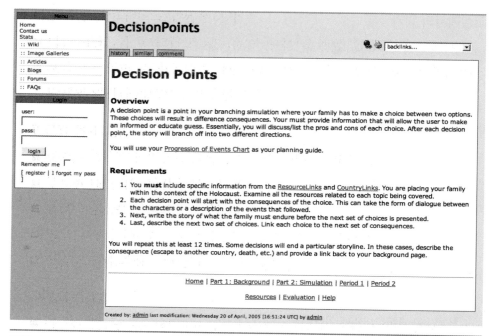

그림 6.3 유대인 대학살 위키 프로젝트의 의사결정 지점 화면

출처: Dan McDowell 교사의 허가 후 사용

를 통해서 얻은 지식을 비판적인 사고와 결합해야만 한다. 이런 종류의 깊고 반성적인 사고는 단순히 내용 목표를 충족시키기 위해 설계된 학습 활동보다 학생들에게 훨씬 더 가치롭다.

McDowell 교사가 설계한 프로젝트 구조 안에서 학생들은 서로 다른 방향으로 갈 수 있는 자유를 가진다. 이러한 자율성은 창의적 사고를 불러일으키고, 위키 테크놀로지는 학생들이 소규모 학습 집단에서 함께 활동하는 교실 공동체를 지원한다. 간단히 위키를 사용하여 텍스트를 편집할 뿐만 아니라 매체를 웹페이지에 쉽게 업로드한다. 게토(ghetto) 유대인이 입어야 했던 육각형 별모양의 그림은 의사결정 지점 페이지에 지원 요소를 추가하고, 학생 집단이 성취한 학습의 일부를 보여준다.

1학년 학생의 위키 사용 Kathy Cassidy 교사는 위키가 고학년 학생뿐만 아니라 어린 학습자의 유의미학습을 지원하기 위해 사용될 수 있다는 것을 보여준다(그림 6.4). Cassidy 교사의 1학년 학생들은 협력적으로 이야기를 만들고 수학 학습을 전달하는 데 위키를 사용한다. 네 개의 다른 교실에서 패턴, 대칭, 그래프, 수, 덧셈, 시계 보기와 같은 수학 개념에 관한 지식을 공유하기 위해 "초등수학(Primary Math)"이라는 위키(http://primarymath.wetpaint.com/)를 만들었다. 예를 들어, 학생들은 자동차 번호판, 시계, 축구 유니폼처럼 주변 환경에서 숫자를 발견하고 사진을 찍었다. 학생들은 발견했거나 만든 패턴의 사진과 자신들이 만들어서 YouTube와 TeacherTube에 업로드한 비디오를 공유했다(5장 참조).

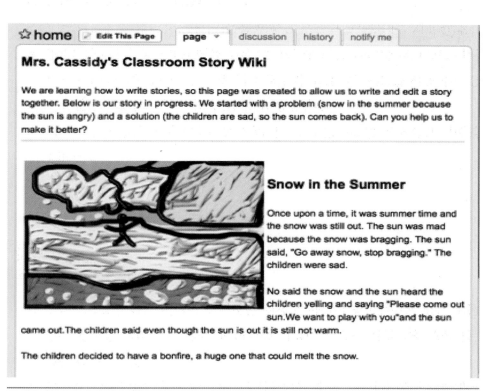

그림 6.4 1학년 학생들의 협력적 이야기 위키

출처: Kathy Cassidy 교사의 허가 후 사용

위키의 더 많은 사용과 제안

McDowell 교사는 고교 심화과정(advanced placement: AP)[1]의 세계사 수업에서도 학생들을 지원하기 위해서 위키를 사용했다. McDowell 교사는 학생들이 배운 것을 종합하고 연말 AP 시험을 준비하는 것을 돕기 위해 위키 프로젝트를 설계하였다. 그 프로젝트에서 학생들은 그 해 AP 세계사 수업을 통해 배운 지식에 기반하여 자신들만의 위키피디아 버전을 개발하는 데 참여했다. 전국적으로 세계사 AP 수업을 수강하는 대부분의 학생들은 주로 질문과 답변으로 이루어진 리뷰 자료로 시험을 준비한다. 반면에, 위키를 만드는 것은 학생들에게 자료의 복습뿐만 아니라 자료를 보여줄 환경을 디자인하기 위한 구성적이고, 참되고, 즐거운 방법을 제공한다. 학생들은 협력을 통해서 개별 학습으로 할 수 있는 것보다 훨씬 더 많은 내용을 다룰 수 있고, 최종 결과물은 모든 학생들이 AP 시험을 통과하기 위해 노력할 때 사용할 수 있는 풍부한 학습 안내 자료가 된다.

위키는 교육과정에서 글쓰기 활동을 지원하기 위해 가장 자주 사용되지만(Lamb, 2004), 위키의 사용은 과거의 단순한 글쓰기 과제와 조화를 이룰 수 있다.

초보 위키 사용자는 내용을 쉽게 바꿀 수 있다는 것을 기억하면서 위키를 만들고 그 특성을 실험해 봄으로써 학습을 할 수 있다. 다른 제안들은 다음과 같다.

- 단순한 과제로 시작하기
- 링크 목록이나 모음집 만들기
- 비형식적인 게시판으로 사용하기
- 온라인 스케치패드 만들기
- 브레인스토밍하기
- 계획 수립 및 노트 작성을 위해 사용하기

위키는 협력하고, 디자인하고, 공동으로 구성하고, 지식을 표상하기 위한 가

---

[1] 역주: 미국의 대학 선이수 제도로 고등학교 학생들이 대학과정을 선행학습하고 이수하는 시험으로, 고등학교 때 AP 점수를 획득하면 대학교에서 관련 교과목의 이수를 인정받음.

치 있는 학습 도구인 동시에, 위키의 기본적인 형태는 학생의 참여를 이끌기 위해서 단순한 내부구조만 가지면서 형태의 제한을 두고 있지 않다. 이러한 자유가 창의성을 북돋을 수 있지만, 교사가 학생 활동의 전체적인 틀을 제공하지 않는다면 결과적으로 학생들은 집중하지 못하고 비생산적으로 시간을 쓰게 될 것이다. McDowell 교사가 유대인 대학살과 AP 세계사 위키 과제에서 학생들에게 제공한 안내와 지침은 위키를 교육과정에 효과적으로 통합한 우수한 예이다.

기존의 위키에 참여하는 것은 인정받는 위키 환경에서 다른 학생들과 협력하는 한 가지 방법이다. 국제적인 "세계의 연(Kites Around the World)" 위키 프로젝트(http://globalkites.wikispaces.com)의 목적은 학생들이 디지털 매체를 이용하여 연을 만들고 날리는 경험을 공유하도록 하는 것이다. 연을 디자인하고 제작하는 것을 통해 수학과 기하학의 내용을 배울 수 있다. 학생들이 연을 만들기 위해서 길이를 측정하고, 나눗셈과 분수를 사용하며, 면적, 둘레, 각을 정하기 때문이다. 연 날리기를 통해 풍향과 풍속의 영향과 같은 과학적 원리를 소개한다. 학생들은 연의 전통을 공유하면서, 다른 문화에 대해서 배운다. 학생들이 글로벌 의식, 창의성, 문제 해결력, 의사소통 능력, 디지털 매체 기술을 배울 때, "세계의 연"과 같은 프로젝트는 언어, 수학, 과학, 지리학, 역사, 예술을 결합할 가능성을 지니면서 핵심 과목과 몇몇 21세기 주제를 다룬다.

4절 iEARN, Global Schoolhouse, Kidlink, ThinkQuest를 통해 국제 공동체 형성하기

세계적인 사건들은 다른 문화를 이해하고 존중하며 소통하는 것의 필요성을 끊임없이 강조한다. Kidlink, International Education and Resource Network(iEARN), Global Schoolhouse와 같은 웹사이트의 지원을 받는 인터넷 공동체는 다양한 지역의 많은 학생들이 문화와 관점을 이해하고 존중하도록 도우면서 서로를 연결시켜 준다.

전국 사회 교과 협의회(National Council for the Social Studies, 1994)는 "문화"를 사회 교과 표준(standards)의 10개 주제 중 하나로 포함시켰다.

> 민주적인 다문화 사회에서 학생은 서로 다른 문화적 관점에서 비롯된 다수의 견해를 이해할 필요가 있다. 이러한 이해를 바탕으로 학생들은 우리나라와 전 세계 사람들과 관계를 맺을 수 있다.

글로벌 그룹은 학생의 시야를 확대시키고 학습 동기를 부여하기 위한 수단으로 문화적 차이를 활용한다. 다른 국가와 문화 속에 있는 친구들과 상호작용할 때 마주치는 새로운 생각과 경험을 통해 학생들은 사고를 확장시키고 더욱 복잡한 정신 모형을 형성할 수 있다. 학생들은 세계 시민으로서 자신의 경험을 성찰하고, 다른 사람들이 어떻게 살아가는지를 보다 폭넓게 이해할 수 있다. 이러한 그룹을 통해서 언어, 지리학, 시사, 문화에 대한 공부가 증진된다.

iEARN 학습 동아리(Learning Circles)

iEARN(International Education and Resource Network: 국제 교육과 자원 네트워크)은 1988년에 테크놀로지의 힘으로 전 세계 교사와 학생들이 협력적인 프로젝트에 참여할 수 있도록 하기 위해서 설립된 비영리 글로벌 네트워크이다. 프로젝트는 완성된 산출물이나 미술 전시회, 글로 쓴 작품, 공연, 웹사이트와 같은 학습의 전시로 막을 내린다. 2010년에는 125개국의 210만 명의 학생들이 매일 iEARN 활동에 참여했다.

iEARN의 구성요소인 학습 동아리는 매우 상호작용적이고, 협력적이며, 프로젝트 기반의 동반자 관계를 통해서 전 세계에 위치한 소수의 학교들 간의 구성주의적 학습을 지원한다. Margaret Riel과 협력팀에 의해 개발된 학습 동아리는 다음과 같다.

> 일정 기간 주기적으로 만나서 쟁점이나 문제에 대한 서로 다른 견해에 집중하여 공통된 이해로 발전시키는 소수의 다양하고 민주적인 집단(일반적으로 6명에서 12명 정도)이다. 토론은 상호 신뢰하고 이해하는 분위기

에서 이루어진다. 목표는 참가자들이 보다 깊은 이해를 하는 것이고, 최
종 산출물을 만들거나 행동지침을 제안하기 위해서 자주 노력한다(Riel,
2005).

동아리는 사람들이 만나는 것을 구조화하고, 그룹의 목적과 활동에 대한 구성
원의 주인 의식을 북돋우며, 그룹의 집단적인 지혜를 인식하고 존중하는 방법으
로 오랫동안 사용되었다. 면대면 집단으로 조직된 많은 종류의 학습 동아리가 존
재한다(예, 지혜 동아리, 동아리 시간, 공부 동아리, 고급 동아리). 대조적으로, 이
세션에서 서술된 학습 동아리는 존중과 이해를 함양하는 방식으로 다양한 참가자
와 관계를 맺고, 국제적으로 학생과 교사를 연결하는 온라인 체계이다.

Reil(1996)은 더 큰 협회와 연계된 스카우트의 분대처럼 학습 동아리를 더 큰
조직의 지역 지부로 비유한다. 지역 분대는 "자신의 목표와 과제를 설정하지만,
공유된 목표와 가치를 가진 공동체의 일부로서 다른 지역의 분대들과 연결되어
있다." Reil은 지역과 보다 큰 수준 간의 협력을 다음과 같이 서술한다.

> 온라인 학습 동아리에서는 스카우트의 분대나 적십자의 프로젝트 팀(task
> force)에서처럼 전반적인 과제와 구조가 명확히 규정된다. 모든 단계에서
> 참여자들이 사용할 예들이 충분히 있다. 그러나 동아리, 분대 혹은 프로젝
> 트 팀의 구성원들은 주체성을 가지고 참여자들이 제시한 아이디어를 발전
> 시킬 수 있다는 것을 안다(Reil, 1996).

학습 동아리는 종종 교육과정에 통합된 주제 중심의 프로젝트 과제를 포함해
서 구체적인 프로젝트나 온라인 활동을 지원하기 위해서 조직된다. 프로젝트 팀
처럼, 학습 동아리는 중대한 과업이나 활동을 지향한다. 일반적으로 약 8개의 교
실로 구성된 그룹들이 정해진 과제를 수행하기 위해 시간표에 따라 원격에서 의
사소통하고 협력하기 위해서 등록을 한다. 구체적인 과제는 다양하며, 조사, 정보
공유, 데이터베이스 편집, 혹은 공동 주제에 관한 출판을 포함할 수 있다. 동아리
의 결과물은 문서, 요약, 혹은 협력 작업의 모음집이다.

학습 동아리는 iEARN의 중요한 부분이며, 학습 동아리의 목적은 유의미한 학

습 프로젝트에서 협력할 때 상호 이해를 확립하기 위해 전 세계의 학생과 교사를 연결하는 것이다. 학습 동아리는 프로젝트 작업을 완수하는 것뿐만 아니라 그 과정에서 서로를 사회적, 문화적으로 이해하는 것을 추구하는 공동체 안의 중요하고 의도적인 활동을 포함한다.

iEARN의 학습 동아리 중 하나인 "지역과 관점(Places and Perspectives)" 프로젝트에서 학생들은 다른 학생들과 지식을 공유함으로써 자신의 관점을 확장시키면서 역사, 지리, 문화, 행정을 통합하였다. 지리 수업에서 학생들은 여행 안내서 제작, 지리적 위치와 관련된 사회적 패턴 분석, 혹은 기상 패턴 비교를 협력적으로 수행할 수 있다. 초등학교 수업들 간의 협력적 프로젝트는 지역에서 재배된 식품, 역사적 명소, 혹은 지역 주민으로부터 들은 이야기를 조사하는 것을 포함할 수 있다. 어떤 프로젝트에서는 이란, 키프로스, 미국, 이스라엘, 우즈베키스탄, 루마니아, 이집트의 학생들이 정보를 공유하고 서로에 대해 더 잘 이해하기 위해서 협력했다. 이란의 문화와 전통을 알려준 이란 학생은 다음과 같이 말했다.

> 이란 사람들은 매우 상냥하고 친절합니다. 이란 사람들은 평화와 우정을 사랑합니다. 불행히도 미디어에 나타난 이란에 대한 몇몇 잘못된 소개와 묘사 때문에 세계 대부분의 사람들은 실제 이란과 이란의 진정한 문화와 전통을 알지 못합니다. 이란은 고대 문명과 풍부한 문화를 가지고 있습니다. 그래서 저는 여기에 이란을 짧게 소개하고, 이란에 대한 몇 장의 사진을 첨부했습니다. 모두 즐겁게 봐주세요.

두 번째 학습 동아리인 "컴퓨터 연대기(Computer Chronicles)"에서는 서로 다른 지역의 학생 기자와 편집자가 컴퓨터 연대기 신문을 발행하기 위해 함께 일한다. 이 프로젝트는 언론학, 컴퓨터 출판, 영어, 창작 글쓰기와 관련하여 학생들을 서로 연결해주고, 과학 기사, 생활 부문 등에 관한 신문 섹션에서 범교과적인 학습이 이루어질 수 있다.

학습 동아리는 참여하는 수업 안에서와 일정 부분 수업 간에 높은 수준의 협력과 팀워크를 요구한다. 학습의 많은 부분은 학생들이 인터넷 자원이라는 가상 세계에 참여하면서 이루어진다. 학습의 나머지 부분에서는 학생들이 오프라인 활동을 완수하고 동아리의 다른 구성원들에게 그 결과를 알려준다. 최고의 학습 동아리는 계획, 실행, 보고가 필요한 활동을 구체적으로 명시하고, 다양한 장소에서의 비교와 협력이 뒤따른다.

학습 동아리는 좀 더 복잡한 활동에 자주 참여한다. 학생들이 이슈와 문제에 대해 토론을 하도록 과제를 내주는 포럼과 달리, 학습 동아리는 종종 문제 해결을 목적으로 한다. 몇몇 인공물(신문, 웹사이트 혹은 프로젝트)의 설계를 목적으로 삼기도 한다. 이러한 종류의 프로젝트를 완수하기 위해서는 항상 의사결정 문제가 발생하기 때문에, 학습 동아리 활동을 통해 학생들은 최소한 의사결정 활동에 참여하게 된다.

학습 동아리에서 가장 효율적인 교사는 프로젝트가 원활히 진행되도록 하면서도 학생들이 함께 잘 작업할 때 어떻게 빠져나와야 하는지를 안다. 교사의 중요한 역할은 팀의 진행을 위협하는 방해물이 있을 때, 이따금씩 지원하고 개입하기 위해서 주의 깊게 살펴보는 것이다. 또한 교사는 프로젝트의 지속성을 확인하고 프로젝트 목표에 대한 관심을 유지하면서 다른 참여 교사들과 관계를 유지해야 한다.

Global Schoolhouse

글로벌 학습 공동체를 지원하는 또 다른 주요 프로젝트는 1984년에 설립된 Global SchoolNet 재단(GSN)이다. 여러 GSN이 주도하는 일들 중에 Global Schoolhouse 프로젝트가 있다(7장 참조). GSN의 목적은 내용 중심의 협력활동을 통해 21세기 학습을 지원하는 것이다. GSN은 학생들이 의사소통하고, 협력하며, 서로 배울 때 학생들을 지원해주고, 교사가 협력적인 프로젝트 아이디어를 게시하고 학생들을 위한 유의미한 협력적 파트너를 찾을 수 있도록 공간을 제공한다.

GSN 프로젝트 등록처는 날짜, 나이 수준, 지리적 위치, 협력의 유형, 테크놀로지 도구, 혹은 핵심 단어로 검색할 수 있는 3,000개 이상의 온라인 협력 프로젝트를 위한 정보 센터이다. 194개국 9만 명의 교육자들이 GSN 프로젝트에 참여하기 위해 등록되어 있다.

GSN의 또 다른 측면은 iEARN, ePALS, People To People, UNICEF 미국 기금, Worldwise Schools(평화봉사단 프로그램)를 포함하는 여러 집단의 연합체인 "교육을 통한 우정(The Friendship Through Education)"이라는 사업이다. 교육을 통한 우정 협력단은 모든 인간의 권리와 존엄성이 존중받는 평화의 문화를 촉진시키기 위해서 청소년들이 온·오프라인에서 상호작용하는 것을 돕는다. 2001년 9월 11일에 테러범이 미국을 공격한 여파로 교육을 통한 우정 협력단이 설립된 이후 초기에는 "상호 존중과 문화적 차이에 대한 깊은 이해를 조성"하기 위해서 미국 학교들과 이슬람 국가들을 연결시켜 주는 일에 초점을 두었다. 이 협력단은 온라인 상호작용(www.friendshsiptrougheducation.org)의 기회를 제공함으로써 미국 어린이들과 다른 국가 및 문화의 어린이들이 끈끈하고 지속적인 관계를 조성하도록 지속적으로 활동하고 있다.

학생들이 GSN을 통해 제공되는 것과 같은 프로젝트에 참여할 때 팀워크를 경험하고, 프로젝트 관리 기술을 배우고, 범교과적 학습에 참여하며, 테크놀로지를 활용할 수 있다. Andres(1995)는 가장 바람직한 협력 프로젝트는 학생들이 "측정하고, 수집하고, 평가하고, 작성하고, 읽고, 게재하고, 시뮬레이션하고, 가설을 제기하고, 비교하고, 논의하고, 점검하고, 조사하고, 조직하고, 공유하고, 보고하는" 것을 필요로 한다고 생각한다. 왜 교실들이 온라인 공동체에 참여해야 하는가? Andres에 따르면, 학생들은

- 원거리에 있는 동료 독자를 위해 글을 쓸 수 있을 때 글쓰기를 더욱 좋아하고,
- 다른 지역의 학교들과 의사소통하는 것을 좋아하고,
- 다른 문화를 이해할 기회를 갖고 지역적 문제뿐만 아니라 세계 문제에 대해 고려하기 시작한다.

GSN이 지향하는 활동적이고 협력적인 학습을 성취하기 위해서 GSN의 CyberFair에 참여한 학생들이 "청소년 대사"로 봉사할 것을 장려한다. 청소년 대사는 공동체 구성원과 협력적으로 일하고 테크놀로지 도구를 사용하여 학습한 내용

을 보여주는 웹사이트를 제작한다.

CyberFair 프로젝트에서 매년 학생들을 지도하는 테크놀로지 교수자인 Leanna Johnson 교사는 특히 성공적인 사례를 보여준다. Johnson 교사가 있는 작은 중서부 학교의 8학년 학생들은 쓰레기를 세계 문제로 정하고, 공동체의 변화를 이끌기 위한 재활용 프로젝트를 만들었다. 그림 6.5는 학생들이 "운동에 참여하라(Join the Movement)"는 프로젝트를 위해 제작한 웹사이트를 보여준다(www.stpaulgiants.com/jointhemovement/home.html). 학생들은 학교의 다른 학급들을 참여시킴으로써 시작했다. 2학년 학생들은 재활용 상자, 종이, 우유곽으로 공동체 축소 모형을 제작함으로써 물건의 재활용을 보여주었다. 4학년 학생들은 인공 매립지를 만들고 얼마나 빨리 다양한 물질들이 분해되는지 알아보는 실험을 했다. 학생들은 수개월 동안 주기적으로 쿠키, 달걀껍질, 피자, 실, 플라스틱 뚜껑과 플라스틱 랩, 나무, 분필, 클립, 스티로폼, 낙엽 같은 물질을 점검했다. 학생들은 분해되는 몇몇 물질

그림 6.5 "운동에 참여하라(Join the Movement)" CyberFair 프로젝트 웹사이트

출처: Leanna Johnson의 허락 후 게재

을 관찰한 후에 쓰레기 매립지의 남용을 막기 위해 재활용이 필요하다는 결론을 내렸다.

그 이후로 학생들은 학교에 재활용 컨테이너를 설치하는 일을 했고, 그 결과 학교의 쓰레기 양이 반으로 줄었다. 학생들은 연간 1,200달러를 절약했고, 재활용 가능한 물질은 쓰레기 매립지 밖에 두었다.

다음으로, 학생들은 다른 지역에서 재활용 실태를 조사함으로써 학교 울타리를 넘어 노력을 확장했다. 학생들은 22개의 도시를 조사했고, 재활용품 집하장과 매립지를 방문했으며, 재활용 박람회에 참가했다. 학생들은 시청 공무원들과 함께 지역사회에서 재활용품 수거시설을 세우기 위한 기금을 만들기 위해 협력했다. 한 학생은 "프로젝트의 결과로 우리 지역사회에 재활용 센터를 설립했을 뿐만 아니라 학교에서 좋은 교육을 할 수 있게 되었어요. 적소에 위치한 새로운 재활용 센터로 인해 물건을 항상 재활용할 수 있게 되었어요."라고 말했다.

협력적 프로젝트는 가치로운 삶의 기술을 학습할 수 있는 기회를 제공한다. 한 학생은 자신의 학습을 성찰하면서 "재활용에 대해 배운 것 외에도, 글을 작성하고 기금을 신청하는 과정에 대해 많이 알게 되었습니다."라고 말했다. 학생들은 시의회 회의에 참석하고 시청 공무원과 함께 긴밀하게 일함으로써 직접적인 체험을 통해 지방정부에 대해 배웠다.

또 다른 학생은 "그룹 협력 활동의 가장 좋은 점은 우리가 사는 지역사회의 발전을 위해 우리 모두가 함께 노력했다는 점입니다. 우리는 함께 브레인스토밍을 하며, 서로의 생각을 논의할 수 있었습니다. 우리는 많은 사람들과 함께 일했기 때문에 훨씬 잘 할 수 있었습니다"라고 말했다(L. Johnson, 개인적인 대화, 2010년 4월 25일).

이와 같이 복잡하고 협력적인 프로젝트 활동에 참여하는 학생들은 다양한 교육과정의 기준과 학습목표를 충족시킬 수 있다. 프로젝트에서는 과학, 수학, 언어, 사회 과목들이 서로 통합되기 때문이다. 학생들은 또한 그림 1.1에 제시된 것처럼 실제적이고, 활동적이며, 구성적이고, 의도적이며, 협동적인 특성을 지니는 유의미학습에 참여한다.

Leanna Johnson: 교사의 관점

저는 현재 Global SchoolNet 대회를 위해 웹사이트를 만들고 있는 학생들과 스카이프(Skype)를 사용하고 있습니다. 우리는 협력을 위해서 스카이프와 Moodle을 사용합니다. 학생들과 때때로 화상회의를 하지만, 주로 Moodle 코스와 포럼에서 학생들에게 도움을 줍니다. 학생들이 프로젝트를 위해 자신이 필요한 것을 추구하도록 하고, 명령이 아닌 조언을 제공하는 것이 저에게는 중요합니다. 가벼운 질문으로 학생들을 안내하려고 노력합니다. 저는 21세기 비전이 제안하는 것을 정확히 따라서 학생들이 스스로 필요한 것을 찾고 스스로 결정하기를 바랍니다. 저는 이러한 프로젝트가 큰 리더십과 책임의식을 주는 것을 발견합니다. 학생이 얻는 개인적인 자신감은 CyberFair 프로젝트의 관찰자에게는 종종 간과되는 요소 중 하나이지만, 저는 전체적인 과정을 살피면서 자신감이 발휘되는 것을 발견합니다. 학생들은 지역사회의 성인들과 인터뷰하고, 성인들의 질문에 대답하며, 전 세계적으로 공유하기 전에 내부적으로 자신들의 활동에 대해 대화하는 것을 배웁니다. 학생들은 처음에는 인터뷰를 굉장히 두려워했지만, 프로젝트가 진행됨에 따라 어느 누구와도 연구에 관해 말하는 것을 두려워하지 않게 됩니다. 저는 이런 종류의 학습 프로젝트에서 학생이 지식과 자부심을 갖게 되는 것을 볼 때 굉장히 기쁩니다. 일한 것보다 더 큰 이득을 얻습니다. 학습 프로젝트는 교사와 학생을 구분하지 않고 우리 모두를 하나의 팀으로 매우 가깝게 만들어 줍니다. 학생들은 자신의 작업을 해야 하는 자유를 고맙게 생각합니다. 웹사이트를 완성하고 공개하며 지역 신문사와 기자 회견을 할 때, 학생들은 기자들과 완벽하게 인터뷰를 합니다 (L. Johnson, 개인적인 대화, 2010년 4월 25일).

Kidlink

Kidlink는 중등학교 수준의 가능한 한 많은 아이들을 글로벌 대화에 연결시켜 주기 위해 대중적 프로젝트로 시작되었다. 스웨덴에서 비영리, 사용자 소유의 조직이 현재 운영하는 Kidlink 협회의 목표는 젊은이들이 자신의 가능성을 이해하고,

삶의 목표를 세우며, 삶의 기술을 함양하고, 국제적으로 친구들을 찾고 협력하도록 하는 것이다. 대부분 사용자의 연령은 10세에서 15세 사이이다. 1990년 협회의 시작 이래로 남극 대륙에서 핀란드까지, 벨로루시에서 바하마까지 176개국의 젊은이들이 토론과 프로젝트에 참여해왔다. Kidlink 웹사이트는 6개 언어로 사용될 수 있고, 각 사이트별로 언어 영역의 성인 관리자가 있다.

Kidlink에 가입할 때, 어린이들은 별명과 비밀번호를 받는다. 모든 신규 참가자는 다음 질문에 답하고 자기소개를 해달라는 권유를 받는다.

질문 1: 나는 누구입니까?
질문 2: 자라서 무엇이 되고 싶나요?
질문 3: 자랐을 때 세계가 어떻게 발전하길 바라나요?
질문 4: 세계의 발전을 위해 현재 나는 무엇을 할 수 있나요?

Kidcom chat, Kidmail, Kidlink Forum은 사용자에게 안전한 의사소통 도구를 제공한다. Kid 센터는 참여자가 다른 Kidlink 사용자가 흥미로워할 인터넷 사이트와 자원을 공개하고 연결하는 공간이다. 예를 들어, "Recycle" 페이지는 재활용으로 열대 우림을 지키고자 하는 사용자가 있다면 자신의 Kidmail로 메시지를 보내달라고 요청한 소녀가 만들었다. 다른 사람들이 한 일들과 재활용에 관한 정보를 서술하는 댓글들이 있었다.

Kidlink 프로젝트 센터에서, 교사와 학생은 협력적인 활동에 적극적으로 참여할 수 있다. "내 숫자는 무엇일까요(What's My Number)?"는 초 · 중등학생들을 위해 현재 진행 중인 프로젝트이다. 이 프로젝트에서 학생들은 특정 숫자로 이끄는 일련의 단서를 만든다. 다른 학생들이 수학 문제를 풀게 된다. Kidlink 웹사이트의 예시 문제는 다음과 같다.

1. 미국 주의 개수
2. + (더하기) 스트라디바리우스 현의 수
3. − (빼기) 축구장에 있는 사람의 수

4. × (곱하기) 축구선수 마라도나가 1986년 월드컵에서 우승했을 때의 나이

학생들은 "내 숫자는 무엇일까요?" 프로젝트에서 다음과 같은 학습 결과를 달성할 수 있다.

- 숫자 감각을 개발하고 다른 숫자 체계를 탐구한다.
- 실제 세계에서 숫자의 다양한 사용을 확인한다.
- 수학적 아이디어와 정의에 관한 공통된 이해를 개발한다.
- 수학을 유의미하게 사용하는 것에 자신감을 갖는다.
- 다양한 문화적 관점으로 수학을 인식한다.
- 적절한 계산 방법을 선택한다.
- 질문을 만들고 문제 해결 전략을 개발한다.
- 다양한 구조의 언어 문제를 해결한다.
- 대답의 합리성을 추정하고 판단한다.
- 데이터를 수집하고, 조직하며, 제시하고, 해석한다.
- 다양한 단위를 사용해서 측정의 개념을 보여주고 적용한다.
- 협동적으로 일한다.
- 사고를 정당화한다.
- 패턴을 파악하고 서술한다.
- 적절한 계산 상황에서 계산기를 사용한다.
- 문제 해결과 정보 수집을 위한 도구로 테크놀로지와 인터넷을 사용한다.
- 우리 문화와 사회 속에서 수학의 역할을 가치롭게 인식한다.

    (www.kidlink.org/kidspace/start.php?HoldNode=899 참조)

학생들은 다양한 Kidlink 프로젝트에서 다문화 요리책을 제작하고, Kidlink 구성원을 위해 전자 카드를 만들고, 다른 Kidlink 구성원이 작성한 자기소개를 공유하고, 시를 쓰고, "지구를 구하라(Save the Earth)"는 대회에서 경쟁할 수 있는 기회를 가진다. Kidlink를 자신의 모국어만으로도 사용할 수 있지만, 다른 국가의 학생

들과 그들의 모국어로 이야기하는 것은 외국어를 배우기 위해 우리가 생각할 수 있는 가장 구성적이고 실제적이며 유의미한 방법 중 하나이다. 학생들이 좋아하는 영화배우나 밴드에 대해 이야기할 때에도 학생들은 여전히 의사소통을 하고 있으며, 이는 외국어 학습의 목적이다. Kidlink의 디자인은 아이들이 유의미한 프로젝트 활동을 위해 의사소통을 할 뿐만 아니라 비형식적으로 대화할 수 있는 기회를 제공한다.

국제 공동체에 참여하기

전기통신 공동체(telecommunities)는 학생들에게 분명히 보다 넓고 관대한 세계관을 제공하며 폭넓고 새로운 지평을 열어준다. 이것이 학교의 중요한 목표가 되어야 한다. 다른 교육과정 목표를 충족하면서 국제적 이해를 쌓기 위해 학생들과 협력 활동 프로젝트를 활용하고자 하는 교사는 잘 확립된 단체들에서 제공하는 풍부한 자원을 얻을 수 있다. 예를 들어, GSN의 협력 학습 센터는 성공적인 협력 프로젝트의 계획과 실행을 지원하는 정보뿐만 아니라 블로그, 채팅, 인스턴트 메시지 전송과 같은 협력 활동 도구에 관한 링크를 포함하고 있다.

iEARN, GSN, Kidlink는 젊은이들 사이의 국제적인 연결을 촉진해온 오랜 역사를 가지고 있다. 이 장에 제시된 실례는 이들 웹사이트가 제공하는 기회들 중에서 아주 조그만 부분에 지나지 않는다. 예컨대, 학습 동아리 외에 iEARN은 "인생의 하루: 사진 일기(A Day in the Life: Photo Diary)"를 통해 학생들이 자신의 이야기와 일상 생활의 디지털 이미지를 공유할 수 있도록 "인생의 하루(One Day in the Life)"를 관리한다. iEARN은 삶의 법칙(Law of Life)이라는 프로젝트(www.iearn.org/projects/laws.html)도 후원한다. 청소년들은 에세이를 제출하는데, 그 안에 자신이 삶에서 가장 가치 있다고 여기는 것을 표현하고, 자신의 삶을 좌우하는 원칙과 규칙을 설명하며, 어떻게 이런 이상적인 것들이 영향을 받고 형성되었는지를 공유한다. 참가자들은 상호작용을 한다. 신념과 가치에 대한 유의미한 대화를 하고, 학생의 사고를 확장시키며, 자신의 아이디어를 검토하고, 비교하고, 확고히 하는 것을 도와주는 다양한 관점을 제공한다.

ThinkQuest

ThinkQuest는 Oracle 교육재단이 협력적 프로젝트와 경연대회를 위해 지원하는 웹 기반 플랫폼으로, 암호화되어 있으며 무료로 운영된다. ThinkQuest 프로젝트의 구성요소는 앞서 설명한 것들과 유사하다. 도구와 지원이 내장되어 있는 개인 환경은 ThinkQuest를 매력적이고 안전한 대안으로 만들어준다. 그림 6.6은 ThinkQuest 프로젝트인 "열대우림 프로젝트(Project Rainforest)"의 인터페이스를 보여준다. 왼쪽의 메뉴는 다섯 개의 프로젝트 페이지, 달력, 메시지 전송 도구에 대한 링크를 보여준다. 연필 메뉴는 글쓰기, 파일 업로드, 다른 사람과의 추가적 상호작용을 위한 도구 영역들로 연결된다.

ThinkQuest 국제 대회에서 학생들은 실세계의 문제를 해결하기 위해 비판적 사고, 의사소통, 테크놀로지 기술을 적용해야 한다. 최대 6명의 학생으로 구성된

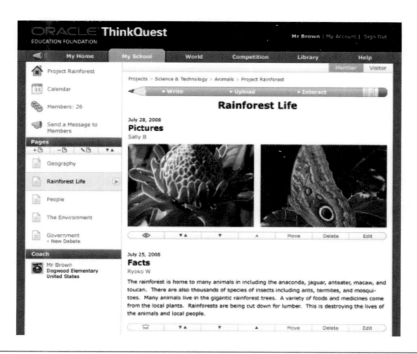

그림 6.6 ThinkQuest "열대우림 프로젝트"

출처: Oracle 교육재단의 허락 후 사용, www.thinkquest.org/en/projects/screenshot_popup.html?1

각 팀은 ThinkQuest 플랫폼에서 입력할 내용을 개발할 때 코치의 안내를 받는다. 학생들은 대회에서 해결책뿐만 아니라 결과에 이르게 된 과정도 보여주어야 한다. 학생들이 자신의 추론을 성찰하고 분석하며, 활동을 정당화하고, 방법과 활동의 과정을 설명해야 할 때, 깊이 있는 사고와 생산적인 학습을 하게 된다.

학생들과 국제적 연관성을 탐색하기 시작하는 교사에게 가장 가치로운 자원 중 하나는 아마도 새로운 길을 개척한 교사들일 것이다. 글로벌 공동체 웹사이트에서 발견할 수 있는 지원에는 관련된 모든 사람들의 공동체 경험을 돕고 강화시키기 위해 학생들뿐만 아니라 교사들을 연결해주는 메커니즘이 포함된다.

5절 소셜(교육적) 네트워크 그룹과 관심사 논의하기

사람은 서로 대화하는 것을 좋아하는 사회적인 존재이다. 일반적으로 운동, 정원 가꾸기, 자동차, 춤추기, 비디오 게임을 포함한 어떤 대상과 활동이라도 관심이 있다면 서로 이야기를 나눈다. 가능하다면 사람들은 관심사에 대해 직접 만나서 대화를 나눈다. 직접적인 만남을 넘어서 관심사를 공유할 사람을 찾고 담화(discourse) 공동체를 확대할 때, 사람들은 뉴스레터, 잡지, 텔레비전 쇼를 통해 멀리 떨어진 사람들과 서로 대화를 할 수 있다. 슈퍼마켓이나 서점의 잡지 구역을 살펴보면, 결혼할 신부에서 초대형 트럭에 이르는 모든 것에 초점을 둔 담화 공동체를 발견할 수 있다. 케이블 텔레비전은 운동, 요리, 쇼핑에 관한 담화 네트워크를 지원한다.

사람들은 인터넷을 통해 온라인 소셜 네트워크에 동시적으로 혹은 비동시적으로 연결될 수 있다. 소셜 네트워크는 " '노드(node)'라고 불리는 개인(혹은 단체)으로 이루어진 사회 구조로, 이는 우정, 연대감, 공통 관심사, 금융 거래, 반감, 성적 관계, 혹은 믿음과 지식이나 명성의 관계처럼 한 가지 혹은 그 이상의 구체적인 유형의 상호의존성으로 묶여진(연결된) 것"이라고 정의된다(위키피디아, 2010). 우리는 모두 다양한 소셜 네트워크의 구성원이다. 소셜 네트워크는 가족,

부족, 혹은 마을 여성의 직물 제작 공동체처럼 사람이 집단의 일부인 이상 계속 존재해왔다.

Usenet은 초기의 인터넷 공동체로서 오늘날에도 사용되고 있긴 하지만, 이런 전자 게시판은 블로그, 채팅방, 소셜 네트워킹 사이트와 텍스트를 넘어 많은 행위유발성을 지닌 다른 온라인 환경에 의해 그 중요성이 감소되었다. 소셜 네트워킹 사이트는 사람들이 대화하는 것뿐만 아니라 사진, 비디오, 음악을 더 잘 공유할 수 있도록 만들었다. 2001년에 구글은 Deja News 데이터베이스를 획득하였으며, 이들 Usenet 그룹은 이제 구글 그룹(Google Groups, http://groups.google.com)에서 찾아볼 수 있다. 아직 대화로 존재하지는 않는데 잠재적으로 흥미로운 주제의 이름을 정하는 것은 어렵다. 예컨대, 구글 그룹은 보트 타기, 애완동물, 음식, 예술과 오락, 건강, 뉴스, 컴퓨터를 비롯하여 수천 개의 주제에 관심 있는 사람들을 위해 만들어졌다. 이와 유사하게, 야후는 몇몇 리스트를 구매하였고 현재 야후 그룹(Yahoo! Groups)을 운영하고 있다. 그림 6.7에서 볼 수 있듯이 야후 그룹의 "학교와 교육" 범주에만 20개 이상의 하위그룹이 있다. 그 중 하나의 하위그룹인 초·중등 교육 내에는 7만 개 이상의 그룹이 존재한다. 사용자는 자신이 바라는 관심사를 핵심적으로 제공할 것으로 가장 기대되는 그룹을 찾기 위해 계속해서 하위그룹을

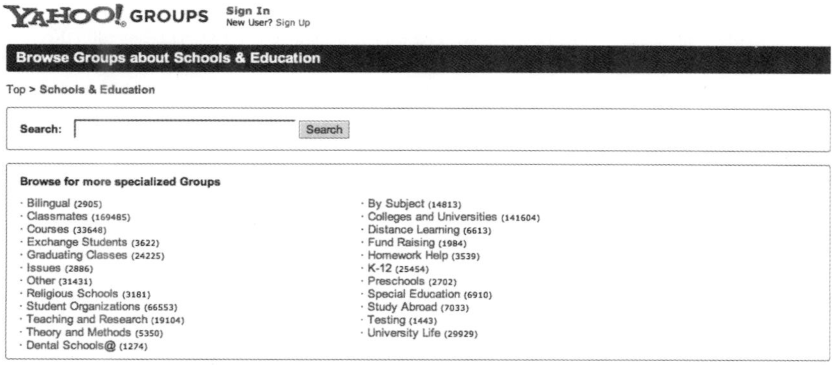

그림 6.7 야후 그룹: 학교와 교육 범주

출처: ⓒ 2006 Yahoo! Inc. YAHOO!와 YAHOO! 로고는 YAHOO! 주식회사의 상표임.

검색할 수 있다. 과학 범주에 속한 천문학 청년 그룹(Astronomy Youth Group)은 망원경, 천체, 부속품, 아마추어 망원경 제작 등에 대해 이야기하고 싶어 하는 청년들의 진지한 공동체이다. 전자통신의 발달로 인해서 활동적이고 상호작용적인 담화 공동체의 수가 기하급수적으로 확대되어 왔다. 이러한 공동체는 관심사와 관련된 지속적인 연락을 통해 현재 유지될 수 있다.

Moodle과 Ning 공동체

역사상 현 세대에 젊은이들이 가장 풍요로운 미디어를 경험하고 있다는 것은 논란의 여지가 없다. 현재 8세부터 18세까지의 사람들은 평균적으로 일주일에 7일, 하루에 7시간 30분 이상 미디어와 많은 상호작용을 하고 있다. 이는 학교 수업과 무관한 활동에 평균 90분 동안 컴퓨터를 사용하는 것을 포함하며, 그 시간의 많은 부분은 소셜 네트워킹에 사용된다(Rideout, Foehr, & Roberts, 2010). 단 6년 만에 페이스북은 5억 명 이상의 사용자를 모았다(Ostrow, 2010). 이미 정해진 학교 수업 일수에 국한해서 유의미학습이 이루어지기를 기대하는 것은 오늘날 젊은이들의 삶의 현실을 무시하는 것이다. 더욱 많은 학생들의 학습이 전통적인 학교 공간과 시간 밖에서 이루어짐에 따라, 가상 공동체를 지원하는 테크놀로지는 점점 더 중요해진다(NMC, 2005). 소셜 네트워킹 사이트는 학교 상황을 뛰어넘어 학습을 확대하고 학생들이 상호작용하는 대안적인 공간을 만든다. 알기 쉽고 어디에서나 사용할 수 있는 테크놀로지의 특성은 오늘날 대부분의 젊은이들에게 당연하게 받아들여지고 있으며, 학습자가 실제적 맥락에서 주도권을 가지고 참여하는 새로운 학습환경을 창조하고자 하는 교육자에게 엄청난 기회를 제공한다.

소셜 네트워킹 사이트의 대중성을 활용하는 것은 학습의 전통적인 경계를 넘어서기 위한 전략이다. 많은 학생들이 페이스북과 마이스페이스(MySpace)의 구성원이지만, 이들 공동체가 교사가 사용하기에 가장 좋은 소셜 네트워킹 사이트는 아니라는 것은 거의 틀림없다. 상당한 수준의 사생활을 보장하는 소셜 네트워킹 환경이 존재하고, 특정 교과목에서 다양한 21세기 역량, 지역의 교육기준, NETS·S을 통합하는 학습을 위한 수단을 제공한다(DiScipio, 2008). 그러나 많은 학생들은 페이스북을 일반적으로 사용하기 때문에, Reuben Hoffman 교사는 자신의 고등학교 사회 수업의 팬 페이지를 만들었다. 사용해서는 안 되는 개인적인 페이지와는 달리 팬 페이지는 운영자를 공인으로 나타내고, 페이지의 "정보(information)" 부분에서는 Hoffman 교사의 개인적인 정보가 아니라 학교 이름과 연락처를 제공한다. Hoffman 교사는 "저는 이 페이지를 통해 수업 중에 발생한 것(추후 과제물, 숙제, 구글 그룹 활동, 내가 발견한 사진과 프로젝트 및 흥미로운 것에 대한 링크)을 공유할 수 있습니다. 학생들도 자신이 발견한 것을 공유할 수 있습니다. 당신이 가르치고 있는 수업은 이제 특별활동이 되고, 단지 학생들이 일주일에 5일 동안 당신과 함께 하는 시간에 발생하는 것만이 수업은 아닙니다. 학생들 역시 이와 같은 활동을 하는 모든 수업을 좋아할 것입니다. 이는 모두 연결과 협력에 관한 것입니다. 저는 많은 학부모들도 참여하길 바랍니다. 당신이 수업과 관련해서 흥미로운 것을 게시했기 때문에 가족들이 함께 논의하는 모습을 상상할 수 있나요?"라고 말했다(R. Hoffman, 개인적인 대화, 2010년 7월 27일).

이 장의 앞에서 설명한 CyberFair 프로젝트를 활용한 Leannan Johnson 교사는 학생들에게 교육적 네트워킹 환경을 제공하기 위해 코스 관리 시스템을 사용한다. Johnson 교사는 다음과 같이 말했다.

> 제가 왜 Moodle을 온라인 소셜 네트워킹 그룹으로 생각하는지 의아해할 수 있습니다. Moodle은 제가 아닌, 제 학생들을 위한 주요 온라인 소셜 네트워크입니다. 학생들은 학교 안과 밖에서 Moodle을 사용합니다. 서머타임, 휴식시간, 저녁에 사용합니다. Moodle은 학생에게는 하늘이 준 선물이며, 그룹은 동료 집단이고 학교 그룹 이외의 사람들은 참여할 수 없기 때문에 학부모가 온라인 스토킹에 대해 걱정하는 것을 경감시킬 수 있습니다. 우리가 Moodle을 활용하기 직전에 학부모와 학교장이 나누었던 대화를 분명히 기억합니다. 학부모는 학생이 Moodle에서 학교 수업에 적절하지 않은 것을 말하고 읽는 것을 걱정했습니다. 그래서 저는 "채팅 모듈이 화장실, 복도나 어른들이 없는 공간에서 쪽지를 적거나 낙서를 하는 것과 어떻게 다른가요?"라고 말했습니다. 제가 Moodle 운영자가 언제나 모든 게

시글을 볼 수 있고, 모든 것이 공개된다는 점을 설명한 후에 Moodle이 교실에서 감독받지 않은 채 남겨지는 것보다는 실제로 학생들에게 더 좋고 신뢰할 수 있는 공간이라는 점이 이해되기 시작했습니다. 책임은 있습니다. 학생들은 인터넷상에서 키보드를 누르는 것과 활동을 추적할 수 있다는 것을 알아야 합니다. 제가 생각하기에 Moodle 교실은 이 점을 배울 수 있는 좋은 공간입니다. 우리들은 좋은 시민이 되기 위해 필요한 적절하고, 존경할 만하며, 책임 있는 모든 활동에 대해 논의합니다. Moodle은 토론의 기회를 제공합니다. 글이 절대 사라지지 않고 접근 가능하기 때문에 사려 깊은 말을 해야 한다는 것을 Moodle을 사용한 후에 더 잘 이해합니다. 이는 일반적으로 삶에 있어서 중요한 실천입니다. 이외에도 Moodle의 가장 좋은 특징은 무료이고 서버에 다운로드만 하면 된다는 점입니다. 서버 호스트가 Moodle을 설치해야 합니다. 그 다음에 당신이 어떤 규정과 모듈을 사용할지 결정할 수 있습니다. 학생들은 포럼을 사용하고, 용어사전을 만들며, 채팅하고, 이미지와 링크, 블로그 등을 추가할 수 있습니다(L. Johnson, 개인적인 대화, 2010년 4월 25일).

Johnson 교사는 학생들이 참여하고 싶어 하는 굉장히 흥미로운 학습 환경을 구축했다. 이 환경은 학생들에게 실제적이고 자연스러운 공간이라고 생각되는 곳에서 학습자 통제, 대화, 성찰, 정보 공유와 구성적 활동을 장려한다. Moodle의 사용은 눈에 보이는 학습 활동을 뛰어넘어서 디지털 시민의식 기술의 종류와 오늘날의 학생들에게 중요한 이슈를 논의할 수 있는 자연스럽고 실제적인 기회를 제공한다.

고등학교 생물 교사인 Sean Nash는 해양 생물학 프로그램을 할 때 같은 지역에 있는 세 개의 고등학교 학생들을 연결시키는 네트워크를 만들기 위해 Ning을 사용한다. SaintJoe H2O(http://stjoeh2o.ning.com)는 Saint Joseph 학군에서 정규 수업 시간 이후에 운영하는 특별한 고등학교 프로그램인 Saint Joseph 해양 기관을 위한 학습 네트워크이다. 학생들은 학교 생활을 하는 동안 학습 네트워크에서 적극적으로 활동하며, 과정을 끝내면서 플로리다 군도 혹은 바하마 제도에서 하는 2주간의 현장 학습을 실시한다. 그림 6.8에 제시된 것처럼 Nash 교사의 Ning 네트워크

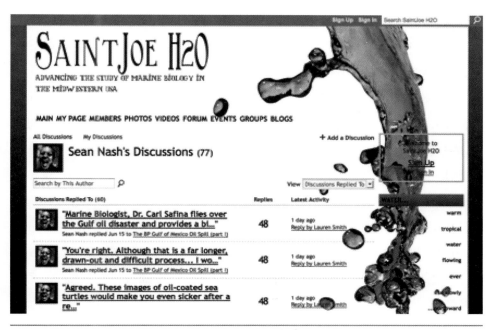

그림 6.8 "SaintJoe H2O" Ning 소셜 네트워크

출처: Sean Nash의 허락 후 게재

는 토론, 결과물 게시, 해양 생물학과 관련된 사진과 비디오 공유, 블로그 제작을 위해 학생들을 연결하는 공간이다. 한 온라인 토론에서 Nash 교사는 "어떤 새로운 학습에 특히 관심이 갔나요?", "무언가가 명확해지는 어떤 '아하' 순간이 있었나요?"와 같은 질문을 함으로써 학생들이 최근에 배운 내용인 산호초 형성의 기초를 성찰하도록 했다.

한 소녀는 지난 수업에서 배운 내용을 연결하면서, "저는 보초(barrier reef)가 가장 큰 산호초라고 생각했습니다. 이는 아마도 호주 해안의 대보초(Great Barrier Reef)에 대한 이야기가 항상 있기 때문입니다. 어떻게 산호초의 윗부분이 모래를 붙잡아 섬을 이루는지 이야기할 때 저는 포트 마이어즈(Fort Myers) 해변을 떠올렸습니다. 저는 8살 때 쯤 그곳의 해변을 걸었던 것을 기억합니다. 그 해변은 조개껍질로 가득합니다. 그 모래는 기본적으로 조개껍질이 부서진 것입니다."라고 말했다. 그리고 또 다른 학생은 "조개껍질에 대한 이야기는 정말 재미있네요! 공유해

주서서 감사합니다. 그 이야기를 통해 어떻게 산호초의 윗부분이 해변처럼 되는지 이해했습니다. 수업에서는 어떻게 사람들이 산호 위에서 살 수 있는지 다소 혼란스러웠지만, 지금은 이해했어요."라고 썼다.

SaintJoe H2O Ning 구성원에는 학생뿐만 아니라 졸업생과 해양 생물학 분야의 전문가도 있다. 학생들은 소셜 네트워킹 사이트에 접속함으로써, 그렇지 않았다면 부족했을 경험과 지식을 획득한다. 예컨대, 예전에 한 학생은 베링 해에서 참여했던 한 달 간의 연구 활동 사진을 Ning에서 공유했다(http://stjoeh2o.ning.com/photo/album/show?id=2128468%3AAlbum%3A9421). 또 다른 예로, 학생이 Ning에 질문을 올리자, 지난 강의에서 사용되었던 『황홀하게 꼬아놓은 끈(The Enchanted Braid)』의 저자인 Osha Gray Davidson이 화석화된 산호를 보내주었다.

Ning은 여러 수준의 기능과 특징을 가진다. Pearson Education사가 북미 초·중등 교육과 고등 교육 Ning 네트워크를 위한 무료 Ning Mini를 지원하지만, 모든 기능을 이용하려면 사용료를 내야 한다. Ning의 구조는 링크부터 웹사이트, 비디오, 전문가와의 실시간 채팅까지 학습을 향상시키기 위한 다양한 자원도 지원한다.

6절 결론

종종 그렇지 않지만, 교실과 학교는 학습자 공동체일 수 있다. 왜 그러한가? 공동체는 지식, 가치, 목표를 공유하는 사람들의 사회적 조직이다. 교실은 학생들이 서로 연결되지 않고 경쟁하기 때문에 전형적인 공동체는 아니다. 학생들은 공동의 학습목표와 관심사를 공유하지 않는다. 교실 안에는 사회적 공동체나 소집단이 있지만, 그 목적은 함께 혹은 다른 학생으로부터 학습하는 것이 아니다. 오히려 그런 소집단은 다른 학생들을 배제시킴으로써 사회적으로 자신들의 정체성을 강화시킨다. 학습 공동체는 학생들이 공통 관심사를 공유할 때 나타난다. 학생들이 일련의 교수 요건을 따르도록 강요하기보다는 학생들이 공통적으로 추구하는 학습목표를 위해서 서로 협력하고 지원하면서 서로에 대한 학습자 그룹의 사회적이고 인지적인 공헌을 강조해야 한다. 학습과 지식생성 공동체는 학생과 교사를 돕는 풍부한 정보와 학습자원뿐만 아니라 학생과 교사 모두의 지원, 책임감, 지속적인 동기에 의해 결정된다. 학습 공동체가 학교 개혁을 위한 중요한 수단이 될 수 있다고 생각한다.

논의되었던 도구들은 유의미한 활동과 상호작용을 위해 학습자 공동체를 모을 수 있는 상당한 잠재력을 지니고 있지만, 도구 자체의 정교성은 완벽하지 않다. 학교는 학생들이 협력하고, 문제를 해결하며, 팀으로 활동하고, 프로젝트를 관리하며, 리더십을 발휘하도록 요구하는 교육과정을 제공해야 한다. 과목을 통합하고, 복합적이며 많은 노력을 필요로 하고, 학생들이 글로벌 경제에서 생존하고 성공하기 위해 필요한 기술을 요구하는 프로젝트 기반 학습은 필수적인 내용 기준을 충족시키면서 유의미한 활동으로 학생들의 도전의식을 북돋우는 교육과정이다(Pearlman, 2006). Richardson(2006)은 다음과 같이 주장한다.

> 현 교육 시스템에서 강조하는 바는 주로 연방정부의 법에 의해 주도되고 있는 책무성과 형성적이고 표준화된 평가이다. 학교는 국제 동급생들에 비해 시험 점수가 우수한 학생을 만들기 위해 노력하기 때문에 일부 사람들은 웹 2.0에 기반을 둔 도구가 학생의 성취에 도움이 되지 않는다고 비판한다. 그러나 협력적이고 구성주의적인 도구는 많은 것을 제공할 수 있고, 도구의 사용은 학생들이 필수적인 교육과정 내용과 기준을 달성하는 데 방해되지 않는다.

공동체 형성을 지원하는 테크놀로지는 형식교육 제도의 구조와 조건 내에서 유의미하고 협력적인 학습관계에서 학생들을 연결하는 장치를 제공함으로써 상당한 잠재력을 가진다. 그러나 모든 테크놀로지와 마찬가지로 테크놀로지 그 자체가 아니라 테크놀로지가 얼마나 잘 학습 과정을 지원하고 향상시키는가를 중요하게 고려해야 한다. 웹 2.0 응용프로그램이 교수활동을 위해 사용될 수 있지만, 웹 2.0 응용프로그램과 다른 테크놀로지가 실제로 학습을 촉진시키는지는 교사가 얼마나 심사숙고하여 계획하고 사용하는지에 달려있다.

학습 공동체는 교육의 또 다른 일시적 유행인가? 그렇게 생각되지는 않는다. 복잡한 시스템에서 볼 수 있는 것처럼 네트워크는 적응과 변화를 허용하는 메커니즘이고, 적응과 변화는 학습과 동일하다. 따라서 기업조직은 환경에 적응함으로써 "학습하는" 반면에 교사와 학생은 정보 자원과 서로에게 반응하고 적응할 때 학습한다. 다양한 상황에서 살펴본 것처럼, 적응적 변화는 특정한 구조와 관련되며, 그 구조는 위계적, 고정적이거나 중앙 통제적이지 않고, 오히려 참여자들이 협력하는 분산적, 복합적, 역동적인 웹과 같은 네트워크이다. 교실이나 학생 그룹이 네트워크처럼 함께 활동할 때, 학생들은 더 많이 학습할 수 있다.

개별 공동체 구성원인 학생과 교사는 협력적이면서도 독립적으로 일한다. 그렇게 함으로써 공동체가 전체적으로 공유하는 혁신, 통찰력, 문제의 해결책을 발전시킨다. 학생과 교사가 지속적으로 활동을 하기 때문에 공동체는 전반적인 특성과 행동을 만드는 공통적인 속성을 띠게 된다.

이 장에 소개된 프로젝트에서 제시된 것처럼 협력적인 노력으로 정보를 함께 모으면, 학생은 한 교실 내에서 공부할 때 얻을 수 있는 것보다 더 큰 지식 체계를 접할 수 있다. 아마도 다양성에 노출됨으로써 얻게 되는 통찰력은 훨씬 더 가치로울 것이다. 다른 사람의 시각으로 세계를 보는 것은 각 개인의 세계관을 확장시키고, 학생들이 성인 근로자와 미래의 지도자로 성장했을 때 존중할 만한 협력적 업무관계를 만들기 위한 토대를 구축하는 것이다.

이 장에 서술된 협력 활동과 관련된 NET 표준

1. 창의성과 혁신

a. 기존 지식을 적용하여 새로운 아이디어, 결과물, 과정을 만들어낸다.

b. 자신이나 모둠을 표현하기 위하여 독창적인 작품을 창작한다.

2. 의사소통과 협력

a. 다양한 디지털 환경과 미디어를 활용하여 동료, 전문가 또는 다른 사람들과 상호작용하고 협력하며 출판한다.

b. 다양한 형태의 미디어를 활용하여 다수의 사람들과 효과적으로 정보와 아이

디어를 소통한다.

   c. 다른 문화권의 학습자와 함께 활동함으로써 문화를 이해하고 글로벌 마인드를 개발한다.

   d. 프로젝트 팀과 함께 독창적인 작품을 만들고 문제를 해결하는 데 기여한다.

3. 연구와 능숙한 정보 활용

   a. 전략을 세워서 탐구를 수행한다.

   b. 다양한 출처와 미디어로부터 정보를 검색, 조직, 평가, 종합하며 윤리적으로 활용한다.

   c. 구체적인 과제 수행에 적합하게, 정보 출처와 디지털 도구를 평가하여 선정한다.

   d. 자료를 처리하고 결과를 보고한다.

4. 비판적 사고, 문제 해결, 의사결정

   a. 조사를 위하여 실제적인 문제와 중요한 질문을 확인하고 정의한다.

   b. 해결책을 도출하기 위하여 활동을 계획하고 관리하거나 프로젝트를 완수한다.

   c. 해답을 확인하기 위하여 자료를 수집하여 분석하거나 정보에 기반하여 결정한다.

   d. 다양한 절차와 관점을 활용하여 대안적인 해결책을 탐색한다.

5. 디지털 시민의식

   a. 정보와 테크놀로지를 안전하고 합법적이며 책임감 있게 사용하는 것을 옹호하고 실천한다.

   b. 테크놀로지는 협력, 학습, 생산성을 지원하므로 테크놀로지를 사용하는 것에 긍정적인 태도를 보인다.

   c. 평생학습을 위한 개인적인 책임감을 보인다.

   d. 디지털 시민정신을 위한 리더십을 보인다.

6. 테크놀로지 작동과 개념

　　a. 테크놀로지 시스템을 이해하고 활용한다.

　　b. 응용프로그램을 효과적이고 생산적으로 선정하여 활용한다.

　　c. 시스템과 응용프로그램의 문제를 해결한다.

　　d. 현재의 지식을 새로운 테크놀로지의 학습에 적용한다.

이 장에 서술된 협력 활동과 관련된 21세기 역량

창의적으로 생각하기

- 다양한 아이디어 창출 기술(예, 브레인스토밍)을 사용한다.
- 새롭고 가치로운 아이디어(가치를 증대하고 근본적인 개념)를 창출한다.
- 창의적 노력을 향상시키고 극대화하기 위해 아이디어를 정교화, 정제, 분석, 평가한다.

다른 사람과 창의적으로 함께 일하기

- 다른 사람들과 효과적으로 새로운 아이디어를 개발, 실행, 의사소통한다.
- 새롭고 다양한 관점에 대해 개방적인 태도를 보이고 관심을 가져야 한다. 단체의 의견과 피드백을 일에 반영한다.
- 일의 독창성과 혁신성을 나타내면서, 새로운 아이디어를 적용하는 데에 있어서 현실적 한계점을 이해한다.
- 실패를 새로운 학습 기회로 여긴다. 창의성과 혁신은 장기적으로 작은 성공과 빈번한 실수의 순환에서 온다는 것을 이해한다.

혁신을 실행하기

- 혁신이 발생할 수 있도록 현장에 실제적이고 유용한 기여를 하는 창의적 아이디어를 실천한다.

효과적으로 추론하기

- 상황에 적합한 다양한 종류의 추론(귀납적, 연역적)을 사용한다.

판단과 의사결정하기

- 증거, 논쟁, 주장, 믿음을 효율적으로 분석하고 평가한다.
- 주요한 대안적인 관점을 분석하고 평가한다.
- 정보와 주장을 연결하고 종합한다.
- 정보를 해석하고 최적의 분석에 기반하여 결론을 내린다.
- 학습 경험과 과정을 비판적으로 반성한다.

문제 해결하기

- 다양한 종류의 친숙하지 않은 문제를 통상적인 방식과 혁신적인 방법 모두로 해결한다.
- 다양한 관점을 분명히 하고, 좀 더 나은 해결책을 이끌기 위한 중요한 질문을 파악하고 묻는다.

명확히 대화하기

- 다양한 팀과 맥락에서 구두로, 서필로, 비언어적 의사소통 능력을 사용하여 생각과 아이디어를 효과적으로 설명한다.
- 지식, 가치, 태도, 의도를 포함하여 의미를 해석하기 위해 효과적으로 경청한다.
- 다양한 목적(예, 정보 전달, 지시, 설득, 동기 부여)을 위해 의사소통을 사용한다.
- 멀티미디어와 테크놀로지를 사용하고 그것의 영향을 평가할 뿐만 아니라 선험적 효과성에 대해 판단하는 방법을 안다.
- 다양한 환경(다양한 언어사용을 포함한)에서 효과적으로 의사소통한다.

타인과 협력하기

- 다양한 팀과 효과적으로, 정중하게 일하는 능력을 보인다.
- 공통의 목표를 완수하기 위해 필요한 조정과 타협을 할 의지와 의사를 가지고 있다.

- 협력적 일에 대한 공유된 책임을 인식하고 각 구성원의 개인적 기여에 대한 가치를 인정한다.

정보에 접근하고 평가하기

- 정보에 효율적이며(시간), 효과적으로(출처) 접근한다.
- 정보의 적합성을 비판적으로 평가한다.

정보를 사용하고 관리하기

- 당면한 이슈나 문제에 대해 정보를 정확하고 창의적으로 사용한다.
- 다양한 출처에서 정보의 흐름을 관리한다.
- 정보의 사용과 접근에 관한 윤리적 · 법적인 이슈에 대한 기초적인 이해를 적용한다.

미디어제품을 생산하기

- 가장 적합한 매체 작성 도구, 특징 및 형식에 대해 이해하고 활용한다.
- 다양한 다문화 환경에서 가장 적합한 표현과 해석을 이해하고 효과적으로 활용한다.

테크놀로지를 효과적으로 사용하기

- 정보의 조사, 조직, 평가, 의사소통을 위한 도구로 테크놀로지를 사용한다.
- 지식경제에서의 성공적 수행을 위해 디지털 테크놀로지(컴퓨터, PDA, 미디어플레이어, GPS 등), 대화 · 네트워크 도구와 소셜 네트워크를 사용하여 정보에 접근하고 정보를 관리, 통합, 평가, 생성한다.
- 정보 기술의 접근과 사용에 관한 윤리적 · 법적인 이슈의 기초적인 이해를 적용한다.

7절 생각해볼 점

1. 교실 내에서 학습 공동체를 구축할 때 교사와 학생은 어떤 책임을 공유하는가? 테크놀로지가 학습 공동체의 목표에 어떻게 도움이 되는가? 혹은 테크놀로지가 어떻게 방해가 되는가?

2. 교수, 학습, 테크놀로지에 대한 당신의 신념은 무엇인가? 학생 중심적이며 구성주의적인 테크놀로지 기반의 학습 경험을 설계하는 데에 헌신적인가?

3. 테크놀로지 기반 학습 공동체와 함께, 학생들은 다른 것들을 다른 속도로 학습한다. 교사는 학생의 다양한 학습 요구를 어떻게 추적하고 학생들 모두가 진전을 보이고 있는지 어떻게 확신할 수 있는가?

4. 모든 공동체에는 잘 맞지 않거나 온전히 참여하기 위해 열심히 애쓰는 주변부에 있는 소외된 사람들이 있다. 교사는 어떻게 모든 학생을 공동체 안으로 끌어들일 수 있는가? 참여하기 싫어하는 학생에게 동기를 부여하기 위해 어떤 조치를 취할 수 있는가?

5. 가상현실과 향상된 그래픽 인터페이스의 등장으로 인해서 언어는 특히 다른 언어를 사용하는 학습자들 사이에서 덜 중요해질 수 있다. 가상 언어(virtual language)는 어떻게 생겼는가? 학생들은 의사소통을 위해서 가상 언어를 어떻게 사용하는가?

6. 일부 사람들은 교실에서 블로그나 위키를 사용하는 것이 바람직하지 않고 학생들이 시간을 낭비한다고 생각한다. 어떻게 답하겠는가?

7. 교육과정과 학생을 지원하기 위해 이 장에서 소개된 테크놀로지 아이디어를 어떻게 사용할 수 있는가?

8. 학교와 지역의 문화는 어떠한가? 혁신적이고, 새로운 교수 방법과 도구가 수용되고 환영받는가? 혹은 현재 상태를 유지하려는 문화인가?

9. 조직에서 IT 부서는 얼마나 협조적인가? 그들은 온라인 도구의 접근을 막는 방화벽과 같은 장애물을 극복하기 위해서 당신과 함께 작업할 수

있는가?

10. 다양한 파트너와 연결되는 협력적인 활동에 참여하는 데 학생들은 얼마나 준비되어 있는가?

참고문헌

Alexander, B. (2006). A new wave of innovation for teaching and learning? *EDUCAUSE Review, 41*(2), 33–44.

Andres, Y. M. (1995). *Collaboration in the classroom and over the Internet.* Retrieved from www.globalschoolnet.org/gsh/teach/articles/collaboration.html

Boulding, K. (2006). *Kenneth E. Boulding.* Retrieved from http://en.wikipedia.org/wiki/Kenneth_Boulding#Quotations

Boyd, S. (2003). *Are you ready for social software?* Retrieved from www.darwinmag.com/read/050103/social.html

DiScipio, T. (2008, Sept/Oct). Adapting social networking to address 21st Century Skills. *Multimedia and Internet Schools.* Retrieved from www.mmischools.com/Newsletters/MmisXtra.aspx?NewsletterID=1719

Giles, J. (2005). Internet encyclopaedias go head to head. *Nature 438*(7070), 900–901.

Giles, J. (2005). "Wiki's wild world." Editorial. *Nature 438*(7070), 890–890.

Hargadon, S. (2010). *Educational Networking (Social Networking in Education).* Retrieved from www.learncentral.org/group/18373/educational-networking-social-networking-education

Johnson, L. F., Levine, A., and Smith, R. S. (2009). *2009 Horizon Report.* Austin, TX: The New Media Consortium.

Johnson, L., Smith, R., Levine, A., & Haywood, K. (2010). *2010 Horizon Report: K–12 Edition.* Austin, TX: The New Media Consortium. Retrieved from www.cosn.org/horizon/

Lamb, B. (2004). Wide open spaces: Wikis, ready or not. *EDUCAUSE Review, 39*(5), 36–48.

National Council for the Social Studies. (1994). *Expectations of Excellence: Curriculum Standards for Social Studies.* NCSS Publications, Bulletin No. 89. Retrieved from www.socialstudies.org/standards/strands#I

NMC: The New Media Consortium and National Learning Infrastructure Initiative. (2005). *The Horizon Report.* Retrieved from www.educause.edu/LibraryDetailPage/666?ID=CSD3737

O'Reilly, T. (2009, October). *Web squared: Web 2.0 five years on.* Retrieved from http://assets.en.oreilly.com/1/event/28/web2009_websquared-whitepaper.pdf

O'Reilly, T. (2005, September 30). *What Is Web 2.0?* Retrieved from www.oreillynet.com/pub/a/ oreilly/tim/news/2005/09/30/what-is-web-20.html

Ostrow, A. (2010). *It's official: Facebook passes 500 million users.* Retrieved from http://mashable. com/2010/07/21/facebook-500-million-2/

Parkinson, J. (2005, Jan. 26). *Boy brings encyclopaedia to book.* BBC News. Retrieved from http://news.bbc.co.uk/2/hi/uk_news/education/4209575.stm

Parkinson, J. (2009). xP21 Framework Defintions. The Partnership for 21st Century Skills. Retrieved June 12, 2010, from www.p21.org/documents/P21_Framework_Definitions

Pearlman, B. (2006, June).New skills for a new century. *Edutopia*, pp. 51–53. Retrieved from http://edutopia.org/magazine/ed1article.php?id=art_1546&issue=jun_06#

Richardson, W. (2006). *Blogs, wikis, podcasts, and other powerful Web tools for classrooms.* Thousand Oaks, CA: Corwin.

Rideout, V., Foehr, U., & Roberts, D. (2010). *Generation M2: Media in the lives of 8- to 18-year-olds.* Kaiser Family Foundation: Menlo Park, CA.

Riel, M. (1990). Cooperative learning across classrooms in electronic Learning Circles. *Instructional Science, 19*(6), 445–466.

Riel, M. (1996, January). *The Internet: A land to settle rather than an ocean to surf and a new "place" for school reform through community development.* Retrieved from www.globalschoolnet.org/ gsh/teach/articles/netasplace.html

Riel, M. (2005). *The teacher's guide to learning circles.* Retrieved from www.iearn.org/circles/ lcguide/p.intro/a.intro.html

Roper, D. (2006). *Quotes from Kenneth Ewert Boulding.* Retrieved from www.colorado.edu/econ/ Kenneth.Boulding/quotes/q.body.html

Scardamalia, M. (2004). CSILE/Knowledge Forum. In *Education and technology: An encyclopedia*(pp. 183–192). Santa Barbara, CA: ABC-CLIO.

Scardamalia, M., & Bereiter, C. (1996). Adaptation and understanding: A case for new cultures of schooling. In S.Vosniadou, E. De Corte, R. Glaser, & H. Mandl (Eds.), *International perspectives on the design of technology-supported learning environments* (pp. 149–163). Hillsdale, NJ: Lawrence Erlbaum Associates.

Scardamalia, M., & Bereiter, C. (2005). Does education for the knowledge age need a new science? *European Journal of School Psychology, 3* (1), 21–40.

Scardamalia, M., Bereiter, C., & Lamon, D. (1994). The CSILE Project: Trying to bring the classroom into World 3. In K. McGilly (Ed.), *Classroom lessons: Integrating cognitive theory and classroom practice* (pp. 201–228). Cambridge, MA: MIT Press.

Wikipedia (2010). *Social network.* Retrieved from http://en.wikipedia.org/wiki/Social_network

Winkler, C. (2005).Are wikis worth the time? *Learning and Leading with Technology, 33*(4), 6–7.

Chapter 07

테크놀로지와 함께
글쓰기

| 이 장의 목표 |

1. 글쓰기를 시각적으로 구성할 수 있도록 하고 창의적인 글쓰기에 유의미한 도움을 제공할 수 있는 테크놀로지 도구를 소개한다.

2. 글쓰기에 블로그가 어떻게 유용하게 활용될 수 있는지 서술한다.

3. 글쓰기를 위해 블로그를 활용하는 블로그 도구들의 가능한 유익을 열거하고 설명한다.

4. 학습자의 글을 인터넷에 출판하는 것을 지원하는 테크놀로지 애플리케이션에 대해 서술한다.

5. 학습자의 협력적 글쓰기를 지원하는 테크놀로지 애플리케이션에 대해 서술한다.

6. 글쓰기에서 학습자의 동료 피드백 활동을 지원하는 테크놀로지 애플리케이션에 대해 서술한다.

7. 이상의 테크놀로지들의 제한점에 대해 서술한다.

8. 이 장에 소개된 테크놀로지 기반 글쓰기 활동과 관련된 NETS와 21세기 역량의 목록을 제시한다.

이 책에서 언급하고 있는 모든 학습과제가 중요하지만, 글쓰기 교육은 많은 학교 과제뿐 아니라 수많은 일상적이고 업무관련 과제들—예를 들어 친구나 가족과의 개인적인 의사소통에서부터 직장의 흔한 서면보고서에 이르기까지—의 기본 바탕이 된다. 더욱이, "언어과목"은 21세기 역량에서도 핵심과목에 속한다

(Partnership for 21st Century Skills, 2004). 이러한 이유들뿐만 아니라, 현재의 "책무성"과 고부담 시험이 강조되는 현재의 추세에서, 국가 및 주 단위 학업 성취 기준들도 글쓰기 성취를 크게 강조하고 있다(National Council of Teachers of English, 1996).

교사들은 잘 알고 있는 사실이지만 많은 학생들이 연령에 상관없이 글쓰기를 잘 하고 즐기는(혹은 최소한 싫어하지는 않는) 법을 배우는 것에 어려움을 겪고 있다. 사실, 글쓰기는 테크놀로지를 적용한 최초의 핵심적인 학습성과들의 하나라고 할 수 있다. 너무 익숙해져서 그 영향을 잘 깨닫지 못하지만, 워드프로세서(문서작성기)는 글을 쓰고 편집하는 것을 가능하도록 했고 지금도 그 기능을 수행하고 있다. 학교 학습의 대부분의 영역에서 너무 보편적으로 사용되기 있기 때문에, 이 장에서는 워드프로세서를 다루지 않는다. 대신 이 장은 개인적, 혹은 협력적 글쓰기를 도와주는 최신의 테크놀로지 도구들에 초점을 맞춘다.

최근 들어 글쓰기가 140자의 "트위트글"로 짧아지는 경향이 있지만, 오늘날 사회에 필요한 기능을 수행하기 위해서는 여전히 장문의 글쓰기가 필요하다. 글쓰기 자체는 다음과 같은 많은 하위과제들로 구성된 복합적 활동이다(Flower, Schriver, Carey, Haas, & Hayes, 1989).

- 목표 세우기
- 계획하기
- 아이디어 조직화하기
- 작문하기
- 편집하기

우리가 다룰 테크놀로지 도구들은 다양한 방법으로 이런 과제들을 지원한다. 이 장에서 우리는 글쓰기의 다양한 구성요소들을 언급하고 테크놀로지가 개인적 혹은 협력적 글쓰기 상황에서 어떻게 이런 요소들을 지원하는지를 살펴볼 것이다.

1절 시각화 도구를 활용한 글쓰기 지원: 구성하기, 계획하기, 반성하기

일반적으로 글을 쓰기 전에 아이디어들을 조직화하는 것이 글쓰기 과정의 중요한 부분이라고 받아들여지고 있다. 이 절에서는 이런 활동을 도와주는 몇 가지 테크놀로지를 소개하는데, 이것들은 학습자가 글의 구조를 외연적으로 시각화할 수 있도록 돕는다.

개념도를 활용하여 아이디어들을 시각적으로 조직화하기

개념도를 작성하는 것은 개념들을 선(혹은 링크)으로 연결한 시각적인 지도를 그리는 활동이다. 개념도—종종 의미관계망 혹은 인지지도라고 불리는—는 영역지식의 의미구조를 표상화하고, 이를 통해 이런 의미구조를 기존의 정신구조(8장 참조)와 연결할 수 있는 도구를 제공한다. 개념도 작성은 주요 개념의 파악, 개념들의 공간적 배치, 개념 간의 관계 파악, 개념 간 관계 등을 정의하는 활동들을 포함한다. 다음에서 다루겠지만, 이 과정은 글쓰기 계획 및 쓰여진 글의 분석에도 적용될 수 있다.

개념도는 카드, 줄, 종이, 연필, 접착식 메모지 같은 간단한 도구를 사용하여 직접 손으로도 그릴 수 있다. 하지만, 다양한 컴퓨터 기반의 의미관계망 소프트웨어들은 보다 손쉽게(그리고 더욱 효과적으로) 개념도를 작성할 수 있도록 해준다. 몇 가지 컴퓨터 기반 개념도 작성 도구가 있는데(Wetzel, 2010), 표 7.1에 그 예가 제시되어 있다.

이런 프로그램들은 개념도 작성을 위해 시각적, 언어적 화면 도구들을 제공한다. 학습자는 이런 도구들을 활용하여 특정 지식영역에서 주요 아이디어나 개념들을 파악하고, 생각들 간의 관계들에 대한 이름을 붙임으로써 개념의 다면적 연결망 속에서 생각들 간의 관계를 설정하게 된다. 이런 도구들은 그 기능과 특징에서 다양한데, CMap과 Inspiration처럼 교육적 활용에 보다 초점이 맞추어져 있는 도구들도 있다.

개념도는 노드(node, 개념이나 생각)와 그것들을 잇는 링크(link, 관계에 대한 진술)로 구성된다. 컴퓨터 기반 개념도에서, 노드는 정보 블록, 카드, 혹은 프로그램이 제공하는 그림 아이콘의 형태로 표시되고 링크는 명칭이 붙여진 선들(예, 그림 7.1에서 "~에 의해 연구되다")로 나타난다. 링크에 대한 설명적인 연결 명칭(레이블)을 붙이는 것이 개념도 작성의 핵심적인 부분이므로, 교사는 개념도 작성 혹은 의미관계망 프로그램을 선택할 때, 해당 프로그램이 이와 같은 명칭을 부여하는 기능을 제공하는 지 확인하여야 한다.

글쓰기 과정에서 개념도는 효과적인 분석 도구일 뿐만 아니라 계획 도구로도 활용될 수 있다. 학생들이 논문이나 발표를 계획할 때, 개념도를 작성하여 생각들을 생성하고 조직화할 수 있다. 유치원 학생들과 같이 어린 학생들도 Kidspiration — Inspiration의 유치원-초등판 — 과 같은 도구를 사용하여 자신의 책을 쓸 수 있다(Bafile, 2009). 뿐만 아니라, 어떤 이들은 이런 도구의 시각적 특성이 아이들로 하여금 자신의 생각을 나타내도록 만들게 함으로써 글쓰기에서 종종 나타나는 "빈 여백"에 대한 두려움을 극복하도록 해준다고 주장한다(Bafile, 2009).

개념도는 글쓰기 과정에서 여러 방식으로 사용될 수 있지만, Anderson-Inman과

표 7.1 개념도 작성 소프트웨어 도구 예시

C-Map http://cmap.ihmc.us	Mac이나 PC 구분 없이 무료로 사용할 수 있는 도구이며 모든 연령대의 사용자에게 적합하며 17개 언어를 지원한다. 무료이면서 사용이 간편하여 사용자가 늘어나고 있으며 유치원부터 고등학교 학생들까지를 위한 애플리케이션이나 예들이 확대되기를 기대한다.
Inspiration/Kidspiration www.inspiration.com	많이 알려진 도구로 Mac이나 PC에서 모두 구동이 가능하다. 아동을 위한 Kindspiration 버전이 있으며, 시각적으로 잘 구성되어 있으나 지식의 구조화나 생각의 전개를 위한 지원은 미흡한 점이 있다. 예를 들면, 모든 지도는 한 페이지에 그려야 하고 학습자가 노드 사이의 의미 있는 연결을 생성하고 구성하기보다는 프로그램이 제공하는 그림으로 표시된 아이콘을 선택하는 데 치우칠 가능성이 있다.
MindMeister www.mindmeister.com	온라인 도구로서 무료와 유료 버전이 있다. 결제가 필요한 "Academic" 버전은 무제한 수의 지도와 협력적 지도 작성을 지원한다. 노드 간 링크 연결에 명칭을 부여하는 기능은 없다.
Visual Thesaurus www.visualthesaurus.com	입력한 단어와 연관된 단어들에 대한 시각적 연관 단어 목록을 제공하는 것에 특화된 지도 작성 도구이다.

Horney(1996)는 브레인스토밍을 위해 개념도 작성 활동의 활용 단계를 기술하고 있는데, 이때 개념도 작성 활동은 글쓰기 구조와 실제 작문을 위한 선행자 역할을 한다. 이 활동은 학생들이 협력함으로써 완수하도록 고안되어 있으며 컴퓨터 프로젝터의 사용은 학생들이 지도의 진행을 파악하여 협업에 도움이 되도록 할 수 있는 능력을 향상시킨다.

1. 학생들은 아이디어들을 평가를 하지 않고 신속하게 만들어낸다. 한 학생을 "기록자"로 선정하여 개념도 작성 소프트웨어에서 관련된 노드와 연결들을 생성하도록 한다(그림 7.2a 참조). Inspiration과 같은 도구는 키보드의 키 조합으로 신속하게 노드들을 생성할 수 있도록 한다.
2. 학생들은 기존 아이디어들을 묶음(Cluster) 속으로 배열시킨다. 스크린 안에 있는 노드들은 묶음 속으로 드래그된다(그림 7.2b 참조).

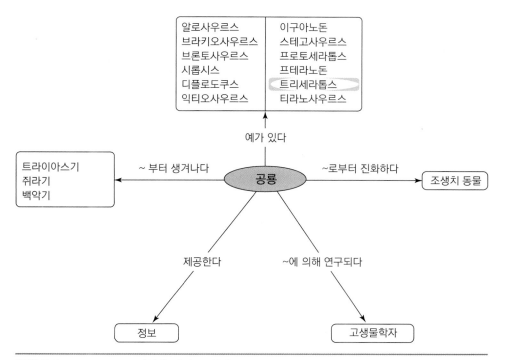

그림 7.1 Semantica로 작성한 개념도 예시

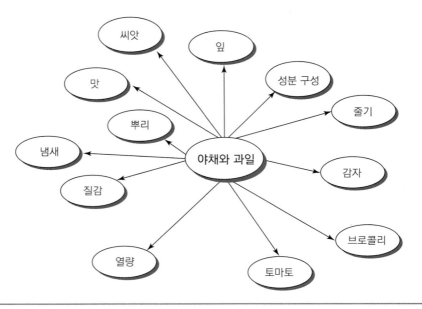

그림 7.2a 개념도 첫 번째 초안

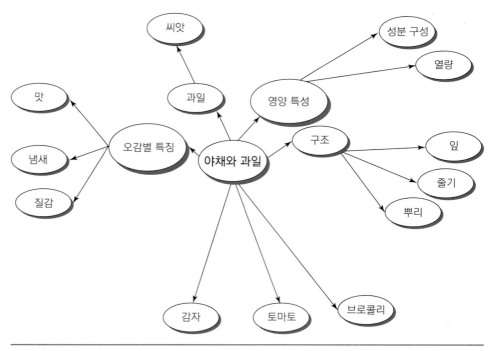

그림 7.2b 묶음(cluster)으로 정렬된 개념도

3. 학생들은 새롭게 구성된 개념도를 정교화하여 그 개념도가 논문, 보고서, 혹은 발표의 작성에 더욱 도움이 되도록 한다. 이런 정교화는 중복된 생각들을 편집하고, 연결을 추가하여 보다 잘 구성된 개념도를 생성하고(그리고 단절 혹은 거의 단절된 노드들을 삭제하고), 연결에 대한 명칭을 가다듬는 작업들을 포함한다(그림 7.2c 참조).

개념도는 다른 형태의 글쓰기 활동을 구성하기 위한 초기 지원이나 템플릿으로 활용될 수 있다. 예를 들어, NoodleTools(noodletools.com)처럼 연구노트 작성을 지원하는 특정한 형태의 글쓰기를 위해 고안된 도구들이 있는 반면, 개념도는 하나의 도구로 다양한 글쓰기 형식을 지원한다는 장점을 지니고 있다. 그림 7.3은 학생들이 설득적 논쟁을 시작할 수 있는 지도 템플릿을 보여주는데, 많은 개념도 프로그램들은 이와 유사한 템플릿들을 연구주제 개발, 발표내용 구성, 혹은 서지 작성 등의 글쓰기 활동을 위해 제공하고 있다. 주의해야 할 점은 경험을 통해 볼

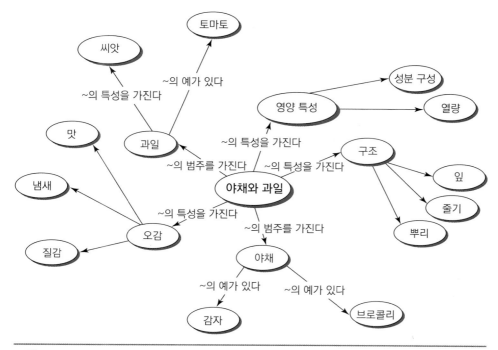

그림 7.2c 정교화된 개념도

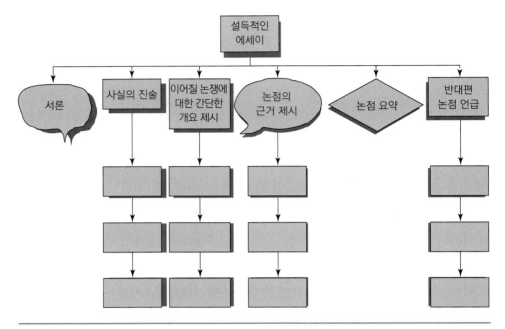

그림 7.3 설득적 논쟁을 위한 개념도 템플릿

때 학생들은 단순히 템플릿에 있는 노드의 이름을 바꾸는 정도로, 제한적으로만 지도를 작성하려는 경향이 있으므로 교사들은 지도 템플릿을 사용할 때 세심한 고려를 하여야 한다. 템플릿을 활용할 경우, 학생들은 템플릿이 어떻게 글의 종류에 맞게 완전하게 개발된 지도로 바뀌는지 볼 수 있어야 한다.

요약하면, 글쓰기 선행자로서 개념도 사용의 강점은 그 과정이 학생들로 하여금 자신이 아이디어를 만들면서, 적극적으로 그 아이디어들을 평가하고 분석하도록 만든다는 점이다. 개념도를 작성하기 위해 학생들은 먼저 주요 개념을 식별하고, 상호관계성을 포함하여 그 개념들을 소프트웨어상에 나타내야 한다. 즉, 개념들 사이의 관계들을 소프트웨어 안에서 표현해야 한다. 이것이 의미하는 것은 학생들은 그들의 글쓰기의 목적에 있어 중요한 아이디어를 식별하기 위하여 통합적으로 정보의 출처들을 다루어야 한다는 것이다.

학생들은 개념들을 단순히 정의하기보다는 자신들이 이미 식별한 다른 아이디어들과 어떻게 관계되는지를 묘사할 필요가 있다. 그런 다음, 학생들은 자신들의 글에서 이런 관계들을 정교화할 것이다. 이 과정은 다른 학생들과의 협력을 통해 강화될 수 있다. 또한 우리는 개념도 작성을 활용한 조직화 과제가 어떤 종류의 글쓰기(예, 연구보고서, 산문, 운문)에도 적용될 수 있다는 점에 주목한다(물론 글쓰기별로 약간의 다른 수업이 필요하지만). 마지막으로, 그리고 보다 실제적인 관점에서, 지도 작성 도구들의 시각적인 속성은 학생들이 자신들이 지금까지 작성해온 것을 추적하여 살펴볼 수 있도록 돕고, 더 나아가 그것들이 글로 표현되기 전에 손쉽게 "편집"하거나 구조를 변경 가능하도록 한다.

우리는 이런 도구의 가장 큰 힘은 학생 스스로 자신의 지도를, 그리고 노드 간의 관계들을 묘사하는 명칭을 만들 때에만 가능하다고 여긴다. 처음에는 교사들이 학생들이 소프트웨어를 배우는 것을 도와주고, 예시 지도를 제공하며, 학생이 만든 지도에 대한 지속적인 피드백을 제공할 수 있다. 또한 완성된 지도를 글로 전환하는 것에 대한 예들이나(지도 전체 혹은 일부분을 한 문단의 글로 전환해보는 것과 같은) 상호작용적 수업을 실시할 수도 있다. 하지만, 학생이 자신의 지도와 연결들을(혼자서 하든 협력적으로 하든) 스스로 만들지 않으면, 글쓰기 활동을 위해 생각하고 있는 아이디어들을 적극적으로 구조화하고 평가할 필요를 느끼지 못할 것이다. 경험을 통해 볼 때, 교사들이 학생들에게 어떻게 지도를 그리는지 제시할 경우, 학생들은 그 지도를 거의 똑같이 따라 그리는 경향이 있다. 그럴 경우, 교사는 학생들에게 기초적인 의미관계망에 대한 질문들을 함으로써 학생들이 이런 관계들을 명확히 하고, 필요한 경우 수정하며, 더 유용한 지도를 작성할 수 있도록 도울 수 있다. 이런 촉진과 피드백 활동들은 글로 전환하기에 보다 적합한 지도를 작성하도록 해줄 것이다.

아이디어의 시각화와 단어 사용

개념도와 같은 도구들은 학생들이 글쓰기 이전 및 과정 중에 자신의 생각과 아이디어들을 조직화할 수 있도록 돕는다. 기술한 바와 같이, 개념도의 강점 중 하나는 개념도가 글쓰기 과제에서 아이디어들이 어떻게 연관되어 있는지를 시각적으로 보여준다는 것이다. 글로 쓰려는 개념들을 어떻게 조직화하는가에 대한 학습자의 아이디어들을 "외연화"하는 것은 학습자가 그 구조를 깨닫고 더욱 용이하게 수정할 수 있도록 돕는다.

글쓰기 과정에 도움이 될 수 있는 또 다른 시각화 도구가 Wordle(www.wordle.net)이다. Wordle은 사용자가 제공한 단어들을 바탕으로 "단어구름(word clouds)"을 생성해주는 무료 온라인 도구이다. Wordle은 주어진 텍스트에서 각 단어의 빈도수를 바탕으로 텍스트 이미지를 만든다. 그림 7.4는 이 책의 1장의 텍스트에서 만들어진 Wordle 구름이다.

Wordle은 태그 구름을 바탕으로 하는데 태그 구름들은 사용자들이 문서의 내용을 "태그" 혹은 표시하여 클릭할 수 있는 단어들의 상자를 만들어주는 애플리케이션들이다. 태그 구름은(누군가 텍스트 위에 "표시"해놓은) 태그들로만 구성되어 있다. Wordle 창시자는 태그들을 뒤로 두고 단어 수에만 근거한 시각적 이미지를 만들고자 하였다.

Wordle은 기능적 측면에서 아주 간단하다. 그것은 주어진 텍스트에서 각 단어의 수에 기초한 이미지를 생성하는 기능만 수행한다. 가장 빈번히 사용된 단어는

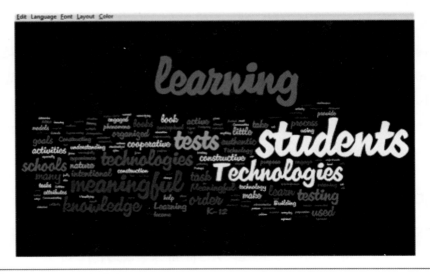

그림 7.4 Wordle 구름 예시

이미지에서 가장 큰 글씨로 나타난다. 그림 7.4에 보이듯이, 제1장에서 발췌한 텍스트에서는 "learning(학습)"과 "students(학생)"가 비슷한 정도로 가장 강조됨을 알 수 있다. Wordle 이미지는 PDF나 화면그림(Screenshot) 파일로 저장할 수 있다. 많은 Wordle 이미지가 온라인 갤러리에 올라와있다. 하지만, 교사들은 이런 그림들이 검증되지 않았음을 유념해야 한다. 사용자들은 색의 구성이나 글씨체와 같은 간단한 조작을 할 수 있다.

　Wordle은 수업 중 재미 삼아 해볼 수도 있고, 텍스트에 대한 성찰적 사고와 토론을 촉발하기 위해 활용할 수도 있다(텍스트 분석에 보다 초점을 두고 있는 경우와 같이). 모든 애플리케이션이 글쓰기를 지원하는 것은 아니지만 아래의 예들은 글쓰기에 초점을 두고 있다.

　Reed 교사는 자신의 수업 블로그 사이트에 어떻게 1학년 학생들이 형용사에 대한 복습과제로 Wordle을 사용하도록 했는지를 소개하고 있다(http://mrsreedsvirtual classroom.blogspot.com/2010/01/wordle_28.html). 학생들은 먼저 하나의 명사를 꾸미는 20개의 형용사를 생성하였다. 그 다음, 그들은 Wordle을 활용하여 그 명사와 형용사들을 시각적으로 표현하였다. 그림 7.5는 한 학생이 hamsters라는 명사와 관

그림 7.5 Hamsters라는 명사와 부가적인 형용사에 대한 Wordle 이미지

련된 형용사들을 표현한 것을 보여준다. 교사가 이런 Wordle 이미지들을 학생들 간 혹은 교사-학생 간의 토론의 자료로 활용했을 것이라는 짐작을 할 수 있다. 이런 토론들을 통해 단어의 의미, 철자(plays와 같은 동사를 형용사로 잘못 분류하는 것과 같은) 오개념 활용에 대해 명확하게 이해할 수 있다.

다른 교사는 Wordle 구름을 학생들의 시 작문을 돕는 데 사용하였다(NA, 2008; hppt://twowhizzy.blogspot.com/2008/06/wordle-thinking-about-time-poems-and.html). 교사는 먼저 시의 몇 가지 특징(반복되는 2행 구조, 일련의 명사와 의성어로 된 동사들을 활용한 시적 운율)이 나타나는 시 한 편을 Wordle 이미지로 만들었다. 교사는 아이들이 시 읽기와 연계하여 Wordle을 통한 시의 "구조"를 공부할 때 이런 구조들을 더 잘 "파악"할 수 있다고 주장한다.

그런 다음, 교사는 학생들에게 Wordle을 활용한 수업을 통해 배운 구조들을 사용하여 자신의 시를 쓰라고 한다. 학생들은 단순히 명사와 동사구를 바꾸는 것에서부터 조금씩 시작한다. Reed 교사의 예에서와 같이, 학생들은 자신의 시에 대한 Wordle 이미지를 만들고 이 이미지를 활용하여(Wordle 이미지에서 큰 글자로 표시된) 자주 사용되는 단어와 덜 사용되는 단어에 대한 토론을 한다. 덜 사용된 단어의 경우는 작문 수정에서 고려될 수도 있을 것이다.

하지만, Wordle 개발자는 이 도구의 몇 가지 제약에 대해 명확히 기술하고 있다. 교사와 학생들은 모두 다음과 같은 제한점들이 Wordle 사용과 그 결과물 해석에 어떻게 영향을 미칠 수 있는지를 이해하고 있어야 한다.

- *단어들의 크기는 "있는 그대로"를 보여준다.* Wordle은 이미지를 생성할 때 단어의 길이를 고려하지는 않는다. 따라서 같은 빈도로 사용된 두 단어가 있을 때, 좀 더 긴 단어가 더 많은 공간을 차지하게 되어(사실과는 다르게) 좀 더 빈번히 사용된 것처럼 보이게 한다.
- *Wordle 이미지에서 단어의 색깔은 의미가 없다.* 색깔은 단어의 중요도나 빈도와 아무 상관없고 단지 시각적인 효과와 단어 간의 시각적 대비를 위해 사용될 뿐이다. 글자체도 마찬가지로 단지 심미적인 효과 외에는 다른 의미

가 없다.

- *Wordle 이미지는 비교할 수 있는 것이 아니다.* Wordle은 단어의 수를 세지만, 텍스트를 서로 비교하기 위한 도구는 아니다. 왜냐하면 단어 빈도수가 글의 구조나 완전한 의미를 나타내는 것은 아니기 때문이다.

이 글쓰기 활동에서 아주 핵심적인 도구라고 볼 수는 없지만, 앞의 예들에서와 같이 Wordle은 학생 간 혹은 학생-교사 간의 토론을 위한 장을 제공한다고 할 수 있다. 최근 설문조사에서 Wordle 사용자 중 응답자의 거의 2/3가 "텍스트에 대해 뭔가 새로운 것을 배웠다"라고 하였으며, 절반 이상이 텍스트에 대한 "이해를 확실하게 해주었다"라고 대답하였다(Viégas, Wattenberg, & Feinberg, 2009).

2절 테크놀로지로 창의적 글쓰기와 출판 지원하기

많은 중학생들과 마찬가지로, Eileen Skarecki 교사가 근무하고 있는 뉴저지에 위치한 콜롬비아 중학교 학생들은 유명한 청소년 소설인 『The Pigman』[1]을 읽는다. Skarecki의 말에 따르면 그 소설은 "독자에게 열린 결말을 제시하는" 소설이다. Eileen Skarecki 교사는 학생들에게 마지막 장을 쓰게 만들고 그것을 인터넷에 올려 다른 사람들이 읽고 댓글을 달도록 하였다.

글쓰기 국가위원회(National Commission on Writing)의 주장은 테크놀로지에 기반한 글쓰기의 특징이 글을 어떤 형태로든 출판 가능하다는 것이기 때문에, 테크놀로지 도구의 사용은 글쓰기에 대한 동기를 제공해줄 수 있다는 것이다(Lenhart, Madden, Macgill, & Smith, 2007). 이 장에 소개된 모든 도구들은 글쓰기의 다른 측

---

1) 역주: The Pigman은 Paul Zindel이 1968년에 처음 출판한 청소년 소설이다. 초중고 학생들의 읽기 과제로 많이 활용되는 소설로서 고등학생인 두 주인공 Lorraine Jenson과 John Conlan이 그들이 Pigman이라고 부르는 Mr. Pignati의 집을 방문하면서 생기는 사건을 그리고 있다. 마지막에 Mr. Pignati가 사망하고 두 주인공이 Mr. Pignati와의 우정에 대한 "기념비적인 서사소설"을 쓰기로 결심하는 것으로 마친다.

면들에 대해 혁신적이면서 유의미한 지원을 제공한다. 하지만 글쓰기와 관련된 테크놀로지들에서 가장 큰 성장을 보이는 것은 개인의 독창적인 글을 인터넷에 출판하는 부분일 것이다. 예를 들어, Pew 연구센터의 최근 연구는 온라인을 사용하는 십대들의 64%가 인터넷에서 최소 한 번 이상의 창작 활동에 참여하였음을 보여준다. 더 나아가, 28%는 자신의 온라인 블로그나 저널을 만들었다는 것이다. 이는 2004년의 19%에서 더 커졌음을 보여준다(Lenhart et al., 2007). 한 미디어 문화 전문가가 "저작권 사회"라고 일컬은(Rushkoff, 2004) 이런 추세가 곧 인터넷 접속을 할 수 있는 누구나가 인터넷에 있는 자료에 자신의 생각들을 덧붙일 수 있는 사회인 것이다.

웹에 자신의 작품을 올려 대중적인 접근이 가능하도록 하는 이런 단순한 활동은 학생들로 하여금 자신의 과제를 더욱 진지하게 대하고 자신의 작품에 대해(이런 활동이 아니면 거의 하지 않았을) 숙고하는 단계로까지 이끈다. 이는 또한 글쓰기에 목적을 부여하고 자신이 쓰는 글에 대해 비판적으로 생각하도록 만들며, 다른 사람의 글을 읽어보고 자신의 것과 비교하도록 한다. 웹 출판으로 촉발된 이런 새로운 차원의 성찰적 사고에 더하여, 학생들이(학문적 성장에 도움이 되도록 자신과 타인의 글에 대해 생각하도록 하는) 더욱 깊은 성찰을 하도록 유도하는 활동들을 설계할 수 있다. 이 장의 다음 몇 개의 절에서는 글쓰기의 창작 과정이 어떻게 테크놀로지 도구에 의해 지원되고 유의미하게 강화되는지를 탐색하게 될 것이다. 어떤 테크놀로지 도구들은 이런 창작 과정을 지원하고 어떤 것들은 간단히 학생 작품에 대한 공개 포럼을 제공하는 것들이겠지만 도구 자체가 학생의 성장을 이끈다.

아이디어의 출판을 위한 블로그 활용

"웹 로그(Web logs)"의 줄임말인 블로그(Blog)는 학습자 간의 유의미한 의사소통을 강화하고 지원하는 수단이다. 읽기와 쓰기 기능을 갖춘 블로그는 웹 2.0의 전형적인 모습이다. 한 플로리다 교육청의 테크놀로지 코디네이터는 "주지하다시피 블로그는 웹 2.0을 시작했고 우리를 읽기/쓰기의 웹 시대로 이끌었다"라고 말한다

(Riedel, 2010에서 인용). 블로그는 글쓴이가 선택한 내용을 창작하고, 수정하고, 거의 즉각적으로 출판하는 것을 용이하게 해주는 웹사이트의 한 형태이다. 블로그가 처음 소개되었을 때는 사용자 간의 상호활동이나 댓글 같은 것이 없는 단순한 개인 일기와 같은 것이 주요 목적이었다. 초창기의 이런 상호작용의 결여는 위키(wikis)와 차별되는 점이었다.

하지만, 초기 시기 이후, 블로그의 목적과 기능은 많은 블로그들이 높은 상호작용적인 공간이 되면서 진화하였다. 독자들은 블로그 내용에 대한 반응(댓글)을 올림으로써 일방적인 독백이 아닌 대화의 기회를 만든다. 블로그 글쓴이는 자신의 블로그에 나타난 의견들에 대한 증거를 대거나 반박하는 다른 블로그의 링크를 포함함으로써 많은 웹사이트들과 연결할 수 있다. 블로그 구조는 역연대순으로, 가장 최신의 내용이 블로그 페이지의 맨 위에 위치한다. 블로그의 일반적인 특징들로는 다른 웹사이트가 이 블로그로 직접 연결되는 상설링크(퍼머링크, permanent link)를 추가할 수 있는 기능, 게시 글들을 저장하는 기능, 현재 보고 있는 웹사이트에서 자신의 블로그에 링크를 연결하는 기능, 블로그 내용 검색을 위해 블로그에 검색엔진을 추가하는 기능이 있다. 블로그의 공개적인 특성과 출판이 가능한 점은 다른 블로그 글에 의견을 달 수 있는 기능과 더불어 블로그를 강력한 의사소통 도구가 되도록 하지만, 기본적으로 문자적 특성을 가진 블로그는 글쓰기 과제를 도와줄 수 있다.

왜 블로그인가?

교육상황에서, 블로그 사용은 특정 수업의 포털 사이트에서 학생의 개인적인 글쓰기 결과물에 이르기까지 다양한 범위에 걸쳐 있다. 예를 들어, 학생은 소설이나 역사적 상황의 한 인물로 분해 그 인물의 입장에서(인물로서) 블로그 글들을 올릴 수 있다. 블로그의 심도 있는 교육적 활용의 예들을 제시하기 전에, 블로그를 사용하는 근본적 이유들을 간단히 살펴보자. 블로그의 활용처럼, 블로그를 사용하는 이유들도 다양하다. Richardson(2010)은 최근의 저서에서 학생의 블로그 활동이 지닌 몇 가지 잠재적인 교육적 장점들을 제시하는데 그 중 얼마의 예와 설명은 다음과 같다.

- *교실 "벽"을 넘어 교실경험을 제공하기* 인터넷 게시를 본질로 하는 블로그는 학생들이 교실이나 건물 내 환경에서는 만나기 어려운 다른 학습자나 전문가와 연결할 수 있는 기회를 제공한다. 고등학교 교사인 Micah Mathis는 자신의 "mhs pshychology blog"(www.mhspsychology.blogspot.com)를 수업시간에 직접 다루지 못한 자료를 더욱 깊이 탐구하도록 돕는 데 사용했다고 말한다. 그는 학생들이 인터넷을 활용하여 추가적인 탐구를 하거나 수업시간에 배운 개념을 실제 현실에 적용하도록 하는 방식으로 블로그 게시물을 구성하였다.

- *블로그 게시는 다양한 학습 스타일과 맞출 수 있다.* 이 점은(온라인 공개토론의 예와 같은) 다른 비동시적 표현형식과 비슷하다. 수업시간에 발표하는 것을 꺼려하는 학생들은 자기 시간에 올리는 블로그 게시를 통해 자기 목소리를 낼 수 있다. 궁극적으로, 이것은 모든 학생의 보다 완전한 참여를 이끌어낼 수 있다. Mathis 교사의 다른 목표는 수업토론에 대체로 참여하지 않는 학생들을 격려하는 것이었다. 어떤 학생들은 대중 앞에서 말하는 것에 대한 두려움이 있거나 자신의 느낌이나 생각을 말하는 것에 대해 시간적인 압박을 느끼고 있었다. Mathis 교사는 "블로그는 반응하는 데 좀 더 시간이 걸리는 학생들이 충분한 시간을 가지고 온라인 토론에 참여하도록 해주었다"라고 말했다.

- *블로그는 다루는 주제에 대해 참여자의 경험을 더욱 강화시킬 수 있다.* 그림 1.1을 참고하면, 블로그는 전체는 아닐지라도 유의미학습의 몇 가지의 특성(예를 들어, 능동적, 구성적, 의도적, 실제적, 협력적인 면)을 포함하고 있다. 만약 한 학생이 자신이 속한 공동체의 재활용 비용과 이익에 대한 블로그를 개발하고 있다면, 블로그 게시물을 만드는 활동은 그 학생이 그 분야에 대한 전문성을 개발하고 통합할 것을 요구한다. Richardson(2010)은 그 학생은 실제로 그 주제에 대한 지식의 "데이터베이스"를 만들고 있는 것이

라고 말한다. 우리는(블로그가 데이터베이스처럼 입력되거나 인덱스화되거나 하지 않기 때문에) 그의 주장에 동의까지는 않는다. 하지만, 학생이 블로그를 통해 탐구하고 자신의 관점을 제시하기 때문에 블로그 게시글을 작성하는 것은 학생의 지식의 구성과 통합을 위한 장치가 될 수 있다. 더 나아가, 게시물에 대해 응답할(그리고 자신의 입장을 수정하거나 변호할) 필요성은 지식의 수정, 혹은 개념의 변화를 이끌 수 있는데, 이들은 강력한 학습 형태로 여겨지는 것들이다.

■ *블로그 활동과 외부 독자들 및 그들의 댓글은 작가에게 동기를 부여할 수 있다.* 초등학교 교사인 Anne Davis는 4, 5학년 학생들에게 블로그에 글을 쓰게 하고 그들의 멘토 역할을 한 고등학생들로 하여금 읽도록 하였는데 "외부 독자가 있다는 것이 아이들에게 큰 차이를 가져왔다. 아이들은 자신의 글을 다른 사람이 읽는다는 것을 믿을 수 없을 정도로 놀라워했다"라고 보고했다(Falloon, 2005).

블로그 활동의 다른 잠재적인 유익은 자기반성, 비판적 반성을 이끌고, 학습자 간에 가상 공동체의 형성과 협력을 북돋우며(Cook & Schwier, 2008), 유추적 사고를 장려하는(Eide Neurolerning Blog, 2005) 것이라고 제시되었다.

교육상황에서 글쓰기를 지원하는 블로그의 창의적인 활용법의 몇 가지 예들을 살펴보기 전에, 한 가지 주목해야 할 점이 있다. 그것은 블로그 활동의 잠재적 유익에 대한 엄청난 열광에도 불구하고 학생에 대한 블로그 활동의 효과 연구는 아직 초기단계에 있고 현재까지의 대부분의 자료들은 엄격히 말해 사례 소개 정도에 그치고 있다는 점이다. 몇 가지 예외로 Pew Internet and American Life Project의 최근 연구들이 있는데, 그 연구들은 십대 블로그 사용자들이 다른 비교 대상자들보다 훨씬 더 많은 글을 쓴다는 것을 보여주었다(Lenhart et al., 2007). 소수의 고등학생 블로거들을 대상으로 한 연구는 그들이 자신의 생각을 더욱 명료화하고 자신의 페이퍼를 쓰기 시작하는 데 블로그 활동이 도움을 주었다고 생각한다고 밝혔다(Ramaswami, 2008). "빈 공백"의 어려움을 생각해볼 때, 후자의 결과는 주목할 만한 가치가 있다.

블로그로 글쓰기와 출판하기의 예들

Maine 주의 Wells에 있는 Wells 초등학교에서 3, 4학년 전직교사였던 Bob Sprankle 은 2005년 Edublog Award의 수상자이다. "Room 208"(http://bobsprankle.com/blog/index.html)이라는 그의 수업 블로그 사이트는 어떻게 어린 작가들이 개인 블로그를 활용하여 자신의 아이디어를 출판하고 학급 내뿐 아니라 블로그상의 모든 사람들과 나누는지를 보여준다(그림 7.6 참조). Elizabeth는 자신의 블로그에 쓴 "햄스터와 쥐"라는 이야기와 용 한 마리의 그림을 올려놓았다.

Elizabeth의 블로그를 방문했던 사람들은 그녀에게 많은 긍정적인 피드백을 제공하였다. 예를 들어 한 독자는 Elizabeth가 용의 그림에 두려움의 감정을 그려넣은 방식에 대해 댓글을 남기고 이 그림에 대한 이야기를 쓰는 것이 어떠하겠느냐

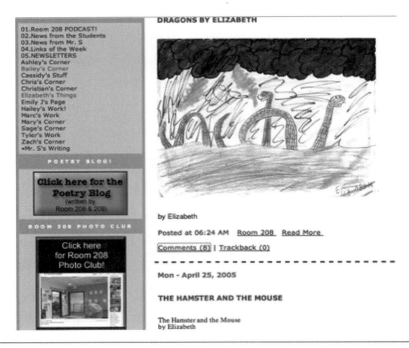

그림 7.6 Elizabeth의 그림과 이야기의 블로그 목록

는 제안을 하였다. 이런 종류의 "동기부여적인" 피드백은 어린 작가들을 위한 블로그의 장점들 중 하나다. 많은 사람들이 글쓰기 과제를 시작하는 것을 어려워하거나 아무도 자기 글에 관심이 없을 것이라고 염려를 한다. 이런 피드백들은 어린 작가들에게 스스로가 아이디어의 전달자라는 개념을 심어주고, 다른 작가 공동체와의 대화에 참여하게 하며, 자신의 글에 대한 성찰적 사고를 독려한다.

Richardson(2010)은 글쓰기 기술을 개발하기 위한 블로그 활동을 고려할 때 블로그가(효과적이고 완전히 활용된다면) 어떻게 "결합적인 글쓰기"로 생각될 수 있는지 보여준다. 그는 결합적인 글쓰기란 "글쓴이들로 하여금 세심하고 비판적으로 읽도록 하고, 글의 구성에서 명료성과 타당성을 요하며, 광범위한 독자를 대상으로 하고, 생각의 출처들과 연결하는"(p. 28) 글쓰기의 한 형태라고 묘사한다. 미국 북동부의 한 십대 블로거의 The Newly Ancient(www.newlyancietn.com)라는 블로그는 "결합적 글쓰기"의 몇 가지 측면을 보여주고 있다. 그림 7.7은 당시 오바마 대통령 당선자에 대한 그의 소망들에 대해 토의하는 게시글을 보여주고 있다.

이 예는 블로그 글쓰기가 어떻게 읽기와 통합으로부터 시작되어야 하는지를 보여준다. 비록 이 블로거는 개인적인 생각과 소망을 표현하지만("나는 희망하기를 오마마 대통령 당선자가…"), 그 게시물은 전제를 제시하고 다른 출처들을 연결함으로써 그 이상의 것들을 하고 있다.

한 뉴질랜드 학교의 수업 블로그인 "Te Ao O Tamaki"(http://teaotamaki.blogspot.

오바마 대통령 당선자에게서 내가 가장 좋아하는 것은 그가 그를 당선되도록 했던 테크놀로지의 힘을 아주 폭넓게, 진정으로 이해하는 첫 번째 대통령이라는 사실이다. 이미 그는 그의 강력한 테크놀로지 플랫폼을 정부로 가져오기 시작했다. 나는 그의 임기 내에 모든 시민들이 접근할 수 있는 용이하고 비독점적인 XML과 같은 형식으로 정부자료가 공개되는 것을 희망한다. 이런 정보에의 접근 가능성은 뉴스 기관들, 기술자들, 그리고 학생들에게 정부의 활동을 쉽고 효과적으로 감시할 수 있는 새로운 방법을 제공할 것이다. Ethan Bodnar는 이러한 원칙들을 반영하고, 무엇을 해야 할지에 대한 특별한 조언을 제시하는 훌륭한 편지를 썼다. 감사하게도, 이러한 변화들은 올바른 팀이 일한다면 쉽게 적용할 수 있는 것이고, 분명히 정치적으로 초당적인 것이다(혹은 그래야만 한다). 나는 오바마 당선자가 테크놀로지를 통해 유세과정에서 거둔 성공에서 배우고, 그것을 정부에 적용하기를 희망한다.

그림 7.7 결합적 글쓰기를 예시하는 Newly Ancient 게시글

com)는 블로그 활동을 학생들의 수업 과제를 출판하고, 향상시키고, 댓글을 다는 주요 장소로 사용하는, 보다 전통적인 방식을 보여주고 있다. 그림 7.8에 나타난 교사의 게시글은 블로그가 수업에서 성공적으로 사용될 수 있는 두 가지 특성을 보여주고 있다.

첫째, 교사는 수업에서 읽고 있는 책과 관련된 글쓰기 과제를 포함하는 한 주 간 블로그 활동을 제시하였다(그림 7.8 참조). 그는 학생들의 첫 게시글은 수업시 간에 배운 좋은 문단 글쓰기의 다섯 가지 요소를 포함해야 함을 분명히 제시하였 다. 둘째, 교사는 블로그 게시의 다른 목적도 제시하였다. 즉, 이 활동이 소설에 대 한 정식 에세이를 쓰기 위한 준비가 될 것이다. 그 블로그는 그 후 몇 주 동안 학 생들에게 소설을 분석하고, 자신의 생각을 게시하며, 피드백을 받고, 마지막에는 교사가 언급했던 에세이를 쓸 수 있는 기회들을 제공하면서 소설 읽기 과제를 바 탕으로 꾸준히 형성되어 갔다.

성찰활동은 어떤 학습활동에도 도움을 줄 수 있다. 미국 남부지역의 5학년 교 사인 Anne Davis의 수업 블로그의 예는 수업 블로그가 어떻게 학생들이 글쓰기 과 정에 대해 학습한 것을 성찰하도록 도왔는지를 보여주고 있다(Richardson, 2010). The Write Weblog(http://itc.blogs.com/thewriteweblog)에서는 모든 학생이 약 2, 3달

2010년 5월 18일 화요일

10학년 문화적 관점들: 텍스트 1_Boy Overboard/주제

당신이 소설 "Boy Overboard"에서 가장 중요한 아이디어라고 여기는 것에 대해 한 문단의 글을 쓰 세요. 명심할 것은 당신의 문단은 수업시간에 배운 문단 구조를 따라야 한다는 것입니다.

1. S—statement(주장)

2. E—explain your statement(주장을 설명하라)

3. E—example of your statement [quote](주장에 대한 예, 인용)

4. E—explain what your example shows(예가 보여주는 것을 설명하라)

문단 쓰기를 통해, 당신은 소설에 대한 정식 에세이를 쓸 준비를 하게 될 것입니다.

열심히, 그리고 즐기면서 해보세요!

그림 7.8 초기 게시글 구조에 대한 과제를 보여주는 교사의 블로그

의 기간 동안 블로그 활동을 하고 그 활동이 글쓰기에 미친 영향에 대해 성찰활동을 하였다. 그림 7.8은 발췌한 두 게시물인데 하나는 "Alejandro"의, 또 다른 하나는 "Maria"의 블로그 활동과 글쓰기에 대한 성찰의 글이다.

이 장의 초두에서 학생들의 글쓰기에 대한 자신감 부족이 글쓰기 능력을 개발하는데 종종 걸림돌이 된다고 한 것을 기억할 것이다. 특별히 Maria는 그녀가 학습한, "네 자신의 목소리"를 사용하는 구체적인 전략을 알고 있는 것 같다. 이런 게시물들이 Alejandro 혹은 Maria의 글쓰기 능력이 향상되었다는 증거를 보여주진 않지만, 그들 스스로 표현했듯이 향상되었다고 여기는 믿음만으로도 긍정적인 결과라고 할 수 있을 것이다.

마지막으로, 우리가 긍정적인 측면으로 제시한 모든 블로그 예들은 (글쓰기만 사용, 과제 게시만 활용, 혹은 단지 링크만 게시하는 예에서와 같이) 전형적이지만 제한적인 블로그 사용을 넘어 그 이상을 보여준다. Richardson(2010)이 묘사했듯이, 블로그의 잠재력은 단지 의사소통에만 있지 않고, 연결한다는 것이다. 그래

블로그 만세

나는 Davis 선생님의 부적절한 댓글에 대한 이야기를 읽었다. 나는 사람들이 다른 누군가가 블로그에 글을 쓸 수도 있다고 믿지 않는다는 점에 놀랐다. 게다가, 만약 나쁜 비평을 받으면 우리는 버튼을 한 번 클릭함으로써 그것을 지울 수도 있다. 우리를 신뢰하지 않는 사람들이 우리가 블로그를 할 수 없다고 하는 것은 잘못이다. 왜냐하면 블로그는 사람들이 더 글을 잘 쓰도록 하는 것이기 때문이다. 나는 또한 웹블로그 집단이 블로그 활동을 시작한 이후로 우리 모두가 글쓰기 기술을 향상시켰기 때문에 우리는 블로그를 할 수 있어야 한다고 생각한다. 또한 한 번은 CNN에서 사람들이 글쓰기에서 나쁜 점수를 받고 있는 것을 보았다. 웹블로그는 당신의 글쓰기 기술을 향상시키고 더 나은 작가가 되도록 도와줄 것이다. 블로그를 없애기를 원하는 사람들은 최소한 우리에게 블로그가 감정이나 문제를 표현할 수 있기 때문에 도움이 된다고 설명할 기회를 주어야 한다.

많은 것을 배웠어요!

나는 지난 1년 동안 웹블로그를 통해 많은 것을 배웠다. 웹블로그 집단에 처음 가입하였을 때, 지금처럼 글쓰기를 좋아한 것은 아니었다. 그 중 가장 큰 것은 "당신의 소리를 사용하는 법"을 배웠다는 것이다. 나는 내 목소리가 글쓰기에 중요하다는 것을 배웠다. 당신이 글쓰기에서 당신의 목소리를 낸다면, 그 글은 당신의 개성을 보여준다. 글쓰기에서 당신은 언제나 당신의 의견에 대해 밝혀야 한다. 나는 또한 내 웹블로그를 어떻게 구성해야 하는지, 또 내가 생각하는 방식대로 그것을 구성하는 것에 대해 배웠다. … 만약 내년 6학년에서도 웹블로그를 쓸 기회가 있다면 나는 기꺼이…

그림 7.9 글쓰기와 블로그에 대한 학생의 성찰적 블로그 게시물

서 이런 블로그 활동은 더욱 많은 노력을 필요로 한다. 다음에서 유의미학습을 촉진하는 블로그 활동과제를 만들 때 고려해야 할 사항에 대해 간단히 다룰 것이다.

블로그를 사용할 때 고려할 점

블로그가 학생들에게 자신의 글, 그림, 그리고 다른 창작적인 작품에 대한 폭넓은 독자층을 제공하기는 하지만, 비구조화된 형식의 블로그는 참여 학생들로 하여금 교육적 가치가 별로 없는 게시물을 구성하게 할 수도 있다. 학생들이 중요한 학습에 도움이 되도록 블로그를 선용하게 하려면 교사는 의도하는 학습목표들을 분명하게 정하고 이러한 목표들을 달성하는 데 블로그가 최적의 교육 도구인지 결정해야 한다. 그 목표가 학생으로 하여금 비형식적인 개인적 글쓰기를 하도록 하는 단순한 것일 수 있지만, 교사가 어느 정도의 안내와 구조를 제공하여 학생들이 더욱 복잡한 목적들을 달성하도록 도와야 할 경우가 더 많을 것이다. 예를 들어, 비록 우리 블로그 글쓰기의 예들 중에서 몇몇은 초등학생의 것이긴 하지만, Richardson(2010)은 (그림 7.7의 Newly Ancient 블로그에서처럼) 지속적인 블로그 활동을 위해 요구되는 고급 수준의 분석적 사고는 어린 학생들에게는 가능하지 않을 수 있다고 주장한다.

학생들에게 자신의 블로그 포스트의 목적이나 구조를 선택하게 함으로써, "Te Ao O Tamaki" 블로그에 나타난 것처럼 블로그 글쓰기를 스캐폴딩할 수 있다. 스팸을 보내는 사람이나 원하지 않는 방문자들은 보안 로그인을 요구하는 프로그램을 활용하여 회피할 수 있다. 교사는 안내지침을 제공하고 그 지침에 대해서는 보안사항에 대한 고려의 이유와 함께 명확하게 의사소통해야 한다. 학생들의 블로그 게시물은 애칭이나 가명 혹은 신분을 알 수 없는 명칭으로 표시되어야 한다. 게시하기 전에 학생의 블로그 게시물을 점검하면 교사가 내용과 블로그의 안전에 대해 안심하는 데 도움이 될 것이다. 특히, 공개토론회가 사용될 때는 더욱 그렇다. 마지막으로, 채점 기준에 대한 안내나 요구 수준에 대한 다른 설명 등을 제공하면 학생들이 블로그를 보다 효과적으로 사용할 수 있게 될 것이다(10장의 평가 참조).

마지막으로, 교육자들이 학생들을 위해 블로그를 만들 수 있는 많은 온라인 블로그 사이트들이 있다. Blogspot, EduBlogs, Bloglines, Blogger는 몇 가지 예에 불과하지만 이들 도구의 전반적 형태는 지속적으로 변화하고 있다. 만약 블로그 프로그램을 찾고 있다면, 주변 동료들과 상의하거나 아래 자료들을 참고할 수 있을 것이다. 이 사이트들은 모두 블로그 소프트웨어 목록을 제공하고 각 특징에 대한 주석도 제공하고 있다(예, 프라이버시나 학생을 위한 필터링 조작).

Kathy Schrock's Guide for Educators, https://school.discoveryeducation.com/schrockguide/edtools.html(Web 2.0 tools 이하 참조)

50 Blogging Tools for Teachers, www.teachingtips.com/blog/2008/07/21/50-useful-blogging-tools-for-teachers

그 외 인테넷 출판도구

지난 몇 년간 교육환경에서 블로그 사용의 증가는 분명히 괄목할 정도이지만 학습자가 자신의 생각을 웹에 출판할 수 있도록 하는 유일한 도구는 아니다. Kidscribe는 자신을 "어린 작가를 위한 이중언어 사이트"(www.brightinvisiblegreen.com/kidscribe)라고 묘사하고 있는데, 어린 작가들에게 개인적인 글을 영어 혹은 스페인어로 출판하는 것에 대한 포럼을 제공하기 위해 만들어진 간단한 웹사이트다. Kidscribe의 창시자는 어린 작가들에게 자신의 작품에 대한 자신감과 자부심을 키울 수 있고, 동시에 사이트 이용자들이 상업적 광고 없이 창작 글의 샘플들을 볼 수 있는 기회를 주는 표현수단을 제공하고자 하였다. 현재 이 사이트는 글쓰기를 위한 지원을 하지는 않지만, 사용이 쉽고 글쓰기 수업에서 효과적으로 쓰일 수 있다. 특히 제한된 학습 자원(예, 서버 용량)을 가진 교사가 그들만의 학생작품 웹 출판을 하는 데 효과적이다.

비록 광고가 있기는 하지만, Scholastic.com도 시나 다른 종류의 글의 출판이 가능한 페이지를 제공한다.[2] 하지만 단순히 출판이 가능한 페이지를 제공하는 것 이

---

2) "teacher resources"와 "tools" 메뉴 아래에 이런 자료들이 있다.

외에, Scholastic 사이트는 시, 자서전, 혹은 짧은 소설 작문의 다양한 측면에 대해 학년별로 안내(Guided) 수업도 제공하고 있다. 예를 들어, 유치원 및 초등학생들을 위해 "이야기 시작(online starter)"이라는 온라인 도구를 제공하는데, 이 도구는 어린 작가들이 다양한 색상과 애니메이션이 가능한 그래픽 사용자 인터페이스를 통해 간단한 이야기 쓰기를 할 수 있도록 고안되어 있다. 다른 글쓰기 도구들로는 "시상(詩想) 엔진(poetry idea engine)"과 "student activities/write and publish" 링크 아래에 많은 구조화된 개별 작문 활동들이 있다. 활동들은 종종 주제에 대한 간단한 실제 연습들과 학습자들의 응답에 바탕을 둔 피드백을 포함한다. 이런 활동들은 전체 학급 토론이나 컴퓨터 한 대에 모인 소집단 활동을 하는 학생들을 위해 손쉽게 활용될 수 있다. 이런 레슨들의 변형이 "Writing with Writers" 섹션이다(Rowen, 2005). (뉴스, 신화, 시 등과 같은 글의) 전문 작가들이 고안한 일련의 온라인 워크숍들이 있고, 각 워크숍은 특정한 형식의 글쓰기에 추천되는 과정들을 제시하고 있다. 각 워크숍은 학생들이 자신의 작품을 출판을 위해 제출할 수 있는 장치를 제공하며 끝맺는다. Schlastic은 제출된 모든 글을 출판하지는 않는다.

테크놀로지로 특정한 글쓰기 형식을 지원하기

인터넷 출판이 테크놀로지로 글쓰기를 지원하는 많은 기회를 제공하기는 하지만, (수필이나 시와 같은) 특정한 형태의 글쓰기를 하는 학습자를 지원하기 위해 고안된 많은 도구들이 있다. Poetry Forge(www.poetryforge.org)는 버지니아 대학의 테크놀로지와 교사교육 센터(Center for Technology and Teacher Education, www.curry.edschool.virginia.edu/teacherlink)에 의해 개발되었으며(시 쓰기 중심의) 창작 글쓰기를 지원하는 도구들을 제공하는 온라인 사이트다.

Poetry Forge는 영어수업을 위한 공개 글쓰기 도구 자료들을 제공한다. 다운로드 가능한 도구들은 윈도우 혹은 맥 환경에서 작동하는데, 은유 생성기, 기존 시를 바탕으로 새로운 시를 만드는 도구, "시적 텍스트"의 특징을 탐색하는 도구를 포함하고 있다. 이 도구들은 학생이 단순한 품사, 복잡한 구를 이해하고, 시에서 언어가 의미를 효과적으로 전달하기 위해 의미적이며 통사적으로 어떤 변화가 일어나는지를 이해하도록 고안되었다. 예를 들어, 그림 7.10은 Poetry Forge 온라인 은유 도구를 보여준다. 사용자가 자신의 형용사, 명사, 전치사를 넣으면 그 도구는 그것들을 조합하여 "시적" 문구를 만든다. 웹사이트에 따르면, Poetry Forge 도구들은 교사들이 학생 옆에서 지도하고 그들의 생각을 도전하는 데 활용하도록 고안되어 있다. 이 사이트는 다운로드 가능한 도구들의 사용에 필요한 기술적인 요구 기준들을 잘 설명해 놓았다. 뿐만 아니라 교사들이 수업시간에 어떻게 이것들을 활용할 수 있는지에 대한 조언과 학습 계획을 제공하고 있다.

Poetry Forge와 같은 도구들이 차기 국민적인 계관 시인을 배출해 내지는 않겠지만, 학생들이 시 작문과 시 작문에서 널리 사용되는 필수적인 문학적 구조를 연습할 수 있도록 도와준다. 웹사이트의 저자들은 Poetry Forge 도구를 활용하여 만든 시는 "예측 불가능"할 것이라고 바로 인정한다. 하지만 그들은 심지어 이런 결과물들도(글쓰기 과정에서 핵심적이고 일반적으로 인정된 부분들인) 편집, 수

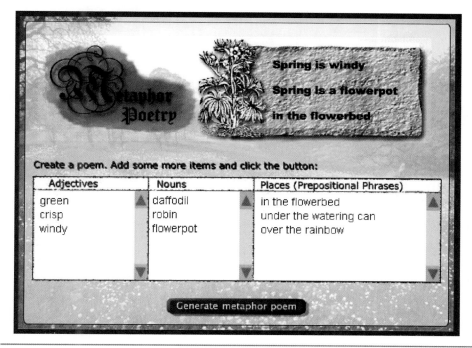

그림 7.10 온라인 은유 도구 Poetry Forge

정, 평가와 초보자들에게 종종 간과되는 부분들에 대한 기초를 제공할 것이라고 말한다.

특정한 글쓰기 형식을 지원하는 이런 종류의 테크놀로지의 또 다른 예가 Essay Punch(www.essaypunch.com)이다. 이 도구는 작가가 묘사적, 정보전달적, 혹은 설득적 형식의 에세이를 위한 아이디어를 개발할 수 있도록 미리 준비된 글쓰기 프롬프트들을 안내한다. 이 도구는 글쓰기 과제를(브레인스토밍 같은) 글쓰기 사전활동, 주제 개발하기, 내용 생성하기, 수정하기로 구조화하였다. 그림 7.11은 작가가 자신의 에세이를 수정하는 것을 돕도록 고안된 화면을 보여주고 있다. 무료는 아니지만, 이 소프트웨어는 비교적 저렴한 편이다. 한 학급 학생들의 경우 100달러 미만 정도이다. 같은 회사가 제공하는 문단 쓰기나 책 쓰기를 위한 비슷한 도구들이 있다.

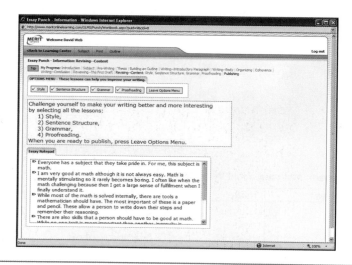

그림 7.11 Essay Punch 수정 창

3절 테크놀로지로 협력적 글쓰기 지원하기

협력적 글쓰기는 개인적으로 혼자 작성한 것이 아니라 많은 사람들이 함께 작성한 글을 지칭한다. Ede와 Lunsford(1983)는 협력적 글쓰기 활동의 일반적인 세 가지 종류를 기술하였다. (1) 작가들이 긴밀히 함께 작업하면서 글을 쓰는 집중적인 협력, (2) 핵심적인 부분은 개별적으로 작업하지만, 제한된 일정 부분에 대해서는 협력적으로 작업하기, (3) 일련의 절차에 따라 하는 순차적인 집단 협력.

다른 협력적 과정들에서와 같이, 흔히 편집자, 리포터, 혹은 리더와 같은 역할이 정해진다. 실제로 이러한 역할들을 연구한 글쓰기 문화인류학자들은 "작가", "독자", "텍스트" 사이에서 협력적 읽기와 글쓰기를 하는 중에 발생하는 복잡한 상호작용들을 기술하였다. 그들은 그 역할들이 사실상 협력적 글쓰기를 하는 동안 끊임없이 재조정된다고 주장한다(예, Flower, Long, & Higgins, 2000; Lunsford & Bruce, 2001에서 재인용). 학습자가 협력적 글쓰기에 참여하도록 하는 것의 잠재적인 유익은 학생들 간의 긍정적인 관계, 학생들의 참여 증대, 동료 및 자기 평가의 기회, 더욱 많은 입력과 아이디어들, 다양한 시각, 그리고 다른 문화를 가진 작가가 있는 경우 서로 다른 문화 간의 풍요화 등을 들 수 있다(Hernandez, Hoeksema, Kelm, Jefferies, Lawrence, Lee, & Miller, 2001).

협력적 글쓰기는 사업, 교육, 개인적 상황하에서 오랫동안 활용되어 왔다. 하지만, 협력적 글쓰기를 지원하는 테크놀로지 도구의 출현은 협력적 글쓰기의 대중성과 실현가능성을 급속하게 확대시켰다(Lunsford & Bruce, 2001). 더 나아가, ISTE와 같은 표준화 기관들은 학생들이 효과적으로 협력하기 위해 "디지털 미디어 사용"을 할 수 있어야 함을 직접적으로 명시하고 있다(www.iste.org). 어떤 이들은 협력에 대한 증대된 강조에 대해 기술하면서, 홀로 쓰는 글쓰기만 강조하는 것은 학생들에게 더 이상 적절치 않다고 암시하는 정도까지 이르렀다(Pasnik, 2007).

협력적 글쓰기는 동시적(실시간) 혹은 비동시적(시간의 지연이 있는) 상황 중 어디에서도 가능하다. 동시적 상황은 그림 7.12와 같다. 학생 개인 혹은 소집단들이 협력적 글쓰기 공간을 지원하는(보통 온라인) 소프트웨어를 구동 중인 컴퓨터 앞에 앉아 있다. 컴퓨터들은 서로 바로 가까이 있을 수도 있고 아닐 수도 있다. 만약 가까이 있지 않다면, 사용자는 "대화"를 위해 다른 사람들과 글쓰기 소프트웨어 자체나, 인스턴트 메시지 서비스(Instant Messaging Service: IMS), 혹은 이메일로 연결되어 있어야 한다. 학습자는 다음과 같은 활동에 참여한다.

- 아이디어의 브레인스토밍
- 글의 흐름에 대한 구조화
- 글쓰기 결과물에 사용될 텍스트의 생성
- 텍스트에 대한 편집 및 비평
- 위 활동에서의 의미 협상

비동시적 환경에서는, 활동들은 유사할 수 있지만, 활동들이 동시에 일어날 필요는 없다. 이러한 시나리오와 협력적 글쓰기 소프트웨어는 전국적인, 심지어 전 세계적인 협력적 글쓰기를 가능하게 한다.

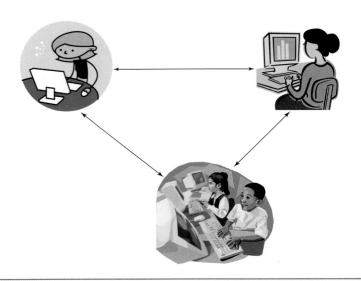

그림 7.12 서로 다른 컴퓨터에서 협력적 글쓰기를 하는 학생들

문서 공유 도구를 사용한 협력적 글쓰기

협력적 글쓰기를 지원하는 도구들은 많고 그 기능들은 다양하다. 최근 "온라인 협력적 글쓰기"에 대한 인터넷 검색을 하였는데 수천 개의 검색결과가 나왔다. 협력적 글쓰기를 지원하는 많은 도구들은(다른 도구들이 개인 컴퓨터나 서버에 존재하는 데 반하여 인터넷 서버에 존재하는) "클라우드" 컴퓨팅 도구의 범주에 속한다(예, Google Docs–전에는 Writely). 독자들은 독립기구인 Kolabora(www.kolabora.com)의 협력적 글쓰기 도구들에 대한 "간단한 안내"를 참고하길 원할지도 모르겠다(Good, 2007). 도구들은 협업 중인 문서의 변동사항을 알려주는 RSS 피드나, 최대 동시 편집인의 수, 가격 같은 특징들로 기술된다.

VanderMolen(2008)도 네 가지 무료 웹 2.0 협력적 글쓰기 도구에 대한 리뷰를 제공한다. 그 중 Google Docs(docs.google.com)와 Zoho writer(writer.zoho.com)가 있다. 분명히 Google Docs는 K-12 학습자를 위한 특성들을 가지고 있는 널리 알려진 협력적 글쓰기 도구이다. Google Docs는 협력적 글쓰기를 용이하게 할 수 있는 많은 특징을 가지고 있다. 그 중 가장 중요한 몇 가지는 다음과 같다(Godwin-Jones, 2008).

- *문서 불러오기.* 마이크로소프트 워드프로세서 프로그램, HTML 문서, 텍스트나 이미지 파일 혹은 복사 및 붙여넣기를 할 수 있는 어떤 형태라도 Google Docs로 불러올 수 있다. Google Docs의 문서는 HTML 문서형식으로 존재하지만, WYSIWYG[3] 방식으로 편집할 수 있다.
- *문서 공유하기.* 일단 Google Docs에 문서를 만들면, 그 문서에 대해 최대 12명의 공동작업자를 추가할 수 있다(그림 7.13 참조). 새로운 협력자는 당신이 작성한 이메일을 통해 자신의 권한에 대해 통보를 받는다.
- *수정 기록.* 문서의 수정 기록을 볼 수 있고, 버전을 비교하며, 이전의 버전으로 다시 되돌릴 수도 있다.

---

3) 역주: WYSIWYG란 what-you-see-is-what-you-get의 약자로 컴퓨터 등에서 작성 중인 문서가 화면상의 실제의 모습으로 표시되어 있어, 화면을 직접 조작하여 문서를 편집할 수 있도록 한 방식이다.

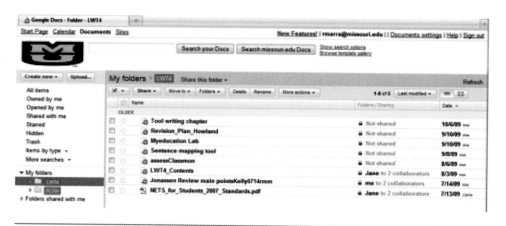

그림 7.13 Google Docs를 활용한 문서 협력

- *무제한 혹은 여유 있는 저장 공간.* 문서의 크기는 500K까지 가능하며 각 문서는 최대 50명과 공유할 수 있다.

- *협업 혹은 공유의 등급.* Google Docs는 특정한 사용자에게만 편집과 비평을 할 수 있는 권리를 가지도록 지정할 수 있다. 다른 사용자들은 단순히 문서를 읽을 수만 있다. Google Docs에서는 이것을 "출판"이라고 칭한다.

- *비평 작성하기.* 협업자는 누구나 비평을 달 수 있다. 문서를 편집할 수 있는 사람은 삽입된 비평을 볼 수 있다. 하지만 "읽기"만 허락된 사람에게는 이런 권한이 없다.

- *문서 공유하기.* Google Docs는 문서창에서 "출판하기"를 선택하여 문서를 다른 사람이(편집은 못하고) 읽을 수 있도록 출판할 수 있다. Google Docs는 문서를 블로그에 출판하는 것도 지원한다.

문서작성 소프트웨어도 몇 개의 이러한 기능(비평(comment) 달기 같은)들을 제공하지만 Google Docs와 같은 소프트웨어는 공유 속성으로 인해 협업에 적합한 소프트웨어이다. Sze(2008)의 논문에 기술된 것처럼 위키(wikis)도 비슷한 방식으로 협력적 글쓰기를 지원할 수 있다는 점을 알고 있다. 위키에 대한 자세한 내용과 어떻게 공동체를 형성하는 것을 지원하는지에 대해서는 6장을 참조할 수 있다.

성공적인 협력적 글쓰기를 위한 조언 교사들은 협력적 글쓰기에서 글쓰기의 측면뿐 아니라 사회적인 면도 적절히 지원하여야 한다. 학생들은 어떻게 협력하는지 "단지 그냥 아는" 것이 아니며 잘 하기 위해선 도움이 필요하다. 다음의 지침들은 학생들이 협력적 글쓰기뿐 아니라 다른 협력 활동들에서도 성공적으로 참여할 수 있도록 도와줄 수 있다(Herandez et al., 2001).

1. 프로젝트 초기에 협력자 간의 유대감을 만들고 긍정적인 대인관계를 형성하기 위한 활동들을 구성하라. 만약 학생들이 서로 떨어진 곳에서 작업을 하고 있다면, 글쓰기 프로젝트를 시작하기 전에 학생들이 일상적인 주제들(예를 들어 애완용 동물, 가족 또는 방과후 일들)에 대한 인터넷 "대화"에 참여하여 시간을 함께 보내도록 고려하라.

2. 협력자들이 효율적으로 회의하거나 또는 작업 과정들을 진행할 수 있도록 도와주라. 과제나 집단의 구성에 따라, 집단 구성원의 의사소통 방법이 실시간 회의가 아닐 수도 있다. 학생들이 서로 완전히 비동시적으로 일하더라도 어떻게 글쓰기 과정이 진행될 것인지에 대한 토의는 도움이 된다. 이런 토의는 역할분담이나 일정계획 같은 것을 포함할 것이다. 부가적으로 학생들이 집단 내의 이견과 갈등을 어떻게 다룰지에 대해 토론하도록 도와주라. 이처럼 필연적으로 발생할 상황들에 대한 절차를 초기에 논의함으로써 이런 일들을 커다란 방해물이 아닌 작은 충돌 정도로 축소시킬 수 있다.

3. 프로젝트를 시작하기 전에 참여에 대한 기대치를 설정하도록 하라. 모든 학생들이 거의 비슷한 양의 자신만의 텍스트를 쓰도록 요구되는가? 혹은 일부 학생은 작가, 다른 학생은 편집자, 다른 학생은 그 팀을 이끌거나 관리하는 등과 같은 다른 역할들이 존재하는가? 이러한 요구사항들을 프로젝트나 결과물을 평가하는 데 사용되는 기준과 조율하라.

4. 방치나 고립, 혹은 쉽게 말해 혼자 있는 것에 민감한 학생들에게 주의를 기울여라. 프로젝트와 집단소속감의 특성에 따라 이런 부류의 학생들은 다양할 수 있다. 교사로서 당신은 프로젝트에 적극적이고 유의미한 참여

를 하지 못하는 학생들이 누구인지 파악하고 있어야 한다. 이를 위해서는 수시 점검이 필요하며 정기적이고 사전에 계획된 팀 자기평가가 도움이 될 것이다.

5. 주요한 협력적 글쓰기 과제를 시작하기 전에 "연습" 프로젝트에 협력적 글쓰기 소프트웨어를 사용해 보도록 하라. Google Docs와 같은 패키지들은 사용에 있어 상당히 직관적으로 설계되어 있긴 하지만, 여전히 협력적 글쓰기 공식에서 "새로운 소프트웨어 프로그램에 대한 불안감" 요소를 제거하는 것이 성공을 이루는 데 도움이 된다.

협력적 글쓰기의 예 협력적 글쓰기는 다양한 종류의 과제에 유의미하게 활용될 수 있다. Rogers와 Horton(1992)은 교사들이 협력적 글쓰기의 주제로 실제 업무의 시뮬레이션과 같은 적극적인 참여를 독려할 수 있는 것이거나, 혹은 글쓴이들 간에 해결해야 할 잠재적 "갈등"을 포함한 주제를 선택하라고 제안한다. 그리고 앞에서 말한 바와 같이, 협력적 글쓰기의 한 장점은 여러 학문 분야에 걸친 학습과제를 지원할 수 있다는 것이다.

"거북이들을 구하라(Save the Turtles)"라는 비영리 사이트는 이런 다학문 분야에 걸친 협력의 예를 보여준다. 이 사이트는 대체로 학생들에게 호소력 있는, 환경과 관련된 주제를 이용해 협력적 글쓰기를 촉진하도록 고안된 전 세계적인 사이트이다. 이 사이트는 협력적 글쓰기가 어린 학생들을 위해 어떻게 구성되고 활용될 수 있는지 예시하고 있다. 먼저 사이트의 학습목표들을 분명히 제시하면서 시작하고 있는데, 목표들은 "바다 거북이 종의 일반적인 특성, 행동, 그리고 그들이 서식하는 해양 생태계에 대해 배운다"와 "인물 개발, 플롯과 대화를 포함한 글쓰기 기술을 개발한다"이다(www.costaricaturtles.org/costa_new_story.html). 또한 이 사이트는 글쓰기 사전활동의 구성에 대한 구체적인 수업 제안들이 있고 시와 이야기 형식을 빌어 협력적 글쓰기를 실행할 수 있는 방법에 대한 아이디어도 제시하고 있다 (그림 7.14 참조).

추가적으로, 다음은 글쓰기 과제와 여러 학문분야에 걸친 협력적 글쓰기 과제

Ideas For Collaboration: Story Prompts and Poem

Two Story Prompts

1. Lost Sea Turtle Objectives:

- Learn about a sea turtle species, their behaviors such as diet, migration, nesting.
- Learn about threats to sea turtle survival such as pollution (oil spills, beach litter), fishing practices, predators, habitat destruction and degradation
- Learn the meaning and importance of "natal beach"
- Make a global connection! Learn cooperation, mutual support and problem solving

The Lost Sea Turtle

Each class will choose a different species of sea turtle and develop a dynamic character. The two sea turtles befriend one another during a journey across the ocean to find the natal beach they both share. During the journey they help each other avoid dangers of the land and sea. *Please note that different species of sea turtles nest in specific regions, so in order to have your story based on facts, please consider using the CCC or another resource to obtain the nesting areas of the species your class chooses.

Consider some of these sample questions for your students:

What species of sea turtle are you and what do you look like? Where does you turtle nest? How do you meet the other class's sea turtle character and share the journey home to your natal beach to lay eggs? What do you eat and how far did you migrate? What characters/marine life do you both meet at sea? How do the characters work together to help each other survive? What threats to your survival do you encounter in the ocean? Once you reach the shore, what threats do you encounter on the land? Perhaps you both become confused by bright lights and wander into a village or city. How do you both make it back to the beach to lay your eggs? What characters if any, help you to your nesting ground? How does the story end?

그림 7.14 구조화된 협력적 글쓰기를 예시한 "거북이를 구하라" 이야기 프롬프트(Story Prompts)

를 손쉽게 포함할 수 있는 온라인 협력 프로젝트들의 예들이다.

■ 학생들로 하여금 다른 인터넷 기반의 협력 과제들 속에서 협력적 글쓰기를 하도록 하라. 예를 들어, Telegarden(http://cwis.usc.edu/dept/garden)은 학생들이 인터넷을 통해 살아있는 정원을 협력하여 돌볼 수 있도록 한다. Telegarden에서 사용자들은 씨를 심고, 물을 주며, 성장을 관리할 수 있는 로

봇 팔을 조종한다. 이런 형태의 환경은 분명하게 과학적 학습 결과물을 내도록 지원하는 것이다. 하지만, 이런 활동은 어느 학교의 한 반, 혹은 여러 곳에 있는 다수의 학급 학생들이 협력하여 실험도 하고 보고서를 쓰기도 하는 과정에서 협력적 글쓰기와 손쉽게 결합될 수 있다.

■ 학생들로 하여금 먼 곳에 떨어져 있는 다른 학생들과 짝을 맺어 협력하여 신문기사를 쓰도록 하라. 당신의 학생들이 구할 수 없는 자료들을 가지고 있는 교육청을 선택하여 짝을 맺도록 하라. 예를 들어, Missouri 주 Columbia에 있는 학생들은 허리케인 Katrina의 여파에 관하여 Louisiana 주의 Baton Rouge 지역의 학생들과 함께 뉴스 기사를 쓸 수 있을 것이다. Columbia 지역의 학생들은 Katrina 이후 수색과 구조에 참여했었던 Columbia 긴급구조대와 접촉하여 전문적인 지식을 얻을 수 있고, Baton Rouge의 학생들은 자신들의 지역에 피난민들이 몰려들었고, 그 중 많은 사람들이 영구 정착함에 따라 자신들의 커뮤니티(이웃)에 끼친 Katrina의 영향에 대해 정보를 제공할 수 있다.

교사들이 이런 아이디어를 읽는다면, 당연히 어떻게 협력적인 파트너를 찾을지 물어볼 것이다. 6장에서 다룬 Global SchoolNet(www.globalschoolnet.org)은 교사들이 협력 요청을 올리고, 진행되고 있는 협력적 프로젝트를 검색하고, 혹은 자신들의 프로젝트를 올리는 등록 서비스이다. 최근 사이트에 접속했을 당시, 3,000개 이상의 온라인 프로젝트들이 등록되어 있으며 주제와 날짜별로 구성되어 있고 검색을 위한 다양한 방법들이 제공되고 있었다.

4절 글쓰기에 대한 동료 피드백 지원하기

글쓰기 교사들은 글쓰기 과정에서 다수의 초안을 작성하는 것이 중요하다는 것을 깨닫게 되었다(Schriver, 1990). 그러나, 여러 번 초안을 작성하고 편집하고 수정하는 과정은 초보 작가들이 피드백을 받으며 진행할 때에만 효과가 있다. 교사들에게 글쓰기 수업이 어려운 이유는 필요한 피드백을 제공하여 학생들이 초안을 수정하도록 하거나 아니면 다음 글쓰기에서 더욱 좋은 글을 쓰도록 도와주는 데 많은 시간이 소요되기 때문이다. 교사들은 이런 피드백에 투입할 시간이 제한되어 있는데, 특히 많은 학생과 많은 교과목을 가르쳐야 할 경우는 더욱 그렇다. 그 결과, 학생들은 다수의 초안을 작성하는 글쓰기 프로젝트에 참여하지 못하는 편이다. 더군다나, 교사가 피드백을 제공하더라도, (물론 아주 중요한 피드백들이긴 하지만) 대체로 내용의 정확성이나 글의 명료성에 초점이 있어서, 글의 스타일은 거의 무시되곤 한다(Ziv, 1981).

학생 간 동료 피드백을 실시하는 것은 이런 문제들을 다소 해결할 수 있다. 학생들이 동료 학생들에게 글쓰기 피드백을 주도록 하는 교수법이 실시되고 있는데, 더 많은 최근 연구들은 학생-학생 피드백이 교사 등으로부터 제공받는 "전문가" 피드백보다 더욱 효과적으로 글쓰기를 향상시킬 수 있음을 밝히고 있다(Cho, Schunn, & Charney, 2006; Schriver, 1990). 교사의 글쓰기 피드백 제공에 대한 부담을 덜어줄 뿐만 아니라, 상호 동료 평가는 학생들이 여러 상황에서 적용될 수 있는 평가기술을 개발하고, 자신의 학습에 대한 책임감을 고취시키며, 글쓰기 능력을 향상시키도록 도와준다.

SWoRD(Scaffolded Writing and Rewriting in the Discipline)(Cho, Schunn, & Charney, 2006)는 웹 기반 상호 동료 리뷰 시스템으로서, 피드백 제공의 타당도를 확보하고 학생의 편견의 가능성을 줄여주는 장치를 제공하도록 고안되었다. SWoRD는 교사와 학생이 글을 리뷰어에게 나누어주고 받은 리뷰를 다시 글쓴이에게 전달하는 것을 관리할 수 있도록 해주며, 동료 리뷰의 전형적인 문제인 작가와 리뷰어의 비밀보장 같은 것들을 처리해준다. 또한, "리뷰어" 학생들의 과제를 구조화하여 리뷰를 책임감 있게 하도록 하는 평가 장치를 포함하고 있다. 예를 들어, SWoRD는 리뷰어들이 반드시 실시해야 하는 평가 항목들이 있고, 항목별 피드백 점수에 대한 서술적 비평을 포함하도록 하고 있다. 그리고 교수자가 정한 초안, 리뷰, 수정 일정에 따라, SWoRD는 자동적으로 리뷰들을 글쓴이에게 전달한다. 그림 7.15는 글의 초안에 대해 작가에게 보여지는 "리뷰와 백리뷰[4]"화면이다.

　　SWoRD는 고급 작문에서 또 다른 전형적인 문제인 다수의 초안 작성에 적용할 수 있다. 학생들이 SWoRD를 사용하여 글을 쓰면, 반드시 초안과 수정안들을 제출해야 하고 동료들은 초안과 수정안 둘 다를 평가한다. SWoRD는 비상업적 목적을 위해서는 무료로 사용할 수 있다(www.lrdc.pitt.edu/schunn/sword/index.html). 주목할 점은 현재까지 SWoRD는 주로 고등교육에서 사용되었다는 것이다.

Reviews and Back-Reviews on Your 1st Draft

Flows ★★★★★

Reviewer	Comments	Back-Reviews
Reviewer 1 ★★★	Average (4) In order to certain writing can be regard as smooth flow, it is constructed locally and globally coherent. It means that each parts should written locally coherent, at the same time, they should be connected organizationally. For these connections, each paragraph has well associated with topic sentence or topic word, and subtitles also can play a role like that, I think. In this view point, if you present your writing procedure and revise each subtitle for global organization of paper, it will be definitely more coherent and flow smoothly.	★★★★★ Although this was certainly needed, I think maybe some specific suggestions would have helped me out more.
Reviewer 2 ★★★★★	Average (4) Prose Flow Your review and summary of Schunn and Dunbar's (1996) work under the heading of background was well written. However, it is not clear where the literature review ends and your argument begins. What exactly is your position? If this is the case, perhaps the paper would flow more smoothly if you provide more detailed descriptions of the concepts you are addressing. For example, defining learning, base-level activation and chunking may perhaps allow you to make smoother transitions. Additional comments: The author did not following the instructions regarding double spacing, running head and page margins.	★★★★★★ I did not remember reading about instructions for spacing, running heads, and such, but after your comment I went back and saw that.

그림 7.15 SWoRD 리뷰 화면

---

4) 역주: 리뷰에 대한 리뷰

5절 결론

테크놀로지가 집적된 오늘날의 사회에서도, 글쓰기는 여전히 학교 안과 밖의 영역에서 성공을 위한 핵심적인 능력이다. 또한 글쓰기는 여전히 학교 안이든 밖이든, 많은 사람들에게 부드럽게 말해 유쾌하지 않은, 나쁘게 말해서 불안감을 가중하는 과제다. 더 나아가 우리는 아마 현재의 문자 메시지 중심의 사회에서는 전통적인 글쓰기 기술을 가르치는 것이 더욱 힘들다고 말할 수 있을지 모른다. 최근, 한 대학교수는 그의 학생들 중 한 명이 문자 메시지의 축약 표현으로 가득한 논문을 제출한 사건에 대해 이야기했다. 물론, 그 대학교수가 과제를 내줄 때 그런 것은 생각지도 못한 부분이었다.

이 장에서, 우리는 글쓰기 과정의 각각의 부분들에서 학습자를 도울 수 있는 도구들(예, 계획 및 구성을 위한 개념도), 다른 종류의 글쓰기를 지원하는 도구들(예, 시 작문을 위한 Poetry Forge), 협력적 글쓰기를 지원하는 도구들에 대해 기술하였다. 이 도구들은 학생들에게 글쓰기가 보다 즐거운 작업이 될 수 있도록 하고(예, Poetry Forge의 은유 생성기), 글을 출판하는 것에 대한 동기부여를 경험하게 하며(예, 블로그), 다양한 글쓰기 활동들을 위한 지원과 구조를 제공하는 다양한 방법들을 제공한다. 추가적으로, 협력적 글쓰기를 지원하는 도구들은 교사와 학생들에게 거의 모든 지역에 있는 협력자들과 함께 여러 학문 분야에 걸친 유의미한 글쓰기 과제에 참여할 기회를 제공한다. 그러나 거의 모든 경우에, 글쓰기는 여전히 상당한 정도의 지도와 격려, 그리고 무엇보다도 빈번한 양질의 교사 피드백을 요구하는 복잡한 과제이다.

이 장에 서술된 글쓰기 활동과 관련된 NET 표준

1. 창의성과 혁신

    a. 기존 지식을 적용하여 새로운 아이디어, 결과물, 과정을 만들어낸다.

    b. 자신이나 모둠을 표현하기 위하여 독창적인 작품을 창작한다.

2. 의사소통과 협력

a. 다양한 디지털 환경과 미디어를 활용하여 동료, 전문가 또는 다른 사람들과 상호작용하고 협력하며 출판한다.

b. 다양한 형태의 미디어를 활용하여 다수의 사람들과 효과적으로 정보와 아이디어를 소통한다.

d. 프로젝트 팀과 함께 독창적인 작품을 만들고 문제를 해결하는 데 기여한다.

3. 연구와 능숙한 정보 활용

a. 전략을 세워서 탐구를 수행한다.

b. 다양한 출처와 미디어로부터 정보를 검색, 조직, 평가, 종합하며 윤리적으로 활용한다.

4. 비판적 사고, 문제 해결, 의사결정

a. 조사를 위하여 실제적인 문제와 중요한 질문을 확인하고 정의한다.

b. 해결책을 도출하기 위하여 활동을 계획하고 관리하거나 프로젝트를 완수한다.

6. 테크놀로지 작동과 개념

a. 테크놀로지 시스템을 이해하고 활용한다.

d. 현재의 지식을 새로운 테크놀로지의 학습에 적용한다.

이 장에 서술된 글쓰기 활동과 관련된 21세기 역량

창의적으로 생각하기

■ 다양한 아이디어 창출 기술(예, 브레인스토밍)을 사용한다.

■ 새롭고 가치로운 아이디어(가치를 증대하고 근본적인 개념)를 창출한다.

■ 창의적 노력을 향상시키고 극대화하기 위해 아이디어를 정교화, 정제, 분석, 평가한다.

다른 사람과 창의적으로 함께 일하기

■ 다른 사람들과 효과적으로 새로운 아이디어를 개발, 실행, 의사소통한다.

■ 새롭고 다양한 관점에 대해 개방적인 태도를 보이고 관심을 가져야 한다. 단체의 의견과 피드백을 일에 반영한다.

■ 일의 독창성과 혁신성을 나타내면서, 새로운 아이디어를 적용하는 데에 있어서 현실적 한계점을 이해한다.

명확히 대화하기

■ 다양한 팀과 맥락에서 구두로, 서필로, 비언어적 의사소통 능력을 사용하여 생각과 아이디어를 효과적으로 설명한다.

■ 다양한 목적(예, 정보 전달, 지시, 설득, 동기 부여)을 위해 의사소통을 사용한다.

■ 멀티미디어와 테크놀로지를 사용하고 그것의 영향을 평가할 뿐만 아니라 선험적 효과성에 대해 판단하는 방법을 안다.

■ 다양한 환경(다양한 언어사용을 포함한)에서 효과적으로 의사소통한다.

타인과 협력하기

■ 다양한 팀과 효과적으로, 정중하게 일하는 능력을 보인다.

■ 공통의 목표를 완수하기 위해 필요한 조정과 타협을 할 의지와 의사를 가지고 있다.

■ 협력적 일에 대한 공유된 책임을 인식하고 각 구성원의 개인적 기여에 대한 가치를 인정한다.

정보에 접근하고 평가하기

■ 정보에 효율적이며(시간), 효과적으로(출처) 접근한다.

■ 정보의 적합성을 비판적으로 평가한다.

미디어제품을 생산하기

■ 가장 적합한 매체 작성 도구, 특징 및 형식에 대해 이해하고 활용한다.

테크놀로지를 효과적으로 적용하기

■ 정보의 조사, 조직, 평가, 의사소통을 위한 도구로 테크놀로지를 사용한다.

6절 생각해볼 점

이 장에서 소개한 아이디어들을 되새겨보기 위해 다음 질문들을 활용해보자.

1. 당신의 학생들은 어떤 종류의 글쓰기를 가장 어려워하는가? 학생들의 글쓰기 어려움을 보다 잘 진단하기 위해 글쓰기 과정에 대한 이해를 어떻게 활용할 수 있는가?

2. 당신의 수업에서 어떤 글쓰기 활동에 테크놀로지를 가장 잘 활용할 수 있을까?

3. 다학문 프로젝트에서 유의미한 글쓰기 활동의 활용을 어떻게 증대시킬 수 있는가? 테크놀로지가 다학문 글쓰기 과제에 어떻게 도움이 될 수 있을까?

4. 자신의 글을(인터넷에서 즉시) "출판"하는 활동이 학생들에게 동기를 부여하는가? 당신의 수업에서 어떻게 이런 동기유발 가능성을 활용할 수 있을까?

5. 학생의 글은 여러 번의 수정작업과 높은 질의 피드백을 통해서 향상된다. 제한적인 교수시간을 고려할 때, 어떻게 학생들이 글쓰기에서 서로를 돕도록 할 수 있을까? 테크놀로지 도구들을 동료 피드백을 지원하는 데 어떻게 사용할 수 있을까?

6. 협력적인 활동들은 많은 잠재적 유익들이 있지만, 학생들이 성공적으로 협력하는 방법을 저절로 알게 되는 것은 아니다. 학생들이 좋은 협력자가 되는 것을 배우는 것과 목적한 과제를 완수하는 두 가지 측면에서 협력 팀이 효과적일 수 있도록 하기 위해 당신은 어떤 전략을 사용했는가 혹은 사용할 수 있는가?

참고문헌

Anderson-Inman, L., & Horney, M. (1996). Computer-based concept mapping: Enhancing literacy with tools for visual thinking. *Journal of Adolescent & Adult Literacy, 40*(4), 302. Retrieved from the Academic Search Premier database.

Bafile, C. (2009). The Concept-mapping classroom. *Education World.* Retrieved from http://69.43.199.47/a_tech/tech164.shtml

Cho, K., Schunn, C., & Charney, D. (2006). Commenting on writing: Typology and perceived helpfulness of comments from novice peer reviewers and subject matter experts. *Written Communication, 23*(3), 260–294.

Cook, A., & Schwier, R. (2008). *A review of K–12 virtual learning communities.* Retrieved from www.usask.ca/education/coursework/802papers/cook/cook.pdf

Ede, L. S., & Lunsford, A. A. (1983). Why write . . . together? *Rhetoric Review 5*(1), 150–158.

Eide Neurolearning Blog. (2005). *Brain of the blogger.* Retrieved from http://eideneuro learningblog.blogspot.com/2005/03/brain-of-blogger_03.html

Falloon, S. (2005, February/March). All the world's a stage. *Edutopia*, 16–18. Retrieved from www.edutopia.org/all-worlds-stage-teaching-through-online-journals

Feinberg, J. (2010). Wordle. In J. Steele & N. Iliinsky (Eds.), *Beautiful visualization looking at data through the eyes of experts* (pp. 37–58). Sebastopol, CA: O'Reilly Media.

Flower, L. S., Schriver, K. A., Carey, L., Haas, C., & Hayes, J. R. (1989). Planning in writing: The cognition of a constructive process. Technical Report, Centre for the Study of Writing, University of California, Berkeley.

Godwin-Jones, R. (2008). Emerging technologies Web writing 2.0: Enabling, documenting, and assessing writing online. *Language Learning and Technology, 12*(2), 7–13.

Good, R. (2007). Collaborative writing tools and technology: A mini-guide. Retrieved from www.kolabora.com/news/2007/03/01/collaborative_writing_tools_and_technology.htm

Hernandez, N., Hoeksema, A., Kelm, H., Jefferies, J., Lawrence, K., Lee, S., & Miller, P. (2001). *Collaborative writing in the classroom: A method to produce quality work.* Retrieved from http://scholar.google.com/scholar?hl=en&lr=&q=cache:QvZks0WKIGsJ:www.edb.utexas. edu/resta/itesm2001/topicpapers/s2paper.pdf+k-12+technology+OR+software+%22collabor ative+writing%22

Lenhart, A., Madden, M., Macgill, A., & Smith, A. (2007). *Teen content creators. Pew Internet & American Life Project.* Retrieved from http://pewresearch.org/pubs/670/teen-contentcreators

Lunsford, K. J., & Bruce, B. C. (2001, September). Collaboratories: Working together on the Web. *Journal of Adolescent & Adult Literacy, 45*(1). Available: www.readingonline.org/electronic/elec_index.asp?HREF=/electronic/jaal/9-01_Column/index.html

National Council of Teachers of English. (1996). *Standards for the English Language Arts.* Retrieved from http://cnets.iste.org/currstands/cstands-ela.html

n.a. (2003). Reading & writing tools. *T.H.E. Journal, 31*(5), 19.

n.a. (2008). Wordle: Thinking about time poems and calligrams. Retrieved from http://twowhizzy.blogspot.com/2008/06/wordle-thinking-about-time-poems-and.html

Pasnik, S. (2007). Bye-bye byline? What does it mean to be an author in today's Web 2.0 world? *Cable in the Classroom Magazine*, 12.

Partnership for 21st Century Skills. (2004). Partnership for 21st Century Skills. Retrieved from www.p21.org/index.php

Ramaswami, R. (2008). The prose of blogging (and a few cons, too). Retrieved from http://thejournal.com/articles/2008/11/01/the-prose-of-blogging-and-a-fewcons-too.aspx?sc_lang=en

Richardson, W. (2010). *Blogs wikis, podcasts, and other powerful Web tools for classrooms.* Thousand Oaks, CA: Corwin.

Riedel, C. (2010). Enhancing instruction with Web 2.0. Retrieved from http://thejournal.com/articles/2010/01/20/enhancing-instruction-with-web-2.0.aspx?sc_lang=en

Rogers, P. S., & Horton, M. S. (1992). Exploring the value of face-to-face collaborative writing. In J. Forman (Ed.), *New visions of collaborative writing* (pp. 120–146). Portsmouth, NH: Boynton/Cook.

Rowen, D. (2005, February). The write motivation. *Learning & Leading with Technology, 32*(5), 22.

Rushkoff, D. (2004). Renaissance prospects. IT Conversations. Retrieved from http://itc.conversationsnetwork.org/shows/detail243.html

Schriver, K. A. (1990). Evaluating text quality: The continuum from text-focused to readerfocused methods. *Technical Report No. 41.* National Center for the Study of Writing and Literacy.

Sze, P. (2008). Online collaborative writing using wikis. *The Internet TESL Journal*, Vol. XIV, No. 1. Retrieved from http://iteslj.org/Techniques/Sze-Wikis.html

VanderMolen, J. (2008). Four Web 2.0 collaborative-writing tools. Retrieved from www.techlearning.com/article/8906

Viégas, F. B., Wattenberg, M., & Feinberg, J. (2009). Participatory visualization with Wordle. *IEEE Transactions on Visualization and Computer Graphics 15*(6) 1137–1144.

Wetzel, D. (2010). 10 organization tools designed to ease the writing process. Retrieved from http://freelancewriting.suite101.com/article.cfm/10-organization-tools-designed-toease-the-writing-process

Ziv, Y. (1981). On some discourse uses of existentials in English, or, getting more mileage out of existentials in English. Presented at the LSA Annual Meeting, NY.

Chapter 08

테크놀로지와 함께 모델링하기

| **이 장의 목표** |

1. 모델링이 인지적 이해를 돕는 이유를 설명한다.
2. 개념도, 데이터베이스, 스프레드시트가 어떻게 영역지식의 모델 형성에 활용되는지 서술한다.
3. 모델링이 NETS와 21세기 역량 개발을 어떻게 지원하는지 서술한다.

1절 모델링을 통한 학습

"과학적 실천은 과학적 모델의 구성, 타당화, 적용을 필연적으로 수반하기 때문에 과학교육은 학생이 모델을 만들고 사용할 수 있는 활동에 참여하도록 설계되어야 한다"(Hestenes, 1996, p. 1). 이 가정은 모든 학문 영역에 동일하게 적용된다. 연구하고 있는 현상에 대해 모델을 세우는 것은 의미학습을 지원하는 가장 강력한 전략일 것이다. 이 장에서의 가정은 만약 모델을 형성할 수 없다면, 현상에 대해 정확하게 알지 못한다는 것이다.

여러 가지 컴퓨터 기반의 모델링 도구를 사용하여 모델을 만드는 것은 학습자의 개념 변화의 과정을 유발하고 촉진할 수 있는 개념 학습 활동이다(Jonassen, 2008; Nersessian, 1999). 모델링은 사람들이 형성한 정신적 심상을 외연화한다. 모델링의 또 다른 중요한 목적은 대안적 모델들의 평가, 즉 어떤 것이 현실에 보다 적합한지 둘 이상의 모델들을 비교하는 것이다(Lehrer & Schauble, 2003). 학생은 모델을 비교하고 대조하면서 개념적인 작업에 참여하게 된다. 왜냐하면, 대안적 모델들을 비교하기 위해서는 대안적 모델이 가능하다는 것과 모델링의 활동이 경쟁 모델들을 검증하는 데 사용될 수 있다는 것을 이해해야 하기 때문이다.

모델이란 무엇인가? Lesh와 Doerr(2003)는 (특정) 시스템의 행동을 구성하고, 묘사하고, 설명하기 위해 사용되는 요인, 관계, 작동, 법칙들의 개념적인 체계라고 주장하였다. 이러한 모델들은 학습자의 정신에 있으며 학습자가 자신의 이해를 나타내기 위해 등식, 다이어그램, 컴퓨터 프로그램, 그리고 기타 미디어를 통해 표현할 수 있다. 마음에 있는 모델들(정신모델)이 있고 실제 세상에 있는 모델들이 있다. 내적 모델과 외적 모델 사이의 관계는 잘 이해하기 어렵다. 학습자가 구성하는 내적인 정신모델과 외적 모델은 역동적이고 상호적인 관계다. 정신모델은 외적 모델의 기초를 제공하고, 외적 모델은 개념 변화의 수단을 제공하면서 내적 모델을 제한하고 통제한다. 여기서, 우리는 다양한 테크놀로지 기반 모델링 도구들을 사용한 모델링 방법에 대해 논의하고자 한다. 왜냐하면 각각의 도구는 학생들이 자신의 내적 모델을 조정하도록 하는 각기 다른 구조적 혹은 수사적 제약들을 가지고 있기 때문이다.

수학이나 과학 교육자에게 모델링에 대해 이야기하면, 그들은 현상을 방정식 형태로 나타내려고 할 것인데, 방정식은 가장 명료하고 정확한 형태의 모델이다. 그들은 학습내용의 양적 표상(quantitative representation)을 사용한다. 하지만, 아이디어들을 수식 형태로 표현하는 것은 이해하는 데 충분치 않다. 질적 모델 또한 양적 모델만큼 중요하다. 초보적인 문제 해결에서 부족한 부분이 질적 모델링이다(Chi, Feltovich, & Glaser, 1981; Larkin, 1983). 개념적인 정보를 전혀 전달하지 못하는 등식들로만 문제를 해결하려고 할 때, 학생들은 자신이 공부하고 있는 것의 본질을 이해하지 못한다. 그래서, 학생들로 하여금 문제에 대한 양적 표상뿐 아니라 질적 표상을 형성하도록 돕는 것이 필요하다.

모델링은 인간 인지의 본질이다. 인간은 타고난 모델 구축자이다. 아주 어릴

때부터, 우리는 세상에서 만나는 모든 것에 대한 정신모델을 구성한다. 예를 들어, 유아들은 무엇을 가질 수 있는지, 어떤 것은 하지 않는 것이 좋은지와 같은 자신의 환경에 대한 이론들을 구축한다. 모델링은 학습자가 자신의 생각을 표현하고 외연화하는 것에, 자신의 이론들의 구성요소들을 시각화하고 시험하는 데, 그리고 자료들을 더욱 흥미롭게 만드는 데 도움을 준다. 우리는 표상화된 시스템에 대한 질문을 하기 전에 우리가 만든 모델 속에 무엇이 있는지를 먼저 이해해야 한다.

학생들은 자신이 공부하고 있는 아이디어들의 모델을 구축하기 위해, 다양한 컴퓨터 기반 마인드툴(Mindtools)을 활용하여 자신의 정신모델들을 외연화할 수 있다(Jonassen, 2006). 컴퓨터 기반 마인드툴에는 데이터베이스, 개념도, 스프레드시트, 마이크로월드, 시스템 모델 도구, 전문가 시스템, 하이퍼미디어 작성 도구, Constraint-based 토론 게시판, 시각화 도구 같은 것들이 있다. 현상을 모델화시키기 위한 마인드툴로서 컴퓨터를 활용할 때, 컴퓨터가 학생을 가르친다기보다 학생들이 컴퓨터를 가르치고 있는 셈이다. 각각의 도구는 학습자가 공부하고 있는 것에 대해 다른 방식으로 생각해볼 것을 요구한다. 마인드툴은 학생의 지적인 파트너와 같은 역할을 한다. 학생들은 컴퓨터를 더욱 스마트하게 하고, 컴퓨터는 학생을 더욱 스마트하게 한다. 마인드툴이 반드시 학습을 더 용이하게 하는 것은 아니다. 그것들은 학습자가 자연스럽게 아무 노력 없이 "손쉽게 사용할 수 있는" 도구들이 아니다(Perkins, 1993). 사실, 마인드툴을 사용해 학습을 하는 것은 학습자가 마인드툴 없이 주제 관련 영역에 대해 생각하는 것보다 훨씬 더 깊이 사고할 것을 요구한다. 학생들은 배우는 내용에 대한 깊은 사고 없이는 마인드툴을 사용할 수 없고, 만약 학생들이 이 도구들을 학습에 도움이 되도록 사용하고자 한다면 이 도구들은 학습과 의미생성 과정을 촉진할 것이다.

다른 종류의 사고를 위해 다른 마인드툴을 사용하는 것뿐 아니라, 다른 마인드툴은 다른 현상에 대한 모델들을 구성하는 데에도 활용될 수 있다(Jonassen, 2006). 마인드툴은 영역지식이나 학교에서 배워야 하는 내용을 모델링하는 데 사용될 수 있다. 그 내용을 모델링하는 것은 학생이 배우는 것을 더 잘 이해하고 기억하는 데 도움을 줄 것이다. 마인드툴은 학생들이 영역지식들이 어떻게 서로 연관되어 있는지를 이해해야 하는 시스템에 대한 모델을 구성하는 데도 사용될 수 있다. 시스템은 동일한 목적에 의해 이끌리고 피드백에 의해 조정되는, 역동적이고 상호의존적인 부분들의 유기적 조직이다. 학생들에게 학습한 내용을 적절한 상호유기적 구조로 조직하라고 요구하는 것은 학생들에게 통합된 시각을 제공한다. 마인드툴은 문제들의 모델을 만드는 데도 사용될 수 있다. 실제로 어떤 종류의 문제를 해결하기 위해서는 학생들은 그 문제의 구체적인 관계들을 모델화한 문제공간을 머리 속에 구성해야만 한다. 모델을 만들기 위해 모델링 도구를 사용하는 것은 학습자 머리 속의 문제공간을 외연화한다. 특별히 데이터베이스와 같은 마인드툴은 사람들의 경험에 대한 이야기들을 수집하고, 분석하고, 조직화할 때 쓰일 수 있다. 이야기는 의미를 생성하는 가장 오래되고 가장 자연스러운 형식이다. 마지막으로, 마인드툴은 사고과정을 모델링하는 데 사용될 수 있다. 학생들은 내용이나 시스템을 모델링하기보다, 문제를 풀고, 의사결정을 하거나, 혹은 다른 과제를 완수하기 위해 수행해야 하는 종류의 사고를 모델링한다. 내용, 시스템, 문제, 이야기, 그리고 성찰적 사고의 각각 다른 현상들은 다른 종류의 지식을 나타낸다. 학습자가 자신의 개념적 이해를 더 다양한 방식으로 표현할수록 더욱 잘 이해하게 된다는 점에서 이 사실은 중요하다. 이 장의 나머지 부분은 학생들이 다른 종류의 지식에 대한 모델을 구축하는 데 모델링 도구들이 어떻게 사용되었는지를 보여준다.

유의미학습과 문제 해결 과정을 지원하기 위해 모델을 구축하는 데는 많은 이유가 있다.

- 모델링은 자연스러운 인지적 현상이다. 새로운 현상을 만나면, 사람들은 자연스럽게 그 현상에 대한 개인적인 가설들을 구성하기 시작한다.
- 모델링은 경험된 현상을 개인적 표상으로 구축한다는 구성주의에 속한다.
- 모델링은 가설 검증, 추측, 추론 등을 지원하고 다른 중요한 인지적 능력들도 후원한다.
- 모델링은 개념적인 변화에 관여한다.

- 모델링은 인지적인 산물들(외연화된 정신모델)의 생성을 이끈다.
- 학생들이 모델을 구축할 때, 그들은 그 지식의 소유자가 된다. 학생의 소유권은 의미생성과 지식구축에 중요하다.

2절 개념도를 활용한 지식의 모델링

개념도는 개념들과 그 상관관계를 공간적으로 표현한 것으로 사람의 정신에 저장하고 있는 지식의 구조를 시뮬레이션한 것이다(Jonassen, Beissner, & Yacci, 1993). 이러한 지식의 구조들은 인지적 구조, 개념적 지식, 조직화된 지식, 의미 연결망 등으로 불리기도 한다. 기억 속의 의미 연결망과 이것을 표현한 지도들은 링크(link, 관계에 대한 서술)로 이어진 노드들(node, 개념 혹은 아이디어)로 구성되어 있다. 컴퓨터 기반의 의미 연결망에서 노드들은 정보 블록들로 표시되고 링크는 명칭이 붙여진 선들이다. 그림 8.1은 물과 관련된 영역지식에 대한 복잡한 개념도의 한 장면을 보여주는데, 가장 강력한 개념도 그리기 프로그램인 Semantica(www.semanticresearch.com)를 이용하여 만든 것이다. 개념도에서 개념을 더블클릭하면 그 개념이 화면의 중앙에 위치하고 그것과 연결된 다른 모든 개념들을 보여준다. 대부분의 의미 연결망 프로그램은 각 노드에 글자나 그림을 덧붙일 수 있는 기능을 제공함으로써 개념을 더욱 정교화할 수 있다.

그림 8.2는 사람 신체에 대한 개념도와 그것이 어떤 역할을 하는지 나타내고 있다. Inspiration(www.inspiration.com)을 사용하여 만든 이 지도는 사람의 신체가 어떻게 음식을 소화하는지에 대한 주요 개념들과 그들의 관계를 묘사하고 있다. 이런 관계들을 이해하는 것이 어떻게 사람의 신체가 기능하는지를 이해하는 데 필수적이다. 많은 독자들은 그림 8.2에서 개념들의 복잡한 속성에 반감을 가질지도 모른다. 유명한 C-Map을 포함해서 대부분의 개념도 작성 프로그램과 마찬가지로 Inspiration은 개념들을 하나의 지도에 나타낸다(Inspiration에서는 하위 지도를 그리는 것이 가능하긴 하지만). 이 점은 유감스러운 일인데 왜냐하면 지도가

클수록, 영역 아이디어들을 통합하는 것을 더욱 많이 도와주기 때문이다. 영역 지식을 나타내기 위한 개념도 도구의 가장 효과적인 사용은 학생들이 한 해 전체의 교과서, 강의, 혹은 다른 정보의 출처에서 나온 내용을 모형화한 개념도를 작성하는 것이다. 학생들이 영영의 통합적인 속성을 더욱 이해하는 데 도움을 주는 이런 지도는 수천 개의 개념들을 포함하고 있을 수 있다. 다른 모델링 도구들과 마찬가지로, 학생들의 의미적 연결망을 다른 학생들과 비교하는 것은 학생들이 어떻게 다른 모델들이 같은 생각들을 표현하고 구조화하였는지를 보게 함으로써 인지적

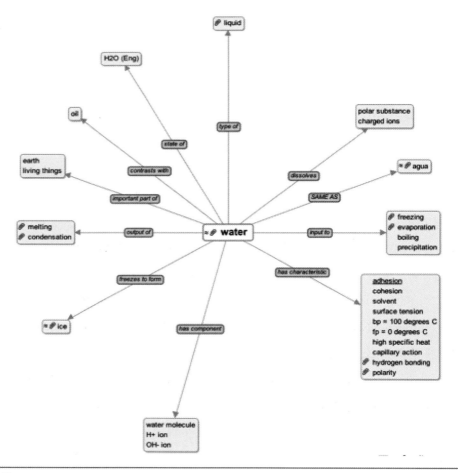

그림 8.1 Semantica를 활용한 물에 대한 개념도

변화를 가져오게 할 수 있다. 학생들은 자신의 개념도를 다른 학생의 것과 비교할 때 더욱 깊은 사고를 하게 된다.

다른 이들의 개념의 표상들을 살펴봄으로써 개념도 작성을 통해 자신의 생각을 유기적으로 통합하는 것이 확대될 수 있다. 하나의 개념도 작성을 위해 함께 협력하는 것은 학생들이 다른 학생들이 제시한 새로운 생각들과 연관시켜 자신의 개념적 지식을 시간을 가지고 성찰하도록 함으로써 인지적 불일치의 기회를 제공한다. MindMeister(www.mindmeister.com)과 같은 온라인 도구는 의미 연결망을 생성하고, 협력하고, 공유할 수 있는 환경을 제공한다.

우리는 가장 중요한 지적 필요조건이 개념들 간의 연결(링크)들을 묘사하거나 명명할 수 있는 능력이라고 믿는다. 그림 8.1과 그림 8.2에서 연결의 이름들을 주목해보라. 링크들이 정확하고 묘사적일수록 더 좋은 지도가 된다. 많은 개념도 작

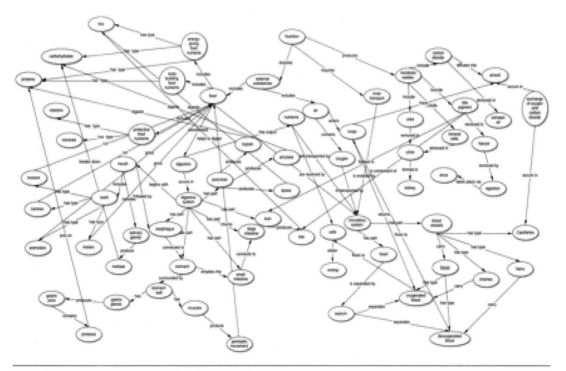

그림 8.2 Inspiration에서 만든 인체에 대한 개념도

성 프로그램들은 링크를 묘사하는 기능을 제공하지 않는다. 이런 것들은 수업에서 사용하기 부적절하다. 연결을 짓는 것은 어려운 일이지만, 내재적 의미 연결망과 유사한 무언가를 구성하기 위해서는 절대적으로 필요한 것이다.

Inspiration과 같은 개념도 작성 프로그램들은 각각의 개념들을 설명하는 그림자료모음을 제공한다. 이런 기능이 제공될 때, 학생들은(심지어 성인이나 대학원생들도) 많은 경우 자신의 개념을 자료모음에 있는 그림들에 국한시키고, 지도의 의미적 본질을 완전히 무시하는 경향이 있다. 따라서 이런 자료모음을 사용할 때는 세심한 주의가 필요하다. 그림 8.2에 있는 지도는 개념들 간의 의미적 관계들에 초점을 맞추어 그림들을 사용하지 않는다는 점에 주목하기 바란다.

3절 스프레드시트로 모델링하기

스프레드시트는 컴퓨터화된 자료보관 시스템이다. 이것은 원래 종이로 된 회계원장 시스템을 대체하기 위해 처음 고안되었다. 본래, 스프레드시트는 빈칸들의 격자(혹은 표나 매트릭스)로서 알파벳 글자로 구분되는 열과 숫자로 표시된 행들로 구성되어 있다. 각 칸에 포함되는 정보는 글자, 숫자, 다른 칸의 숫자 정보를 계산하는 수식들, 혹은 다른 칸의 내용을 조작할 수 있는 수학적 혹은 논리적 함수들로 구성될 수 있다.

스프레드시트는 정보를 저장하기, 계산하기, 표현하기와 같은 주요한 세 가지 기능을 가지고 있다. 먼저, 정보를 쉽게 접근하고 인출할 수 있는 특정 칸에 저장할 수 있는데, 저장되는 정보는 보통 수치 정보이다. 둘째는 가장 중요한 기능으로서, 스프레드시트는 계산 기능을 지원한다. 어떠한 조합된 칸들의 수치 내용들은 사용자가 원하는 방식으로 수학적으로 연관관계를 맺을 수 있다. 마지막으로, 스프레드시트는 정보를 다양한 그림이나, 그래프, 차트로 나타낼 수 있다.

스프레드시트는 정신적 기능을 확대하고 재구성하는 마인드툴의 한 예이다. 스프레드시트로 모델을 세우는 데는 다양한 정신적 처리과정들이 필요한데, 이 과정에는 학습자가 기존의 규칙들을 사용하고, 관계를 묘사하는 새로운 규칙을 생성하며, 정보를 조직화하는 것이 포함된다. 스프레드시트에서 중요한 것은 관계를 규정하고, 이러한 관계를 고등 규칙(일반적으로 수치적)으로 표현하는 것이다. 따라서, 만약 사용자가 내용 영역들을 기술하기 위해 스프레드시트를 개발하는 것을 배운다면, 그들은 더욱 깊은 사고를 하게 될 것이다. 그래서 스프레드시트는 규칙활용 도구로서 사용자가 규칙을 생성하는 것을 요구한다(Vockell & Van Deusen, 1989). 스프레드시트에 있는 숫자들을 계산하는 산술계산을 정의하려면, 사용자는 스프레드시트에 표현되기를 원하는 데이터 간의 관계나 유형을 확인해야 한다. 그런 다음, 이런 관계들을 모델속에서 관계들로 표현하기 위해 규칙을 사용하여 수학적으로 모델링하여야 한다. 사용자가 스프레드시트로 모델을 구축하기 위해서는 추상적 추론이 필요하다.

스프레드시트는 학습자들을 여러 방법으로 도울 수 있다. 그 중 가장 두드러지는 것이 학습자의 수학에 대한 이해를 도울 수 있다는 것이다. 예를 들어, Hoeffner, Kendall, Stellenwerf, Thames, Williams(1993)는 학생들이 파티 계획하기, 휴일 쇼핑하기, 이자 계산하기와 같은 문제들을 해결하는 데 있어 스프레드시트를 사용하여 변수들 간의 관계들을 개념적으로 이해할 수 있도록 도왔다. 스프레드시트는 학생들이 실험이나 다른 활동에서 수집된 데이터를 분석하고, 요약하고, 보고하기 위해 사용될 수도 있다. 예를 들어, 그림 8.3은 학생들이 각기 다른 음식군들의 상대적인 섭취 정도를 표시하기 위해 작성한 스프레드시트 차트를 보여주고 있다.

이 장의 기본 전제는 다른 도구와 마찬가지로 스프레드시트도 생각이나 문제들의 시뮬레이션을 구성하는 데 가장 효과적으로 사용될 수 있다는 것이다. 예로 그림 8.4는 옴의 법칙과 관련된 문제의 시뮬레이션을 보여주고 있다. 이 시뮬레이션은 일련의 배터리들을 나타내는데, 사용자는 전기저항 혹은 전압의 값을 조작할 수 있다. 스프레드시트를 사용하여 현상을 시뮬레이션하는 것은 "다양한 변수들의 역할들을 이해하고, 값을 최적화하는 다양한 방법들을 시험할 수 있는, 직접적이고 효과적인 수단이 된다."(Sundheim, 1992, p. 654). 교사가 개발한 시뮬레이

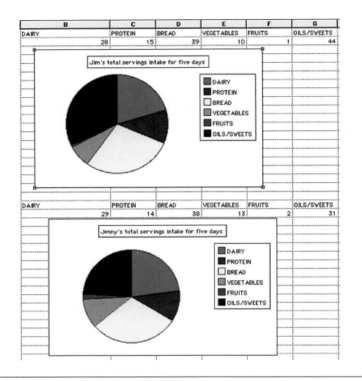

그림 8.3 음식 섭취에 대한 스프레드시트 분석

선을 단순히 사용하도록 하는 것보다 학생들이 시뮬레이션을 구성하도록 하는 것이 학생들의 참여를 강화한다.

스프레드시트 모델은 다음과 같이 학생들이 학습하는 어떠한 양적 정보도 표현할 수 있다.

- 과학수업에서 천체의 움직임
- 사회수업에서 집단의 인구통계학적 변수들, 국방, 복지에 사용된 비용, 다른 나라의 다양한 변인들
- 영어수업에서 이야기, 희극, 혹은 소설 속에 나타난 애정, 질투, 혹은 복수의 수준들

그 가능성은 끝이 없다.

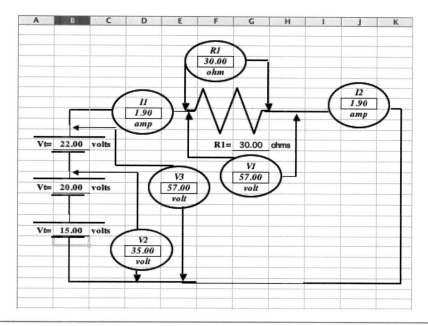

그림 8.4 밧데리 실험에 대한 스프레드시트 시뮬레이션

4절 데이터베이스를 활용한 모델링 경험

데이터베이스 관리 시스템(database management systems: DBMSs)은 컴퓨터화된 기록보존 시스템이다. 원래, 이것은 종이로 된 정보 인출 시스템(환자의 의료기록 등과 같은)을 대체하기 위해 고안되었다. 사실상, DBMS는 비서가 잘 정돈된 파일 서랍에 문서들을 저장하듯이, 사용자가 정리된 파일 시스템에 정보를 저장하고 그 정보를 나중에 인출할 수 있는 전자 파일 캐비닛이다. DBMS는 데이터베이스에 정보를 저장하고, 인출하고, 조작한다. 데이터베이스는 하나 이상의 파일로 구성되어 있고, 각각은 내용 영역, 사건, 혹은(개인의 계좌정보와 같은) 대상정보와 관련된 기록들의 집합 형태로 정보를 보관하고 있다. 데이터베이스의 각 레코드(record)는 그 안에 포함된 정보의 종류나 형태를 표시하는 필드(영역)로 나뉘어 있다. 각 레코드의 같은 종류의 정보는 같은 필드에 저장된다. 이런 레코드들은 정

보의 공통된 유형을 정의한(각 레코드의 하부분류인) 필드로 체계적으로 나누어진다. 각 필드의 내용과 배열은 컴퓨터가 특정한 종류의 정보를 보다 신속히 찾기 위해 표준화되어 있다.

데이터베이스는 우리 사회 어디에서도 발견된다. 우리에 대한 정보를 담고 있는 레코드들은 학교, 전기나 상하수도 같은 공공기관, 병원, 도서관, 상점 등에서 유지되고 있다. 우리가 책을 대출하고, 온라인으로 구매를 하고, 고지서를 납부하며, 혹은 다른 어떤 활동을 할 때마다, 누군가 우리의 레코드를 살펴보거나 새로운 레코드를 데이터베이스에 입력한다.

학생이 현상을 DBMS로 모델링할 때, 학생들은 하나 이상의 매트릭스에 내용 아이디어들을 통합하고 관련시켜야 한다. 데이터베이스는 매트릭스 형태로 정보를 전달한다. 매트릭스는 비교-대조 추론을 지원하는 정보들을 표현하는 효과적인 방법이다. 학생들은 생각들을 비교하거나 대조하기보다는 사람들의 경험에 대한 이야기들을 수집하고, 비교하고, 대조하는 데이터베이스를 구성할 수 있다. 예를 들어, 그림 8.5는 학생들이 배우고 있는 단어들의 데이터베이스를 보여준다. 학생들은 단어의 구조적인 요소들을 표시하고 비교함으로써, 새로운 단어의 활용법을 보다 효과적으로 배운다. 그림 8.6은 다른 종류의 세포에 대한 데이터베이스를 보여주고 있다. 학생들이 새로운 세포에 대해 배울 때마다 그것에 대한 설명을 데이터베이스에 추가하는데, 이 데이터베이스는 학생들이 자신들이 배운 것을 조직화하기 때문에 구조화된 노트정리 도구로서 역할을 하게 된다. 정보가 조직화되어 있지 않으면, 학생들은 그것을 인출할 수 없다. 이런 것들로 인해 학생들과 교사들은 그들의 데이터베이스의 질을 평가할 수 있다. 예로, 데이터베이스를 모양에 따라 정렬함으로써, 학생들은 세포의 모양과 기능 간의 관계성이 있는지 없는지 여부를 검증할 수 있다. 이런 종류의 질문들은 유의미학습을 이끈다.

대체로 학교는 이야기의 가치를 높이 평가하지는 않지만, 이야기는 의미협상에 있어 최우선적인 수단이다(Bruner, 1990). 그리고 이야기는 사람의 행동, 의도, 일시성을 이해하는 데 도움을 준다. 이야기는 직접 경험을 대체하는 기능도 있다. 예를 들어, 우리는 이 책에 내용의 연관성을 높이기 위해 교사가 수업에서 어떻게

Vocabulary Chart

word	related words	synonym	antonym	origin	part of speech	suffix	prefix	baseword part	baseword
admiration	admirer,	respect		french	noun	ation		verb	admire
contentedly	contentment,	complacently	disappointedly	french	adverb	ly		adjective	content
cordially	cordiality,	genially	coldly	mediev	adverb	ly		adjective	cordial
description	descriptive,	explanation		latin	noun	tion		verb	describe
digestion	digestibility,	devouring		latin	noun	ion		verb	digest
explanation	explanatory,	clarification		latin	noun	ation		verb	explain
freedom		liberty		old	noun	dom		noun	free
illegible	legibly	unclear	distinct	latin	adjective		il	adjective	legible
illiterate	illiteracy,	uneducated	learned	latin	adjective		il	adjective	literate
illustration	illustrator,	depiction			noun	ion		verb	illustrate
immobilized	immobilization	disabled	capable		adjective	ize	im	adjective	mobile
impatient	impatiently,	eager	reluctant		adjective		im	adjective	patient
inhuman	inhumanity,	nasty	nice		adjective		in	adjective	human
invisibility	visor, vision	obscurity	discernible		noun	ity	in	adjective	visible
irresponsible	responses,	careless	careful		adjective	ible	ir	noun	response
irresponsible	responsibly,	careless	careful		adjective	ible	ir	noun	response
kingdom		realm			noun	dom		noun	king
leadership	leadability,	dominance			noun	ship		noun	leader
motherhood	motherly,				noun	hood		noun	mother
neighborhood	unneighborly,	area			noun	hood		noun	neighbor
ominously		threateningly	promisingly		adverb	ly		adjective	ominous
partnership		alliance			noun	ship		noun	partner
permission	permisability,	approval			noun	sion		verb	permit
population	depopulate,	community			noun	ion		verb	populate
suspension	suspend,	delay	continuance		noun	sion		verb	suspend
tension		anxiety			noun	ion		adjective	tense
unabridged	abridging,	complete	shortened		adjective		un	verb	abridge

그림 8.5 단어 데이터베이스

cell type	location	function	shape	related cells	specialization	tissue system	associated pr	related disease
Astrocyte	CNS	Supply	Radiating	Neurons,	Half of Neural	Nervous		Neuroglia
Basal	Stratum	Produce New	Cube,	Epithelial	Mitotic	Epithelial		Cancer
Basophils	Blood	Bind Imm.E	Lobed	Neutrophil	Basic Possibl	Connective,	Histamine,	
Cardiac Muscle	Heart	Pump Blood	Branched	Endomysium	Intercalated	Muscle	Actin,	Athrosclerosis,
Chondroblast	Cartilage	Produce	Round			Connective	Collagen	Chondrocyte
Eosinophil	Blood	Protazoans,	Two	Basophil,	Acid,	Connective,		
Ependymal	Line CNS	Form	Cube		Cilia	Nervous		Neuroglia
Erythrocytes	Blood	Transport O2,	Disc	Hemocytobla	Transport	Connective	Hemoglobi	Sickle Cell
Fibroblast	Connectiv	Fiber	Flat,		Mitotic	Connective	Collagen,	Cancer?
Goblet	Columnar	Secretion	Columnar	Columnar	Mucus	Epithelial		
Keratinocytes	Stratum	Strengthen	Round	Melanocytes		Epithelial	Keratin	
Melanocytes	Stratum	U.V. Protection	Branched	Keratinocyte	Produce	Epithelial	Melanin	Skin Cancer
Microglia	CNS	Protect	Ovoid	Neurons,	Macrophage	Nervous		Neuroglia
Motor Neuron	CNS(Cell	Impulse Away	Long, Thin	Sensory	Multipolar,Ne	Nervous		
Neutrophil	Blood	Inflammation,	Lobed	Basophils,	Phagocytos,	Connective,	Lysozyme	
Oligodendrocyte	CNS	Insulate	Long	Neurons	Produce	Nervous		Mutiple Sclerosis
Osteoblast	Bone	Produce	Spider	Osteoclasts	Bone Salts	Connective	Collagen	Osteoporosis,
Osteoclast	Bone	Bone	Ruffed	Osteoblasts	Destroy	Connective	Lysosomal	Osteoporosis,
Pseudostratified	Gland	Secretion	Varies	Goblet	Cilia	Epithelial		
Satellite	PNS	Control	Cube	Schwann,	Chemical	Nervous		
Schwann	PNS	Insulate	Cube	Neurons,	Form Myelin	Nervous		Mutiple Sclerosis
Sensory Neurons	PNS(Cell	Impulse to	Long, Thin	Motor	Unipolar,	Nervous	Neurotran	
Simple Columnar	Digestive	Secretion,	Columnar		Cilia	Epithelial		
Simple Cuboidal	Kidney	Secretion,	Cube		Microvilli	Epithelial		
Simple Squamous	Lungs,	Diffusion of	Flat	Basal,		Epithelial		
Skeletal Muscle	Bone,	Movement,	Long	Neurons	Neuromuscul	Muscle	Actin,	
Smooth Muscle	Organ	Movement	Disc	Endomysium	Gap	Muscle	Actin,	
Stratified Columnar	Epithelial	Protection,	Columnar	Simple	Cilia	Epithelial		
Stratified Cuboidal	Sweat,	Protection	Cube	Simple	Simple	Epithelial		
Stratified	Lining	Protection	Layered	Basal		Epithelial	Keratin	
T Lymphocytes	Lymphoid	Cell Mediated	Round	B,T Cells	Antigen	Immune	Lymphokin	Autoimmune
T-Lymphocyte	Lymphoid	Cell Mediated	Round	Helper T	Graft	Immune	Antigen,Pe	Autoimmune
T-Lymphocytes	Lymphoid	Cell Mediated	Round	Killer T, B	Stimulates	Immune	Lymphokin	Aids
Transitional	Uterus,	Stretches	Surface		Expansion	Epithelial		

그림 8.6 세포 데이터베이스

테크놀로지를 사용하였고 또 사용할 수 있는지에 대한 "이야기들"을 포함시켰다. 많은 사람들이 그렇듯이, 우리가 우리의 경험으로부터 더 많은 것을 배울 수 있다고 생각한다면, 우리는 다른 사람의 경험에 대한 이야기에서도 또한 배울 수 있을 것이다. 우리의 결정 중 많은 것들은 다른 사람들의 경험에 기초하고 있다. 학생들은 내용을 공부하기보다, 다른 사람들의 이야기와 경험들이 가르쳐 주고자 하는 바를 얻기 위해 그것들을 분석해볼 수 있다. 만약 어떤 대화라도 다시 들으면서 분석해 본다면, 그 대화는 일련의 이야기들로 구성되어 있음을 알게 될 것이다. 한 사람이 자기 주장을 위해 이야기를 말하고, 그 이야기는 다른 대화자들에게 관련된 사건을 연상시키고, 그래서 다른 대화자들은 연상된 이야기들을 말하고, 다시 그 이야기들은 다른 대화 참여자들에게 연상된 사건을 제공하는 과정이 이어진다. 왜 우리는 대화를 지속하기 위해 이야기를 사용하는가? 왜냐하면, 우리는 우리가 알고 있는 많은 부분을 이야기 형태로 기억하기 때문이다. 이야기는 기억을 저장하고 묘사하기 위한 풍부하고 강력한 형식이다. 그래서 사람들이 알고 있는 것을 이해하는 한 방법이 그들의 이야기들을 분석하는 것이다. 데이터베이스는 이를 위한 주요한 도구이다.

학생들은 사람들의 경험을 위한 모델들을 구성할 수 있는데 그것은 민족지학(ethnography)의 한 형태이다. 사람들의 경험에 대한 이야기들을 수집하고, 색인화하고, 저장함으로써 모델 구성을 할 수 있다. 수집된 이야기를 가지고, 우리는 이야기들의 교훈이 무엇인지 결정하여야 한다. 우리는 어떤 요점을 마음에 가지고 이야기를 하기 때문에, 색인화 과정은 주어진 상황에서 그 요점이 무엇인지를 명료화하려는 시도다. 각각의 색인은 데이터베이스에서 한 영역이 된다. 학생들은 이야기에 부여된 색인을 가지고, 각 색인(필드)을 나타내는 이야기 속의 부분들을 찾아서 레코드, 필드 등에 그 부분들을 포함시킨다. 그 필드들은 주제, 목표, 계획, 결과, 교훈을 표시하는 것이거나 학생들이 적절하다고 믿는 모든 종류의 색인이 될 수 있다. 그림 8.7의 데이터베이스는 Northern Ireland 분쟁을 공부하는 학생들이 수집한 많은 이야기들 중 하나를 자세히 보여준다. 이 데이터베이스는 소재, 주제, 맥락, 목표, 추론, 종교 등으로 색인된 많은 이야기들을 포함하고 있다. 학생들이 이 문제를 이해하기 위해서 이야기들을 분석할 때, 이야기들에 나타난 다양한 사회적, 문화적, 정치적, 개인적 관점들의 측면에서 어떤 현상의 바닥에 깔린 복잡성을 더욱 잘 이해하게 된다.

여러분은 또한 미국 교육부(U.S. Department of Education)의 PT3(미래교사의 테크놀로지 사용을 위한 준비) 기금 지원을 받아 테크놀로지 통합에 대한 이야기를 자료화한 Knowledge Innovation for Technology in Education(kite.missouri.edu) (Jonassen, Wang, Strobel, & Cernusca, 2003)에 관심이 있을 수도 있다. 우리는 천 명 이상의 교사를 인터뷰하여, 수업에서 성공적으로 테크놀로지를 활용한 이야기들을 들려달라고 요청했었다. 각각의 이야기가 수집될 때마다, 우리는 이야기가 주는 교훈을 정하고 그 이야기를 색인화하였다. 이런 색인들은 오라클 데이터베이

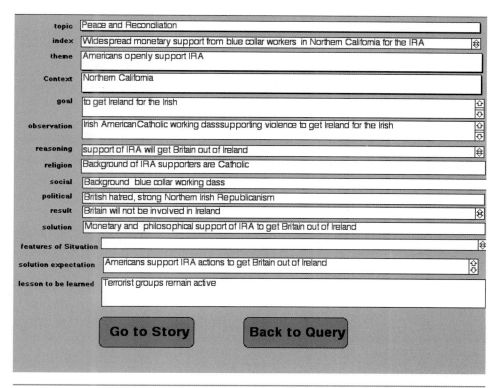

그림 8.7 Northern Ireland에 대한 이야기 데이터베이스에서 발췌한 기록

스의 각각의 필드가 되었다. 여러분은 필드로 정의된 특징들에 기초해서 데이터 베이스를 검색하면, 교실에서의 테크놀로지 활용법에 대해 관련된 이야기들을 인출할 수 있다. 비록 이 데이터베이스가 학생들이 구성한 것은 아니지만, 어떻게 데이터베이스가 이야기의 수집과 인출에 활용될 수 있는지에 대한 또 다른 예를 보여준다.

5절 결론

이 장에서, 우리는 학생들이 학습한 것의 모델을 세우기 위한 마인드툴로서의 컴퓨터 사용에 대한 아이디어를 소개하였다. 전제는 간단하다— 만약 모델을 세울 수 없다면, 그것을 이해하지 못한 것이다. 학생이 배우는 것을 이해하고, 학습한 것을 기억하도록 하려면 학생들에게 모델링하도록 하라. 이 장에서 우리는 세 가지 다른 마인드툴(개념도, 스프레드시트, 데이터베이스)이 모델링에 사용될 수 있는 예를 보여주었다. 각각의 마인드툴은 다른 종류의 모델들을 형성할 수 있음을 아는 것이 중요하다(Jonassen, 2006).

다른 종류의 테크놀로지를 활용한 학생들의 모델링은 아래 내용을 포함하여 이 책 전체에 걸쳐 묘사되어 있다.

- 4장에서 기술한, CAD 소프트웨어로 디자인 아이디어 그리기
- 3장과 4장에 기술된 시뮬레이션과 시뮬레이션 소프트웨어를 활용해 테스트하기
- 6장에 나오는 위키를 활용해 협력적 지식 구성하기
- 이전 판에 서술된 협력적으로 하이퍼미디어 구성하기

이 장에 서술된 모델링 활동과 관련된 NET 표준

1. 창의성과 혁신

   a. 기존 지식을 적용하여 새로운 아이디어, 결과물, 과정을 만들어낸다.

  b. 자신이나 모둠을 표현하기 위하여 독창적인 작품을 창작한다.

  c. 모델과 시뮬레이션을 사용하여 복잡한 시스템과 이슈를 탐색한다.

2. 의사소통과 협력

  a. 다양한 디지털 환경과 미디어를 활용하여 동료, 전문가 또는 다른 사람들과 상호작용하고 협력하며 출판한다.

  b. 다양한 형태의 미디어를 활용하여 다수의 사람들과 효과적으로 정보와 아이디어를 소통한다.

  d. 프로젝트 팀과 함께 독창적인 작품을 만들고 문제를 해결하는 데 기여한다.

3. 연구와 능숙한 정보 활용

  b. 다양한 출처와 미디어로부터 정보를 검색, 조직, 평가, 종합하며 윤리적으로 활용한다.

  c. 구체적인 과제 수행에 적합하게, 정보 출처와 디지털 도구를 평가하여 선정한다.

4. 비판적 사고, 문제 해결, 의사결정

  a. 조사를 위하여 실제적인 문제와 중요한 질문을 확인하고 정의한다.

  b. 해결책을 도출하기 위하여 활동을 계획하고 관리하거나 프로젝트를 완수한다.

  c. 해답을 확인하기 위하여 자료를 수집하여 분석하거나 정보에 기반하여 결정한다.

  d. 다양한 절차와 관점을 활용하여 대안적인 해결책을 탐색한다.

이 장에 서술된 모델링 활동과 관련된 21세기 기술(역량)

 창의적으로 생각하기

  ■ 창의적 노력을 향상시키고 극대화하기 위해 아이디어를 정교화, 정제, 분석, 평가한다.

다른 사람과 창의적으로 함께 일하기

■ 다른 사람들과 효과적으로 새로운 아이디어를 개발, 실행, 의사소통한다.

효과적으로 추론하기

■ 상황에 적합한 다양한 종류의 추론(귀납적, 연역적)을 사용한다.

체제적 사고 사용하기

■ 복잡한 구조에서 전체적인 성과를 창출하기 위해 전체의 각 부분이 어떻게 상호작용하는지 분석한다.

판단과 의사결정하기

■ 증거, 논쟁, 주장, 믿음을 효율적으로 분석하고 평가한다.
■ 주요한 대안적인 관점을 분석하고 평가한다.
■ 정보와 주장을 연결하고 종합한다.
■ 정보를 해석하고 최적의 분석에 기반하여 결론을 내린다.

명확히 대화하기

■ 다양한 팀과 맥락에서 구두로, 서필로, 비언어적 의사소통 능력을 사용하여 생각과 아이디어를 효과적으로 설명한다.
■ 멀티미디어와 테크놀로지를 사용하고 그것의 영향을 평가할 뿐만 아니라 선험적 효과성에 대해 판단하는 방법을 안다.

타인과 협력하기

■ 다양한 팀과 효과적으로, 정중하게 일하는 능력을 보인다.

정보에 접근하고 평가하기

■ 정보에 효율적이며(시간), 효과적으로(출처) 접근한다.
■ 정보의 적합성을 비판적으로 평가한다.

정보를 사용하고 관리하기

■ 당면한 이슈나 문제에 대해 정보를 정확하고 창의적으로 사용한다.

■ 다양한 출처에서 정보의 흐름을 관리한다.

테크놀로지를 효과적으로 적용하기

■ 정보의 조사, 조직, 평가, 의사소통을 위한 도구로 테크놀로지를 사용한다.

■ 지식경제에서의 성공적 수행을 위해 디지털 테크놀로지(컴퓨터, PDA, 미디어플레이어, GPS 등), 대화 · 네트워크 도구와 소셜 네트워크를 사용하여 정보에 접근하고 정보를 관리, 통합, 평가, 생성한다.

6절 생각해볼 점

이 장에서 소개한 아이디어들에 대한 성찰 활동을 위해, 아래의 질문들에 대해 대답을 명료화하고 다른 대답들과 비교해보자.

1. 교사로서 당신은 당신이 알고 있는 것을 실제로 가르치고 있는가? 학생들이 당신이 형성한 모델과 유사하게 세울 수 있을까?

2. 목수가 망치, 톱, 수준기, 기타 도구들로부터 학습을 할 수 있는가? 그런 도구들을 사용하지 않고 무언가를 배울 수 있을까? 그런 도구들을 가지고 목수일을 배울 수 있을까?

3. 만약(우리가 주장한 대로) 유념적(mindful) 사고가 적극적이고, 구성적이고, 의도적이고, 실제적이고, 협력적인 것이라면, 무념적(mindless) 사고는 무엇인가? 학생들이 아무 생각 없다면 학생들이 무엇을 하는 것인지 설명할 수 있는가? 무념적 사고라는 것이 가능한 일인가?

4. 새로운 주제나 기술을 가르쳐야 했던 처음의 순간을 기억해보자. 그것을 가르치기 전에 얼마나 그것에 대해 잘 알고 있었는가? 그것을 가르치고 나서 그 주제에 대해 더욱 잘 알게 되었는가? 학습자는 테크놀로지를 사용하

지 않고 가르치는 역할을 할 수 있을까? 학습자는 테크놀로지를 가르쳐야 한다고 한 우리의 주장을 기억해보자.

5. 모델링 도구는 똑똑해질 수 있을까? 가장 스마트한 도구는 무엇이라고 생각하는가? 무엇이 그것을 스마트하게 만드는가?

6. 우리는 마인드툴의 목적이 학생의 내적 정신모델에 대한 외적 모델을 만들도록 돕는 것이라고 주장한다. 당신은 학생이 만드는 모델이 학생 자신의 것이고 당신이 가르쳐준 것이 아니라는 것을 어떻게 알 수 있는가?

7. 우리는 언어나 데이터베이스와 같은 응용 소프트웨어는 우리가 아는 것을 표현하는 형식이라고 주장한다. 아는 것을 나타내는 다른 형식을 생각해볼 수 있는가? 그것의 형식 체계는 언어와 어떻게 다른가?

8. 데이터베이스와 개념도는 지식 영역의 의미론에 초점을 두고 있다. 즉, 그것들은 학습자가 그 영역에서의 의미 구성을 표현하도록 한다. 다른 의미적 형식을 생각해볼 수 있는가?

9. 개념도는 집의 틀과 기초와 같다. 만약 이런 비유를 받아들인다면, (배관, 외장, 장식, 벽 등의) 집의 다른 부분들은 어떻게 묘사할 수 있을까?

10. 우리는 마인드툴을 활용하여 모델을 형성하는 것은 학습자의 내적 정신모델을 투영한다고 주장해왔다. 외적 모델에는 지식이 존재하는가? 지식은 머릿속에만 존재하는가 아니면 컴퓨터와 같은 곳에도 존재할 수 있는가?

11. 마인드툴은 학생들의 학습을 돕는 지적 도구상자를 나타낸다. 그러나 이것들이 학생들이 사용해야 할 유일한 지적 도구들은 아니라고 믿는다. 학생들은 자신의 학습을 위해서 테크놀로지를 활용하지 않는 다른 지적 도구들을 가지고 있거나 개발해야 할까?

참고문헌

Bruner, J. (1990). *Acts of meaning.* Cambridge: Harvard University Press.

Chi, M.T.H., Feltovich, P. J., & Glaser, R. (1981). Categorization and representation of physics problems by experts and novices. *Cognitive Science, 5,* 121–152.

Hestenes, D. (1996). Modeling methodology for physics teachers: Proceedings of the International Conference on Undergraduate Physics Education. http://modeling.asu.edu/modeling/ModMeth.html

Hoeffner, K., Kendall, M., Stellenwerf, C., Thames, P., & Williams, P. (1993,November). Problem solving with a spreadsheet. *Arithmetic Teacher,* 52–56.

Jonassen, D. H. (2006). *Modeling with technology: Mindtools for conceptual change.* Columbus, OH: Merrill/Prentice-Hall.

Jonassen, D. H. (2008).Model building for conceptual change. In S. Vosniadou (Ed.), *International handbook of research on conceptual change* (pp. 676–693) New York: Routledge.

Jonassen, D. H., Beissner, K., & Yacci, M. A. (1993). *Structural knowledge: Techniques for representing, conveying, and acquiring structural knowledge.* Hillsdale, NJ: Lawrence Erlbaum Associates.

Jonassen, D. H., Wang, F. K., Strobel, J., & Cernusca, D. (2003). Application of a case library of technology integration stories for teachers. *Journal of Technology and Teacher Education, 11*(4), 547–566.

Larkin, J. H. (1983). The role of problem representation in physics. In D. Gentner & A. L. Stevens(Eds.), *Mental models* (pp. 75–98). Hillsdale, NJ: Lawrence Erlbaum Associates.

Lehrer, R., & Schauble, L. (2003). Origins and evolution of model-based reasoning in mathematics and science. In R. Lesh & H. M. Doerr (Eds.), *Beyond constructivism: Models and modeling perspectives on mathematics problem solving, teaching, and learning* (pp. 59–70). Mahwah, NJ: Lawrence Erlbaum Associates.

Lesh, R., & Doerr, H. M. (2003). Foundations of a models and modeling perspective on mathematics teaching, learning, and problem solving. In R. Lesh & H. M. Doerr (Eds.), *Beyond constructivism: Models and modeling perspectives on mathematics problem solving, teaching, and learning* (pp. 3–33). Mahwah, NJ: Lawrence Erlbaum Associates.

Nersessian, N. J. (1999). Model-based reasoning in conceptual change. In L. Magnani, N. J. Nersessian, & P. Thagard (Eds.), *Models are used to represent reality.* New York: Kluwer Academic/Plenum Publishers.

Perkins, D. N. (1993). Person-plus: A distributed view of thinking and learning. In G. Salomon(Ed.), *Distributed cognitions: Psychological and educational considerations.* Cambridge: Cambridge University Press.

Schank, R. C. (1990). *Tell me a story: Narrative and intelligence.* Evanston, IL: Northwestern

University Press.

Sundheim, B. R. (1992).Modeling a thermostated water bath with a spreadsheet. *Journal of Chemical Education, 69*(8), 650–654.

Vockell, E., & Van Deusen, R. M. (1989). *The computer and higher-order thinking skills.* Watsonville, CA:Mitchell Publishing.

Chapter 09

테크놀로지와 함께 시각화하기

| **이 장의 목표** |

1. 색칠 및 그리기 프로그램, 디지털 사진, 비디오가 개인의 시각화 기술을 어떻게 지원하는지 서술한다.
2. 특정 분야 지식을 학습하기 위해서 서로 다른 시각화 도구가 가지는 유용성을 비교한다.
3. GIS가 교실에서 사용될 수 있는 새로운 방식을 만든다.
4. 디지털 사진과 비디오를 활용하기 위한 수업계획서를 만든다.
5. 시각화 도구가 어떻게 NETS와 21세기 역량을 지원할 수 있는지 서술한다.

1절 시각화 도구란 무엇인가?

인간은 균형이 잘 잡힌 감각운동 시스템을 가지고 있는 복잡한 유기체이다. 정신운동 데이터를 감지하고 복잡한 운동 시스템을 이용하여 반응하는 균형이 잘 잡힌 수용기 작동 체제를 가지고 있다. 마찬가지로 인간은 상당한 범위의 소리를 들을 수 있도록 해주는 적당히 예민한 청각력을 가지고 있다. 소리를 모방하거나 무한히 다양한 소리를 만들기 위해서 공기를 횡경막, 입천장, 입술을 통해 밖으로 내보냄으로써 적어도 소리에 반응할 수 있다. 그러나 가장 많은 양의 다양한 정보를 받아들이고 가장 정교한 감각 체제인 시각은 균형 잡힌 작동 체제를 가지고 있지 않다. 우리는 엄청나게 많은 시각 정보를 받아들이지만, 심상과 꿈을 제외하고는 우리의 생각을 시각적으로 표상할 수 있는 출력 메커니즘을 가지고 있지 않기 때문에 다른 사람과 쉽게 공유할 수 없다. 시각 이미지는 의미를 만드는 데 있어서 매우 효과적인 매개체이다. 많은 사람들이 의미를 이해하기 전에 종종 시각화를 하지만, 그러한 이미지를 공유하는 것은 어렵다. 인간은 생각을 시각화하고 다른 사람들과 이미지를 공유하기 위해서 시각화 도구가 필요하다. 생각을 시각화하도록 돕는 도구들은 또한 많은 어려운 개념을 학습하도록 돕는다.

어떤 사람들은 그래픽, 다이어그램, 혹은 삽화를 이용한 시각적 정보처리를 선호하고 어떤 사람들은 읽거나 듣는 것을 통한 언어적 정보처리를 선호한다. 전자를 시각처리자(visualizer)라고 하고 후자를 언어처리자(verbalizer)라고 한다. 시각처리자는 더 구체적으로 생각하고 시각 자료를 사용하며 정보를 개인화한다. 학습 시 문자 중심의 자료에 추가적으로 제공되는 그래프, 다이어그램, 그림을 좋아한다. 언어처리자는 이미지보다는 읽기나 듣기를 통해 말로 정보를 처리하는 것을 좋아한다(Kirby, Moore, & Shofield, 1988). 그러므로 이 장은 시각처리자를 위해서 쓰여졌다. 언어처리자도 이 장에 서술되어 있는 테크놀로지를 사용하는 것으로부터 도움을 받을 수 있을지는 의문스럽다.

이 장에서는 시각처리자와 언어처리자가 독창적인 그림을 그리는 데 요구되는 예술적인 기술 없이 생각을 시각적으로 표상하고 추론할 수 있도록 돕는 급속히 증가하고 있는 일련의 테크놀로지를 소개한다. 이러한 도구는 시각적 아이디어를 해석하고 표상하는 것을 돕고 이미지를 제작하기 위한 수작업의 일부를 자동화한다. 시각화 도구는 해석과 표현이라는 두 가지 주요 용도로 사용된다(Gordin, Edelson, & Gomez, 1996). 해석 도구는 학습자가 시각 자료를 보거나 조작하여 시각화된 정보로부터 의미를 도출하도록 돕는다. 해석적인 그림은 이해하기 어려운 글과 추상적인 개념을 좀 더 이해할 수 있도록 만들어서 의미가 명확해지도록 돕는다(Levin, Anglin, & Carney, 1987). 표현적인 시각화는 학습자가 일련의 신념을 의사소통하기 위해서 의미를 시각적으로 전달하는 것을 돕는다. 크레용, 물감, 종이 혹은 페인트와 그리기 프로그램은 영재 학습자가 자신을 시각적으로 표현하기 위해 사용하는 매우 효과적인 표현 도구이다. 그러나 그것들은 그래픽 재능에 의존한다. 시각화 도구는 표현의 몇몇 형태를 스캐폴딩하거나 지원하기 때문에 페인트와 그리기 프로그램을 뛰어넘는다. 시각화 도구는 학습자가 생각을 자기 자신과 다른 사람이 더 쉽게 이해할 수 있는 방식으로 시각화하는 것을 돕는다.

이 장에서는 그리기와 페인트 프로그램, 과학적인 시각화 도구, 수학적인 시각화 도구, GIS 도구, 스케치 도구, 디지털 카메라와 모바일 전화기, 비디오 제작, 비디오 모델링, 피드백과 같은 다양한 시각화 도구가 제시된다.

그리기 및 페인트 프로그램

소묘나 그림을 전자적으로 만들 수 있도록 하는 그리기와 페인트 프로그램이 가장 대표적인 시각화 도구이다. 수백 가지의 페인트와 그리기 프로그램이 있으며, 그 중 상당 부분이 무료이다. 사용자들은 이들 프로그램을 이용하여 손으로만 그린 소묘 혹은 그림을 만들 수 있고 휴대전화나 디지털 카메라로 찍은 사진을 변형시킬 수 있다. 이들 도구는 사용자가 그리고, 색칠하고, 글자를 쓰고, 그림을 추가하고, 정교한 그래픽 효과를 만들 수 있는 도구들의 팔레트(그림 9.1의 좌측)를 제공한다. 더 값비싼 프로그램은 사용자가 애니메이션을 만드는 것을 돕는다. 그러나 페인트/그리기 프로그램을 사용해 심상(mental image)을 표상하기 위해서는 이미지를 일련의 동작으로 변환해야 하고 소프트웨어를 사용하기 위해 많은 규칙을 적용해야 한다. 심상을 우리 두뇌에서 컴퓨터로 직접 넘길 수 없기 때문이다. 숙련된 예술가는 흔히 생각을 시각화

그림 9.1 그리기와 페인트 소프트웨어에 있는 도구들의 팔레트

할 수 있는 도구를 사용하는데, 이는 다른 사람들이 생각을 이해할 수 있도록 돕는다.

Sketchcast로 시각화하기

가장 예술적이지 않은 사람을 도울 수 있는 도구가 바로 Sketchcast이다. 단순한 도구 팔레트를 이용하여 그리거나 그리면서 말하는 것을 동영상으로 만들어준다. Cassidy 교사의 1학년 학급 학생들은 Sketchcast를 이용하여 어머니날(Mother's Day)을 위한 어머니 그림을 만들었다(그림 9.2, http://classblogmeister.com/blog.php?blog_id=1151927&mode=comment&blogger_id=1337).

컴퓨터로 과학적 사고를 시각화하기

과학 세계의 많은 부분은 사람의 눈에 쉽게 보이지 않는다. 종종 과학 현상의 크기가 너무 크거나 너무 작아서 그 현상을 관찰할 수 없다. 천문학에서 원자의 구조까지 과학은 눈으로 볼 수 없는 사물들 간의 역동적이고 시각적인 관련성을 이해하도록 요구한다. 원자의 구조를 시각화하기 위한 몇몇 도구들을 짧게

그림 9.2 Sketchcast로 만든 1학년 학생의 그림

서술하겠다.

화학 시각화 도구로 분자를 이미지로 표현하기. 과학 분야에서, 특히 화학과 관련해서 수많은 시각화 도구가 개발되었다. 그림 9.3은 안드로스테론의 분자를 보여 준다. 학습자는 Spartan(www.wavefun.com) 프로그램을 통해서 다섯 개의 서로 다른 표상(선, 구와 선, 관, 구와 바퀴살, 공간 채움)을 이용하여 분자를 시각화할 수 있을 뿐만 아니라 서로 다른 결합을 검증하고 이온과 분자를 만들 수 있다(그림 9.4). 왼쪽에 있는 분자에 인이 추가된 것을 보라. 이러한 복잡한 과정을 시각화하는 것은 분자 화학의 이해를 돕는다. 이들 도구에 관한 몇몇 연구가 진행되었다. 고등학교 학생들은 분자 모형을 만들고 다양한 분자의 표상을 보기 위해 eCham 을 사용했다. 시각화 도구를 사용한 학생들은 화학 물질에 대한 이해를 돕는 보다 우수한 심상을 만들 수 있었다(Wu, Krajcik, & Soloway, 2001). 모형을 만들며 토론에 참여한 학생들이 가장 많이 도움을 받았다. 채색된 실험 그림과 반응에 대한 이온 표시를 포함하여 추가적으로 시각화를 제공하는 것은 화학의 개념 습득

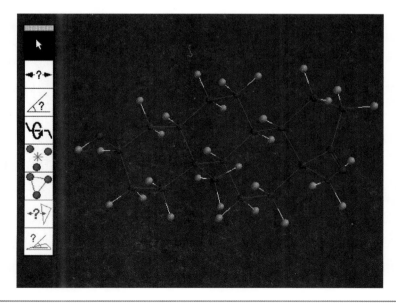

그림 9.3 안드로스테론 분자의 시각화

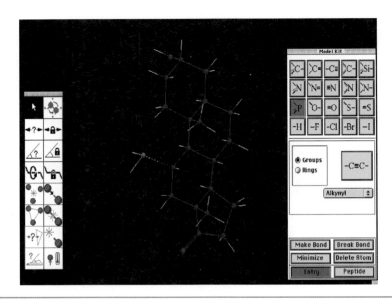

그림 9.4 Spartan에서 분자 조작하기

을 촉진시켰다(Brandt, Elen, Hellemans, Heerman, Couwenberg, Volckaert, & Morisse, 2001).

Molecular Workbench는 과학과 공학의 교수 및 학습에서 시각적이고 상호작용적인 시뮬레이션을 제공하는 무료 개방형 자원 도구이다(www.concord.org). Molecular Workbench는 다양한 과학 분야와 여러 학년에서 실험과 협력 활동으로 학습하는 학생을 지원하는 소프트웨어 패키지이다. 개방형 자원 학습 환경을 통해서 중학교, 고등학교, 대학교 학생들은 가스 법칙, 유체 역학, 물질의 성질, 물질의 상태, 상 변화, 열 전달, 화학 결합, 화학 반응, 구조와 기능의 상관관계, 유전 암호, 단백질 합성, 가시 광선과 물질의 상호작용, 전자와 물질의 상호작용, 양자역학과 같은 현상의 물리적 원인을 탐구한다. 예를 들어, 그림 9.5는 생물학과 화학에서 세포 호흡에 대한 효과적인 수업을 위해 관련된 설명 및 질문과 함께 동영상의 정지된 장면을 보여준다.

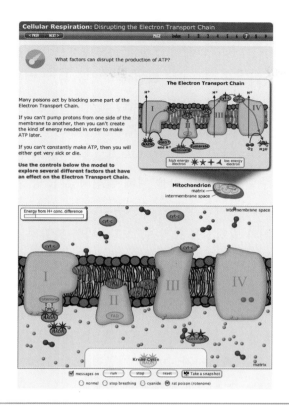

그림 9.5 Molecular Workbench의 생물학과 화학 수업

2절 테크놀로지로 수학적 사고 시각화하기

수학의 추상성 때문에 시각화는 학습자들의 수학 개념의 이해를 돕는 중요한 전략이다. 이러한 시각화 도구가 항상 컴퓨터에 의해 매개되는 것은 아니다. 예를 들어, Cotter(2000)는 아시아식 시각화 방식(주판, 물건값을 표시하는 막대기, 자리 카드)을 사용하여 자리 수, 덧셈, 뺄셈의 이해를 촉진시켰다. 수학 교육자들은 오랜 기간 손으로 조작 가능한 학습교구(manipulatives)나 그와 유사한 시각적 비교 장치를 사용하도록 장려했다. Snir(1995)는 컴퓨터가 시각화를 통해 사람들이 흔히 갖고 있는 현상에 대한 오개념을 명확히 하고 고치는 데 독특한 기여를 할

수 있다고 주장한다. 예컨대, 현상에 대한 표상을 만들기 위해 컴퓨터를 사용할 수 있으며, 그 표상에는 모든 관계의 수학적 파동방정식이 프로그램 코드에 입력되고 그래픽과 시각 자료를 이용하여 화면에 나타난다. 이 때문에 컴퓨터는 파동의 과학적 이해를 명확하게 하는 데 효율적인 도구이다. 컴퓨터 그래픽을 사용함으로써 현상의 부분적인 특성과 전체적인 특성에 번갈아 가면서 주의를 기울이고 두 측면을 하나의 일관된 그림으로 통합하는 사고를 기를 수 있다(Snir, 1995).

시각화 도구는 주로 수학과 과학을 위해 발전되었다. 방정식 도표를 보는 것은 대수학, 삼각법, 미적분학을 포함한 수학의 모든 분야에서 방정식을 이해하는 데 도움이 된다. 공식과 방정식을 조작하고 그 결과를 관찰하는 것은 수학의 역동적인 관계를 이해하는 데 도움이 된다. 학습자가 문제를 조작한 결과를 볼 수 있도록 하기 위해서 Mathematica(www.wolfram.com/products/mathematica/index.html), Matlab(www.mathworks.com), 심지어 엑셀과 같은 프로그램이 문제 속의 수학적 관계를 시각적으로 표상하기 위해 종종 사용된다. 숫자와 상징적인 표상을 그래픽 출력과 관련시키는 것은 학습자가 수학을 개념적으로 이해하는 데 더욱 더 도움이 된다. 그러한 도구는 그 능력과 복잡성 때문에 초·중등 학생들에게는 거의 사용되지 않는다. 이런 도구에 관한 대부분의 연구는 대학에서 수행되었다.

그래핑 계산기(Graphing Calculator)로 공식을 시각화하기

전국 수학 교사 협의회(National Council of Teachers of Mathematics)는 모든 학년에서 수학 교육을 통해 학생들이 (1) 수학적 아이디어를 조직하고 기록하고 소통하기 위해 표상을 만들고 사용하며, (2) 문제 해결을 위한 표상들 중에서 선택하고 적용하고 바꾸며, (3) 물리적, 사회적, 수학적 현상을 모형으로 만들고 해석하기 위해 표상을 사용할 수 있도록 할 것을 권장한다(NCTM, 2000, p.360). 소형 그래핑 계산기(Casio, Hewlett-Packard와 Texas Instruments의 제품 같은)는 학생의 수학적 이해형성을 돕기 위해 교실이나 집에서 사용할 수 있는 휴대용 도구이다.

학생들은 종종 함수 관계에서 중요한 특징을 구분하는 데 어려움을 겪는다. 예컨대, 학생들은 선형 관계를 이해하기 위해서 그래핑 계산기로 만든 서로 다른 표상을 사용할 수 있다. 이들 표상은 특정 수학적 관계에 대해 맥락, 숫자, 그래프, 상징으로 이루어진 것들을 서로 연결한다. 그리고 기호로 나타난 것 간의 관련성을 보여준다. 그림 9.6은 동일한 선형 관계에 대한 네 가지의 서로 다른 표상을 포함한다.

그래핑 계산기를 사용하는 학생은 두 함수의 상징, 그래프, 숫자로 이루어진 표상들 사이를 쉽게 이동할 수 있다. 학생들은 두 함수를 모두 따라가서 (x, y) 값을 그래프상에서 찾을 수 있다. 그리고 그 값을 표에 있는 (x, y) 짝과 비교할 수 있다. 학생은 그래프와 표에서 x와 y의 절편을 찾고, 동일한 정보를 찾기 위해 상징적 표상을 어떻게 조작할지 논의할 수 있다.

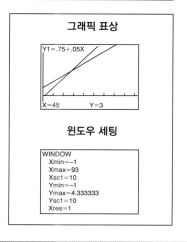

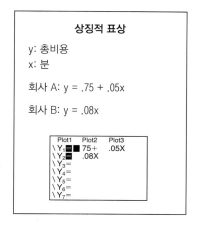

그림 9.6 선형 관계의 4가지 다른 표상

연구에 따르면, 그래핑 계산기의 사용은 수학에 대한 학생의 이해에 긍정적인 영향을 미친다(Ruthven, 1990). 그리고 Dunham과 Dick(1994)에 따르면, 그래핑 계산기를 사용한 학생이 보다 유연하게 문제를 해결하고, 새로운 상황에 직면했을 때 더 끈질기며, 문제 해결 활동에 더 몰두한다. 점점 더 많은 수학 교과서가 고등학교에서 수학을 가르치고 배우는 데 그래핑 계산기를 사용하도록 함에 따라 이 테크놀로지가 학생의 이해에 미치는 영향을 더 많이 연구할 필요가 있다.

데이터 세트로 수정하기(Tinkering)

전국 수학 교사 협의회(NCTM)가 발표한 기준에 따르면, 자료 분석과 통계 해석은 핵심 기술이다. Massachusetts 주, Cambridge에 있는 기술 교육 연구 센터(TERC)는 학령기 어린이들이 데이터베이스를 구성하고 분석하는 것을 지원하는 TableTop이라고 불리는 간단히 사용할 수 있는 데이터베이스 프로그램을 만들었다(Hancock, Kaput, & Goldsmith, 1992). TableTop은 기존 데이터베이스 혹은 학생이 스스로 만든 데이터베이스로 작동된다. 상자 그림, 교차분류표, 히스토그램, 산점도, 벤 다이어그램으로 정렬될 수 있는 이동식 아이콘은 데이터를 시각적으로 나타낸다. 학생들은 속성, 논리적 관계, 자리 값, 도표 만들기에 관한 수학적 이해를 향상시키고, 수집한 데이터의 내용과 패턴을 인식하는 것을 배운다.

TableTop은 TinkerPlots(www.keypress.com)라 불리는 새로운 데이터 시각화 소프트웨어로 대체되고 있다. TinkerPlots는 4학년부터 8학년까지 학생들이 통계 데이터에서 서로 다른 패턴과 군집을 볼 수 있도록 돕는 데이터 시각화 소프트웨어이다. 학생들은 예측이나 추론이 필요한 질문을 함으로써 시작한다(3장 참조). 학생들은 데이터(예, 신발 사이즈와 키)를 수집하고 그 데이터에 단위를 지정한 후(예, 치수와 인치), 다양한 방법으로 데이터를 그래프로 나타낸다. 학생들은 그래프상의 모든 데이터 포인트를 집단으로 묶고, 양이나 순서로 분류하며, 무한히 다양한 형태로 제시할 수 있다. 학생들은 풍부한 데이터 세트를 사용하거나 자신이 만든 문제에 기반하여 자신만의 데이터 세트를 만들 수 있으며, 문제 해결을 돕기 위해 자신만의 그래픽 표상을 만들 수 있다. 학생들은 데이터를 사용하여 추론하는 것을 배운다.

TinkerPlots의 설계자인 Cliff Konold(2006)는 고학년 학생이 저학년 학생보다 더 무거운 가방을 맨다고 생각하는지 질문함으로써 소프트웨어 사용법을 소개한 다. Konold는 학생들이 데이터 세트가 자신들의 예측을 뒷받침하는지 여부를 알기 위해서 데이터 세트를 조사하도록 한다. 학생들이 질문에 답하는 것을 돕기 위해서 가방의 무게에 따라 사례들을 네 개의 영역으로 구분할 수 있다(그림 9.7). 데이터를 서로 다른 표상으로 보기 위해서 각각의 사례를 나타내는 아이콘을 쌓은 다음, 사례 아이콘들이 수직선(number line)상에서 실제 값을 나타낼 때까지 완전히 구분할 수 있다(그림 9.8). 학년이라는 속성을 선택함으로써 5학년 학생들을 다른 학년 학생들과 수직으로 분리시켰다. 학생들은 세 개의 다른 학년 각각을 하나씩 빼냄으로써 이 데이터 세트에서 네 개의 학년(1, 3, 5, 7학년) 각각에 해당하는 가방 무게의 분포를 알 수 있었다. 이렇게 서로 다른 방식으로 시각화함으로써 다른 인지 유형을 지닌 학생들이 자신이 이해할 수 있는 수학적 표상을 찾을 수 있다. 그런데 TinkerPlots는 마이크로소프트 엑셀 스프레드시트 파일도 불러올 수 있기 때문에 학생들은 엑셀이 제공하는 것보다 더 다양한 방식으로 데이터를 시각화할 수 있다. 학생들은 데이터 지점에 서로 다른 아이콘을 지정하고 엑셀이 할

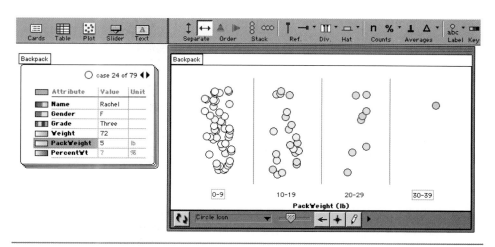

그림 9.7 TinkerPlots에서 사례들을 네 개의 영역으로 분류하기

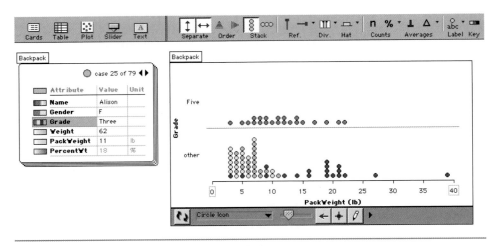

그림 9.8 분리되어 쌓여있는 5학년 학생들의 사례들

수 없는 수많은 비교 그림을 만들 수 있다. 다음은 한 교사가 이들 프로그램의 사용에 관해 말한 것이다.

> 제가 맡은 혼합 연령의 4학년과 5학년 반 학생들은 TinkerPlots를 사랑합니다. 저는 해마다 학생들에게 소프트웨어를 사용하는 것을 짧게 보여줌으로써 시작합니다. 그 이후에 데이터 세트에 관하여 학생들이 관심을 가질 만한 몇 가지 질문을 제기하고, 학생들에게 질문에 답할 도표를 작성하도록 합니다. 이것이 전부입니다. 저는 데이터 세트를 가지고 작업할 때마다 학생들이 데이터 세트를 TinkerPlots에 입력할 수 있는지 묻습니다.
>
> 학생들이 좌표축에 다양한 변수를 빠르게 넣어볼 수 있고, 그래프를 그리고 수정하는 데 어려움 없이 데이터를 탐색할 수 있어서 TinkerPlots은 매우 효과적입니다.
>
> 저는 학생들이 데이터 세트에 관해 질문하는 것에 놀랍니다. 한번은 우리가 컴퓨터실에서 자유 시간을 가질 때 많은 학생들이 TinkerPlots을 사용할 수 있는지 물었습니다. 한 학생은 각 행성의 크기와 각 행성이 가진 위성의 수를 조사하고 그 데이터를 TinkerPlots에 입력했습니다. 그 학생은 "더 큰 행성이 더 많은 위성을 가지고 있나요?"라는 질문을 하였습니다. 학생은 도표를 만든 다음에 "비록 가장 큰 행성이 가장 많은 위성을 갖는 것

은 아니지만, 네 개의 가장 큰 행성들이 가장 많은 위성을 가지고 있기 때
문에 더 큰 행성이 더 많은 위성을 가지고 있다"고 결론을 내렸습니다.
TinkerPlots은 창의성을 키워주고 학생의 추론 능력을 개발시켜 주는 개방
적인 도구입니다. 모든 학교의 컴퓨터실에 TinkerPlots이 있으면 좋겠어요!"

　　　— Teri Hedges, Wisconsin 주 Madison 시에 있는 Madison Metropolitan 학군

Fathom Dynamic 통계 소프트웨어[1]

초등학교와 중학교 학생들을 위한 TinkerPlots처럼 Fathom Dynamic 통계 소프트웨
어(Finzer, Erickson, & Binker, 2001)를 통해 고등학교 학생들은 방대한 데이터 세트
를 이해하기 위한 강력한 도구에 접근할 수 있다. 학생들은 그림 9.9의 데이터 세
트를 이용해서 미국 각 주의 인구통계학적 속성 중 지리적 패턴에 관한 질문을 조

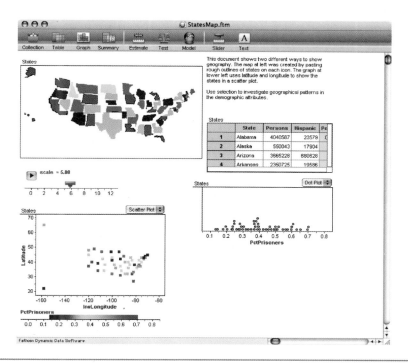

그림 9.9 Fathom 소프트웨어의 화면

---

1) Fran Arbaugh가 작성한 세션

사할 수 있다.

Geometer Sketchpad를 이용한 시각 기하학

Geometer의 Sketchpad(www.keypress.com)는 가장 잘 알려진 시각화 도구 중 하나이다. 이 도구는 기하학 물체를 만들고 조작하며, 물체들 내부나 그것들 간의 관계를 탐구하는 과정을 통해서 기하학에 관한 추측을 만들고 시험하기 위한 것이다(Schwartz & Yerushalmy, 1987). Geometer Sketchpad를 통해서 학생은 원뿔과 같은 모양을 만들고, 이러한 모양을 기하학과 대수학으로 분석한다(그림 9.10). 또한 Sketchpad는 이미지를 움직이게 만든다. 프로그램은 각각의 조작을 그리고 기억하며, 유사한 도형에 적용할 수 있다. 학생들은 수학 함수에 관한 추측을 하고 Sketchpad를 사용해서 즉각적으로 검사를 할 수 있다. 이러한 검사의 예를 손으로 만드는 것은 학생이 할 수 있는 것보다 더 많은 노력을 요구한다. 그러나 컴퓨터의 계산력으로 이러한 검사를 매우 쉽게 할 수 있다.

기하학 교육은 전통적으로 물체들 사이에 특정 관계가 존재함을 증명하기 위해 수학의 정리(theorem)를 적용하는 데 기반하고 있다. 이러한 하향식 접근 방

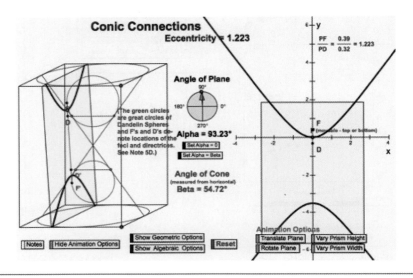

그림 9.10 Geometer Sketchpad로 삼각형 조사하기

식은 분석적 추론을 필요로 하며, 이는 대다수의 학생들이 어려워하는 것이다. Geometer의 Sketchpad는 학생들이 기하학 물체의 구성 요소를 조작하고 그 결과를 관찰하여 물체들 간의 관계를 귀납적으로 증명하도록 함으로써 기하학 학습을 돕는다. Geometer의 Sketchpad는 학생들이 다른 사람의 논리를 적용하도록 하지 않고 물체의 시각적 특성과 수치적 특성 간의 관련성을 명확하게 한다(Yerushalmy, 1990). Geometer의 Sketchpad에 관한 연구 결과는 일관되게 긍정적이다.

GIS(Geographic Information System)로 지리를 시각화하기

Richard Audet과 Gail Ludwig(2000)은 『GIS in Schools』라는 훌륭한 책을 집필했다. 이 책은 학생들을 실제적 문제 해결에 참여시키기 위해 어떻게 지리 정보 시스템(GIS)을 사용할 수 있는지를 설명한다. GIS는 지리 데이터를 저장하고, 인출하고, 보여주고, 분석하고, 조작하는 시스템이다. GIS는 학생의 공간적 사고를 지원하는 매우 좋은 방법이며, 특정 지역과 관련된 데이터를 폭넓게 사용할 수 있다. ESRI(www. esri.com)는 GIS 테크놀로지의 주요 설계자이자 개발자이다. GIS를 사용하기 위해서는 많은 가용한 기억 장치와 함께 상대적으로 속도가 빠른 컴퓨터가 필요하다. 그 컴퓨터는 인구, 토지 이용, 강수량, 식물 및 다른 자연 지리학과 관련된 방대한 공간 데이터베이스를 포함하는 대규모의 지리 데이터베이스에 연결될 수 있다. 학생들은 GIS 소프트웨어를 통해 지도를 제작하고, 데이터를 요약하기 위한 차트와 표를 작성하며, 전문 검색을 만들기 위해서 지리 데이터베이스에 질문을 할 수 있다. 추가적으로, 학교는 회사로부터 이미 제작된 지도를 구입하거나 마을, 지역 혹은 정부 관계 부처로부터 지도를 얻을 수 있다(예, http://education.usgs.gov).

GIS의 효과적인 사용을 위해 모험적인 교사와 학생이 요구된다. 교사는 학생들이 잠재적으로 복잡한 사회적, 환경적 문제를 해결하는 동안 자유롭게 활동할 수 있도록 허용해야 한다. 학생들도 하나의 옳은 답이 없는 복잡하고 비구조화된 문제를 열심히 해결하려는 의지를 가져야 한다. 학생들은 참여를 통해 공간적으로 사고하는 것을 학습한다. Audet과 Ludwig은 자신들의 책에서 학생들이 흥미로운 문제를 해결하기 위해 GIS를 사용한 다양한 수업을 보여주는데, 그 예는 다음과 같다.

- Massachusetts 주, Chelsea 시의 고등학교 학생들은 지역 소방서와 환경보호청과 함께 독성 유출물을 추적하고, 교통 경로를 변경하며, 대중에게 경고함으로써 독성 화학물질 유출에 대한 시뮬레이션을 설계하고 반응했다.
- Minnesota 주, Perham 시의 학생들은 Minnesota 주 황무지에 최근 다시 들여온 늑대를 추적하는 것을 돕기 위해 GIS와 범지구 위치 결정 시스템(GPS: Global Positioning Systems)을 사용했다.
- North Carolina 주, Raleigh 시의 학생들은 합병된 영토에 대해 조사함으로써 Raleigh의 역사에 관한 문화인류학적 관점을 형성했다. 학생들은 도시를 돌아다니며 각 개인의 지리적 이동을 보여주는 개인별 "인생 지도"도 만들었다. 이 학생들은 역사에 대한 새로운 이해를 형성하게 되었다.
- Missouri 주, Columbia 시의 학생들은 도심 지역의 상업 집중화와 관련된 경제적 영향을 조사했다(그림 9.11).

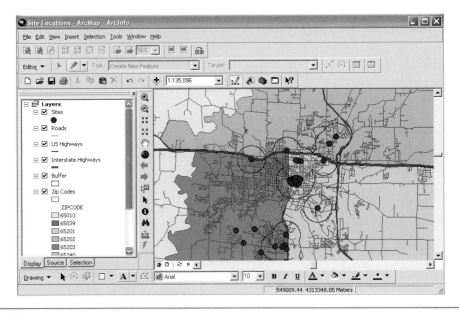

그림 9.11 Gail Ludwig의 GIS 그래픽

교실에서 사용할 수 있는 지도와 데이터베이스 정보를 제공하는 수많은 웹사이트 중에 일부를 소개하면 아래와 같다.

- Nationalatlas.gov의 Map Maker: http://nationalatlas.gov/mapmaker
- 미국 통계국의 American FactFinder: http://factfinder.census.gov/home/staff/main.html?_lang=en
- National Geographic Map Machine: http://maps.nationalgeographic.com/map-machine
- ArcGIS: www.arcgis.com/home/
- Geodata.gov: http://gos2.geodata.gov/wps/portal/gos
- 미국 지질 조사소(USGS)의 Seamless Data Distribution Delivery: http://seamless.usgs.gov/website/seamless/viewer.php
- Terraserver: http://www.terraserver.com

학생들은 Find A Map! USGS Map 데이터베이스인 http://education.usgs.gov/common/map_databases.htm에서도 서로 다른 종류의 지도를 찾을 수 있다.

구글은 많은 사람들에게 지도정보(mapping information)와 도구를 제공하는 데 중요한 역할을 한다. Google Earth(그림 9.12)는 인공위성이 보낸 사진과 지도를 구글 검색과 결합시킨 지구에 대한 3차원 무료 인터페이스이다. 지구를 클릭하면 특정 지역이 뚜렷하게 보일 때까지 천천히 확대되기 시작한다. 층(Layers)을 통해 다양한 종류의 정보를 볼 수 있다. 교통, 지형, 국경과 같은 범주를 통해서 사용자는 다양한 방식으로 지도를 보고 상호작용할 수 있다. 사용자는 엄선된 GPS 장치로부터 GPS 데이터를 불러올 수도 있다.

구글 도구에는 배우기 쉬운 무료 3차원 모델링 프로그램인 SketchUp이 포함된다(4장). 사용자는 이 도구를 이용해 Google Earth에 배치할 3차원 건물 모형을 만들 수 있다. Google Maps는 위치 검색을 위해서 방향, 지도, 인공위성 사진을 결합한다. 예를 들어, 샌프란시스코의 10 Market St.를 입력하고 줌 기능을 사용하면, 그 위치에 있는 건물을 정확히 볼 수 있다. Google Maps의 모바일 버전은 데이터

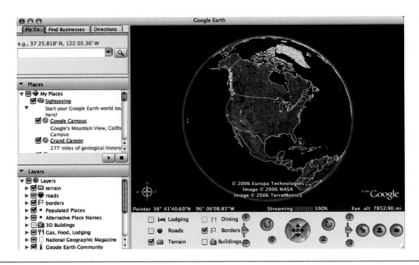

그림 9.12 Google Earth의 인터페이스

통화 요금제를 사용하는 휴대전화에서 작동한다.

GIS가 주로 컴퓨터와 함께 사용되는 반면에 현장 장비 세트에 노트북 컴퓨터나 다른 모바일 장치를 포함하는 것은 학생들이 GPS 데이터를 수집하는 대로 그 데이터를 지도에 적용시킬 수 있는 방법을 제공한다. GIS는 점진적으로 모바일 테크놀로지(예, 휴대전화)와 점점 더 결합되고, 학생들이 범지구 위치 결정 데이터를 활용할 수 있는 새로운 기회를 제공한다.

3절 디지털 카메라와 휴대전화기로 시각화하기

과거 10년 동안 디지털 카메라와 휴대전화의 사용으로 사진 촬영에 큰 변화가 있었다. 새로운 디지털 카메라(그림 9.13)는 더 적은 비용으로 더 높은 해상도(사진당 천만 화소까지)를 제공한다. 매우 우수한 디지털 카메라를 100달러에 구입할수 있다. 이러한 카메라는 가벼운 무게, 고해상도 사진을 위한 수백만 화소, 이미지 안정화 기능을 가진 줌 렌즈, 선택 가능한 색상 모드(흑백, 자연, 선명, 암갈색),

그림 9.13 현대 디지털 카메라

메모리 스틱에 이미지 보관, 소형 플래시, 안전한 디지털 카드, 자동 초점, 초당 60 프레임까지 가능한 영화 모드, 영상 처리 장치, 내장형 플래시, 자동 셔터를 비롯한 수많은 다른 기술적 특징을 가지고 있다. 고해상도 사진을 찍은 뒤, 그 사진을 빠르고 쉽게 어떤 컴퓨터에서나 다운로드할 수 있고, 컴퓨터에서 다른 종류의 문서(워드 프로세싱, 파워포인트, 멀티미디어 등)에 이미지를 붙일 수 있다. 사진을 인쇄하거나 포토샵 혹은 앞에서 설명한 여러 그리기와 색칠하기 프로그램과 같은 사진 편집 소프트웨어를 사용하여 무한히 다양한 방법으로 조작할 수 있다. 오늘날 초보 사진사는 사진 편집 소프트웨어를 이용하여 10년 전만 해도 그래픽 예술가들만 제작할 수 있었던 시각 자료를 만들 수 있다.

　대부분의 최신 휴대전화(그림 9.14)는 사용자가 전화기로 사진을 찍을 수 있는 기능이 있다. 이러한 이미지는 디지털 카메라에서 가능한 사진 해상도를 갖추고 있지는 않지만, 유사한 기능의 전화기를 소유한 다른 사람들에게 이미지를 즉시 전송할 수 있다. 휴대전화는 디지털 카메라보다 훨씬 가볍고 휴대가 간편하지만, 사진의 질은 디지털 카메라만큼 좋지는 않다.

디지털 다큐멘터리

디지털 카메라와 휴대전화는 오늘날 기자, 작가와 민속학자, 관찰, 인터뷰 및 다른

그림 9.14 사진 촬영 기능을 가진 현대 휴대전화

질적 연구방법을 사용하여 문화를 연구하는 사회 과학자들이 선택하는 도구가 되었다. 이 사람들은 대개 시각 자료를 포함하는 다큐멘터리를 제작한다. 어떤 신문이나 잡지를 보더라도 이야기를 전달하는 데 시각 자료가 중요하다는 것을 쉽게 알 수 있다. 학생들은 지역 문제나 논쟁을 검토하는 다큐멘터리를 만들 수 있다. 학생들은 그렇게 함으로써 실세계의 현상을 관찰하고 기록하며, 보다 많은 관심을 가지고 생산적인 사회의 구성원이 된다.

학생들에게 다큐멘터리 제작 과정을 준비하도록 하는 좋은 방법은 개인적인 다큐멘터리를 만들도록 하는 것이다. 즉, 학생들이 자기 자신에 관한 다큐멘터리를 만드는 것이다. 학생들은 가장 적절한 장소, 보는 사람이 가지길 원하는 자신에 대한 인식, 개인적 서술의 형식을 결정한다. 개인적 다큐멘터리는 많은 형태를 가진다. 일부 학생들은 개인적인 일기를 만든다. 다른 학생들은 보는 사람에게 자신의 방을 구경시키며, 또 다른 학생들은 악기를 연주하고, 시를 낭독하며, 서로 다른 인물을 연기한다. 대부분의 아이들에게 자기 자신은 가장 흥미로운 주제이므로 개인적 다큐멘터리 제작 활동은 즐거운 활동이 될 수 있다.

개인적 다큐멘터리의 확장은 외국어로 다큐멘터리를 제작하는 것이다.

Pelletier(1990)는 외국어 수업을 듣는 학생들에게 카메라를 가지고 밖으로 나갈 것을 권장한다. 학생들은 자신의 방, 집, 교실, 도서관에 대한 짧은(3분~5분) 이동을 녹화하거나 가족 저녁식사, 미니 골프, 볼링이나 다른 활동에 대한 비디오 시놉시스를 녹화하고, 자신이 학습하고 있는 언어로 안내를 해야 한다. 학습할 대상으로서 언어를 다루기보다 언어를 개인화해서 사용하는 것은 언어 습득에 있어서 중요한 요소이다. 그래서 학생들은 보다 유의미한 생각을 표현하기 위해 새로운 단어를 이전에 학습했던 어휘와 결합한다. 학생들이 가능한 한 자신의 해설을 언어적으로 풍부하게 표현하도록 한다.

　　정지된 사진들을 이어서 비디오로 완성하는 정말 뛰어난 도구는 Animoto이다(http://animoto.com/education). 사진들을 업로드한 후 프레젠테이션을 향상시켜 주는 다양한 특수 효과를 사용하여 결합시킨다. Cassidy 교사의 수업(이 장에서 앞서 언급됨)에서 유치원 학생들은 Animoto를 사용하여 자신들이 어떻게 책을 읽는지를 보여주었다(http://classblogmeister.com/blog.php?blog_id=1145297&mode=comment&blogger_id=1337). 학생들은 이러한 종류의 소프트웨어를 사용하는 것을 매우 좋아하고, 학부모들은 결과물에 감명을 받는다.

4절　비디오로 시각화하기

오늘날의 아이들은 텔레비전이 없는 세상을 상상할 수 없다. 일반적인 아이들은 하루에 몇 시간을 텔레비전 앞에서 소비하며, 움직이지도 않은 채 연속되는 이미지에 빠져든다. 지나친 텔레비전 시청의 결과(예, 무기력, 과잉행동, 사회적 고립, 비만)에 대한 상세한 기록들이 있다.

　　이 책의 전제는 학생이 소비자가 아닌 비판적 사용자이자 제작자일 때, 텔레비전을 포함한 어떠한 테크놀로지도 효과적인 학습 도구가 될 수 있다는 것이다. 비디오 제작에서 학습자는 제작과 관련한 디자인 문제를 해결하는 동안 수많은 의사결정 문제를 해결하기 위해서 활동적, 구성적, 의도적, 협동적이어야 한다. 비디오 제작은 다양한 조사, 구성, 시각화, 해석 기술의 적용을 필요로 한다. 비디오를 제작하는 동안 프로그램을 기획하고 만들기 위해서 비판적이고 창의적인 사고를 하게 된다. 또한, 학교에서 비디오를 제작하면서 얻을 수 있는 다음과 같은 다양한 사회적 가치가 있다(Valmont, 1994).

- 수업 중에 비디오 제작물을 기획하고 만들고 공유함으로써 학생들의 자신감을 향상시킨다.
- 자기 만족감을 느끼게 한다.
- 다른 사람들이 비디오 제작물을 어떻게 생각하는지에 대한 가치로운 피드백을 학생들에게 제공한다.
- 생각을 공유하고, 프로그램을 기획 및 제작하며, 결과물을 평가하는 동안 협동적인 학습을 촉진한다.
- 공개수업과 다른 학교행사에서 대중들과 좋은 관계를 맺도록 한다.

이 장에서는 텔레비전이 유의미한 학습 맥락을 제공할 수 있는 다양한 학습 활동을 제시한다. 유의미한 학습 맥락은 학습자가 정보를 찾고 문제를 해결하기 위해서 프로그램을 시청하는 목적을 확인할 때 학습자를 참여시킬 수 있다. 그러나 이 장에서 서술한 대부분의 활동은 학생을 텔레비전 제작자로 만든다. 제작자로서 교사와 학생은 다음에 설명할 비디오 제작 하드웨어에 대해 조금 이해할 필요가 있다.

유의미학습을 위해 비디오를 사용하기 위해서는 세 가지가 필요한데, 기회를 잡으려는 상상력이 풍부한 학생들, 어떻게 학생들을 참여시킬지에 대한 아이디어, 몇몇 장치가 필요하다. 장치는 가장 간단한 요소일 수 있으므로 우선 필요한 하드웨어 중 일부를 간략히 서술할 것이다. 그 다음으로 학습자 참여를 위한 다양한 아이디어를 제공할 것이다. 여러분은 학생들에게 다음에 제시된 테크놀로지를 제공해야 할 것이다.

비디오카메라

비디오카메라는 휴대하기 쉬운 전자 기록 시스템이다. 이 시스템은 비디오 모니터나 컴퓨터에서 나중에 재생하기 위해 라이브 모션 비디오와 오디오를 기록할 수 있다. 많은 모델은 정지된 이미지도 촬영할 수 있다(그림 9.15). 처음 캠코더가 만들어졌을 때, VCR로부터 재생을 하기 위해서 아날로그 형태(VHS와 Beta)로 오픈 릴식 테이프(reel-to-reel tape)와 나중에는 비디오카세트에 녹화를 했다. 이러한 캠코더는 이상적인 품질 이하의 이미지를 만들어냈고, 커다란 비디오카메라를 어깨에 받쳐야 했다. 테크놀로지가 발달함에 따라서 S-VHS, Hi-8, 8mm와 같은 보다 작은 크기의 아날로그 형태의 캠코더를 사용할 수 있게 되었다. 이러한 형태는 보다 우수한 품질의 이미지를 만들어냈고, 크기가 초기 캠코더의 일부분에 해당하였으며, 이전보다 장시간의 녹화가 가능했다. 이미지를 아날로그 카메라에서 컴퓨터로 전송하기 위해서 컴퓨터는 아날로그 신호를 디지털로 변환시키는 비디오 보드를 갖추어야 했다.

　　오늘날 비디오카메라는 이미지를 디지털 방식으로 녹화한다. 한 줄씩 스캔하는 것이 아니라, 화면상의 각 화소의 라이트 밸류(light value)[2]를 디지털 방식으로

그림 9.15 디지털 비디오카메라

---

2) 역주: 노출량을 나타내는 단위로 셔터속도와 조리개의 조합으로 결정된다.

기억장치에 기록한다. 이미지를 다시 만드는 것은 화면상의 각 화소를 밝게 하는 것이다. 대부분의 디지털 캠코더는 다음과 같은 특징을 가진다.

- 뚜렷하고 선명한 이미지를 위한 전자 줌 컨트롤(500배까지 확대)과 광학줌 (25배까지 확대)을 가진 줌렌즈
- 이전에 녹화한 자료의 재생과 편집뿐만 아니라 녹화 중에 대상을 보기 위한 LCD 비디오 화면
- 녹화, 재생, 빨리 감기, 되감기, 뷰파인더(viewfinder)를 통한 재생 기능을 가 진 비디오카세트 녹화기
- 비디오의 고해상도 범위(프레임당 200k ~ 500k 화소)
- 내장형 마이크, CD 품질의 사운드(PCM 스테레오 디지털 오디오 레코딩), 외부 마이크 입력 단자. 일부 카메라는 바람 소리를 제거하는 아랫부분의 필터를 가지고 있음.
- 간헐 촬영(특정 시간 간격 설정), 슬로 모션, 원격 조종, 자동 셔터, 정지 화 면 캡처 등을 포함한 다양한 촬영 기능
- 노출(비디오가 얼마나 밝을지 또는 어두울지), 셔터 속도(초당 이미지 개수), 화이트 밸런스(일광, 백열광, 형광과 같은 빛의 서로 다른 원천에 관한 것)를 조정하기 위한 자동 및 수동 비디오 조종 장치
- 오디오와 비디오의 입출력 혹은 일반 텔레비전을 통한 재생을 위한 분리된 연결 단자
- 비디오에 제목이나 글을 추가하기 위한 타이틀 촬영 장치(titler)라고 알려진 문자 생성기, 비디오에 날짜와 시간을 기록하는 날짜 및 시간 스탬프, 특수 효과(페이드(fade), 디졸브(dissolve), 와이프(wipe))
- 자동 초점 기능(품질에 대한 걱정 없이 녹화 대상에 집중할 수 있게 함)과 이미지 안정화 기능(손으로 촬영할 때 발생하는 미세한 떨림을 최소화함)

다른 캠코더를 사용하여 녹화하는 것은 조금씩 방법이 다르기 때문에 어떻게 사용하는지를 보여주지는 않을 것이다. 학습을 위해 디지털 비디오카메라를 사용

하기 전에 동봉된 설명서를 참고하고 장치를 다양하게 시험하는 것이 좋다. 또한 구입한 모든 캠코더에 대해서 사용하는 동안 비디오카메라를 고정시키는 삼각대를 구입할 것을 추천한다. 개인들은 삼각대를 이용하여 자신에 대한 비디오도 만들 수 있다.

iMovie와 같은 다양한 비디오 편집 소프트웨어는 비디오 장면들을 최종 편집으로 종합하기 위해서 사용될 수 있다. 디지털 비디오 편집은 신속하고 편리하다. 경험에 따르면 아이들은 어떻게 정교한 편집을 하는지 쉽게 배운다.

당신이 작품을 완성하면 다른 사람들과 공유하기 위해서 외부로 내보내고 싶어 할 것이다. 비디오를 YouTube(www.youtube.com) 혹은 Vimeo(http://vimeo.com)와 같은 보다 진지한 비디오 공유 사이트에 올릴 수 있다. 많은 교실에서는 자신들의 활동을 비디오로 촬영하고 비디오를 QuickTime 파일로 변환하여 웹에 올린다. 다음으로, 교실에서 비디오를 사용한 한 교사의 경험을 서술하겠다.

디지털 스토리텔링(Digital Storytelling)[3]

디지털 스토리텔링에서 테크놀로지는 활동의 중심이 아니라 스토리를 만들기 위해 사용하는 도구이다. 디지털 스토리텔링을 통해서 학생들은 스토리보드를 종이에 작성하기 위해 창의력을 발휘하고, 비디오 촬영을 위해 카메라를 사용하며, 마지막으로 몇 가지 종류의 소프트웨어를 사용하여 컴퓨터에서 비디오를 편집한다. 시각 이미지, 텍스트, 소리를 이용한 작업의 결합을 통해서 학생들은 컴퓨터 하드웨어에 반드시 의존하지 않는 여러 다양한 방식으로 비판적 사고력을 키울 수 있다. 디지털 스토리를 만들기 위해서 학생들은 데스크톱 영화를 만들어야 한다.

활동의 첫 번째 단계(제작 전)에서 학생들은 말할 이야기를 계획한다. 제작 전 단계에서 학생들은 이야기의 구조에 대한 정보를 조사하고, 작성하고, 조직한다. 활동의 이 단계에서 작업의 대부분이 이루어지며, 학생들은 카메라를 사용하기 전에 종이에 자신의 아이디어를 표현할 기회를 갖는다. 활동의 제작 준비 과정을

---

3) Kate Kemker가 작성한 세션

통해서 학생들은 캠코더를 실제 사용할 때 시간을 최대한 활용할 수 있다. 제작 준비의 필수적인 부분은 스토리보딩(storyboarding)이다. 스토리보드(그림 9.16)는 학생들에게 이야기에 대한 계획을 세울 수 있는 기회를 제공하는 문서이며, 그 이야기로부터 촬영이 시작될 수 있다. 스토리보드는 스크린 샷(screen shot)의 언어적 혹은 그래픽 표현을 결합한 수많은 형태를 띤다. 스토리보드는 구체적인 정보와 디지털 스토리의 장면을 촬영하기 위한 실행 계획을 포함한다.

학생들은 이야기의 기본 요소인 발달, 전개, 절정, 결말을 포함하는 체크리스트도 만들어야 한다. 이야기가 시청자에게 의도한 메시지를 확실히 전달하도록 하기 위해서 학생들은 체크리스트로 프로젝트를 평가해야 한다. 예시 질문은 다음과 같다. 줄거리는 무엇인가? 등장인물은 누구인가? 등장인물 간의 갈등이 있는 것 같은가? 해결책은 있는가?

디지털 스토리텔링 활동의 제작 단계에서 학생들은 비디오 촬영을 시작한다. 비디오 촬영을 하기 전에 학생들이 이 디지털 매체가 어떻게 작동하는지에 대한

그림 9.16 비디오 스토리보드

기초 지식을 갖도록 하는 것은 중요하다. 학생들이 알아야 할 기본 사항에는 카메라 샷, 카메라 앵글, 카메라 움직임의 유형이 포함된다. 디지털 촬영에서 다루어야 할 이슈에는 클로즈업 샷, 미디엄 샷, 롱 샷의 차이점, 샷 안에 대상 맞추기, 사람 눈높이가 아닌 다른 카메라 앵글, 카메라 움직임으로 동작 만들기가 포함된다.

디지털 스토리텔링 활동은 학생들에게 감독, 연기자, 비디오카메라 촬영기사, 편집자와 같은 다양한 역할을 하며 협력적으로 작업할 기회를 제공한다. 비디오 촬영 시 각 학생은 과정에 참여해야 한다. 한 학생이 카메라를 사용할 때, 다른 학생은 화면을 연출하고, 다른 학생들은 연기를 하고, 또 다른 학생은 찍은 장면을 기억하기 위해 비디오를 기록해 두어야 한다. 이러한 종류의 프로젝트를 통해 제작을 위해 각자 맡은 역할이 프로젝트 완성을 위해 중요한 부분을 차지하며, 어떤 역할이 다른 역할보다 더 중요하다고 할 수 없다는 것을 이해할 수 있다. 감독은 어떻게 비디오를 만들 것인지에 대한 계획을 가지고 있지만, 연기자, 비디오카메라 촬영기사, 편집자에게 생각을 효과적으로 전달해야 한다. 이것이 진정한 팀 활동이다.

마지막으로 제작 후 단계에서 학생들은(앞서 설명한) 자신의 비디오를 편집한다. 이 과정에서 편집자의 역할은 감독이 프로젝트에 대해 구상했던 바를 실현하는 것이다. 제작 후 과정에서 학생들은 최종 제작물을 만들기 위해 비선형 편집 소프트웨어를 사용하는 편집자로 활동한다(그림 9.17). 우리는 Final Cut Pro나 Adobe Premiere와 같은 보다 강력한 제품뿐만 아니라 Apple iMovie를 사용했다.

이 활동의 마무리에서 학생들은 다른 학생들이 만든 디지털 스토리뿐만 아니라 자신의 것을 검토해야 한다. 영화 시사회에서 모든 영화에 참여한 학생들은 스타의 역할도 하고, 디지털 스토리를 검토하는 평론가의 역할도 한다. 해당 프로젝트를 위해 만들어진 가이드라인에 근거하여 학생들의 향상을 평가하기 위해서 비디오 제작 평가기준표를 사용할 수 있다. 그 이후에 학생들은 구조, 디지털 미디어의 기본 사항, 편집을 평가하며, 각 영화에 대한 논평을 작성한다.

디지털 스토리텔링은 학생들에게 창작자와 시청자 사이의 연결을 만들 기회를 제공한다. 잘 만든 이야기는 관객에게 강력한 영향을 미칠 수 있지만, 성공의

그림 9.17 디지털 스토리의 제작 후 편집 중인 학생들

비밀은 이야기의 구조에 있다. 즉, 어떻게 이야기를 구성하는지와 사건이 발생하는 순서를 말한다. 디지털 스토리는 시작, 중간, 결말이라는 모든 좋은 이야기가 가지는 동일한 구조적 요소를 포함한다. 다른 종류의 이야기처럼 디지털 스토리텔링도 특정 맥락에서 등장인물들에 관한 일련의 사건을 포함한다. 디지털 스토리텔링 활동을 통해서 학생은 어떻게 모든 요소들이 함께 작용하는지와 이야기에 원하는 효과를 만들기 위해 어떻게 비디오를 조작할 수 있는지를 이해하기 시작할 것이다. 이러한 활동을 통해서 학생들은 비판적 사고가로서 자신이 보고 듣는 정보가 수많은 사고와 결정에 영향을 미친다는 것을 비판적으로 이해할 수 있다.

5절 비디오 모델링과 피드백

교수를 위해 비디오를 사용하는 가장 생산적인 방법 중 하나는 구체적인 수행을 모델로 제시하는 것이다. 비디오 모델은 운동을 가르칠 때 종종 사용되는데, 여기서 실력 있는 운동선수가 어떻게 골프나 테니스의 스윙을 향상시킬 수 있는지 보여준다. 그러나 비디오 모델링은 정신운동성(psychomotor) 과제 이외에도 유용하다. 연극 배우를 위한 대중 앞에서 말하기나 연기하기, 상담사나 사회 복지사를 위한 공감적 행동, 인사과 직원이나 사서를 위한 대인 의사소통 능력, 심지어 사고와 연구 활동과 같은 어떤 종류의 수행이라도 교사나 다른 실력 있는 사람이 시범을 보일 수 있다.

교사와 학생은 우수한 학습자가 학기말 과제를 작성하기 위해 혹은 시험 준비를 위해 무엇을 하는지를 보여주는 공부 전략 비디오의 개발을 함께 생각해볼 수 있다. 책 읽기, 도서 목록 찾아보기, 도서관 서고 찾기, 텔레비전 *끄기* 등 학생의 관점에서 비디오를 촬영하라. 비디오 촬영 이후에 비디오 속의 인물이 스스로에게 말하는 것처럼 보이기 위해 에코 효과 장치를 사용하여 목소리를 더빙하라. 학생이 어떤 기술을 가지고 있는지 알아내고, 학생이 가장 잘 하는 것을 수행하는 모습을 비디오로 녹화하라. 여러분은 일련의 유용한 비디오를 얻을 수 있을 뿐만 아니라, 학생들은 자신감을 얻을 것이다. 학생으로 하여금 자신이 해야 할 일을 명확히 표현하도록 하는 것은 일반적으로 좋은 생각이다.

학생을 위해서 수행을 모델링할 때, 실제 수행뿐만 아니라 수행과 연관된 정신 과정(의사결정하기, 질문하기, 해결하기)도 모델링하는 것이 중요하다. 특히 교사가 소리 내어 생각하면서(think-aloud) 해결책뿐만 아니라 불확실한 점을 말해준다면, 이러한 소리 내어 생각하기 과정은 비디오 수행을 보는 동안 학습자에게 매우 유용한 정보를 줄 수 있다. 바람직한 수행에 대한 비디오 모델을 제공하는 것은 가장 효과적인 비디오 교수법 중 하나이지만, (뒤에서 설명할) 비디오 피드백과 함께 사용된다면 가장 성공적일 것이다. 기본적으로 비디오 모델을 제공한 후 학습자의 수행을 비디오로 녹화하고 그 테이프를 피드백으로 사용하는 것은 아마도 실행할 수 있는 가장 효과적인 비디오 사용법일 것이다.

비디오 피드백을 통해 학습하기

비디오는 주로 비디오 피드백을 통해 학습자가 자신의 수행을 반성하도록 도울 수 있다. 즉, 교사나 전문가와 함께 하는지와 상관없이 수행을 비디오로 녹화한 후 그 수행을 검토하는 과정이다. 예컨대, Orban과 McLean(1990)은 불어 말하기 능력의 자기평가와 교사평가를 위해 비디오카메라를 사용했다. "비디오는 마술사가 자신의 마술을 연습하는 거울처럼 자신의 수행을 반복해서 평가하기 위한 방법이다"(Taylor, 1979, p. 28). 다음 활동과 함께 구성적인(표현적/성찰적) 학습을 위해 비디오를 사용할 수 있다.

비디오 피드백은 아마도 비디오의 가장 구성주의적인 사용 방법일 것이다. 학교에서 유의미한 수행 과제(연극, 외국어 사용, 연설, 화학 실험 등 시험을 제외한 모든 것)를 선정하고, 학습자가 활동을 수행하는 동안 비디오로 녹화함으로써 학습자의 수행을 평가하라. 이후에 그 수행을 평가할 수 있고, 수행에 대한 피드백을 학생에게 제공할 수 있다. 비디오 피드백은 실행할 수 있는 가장 심도 있고 예리한 학습 경험 중 하나이다. 자신의 수행을 관찰함으로써 학습자는 스스로에 대한 여과되지 않고 편견 없는 시각을 갖게 된다. 주의가 필요하다. 올바르게 사용되지 않는다면 비디오 피드백은 위협적이며 학습동기를 저해할 수 있기 때문에 교사는 학생들이 이러한 피드백을 건설적으로 사용할 수 있게 준비시켜야 한다 (충분히 자주는 아니지만). 종종 예비 교사의 수업 준비를 돕기 위해 이 방법을 사용할 수 있다. 교사가 학생들에게 수업하는 장면을 비디오로 녹화한다. 피드백을 줄 선배 교사와 함께 혹은 혼자서 비디오테이프를 검토함으로써 신임 교사는 자신이 읽은 모든 교과서보다 더 많이 가르치는 것에 대해 배운다.

비디오로 자신을 시각화하기

수행에 대한 피드백을 제공하는 것 이외에 자신에 대한 통찰력을 갖기 위해서도 비디오 피드백을 사용할 수 있다. 사람들이 비디오에서 자신을 보는 것은 종종 자아인식에 영향을 미친다(Jonassen, 1978, 1979). 비디오는 자신에 대해 여과되지 않은 거울을 제공한다. 관찰자는 스스로에 대한 인식에 있어서 보다 더 평가적이고 덜 역할 지향적으로 바뀐다. 이 경험은 매우 강력하며, 문제가 있는 개인에게 사용할 때는 적절한 주의가 필요하다.

이 장에 서술된 시각화 활동과 관련된 NET 표준

1. 창의성과 혁신

    a. 기존 지식을 적용하여 새로운 아이디어, 결과물, 과정을 만들어낸다.

    b. 자신이나 모둠을 표현하기 위하여 독창적인 작품을 창작한다.

2. 의사소통과 협력

    a. 다양한 디지털 환경과 미디어를 활용하여 동료, 전문가 또는 다른 사람들과 상호작용하고 협력하며 출판한다.

    b. 다양한 형태의 미디어를 활용하여 다수의 사람들과 효과적으로 정보와 아이디어를 소통한다.

    c. 다른 문화권의 학습자와 함께 활동함으로써 문화를 이해하고 글로벌 마인드를 개발한다.

    d. 프로젝트 팀과 함께 독창적인 작품을 만들고 문제를 해결하는 데 기여한다.

3. 연구와 능숙한 정보 활용

    a. 전략을 세워서 탐구를 수행한다.

    b. 다양한 출처와 미디어로부터 정보를 검색, 조직, 평가, 종합하며 윤리적으로 활용한다.

    c. 구체적인 과제 수행에 적합하게, 정보 출처와 디지털 도구를 평가하여 선정한다.

4. 비판적 사고, 문제 해결, 의사결정

    b. 해결책을 도출하기 위하여 활동을 계획하고 관리하거나 프로젝트를 완수한다.

    c. 해답을 확인하기 위하여 자료를 수집하여 분석하거나 정보에 기반하여 결정한다.

    d. 다양한 절차와 관점을 활용하여 대안적인 해결책을 탐색한다.

5. 디지털 시민의식

    a. 정보와 테크놀로지를 안전하고 합법적이며 책임감 있게 사용하는 것을 옹호하고 실천한다.

    b. 테크놀로지는 협력, 학습, 생산성을 지원하므로 테크놀로지를 사용하는 것에 긍정적인 태도를 보인다.

    c. 평생학습을 위한 개인적인 책임감을 보인다.

이 장에 서술된 시각화 활동과 관련된 21세기 역량

창의적으로 생각하기

- 다양한 아이디어 창출 기술(예, 브레인스토밍)을 사용한다.
- 새롭고 가치로운 아이디어(가치를 증대하고 근본적인 개념)를 창출한다.
- 창의적 노력을 향상시키고 극대화하기 위해 아이디어를 정교화, 정제, 분석, 평가한다.

다른 사람과 창의적으로 함께 일하기

- 다른 사람들과 효과적으로 새로운 아이디어를 개발, 실행, 의사소통한다.
- 새롭고 다양한 관점에 대해 개방적인 태도를 보이고 관심을 가져야 한다. 단체의 의견과 피드백을 일에 반영한다.
- 일의 독창성과 혁신성을 나타내면서, 새로운 아이디어를 적용하는 데에 있어서 현실적 한계점을 이해한다.

혁신을 실행하기

- 혁신이 발생할 수 있도록 현장에 실제적이고 유용한 기여를 하는 창의적 아이디어를 실천한다.

문제 해결하기

- 다양한 종류의 친숙하지 않은 문제를 통상적인 방식과 혁신적인 방법 모두로 해결한다.
- 다양한 관점을 분명히 하고, 좀 더 나은 해결책을 이끌기 위한 중요한 질문

을 파악하고 묻는다.

명확히 대화하기

■ 다양한 팀과 맥락에서 구두로, 서필로, 비언어적 의사소통 능력을 사용하여 생각과 아이디어를 효과적으로 설명한다.

■ 다양한 목적(예, 정보 전달, 지시, 설득, 동기 부여)을 위해 의사소통을 사용한다.

■ 멀티미디어와 테크놀로지를 사용하고 그것의 영향을 평가할 뿐만 아니라 선험적 효과성에 대해 판단하는 방법을 안다.

■ 다양한 환경(다양한 언어사용을 포함한)에서 효과적으로 의사소통한다.

타인과 협력하기

■ 다양한 팀과 효과적으로, 정중하게 일하는 능력을 보인다.

■ 협력적 일에 대한 공유된 책임을 인식하고 각 구성원의 개인적 기여에 대한 가치를 인정한다.

정보에 접근하고 평가하기

■ 정보에 효율적이며(시간), 효과적으로(출처) 접근한다.

■ 정보의 적합성을 비판적으로 평가한다.

미디어를 분석하기

■ 어떻게, 왜, 어떤 목적으로 미디어 메시지가 구성되었는지 이해한다.

■ 어떻게 개인이 메시지를 다르게 해석하고 어떻게 가치와 관점이 포함되는지, 배제되는지, 어떻게 미디어가 믿음과 행동에 영향을 주는지 조사한다.

미디어제품을 생산하기

■ 가장 적합한 매체 작성 도구, 특징 및 형식에 대해 이해하고 활용한다.

■ 다양한 다문화 환경에서 가장 적합한 표현과 해석을 이해하고 효과적으로 활용한다.

테크놀로지를 효과적으로 적용하기

■ 정보의 조사, 조직, 평가, 의사소통을 위한 도구로 테크놀로지를 사용한다.

6절 생각해볼 점

이 장에서 제시된 아이디어를 성찰하고 싶다면, 다음 질문에 대해 명확히 답하고 다른 사람의 답과 비교해보자.

1. 이 장에서 우리는 시각 도구로 쓸 수 있는 다양한 테크놀로지를 소개하였다. 테크놀로지가 새로운 방식으로 "사물을 보는 것"을 지원할 수 있는 다른 방법들은 어떤 것이 있을까? 학교에서 상상하기 어려웠던 과학적 개념이 있는가?

2. Google Earth는 세계를 지도로 만드는 데 큰 도움이 된다. 이것이 세계에 대한 우리의 인식에 어떻게 영향을 미칠 것인가?

3. 수학은 가장 추상적인 것은 아니라 하더라도 가장 추상적인 교과 영역들 중의 하나이다. 학생이 수학 개념을 시각화하는 것을 돕는 것은 수학을 실재로 인식하도록 돕는 데 매우 유용하다. 이 책에서 제안한 다른 어떤 방법들이 학생들에게 수학을 보다 실재적인 것으로 인식하는 것을 도울 수 있는가?

4. 학생이 수학적으로 생각할 때 어떤 종류의 추론과 사고를 하는가?

5. 텔레비전만으로 학습하는 것이 가능한가? 다시 말해서, 텔레비전 교육 프로그램을 시청하는 것만으로 무언가 하는 방법을 배울 수 있는가? 이는 단지 프로그램을 시청한 후에는 어떤 의미를 갖는가? 스스로 무언가를 시도한 후에는 어떤 의미를 갖는가?

6. "공영 방송은 사람들의 삶을 풍요롭게 하기 위해서 존재한다." 이는 어떤 의미인가? 개별 시청자는 삶을 풍요롭게 하기 위해서 어떤 기여를 해야 하

는가?

7. 비디오 제작은 구성주의적 활동이다. 즉, 학생은 인공물을 만듦으로써 학습한다(테크놀로지의 사용 여부와 관계없이). 다른 어떤 종류의 구성주의적 활동을 생각할 수 있는가?

8. 닉슨의 대통령직 사임을 이끈 워터게이트 사건 이후에 조사(investigative) 기사가 급격히 증가했다. 학생들이 조사보고 활동을 하기에 적합한 종류의 이슈(개인, 동네, 지역, 국가적 측면에서)는 무엇일까? 어떻게 학교에서 학생들의 조사보고 활동을 지원할 수 있는가?

9. 비디오 피드백은 "기억을 지닌 거울"이라고 불린다. 텔레비전에서 자신을 보는 것이 왜 흥미롭고 인상적인 경험인가? 당신은 자기 자신을 어떻게 보는가? 왜 이것이 매우 강력한 효과를 지니는가?

참고문헌

Dunham, P., & Dick, T. (1994). Research on graphing calculators. *Mathematics Teacher, 87*, 440–445.

Finzer, W., Erickson, T., & Binker, J. (2001). Fathom Dynamic Statistics Software [Computer software]. Emeryville, CA: Key Curriculum Press.

Gordin, D. N., Edelson, D. C., & Gomez, L. (July, 1996). Scientific visualization as an interpretive and expressive medium. In D. Edelson & E. Domeshek (Eds.), Proceedings of the Second International Conference on the learning sciences (pp. 409–414). Charlottesville, VA: Association for the Advancement of Computers in Education.

Jonassen, D. H. (1978). Video as a mediator of human behavior. *Media Message, 7*(2): 5–6.

Jonassen, D. H. (1979). Video-mediated objective self-awareness, self-perception, and locus of control. *Perceptual and Motor Skills, 48*, 255–265.

Kirby, J., Moore, P., & Shofield, N. (1988). Verbal and visual learning styles. *Contemporary Educational Psychology, 13*, 169–184.

Konold, C. (2006). Designing a data analysis tool for learners. In M. Lovett & P. Shah (Eds.), *Thinking with data: The 33rd Annual Carnegie Symposium on Cognition.* Hillside, NJ: Lawrence Erlbaum Associates.

Levin, J. R., Anglin, G. J., & Carney, R. N. (1987). On empirically validating functions of pictures in prose. In D. M. Willows & H. A. Houghton (Eds.), *The psychology of illustration, Vol. 1*, Basic research. New York: Springer-Verlag.

Orban, C., & McLean, A. M. (1990). A working model for videocamera use in the foreign language classroom. *The French Review, 63*(4): 652–663.

Pelletier, R. J. (1990). Prompting spontaneity by means of the video camera in the beginning foreign language class. *Foreign Language Annals, 22*(3): 227–232.

Ruthven, K. (1990). The influence of graphic calculator use on translation from graphic to symbolic forms. *Educational Studies in Mathematics, 21*, 431–450.

Taylor, C. B. (1979, January). Video to teach poetry writing. *Audiovisual Instruction*, 27–29.

Valmont, W. J. (1994). Making videos with reluctant learners. *Reading and Writing Quarterly: Overcoming Learning Difficulties, 10*(4): 369–377.

Chapter 10

테크놀로지와 함께 유의미학습
평가하기와 수업하기

| 이 장의 목표 |

1. 유의미학습의 결과를 평가하는 데 도움이 되는 테크놀로지 도구를 독자에게 소개한다.
2. 루브릭을 정의하고, 유의미학습의 결과를 평가하는 데 있어서 그 루브릭의 중요성을 기술한다.
3. 학생들의 공부를 평가하는 데 효과적인 루브릭의 구성방법에 대해 지침(가이드라인)을 제시한다.
4. 루브릭 생성도구와 루브릭 은행의 사용법을 기술하고 이런 도구들의 예를 서술한다.
5. e-포트폴리오를 정의하고, e-포트폴리오를 지원하는 데 사용되는 소프트웨어 프로그램을 서술한다. 그리고 어떻게 e-포트폴리오가 유의미하게 학생의 학습을 평가하는 데 사용될 수 있는지를 서술한다. 또한 어떻게 e-포트폴리오가 주와 국가의 기준에 합당하게 사용될 수 있는지를 포함한다.
6. "Clickers"라고도 알려진 "학생 반응 시스템(student response systems)"과 어떻게 그것이 형성평가와 총괄평가에 효과적으로 사용될 수 있는지를 서술한다.
7. 상이한 종류의 테크놀로지 기반의 시험, 퀴즈, 조사도구를 검토한다.
8. 테크놀로지 기반 평가도구들이 NETS와 21세기 역량 개발에 어떻게 도움을 주는지를 서술한다.

이 책은 모든 장에 걸쳐 어떻게 테크놀로지가 상이한 종류의 복잡한 학습결과를 지원할 수 있는지에 대한 예시들을 제시해왔다. 그러나 테크놀로지는 또한 학습의 다른 중요한 측면인 평가를 지원하는 데 사용될 수 있다. 이 장은 학습자 평가를 위한 테크놀로지 기반의 수단을 기술하고자 한다. 이 장을 통해 평가활동과 학습활동 사이의 경계선은 테크놀로지로 유의미학습을 평가할 때 종종 희미해진다는 것을 알게 될 것이다.

1절 유의미학습의 평가: 실제적 평가[1]와 수행평가

이 책 전체에 걸쳐 필자들은 테크놀로지 지원의 유의미학습은 실제적이고 복잡해야 한다고 주장한다. 지금까지 서술해왔던 학습활동이 학습자를 유의미한 경험에 끌어들이는 것처럼, 평가도 그래야 한다. 실제적 학습(authentic learning)을 평가하기 위해서는 실제적 평가(authentic assessments)를 수행해야 한다는 것을 마침내 교육자들이 이해하기 시작했다. 지난 수십 년 동안 실제적 평가에 대한 요구는 교육자들로 하여금 구식의 평가 방법들(예컨대 학생들을 줄 세우도록 설계된 방법)을 버리도록 촉구해왔다. 이것은 수행을 향상시키는 *데* 필요한 중요 정보를 제공하도록 설계된 *평가 체제*를 지지하는 것이다. 유사하게, 평가가 필자들이 기술해왔던 활동과 "일치"하거나 연속선상에 있기 위해서는 실제적 평가와 수행평가 활동을 채택해야 한다.

수행평가는 학생에게 기술이 요구되는 과제를 수행하도록 함으로써 그 학생의 기술을 평가하는 과정을 말한다. 과학에서 수행은 특정한 기능을 수행할 장치를 설계하는 능력이나 경험적 증거를 통한 논거를 준비하는 능력을 검사하는 것일 수도 있다.

---

1) 역주: 영어의 "authentic"의 의미로서, 교육을 위해 수정, 조작된 것이 아닌 "실제 생활의" 혹은 "실제의"라는 뜻으로 사용되고 있다. 즉, "실제적 평가"란 현실 세계에서의 수행을 그대로 반영한 평가를 의미한다.

어떤 자료는 수행평가를 다음과 같은 요소를 포함하고 있는 것으로 정의하고 있다(ERIC, 2002).

- 학생들은 미리 정해진 답지의 보기에서 간단히 선택하는 것이 아니라 대답이나 어떤 산출물을 만들어야 한다. 그래서 9장에서 본 것처럼 학생들은 사지선다형 검사를 받는 것이 아니라 뉴스 방송을 제작하거나 "구성"하는 것이다.

- 그런 다음에 평가는 과제나 산출물에 대한 학생 행동의 직접적인 관찰이나 평가로 이루어져 있다. 그리고 그 과제나 산출물은 학교 밖의 세상에서 일반적으로 기능하고 있는 활동들과 공통점을 많이 갖고 있도록 설계된 것이다.

본질적으로 학습과제와 평가과제의 수행은 섞여 있으며 분리될 수 없다. 학습자가 참여하는 활동과 완벽히 분리되는 활동을 평가하는 것이 아니라, 바로 동일한 학습활동을 평가하는 것이 학습자의 수행을 평가하는 것이기 때문이다.

실제적 평가, 대안적 평가와 같은 용어들은 종종 수행평가와 같은 뜻을 지녔지만 서로 바꾸어 사용될 수는 없다. *대안적 평가*는 일반적으로 표준화된 성취도 검사(예컨대, SAT 또는 ACT 시험)와 객관식 시험 문항 형태에 반대되는 평가를 말한다. 반면에 실제적 평가는 수행평가와 밀접한 관련을 갖고 있는 용어로서 학습자가 미래에 수행할 필요가 있는 실제과제와 유의미하고 직접적으로 관련이 있는 교육적 과제에 참여함을 뜻한다. 예를 들어, 사회과 학생들을 지역 문제에 대한 대중들의 여론조사에 참여시키는 것은 동일한 학생들을 민주주의 원칙에 대한 지필시험을 치르게 하는 것에 비교했을 때 실제적 평가 과제가 될 것이다.

이 책에서 기술하고 있는 많은 테크놀로지 지원 활동들은 수행기준과 점수 루브릭을 갖추고 있다면 수행평가 활동이 될 수 있다. 모든 상황에서 학생들은 그 활동을 평가하는 점수체제와 점수를 결정하는 데 필요한 기준을 인지하고 있어야 한다.

2절 테크놀로지 기반 평가

평가는 학습자에게 의도된 학습결과가 성취되었는지를 판단하기 위하여 자료를 수집하고 분석하는 과정이다(Gagne, Bridges, & Wagne, 1998). 평가의 한 측면이 자료의 관리, 잠정적으로 많은 양의 자료를 관리해야 하므로 평가에 테크놀로지를 이용하는 것은 이치에 맞다. 교육자들은 테크놀로지를 이용하여 평가를 좀 더 가능하고 효과적으로 시행하기 시작했다. 테크놀로지가 평가 자료를 다루기 쉽게 만들 수 있다는 단순한 사실을 넘어서, 테크놀로지는 또한 교사가 학습자의 수행을 향상시키기 위하여 좀 더 자주 평가하고 더 나은 피드백을 학습자에게 줄 수 있도록 하였다. 당신이 교사로서 관리해야 하는 더 많은 자료, 기록해야 하는 더 많은 학생 점수들, 그리고 더 많은 학생들의 불안 때문에 이런 아이디어를 버리기 전에, 쉽게 사용할 수 있는 테크놀로지 기반 평가—("성적"을 기록하는 것이 아니라) 학습자가 "그것을 획득했는지", 잠정적으로 수업을 개선하고 지속해 나가야 하는지를 결정하는 데 필요한 평가 자료를 빠르고 쉽게 수집하는 평가—가 학생들에 대한 형성평가를 가능하게 한다는 점을 인식해야 한다.

테크놀로지 기반 평가는 또한 다른 효용성이 있는데 그것은 복잡한 학습결과를 지원하기 위한 학습환경의 실행과 관련되어 있다. 복잡한 학습결과는 단일한 평가 수단을 통해서는 효과적으로 평가될 수 없다. 테크놀로지 기반 평가는 교사에게 이러한 결과를 다양한 방식으로 평가할 수 있는 능력을 제공한다. 그럼으로써 보다 완전하고 타당성 있는 평가가 되도록 하는 것이다.

비록 대부분의 독자들이 컴퓨터 기반의 시험, 퀴즈, 조사에 익숙하지만, 평가를 위한 테크놀로지의 사용은 간단히 전통적인 형태의 평가를 디지털 형식으로 대체시키는 것 이상으로 발달시켜 왔다. 이 장에서는 고차원적 학습결과를 평가하는 데 테크놀로지가 어떻게 적용되는지 기술할 것이다.

3절 테크놀로지 기반의 루브릭(Rubrics)으로 수행 평가하기

루브릭의 정의는 행동을 지배하는 규약 혹은 규약들의 집합이다. 교육적 상황에서 루브릭은 복잡한 학습 수행을 평가하는 데 사용하기 위해 일련의 등급을 표시한 도구를 의미하는 것으로 진화해왔다. 최근에 많은 테크놀로지 기반의 루브릭 실행과 관리 도구들이 보급되고 있다. 이 절은 루브릭의 개요부터 시작하는데, 여기에는 효과적인 루브릭의 성격과 루브릭을 만드는 방법에 대한 상당히 자세한 지침이 들어있다.

루브릭과 유의미학습

학습자의 수행을 평가하는 데 사용한 문서나 방법에 이름을 붙이기 위해 많은 용어들이 사용되었다. 이 용어들에는 격자 형태로 되어 있어서 붙여진 점수 격자망(scoring grid), 점수 도표(scoring scheme), 비율 등급(rating scale), 그리고 아마도 가장 일반적으로 사용되는 용어인 루브릭이 있다. 학교에서 루브릭은 종종 등급 형태로 되어 있다. 루브릭을 복잡한 학습과정이나 학습 산출물(예컨대 e-포트폴리오)에 적용하는 것은 체계적으로 어떤 기준이 그 과정과 산출물에 드러나는지 정도를 평가하는 수단이 된다. 본질적으로 루브릭은 측정자가 일관되게 타당한 기준들을 산출물에 적용하는 데 도움을 준다. 루브릭을 개발하고 적용하는 과정은 복잡한 학습 산출물을 채점하는 것과 관련하여 교사와 학생 모두가 직면하고 있는 문제를 다루는 것이다.

예를 들면, 전형적인 교실에서 구술시험은 이해할 수 없이 모호하게 채점되며 약간의 설명이 그 채점결과에 덧붙여질 뿐이다(교사와 학생 모두 그 점수가 어디서 오는지 말할 수 없다). 수행에 대한 실질적인 피드백은 학생에게 거의 전달되지 않으며, 학생은 받는 점수에만 관심 있다. 이와는 반대로 교사와 학생들이 함께 개발한 루브릭을 사용하는 것은 수행의 중요한 측면을 식별하고, 학습자 수행에 대한 정보를 수집하며, 그 정보를 학습자 수행을 향상시키는 데 사용함으로써 의도적인 학습을 촉진시킬 수 있다.

루브릭의 "상세한 분석"

루브릭은 일반적으로 복잡한 수행을 평가하고 수행을 향상시키는 데 관련한 정보를 제공하도록 되어 있는 등급들의 세트다. 예를 들면, 집단에서 효과적으로 작업해야 하는 과제를 생각해보자. 그 과제 속에는 학습자의 참여정도와 토론의 내용과 같은 효과적으로 집단 참여를 형성하기 위해 결합된 여러 개의 요소들이 있다. 그래서 이 과제를 평가하기 위해 사용된 단순화되고 유용한 루브릭은 그림 10.1에서 보여주는 것과 유사한 등급들을 갖고 있을 것이다.

이 루브릭은 간단히 A, B, C로 평정하는 것보다 더 확실하고 더 많은 정보를 제공한다. 하지만 이런 루브릭의 가치를 향상할 수 있는 여러 방법들이 있다. 첫째, 루브릭을 토의할 때 일상의 단어를 이용하자. 루브릭은 등급이며 그 등급의 각 요소는 중요하다. 각 요소의 등급은 기대되는 수행의 상이한 수준을 기술하는 여러 개의 척도로 이루어져 있다.

효과적인 루브릭 개발을 위한 어림셈법(heuristics)

루브릭 개발은 복잡한 과업이다. 대부분의 복잡한 과제에서처럼, 하나의 유일한 "정답"은 없다. 루브릭이 적절한 평가 장치인 대부분의 활동에서 상이한 사람들은

집단 토론에서 학생 참여도

부적절	적절	우수
참여하지 않음 조용하거나 수동적	다른 구성원만큼 참여함	다른 어떤 구성원보다 많이 참여함

토론 주제와 관련된 설명

부적절	적절	우수
설명이 두서 없음 주제와 관련 없음	관계있는 설명을 함 때때로 주제에서 벗어남	설명이 항상 주제와 관련 있음

그림 10.1 집단 작업 루브릭의 부분

각각의 장점과 단점을 가지고 있는 상이한 루브릭을 개발할 가능성이 크다. 비록 루브릭 개발에 관하여 유일한 올바른 방법은 없지만, 다음의 내용은 여러분의 첫 번째 루브릭 개발에 몇 가지 방향성을 제공할 것이다. 좀 더 익숙해지면 틀림없이 자신의 필요에 맞도록 이 내용들을 다듬게 될 것이다. 여기에 순차적으로 그 리스트를 제시하지만 필요할 때 각 단계를 다시 참고하기 바란다.

1. 루브릭 주제의 중요성을 정의하는 몇 개의 문장을 작성하라. 왜 학습자들은 이 활동을 수행해야 하는가? 이것은 루브릭 개발의 나머지 과정 전체에 도움을 준다.

2. 활동이나 주제의 "요소들"의 리스트를 작성하라. 요소는 본질적으로 전체적인 과업이나 활동의 중요한 성분이다. 평가하고자 하는 활동의 모든 국면에 대한 요소들을 창조해야 한다. 덧붙여 '좋은 루브릭의 특징'이라는 절에서 기술한 것처럼, 그 요소들은 *단일차원*이어야 한다. 이것은 각 요소가 다른 항목에도 속할 수 있는 것이 아니라 유일한 항목이 되어야 함을 뜻한다. 그 요소들이 단일차원이 아닐 때, 그 요소를 정의하는 실제 수행 활동들을 정의 내리는 것에 어려움이 생긴다. 경험에서 얻은 일반 원리는 요소의 개수가 3개와 7개 사이가 되도록 하는 것이다. 만일 그보다 더 많은 요소들이 필요하다고 느낀다면, 또 다른 하나의 분리된 루브릭을 고려하라. 예를 들면, 멀티미디어 발표를 위한 루브릭이라면 조직(organization), 내용(content), 전달(delivery)이라는 3개의 요소들을 정의 내릴 것이다.

3. 그런 다음에 각 요소에 대해 루브릭 개발을 위한 다음과 같은 여러 개의 활동을 염두에 두어야 한다.

   ■ *요소를 정의하기.* 어떤 활동들이 그 요소를 정의하고 있는가? 그 요소와 연관된 학생들의 수행에서 보고자 하는 것은 무엇인가? 멀티미디어 발표의 예에서 조직(organization)을 "진술된 목적 달성을 위하여 발표의 요소들을 신중하게 구조화하는 것"으로 정의 내릴 수 있다.

   ■ *각 요소의 척도 등급을 정의하기.* 모든 요소에 반드시 동일한 척도 등급

을 사용할 필요가 없다는 점을 기억하라. 척도 등급의 정의를 위한 더 많은 힌트를 얻고 싶다면, '좋은 루브릭의 특징'을 참조하라. 그 등급이 요소의 설명이라는 점을 확실하게 해두는 것이 좋다. 멀티미디어 발표의 조직에서 등급은 부적절, 적절, 우수로 나눌 수 있다.

■ *각 등급 항목의 의미를 정의하기.* 각 등급 항목은 행위 지향적 또는 행동 지향적 용어로 정의되어야 한다. 이것이야말로 루브릭 개발에서 가장 어려운 작업일 것이다. 3단계 척도 등급으로 결정하는 것은 그리 어려운 일이 아니지만 그 척도의 각 단계가 무엇을 의미하는지 명확히 정의하기는 어려운 일이다. 여러 의미에서 그것은 좋은 교수목표를 기술하는 것과 같다. 사실상, 만일 매우 확실하고 구체화된 수행과제의 목표를 이미 갖고 있다면, 그 목표는 루브릭의 내용을 정하는 데 좋은 지침이 될 것이다.

멀티미디어 발표에 대한 *부적절한 조직*에 대한 정의를 구체적 행위와 산출물 지향의 용어로 나타내면 다음과 같다.

■ 발표의 제목이 없다.
■ 목표가 제시되지 않았다.
■ 목표가 불분명하다.
■ 개요나 스토리보드가 제공되지 않았다.
■ 제공된 개요나 스토리보드가 발표의 내용과 일치하지 않는다.
■ 발표 노트가 준비되지 않았다.
■ 발표 노트가 있지만 원활한 발표로 연결될 만큼 충분히 잘 준비되지는 않았다.

다른 한 끝의 우수에 해당하는 설명은 다음과 같다.

■ 효과적 조직의 모든 성분이 제시되었다.
■ 사건의 순서가 아이디어, 의견 또는 제시되는 주장 형태로 표현되었다.

루브릭의 모든 측면은 학생들의 수행을 향상시키는 데 유용한 피드백을 제공하는 것에 초점을 두어야 한다. 각 등급의 항목을 정의하는 과정에서 수행의 등급을 성취해가는 학생들에게 적합한 추천을 해주는 것은 유용한 일이다. 지금까지 예를 든 조직 요소의 "부적절한" 수행에 대한 추천으로는 다음과 같은 것들이 있다.

- 목표를 기술하고 내용과 조직에 관한 선택을 한 다음에 제목을 결정하라.
- 발표의 대략적 초안 후에 목표를 재기술하라.
- 스토리보드 요소의 순서에 관한 피드백을 얻기 위해 동료 편집을 이용하라.
- 발표자가 원활한 수행을 효과적으로 촉진하는 방법으로 발표 노트를 재기술하라.

이러한 중요한 추천을 하는 것은 학생들에게 루브릭 정의에 기초한 일관된 피드백을 제공하는 데 도움을 준다.

일단 이러한 지침을 따르고 나서 여러분이 개발한 루브릭을 다시 점검해보라. 다음 절에서는 테크놀로지 기반의 루브릭을 다루고, 여러분이 개발했거나 발견했거나 또는 수정한 루브릭들이 유의미학습 평가에 효과적인지를 확인하는 방법들을 기술할 것이다.

테크놀로지 기반 루브릭 도구

루브릭을 개발하거나 사용하는 데 도움을 주는 다양한 테크놀로지 도구들이 있는데, 이들은 루브릭 은행과 루브릭 개발 도구라는 2개의 기본 카테고리로 나누어진다(Dornisch & Sabatini McLoughlin, 2006). 온라인 루브릭 은행은 다양한 종류의 학습과제에 적합한, 사전에 개발된 루브릭을 제공한다. 루브릭 사용의 한 가지 장애는 높은 수준의 루브릭 개발 과제―이 장의 앞 절에서 기술한 것처럼―는 어떤 상황에서도 사소한 것이 아니며, 복잡한 학습과제를 위한 루브릭을 개발할 때는 중요하기까지 하다는 것이다.

그래서 교사가 확실하고 정확히 높은 수준의 학습활동(예컨대, 좋은 멀티미디어 발표가 가져야 할 성격에는 어떤 것들이 있는가?)의 성격을 명료히 해야 하기

Discovery School:
http://school.discovery.com/schrockguide/assess.html은 영역 특수적이며 일반적인 루브릭을 상당히 많이 제공한다.

Rubrician:
www.rubrician.com은 교과영역에 적합한 루브릭을 제공한다. 또한 "일반" 카테고리 아래에 다른 루브릭 은행으로 연결되는 링크를 제안한다. 제출된 루브릭의 질이 이 사이트에서 어떻게 유지되는지는 확실치 않다.

그림 10.2 온라인 루브릭 은행의 선택

때문에 비록 루브릭 개발이 유익한 과제라고 주장한다고 하더라도 그것은 시간이 걸리는 작업이다. 그리고 그것은 교사가 자신의 교수활동을 설계하는 데 도움을 준다. 그럼에도 불구하고, 교사들은 의심할 것도 없이 시간이 부족하기 때문에, 기존 존재하는 루브릭은 확실히 잠재성이 있다. 그림 10.2는 이 책을 집필할 당시 루브릭 은행의 예시를 보여주고 있다. 이제 학교구가 교육과정 기준에 부합하는 루브릭을 게시하는 일은 평범한 관례가 되었다. 예를 들어, New York의 Greece Central 학교구는 쓰기, 말하기 및 학급 참여에 대한 기준 중심의 루브릭 목록을 제공한다(www.greece.k12.ny.us/instruction/ela/6-12/Rubrics/Index.htm).

루브릭 은행 사용자가 주의해야 할 점은 다음과 같다. 첫째, 루브릭을 사용하기 전에 사용자는 루브릭이 의도된 학습과제에 적합한지 평가할 필요가 있다. 집단 토의를 위한 루브릭이 단지 필요하다는 이유 때문에, 하나 또는 여러 개를 찾을 수 있으나 루브릭의 어떤 것도 의도된 집단 토론이라는 학습결과에 맞지 않을 수 있다. 우리는 학급 토론에 대한 여러 개의 루브릭을 발견했는데, 그것들은 의견의 일치 형성, 말하기와 듣기, 갈등 해소, 촉진 기술, 요약 기술, 시간 준수 등과 같은 광범위한 범위의 활동을 다루고 있었다. 학습결과에 꼭 맞는 루브릭의 발견은, 그 "과제"가 동일할지라도, 꽤 어려운 일이다. 과제에 알맞는 루브릭을 많이 검색하고 필요에 맞도록 루브릭에 대한 수정을 준비해야 한다.

많은 경우에 당신이 발견한 루브릭은 평가되어야 할 의도된 결과를 명확하게 진술하고 있지 않다. 그래서 루브릭의 내용으로부터 이러한 결과—루브릭의 명료성에 따라 어떤 것이 가능하고 가능하지 않은지—를 조사할 필요가 있다. 좋은 루브릭은 평가되어야 하는 학습결과를 명확하게 진술하고, 교사들은 이 기준을 발견한 많은 루브릭을 걸러내는 데 사용할 수 있다.

마지막으로 많은 루브릭 은행들이 존재한다(그림 10.2는 하나의 예시만 보여 준다). 루브릭을 사용해야 한다고 주장하는 근거는 루브릭이 교사의 시간을 절약시켜 준다는 점이다. 그러나 효과적인 루브릭을 개발하기 위하여 이런 모든 루브릭 은행을 검색하여 루브릭을 찾아 그것을 학습결과에 맞추기 위해 수정하기까지, 자신의 루브릭을 개발해야 하는 힘든 시간을 갖게 될지 모른다. 자신의 루브릭을 통해 학습과제에 대하여 다른 누군가의 개념을 사용해야 하는 몇몇 문제점들을 피할 수 있다.

테크놀로지 기반의 루브릭 도구의 또 다른 하나의 카테고리는 루브릭 생성기이다. 그 이름이 시사하는 것처럼, 루브릭 생성기는 사용자가 실제로 루브릭을 개발하는 데 도움을 준다. 루브릭 생성기와 함께, 여러분은 의도된 학습목표에 딱 맞춰진 루브릭을 개발할 수 있다. 그리고 여러분은 루브릭 은행 사용과 관련하여 논의된 몇몇의 이슈를 피할 수 있다. 그러나 루브릭 생성기는 무엇을 제안하고 있는가?

루브릭 생성기는 루브릭 생성 과정을 통해 사용자를 스캐폴딩하거나 지원할 수 있다. 좋은 루브릭 생성기는 사용자로 하여금 높은 수준의 루브릭의 비판적 요소를 다루도록 만든다(그림 10.3 참조).

예를 들어, Rubric Processor(http://ide.ed.psu.edu/ITSC/RubrProc/)는 루브릭 개발에 필수적인 단계를 보여주는 일련의 화면을 갖추고 있다. 그 도구는 루브릭 제목을 요청하는 것뿐만 아니라 루브릭에서 평가하기를 원하는 최대 7개의 "요소"를 결정하도록 만든다. 그리고 나서 각 요소에 대해 상이한 수행 수준 또는 그 요소의 "척도"를 결정하도록 한다. "집단 토의" 활동의 예를 들면, 하나의 "요소"는 "활동 수준"이 될 수 있다. Rubric Processor에 의해 촉진되는 것처럼, 우리는 "활동 수준"을 한 수업 시간 동안 토론에 개인이 공헌하는 참여의 양으로서 정의할 수 있다. 그런 후에 Rubric Processor가 상이한 수행 수준을 정의하도록 만든다(그림 10.4

ClassMon
www.foliosinternational.com/content2.php?contentid=21
이 도구는 상업적 루브릭 기반 관찰 도구로 루브릭 builder과 루브릭 importer를 갖추고 있으며 학습
증거로서의 학생작업 예시를 삽입할 수 있다.

The Rubric Processor
http://ide.ed.psu.edu/ITSC/RubrProc/
이 도구는 루브릭을 만들 수 있는 단계적 스크린뿐만 아니라 루브릭을 완성하고 학생들에게 피드백
을 줄 수 있는 내장된 기능을 갖추고 있다.

Rubistar
http://rubistar.4teachers.org/index.php
사용자는 루브릭을 처음부터 만들 필요 없이, 다양한 교과영역의 내장된 루브릭 예시들을 변형할 수
있다.

Tech4Learning Tools RubricMaker
http://myt4l.com/index.php?v=pl&page_ac=view&type=tools
이 도구는 루브릭 개발을 위한 인터페이스를 제공한다. 그 인터페이스는 학습결과의 종류를 위한 풀
다운 메뉴, 사용자가 정의 내릴 수 있는 4개의 수행수준과 각각의 기준과 요소를 포함한다.

그림 10.3 루브릭 생성기의 예시

참조). 루브릭 생성자를 이용하는 사람은 이 과정을 지속하면서 각 요소와 연계된
수행 수준을 정의 내린다. 일단 완성되면, 루브릭은 추후 사용을 위해 저장된다.

Rubric Processor는 테크놀로지 기반의 루브릭 도구의 한 예로서 또한 학생들을
지원하는 데에도 루브릭 사용은 도움이 된다. Rubric Processor 사용자는 각 요소에
대한 수행 수준을 정의 내리면서 평가에 사용되는 문장을 개발하는데, 이 문장은
학생이 해야 하는 수행 수준의 정의와 조합하여 학생을 위한 피드백 리포트를 개
발하는 데 사용될 수 있다. 즉, 루브릭을 학생의 산출물에 적용하는 것이다. 그래
서 Juan이라는 학생은, 토론 동안에 적당한 수준으로 활동했다면, 그의 리포트에
서 "Juan은 다른 집단의 구성원과 동일한 참여도를 보였다"를 볼 수도 있다. 학생
을 위한 질적인 피드백 개발에 대한 초점은 이 도구의 긍정적인 면이다.

Rubric Processor가 루브릭 개발을 지원하는 무료 도구의 좋은 예인 반면에 호주
에서 개발된 유료의 ClassMon은 루브릭 "개발자(builder)"를 갖고 있는데, 이것은 교

수행 수준	정의
부적절:	불참, 조용하거나 수동적
적절:	집단의 다른 구성원만큼만 참여
우수:	집단의 어떤 다른 구성원들보다 더 많이 참여

그림 10.4 집단 토의를 위한 수행 수준의 설명

사가 수행평가를 실시하는 과정을 관리하고 시행하는 데 도움을 준다. ClassMon은
여러 도구와 특징을 갖고 있으며 이를 통해 교사가 루브릭을 개발하고, 루브릭을
맞춤형으로 수정할 수 있다. ClassMon은 루브릭을 불러와서 다양한 학생들과 연결
시키고, 보고서 체크리스트를 생성해내고, 다른 루브릭이나 체크리스트로 평가된
학생자료를 추적할 수 있고, 학생들의 작업 예시를 탑재하는 기능이 있다.

그 도구는 우리가 루브릭에 대하여 정의를 내린 것과는 약간 다른 용어를 사
용한다. 예를 들어, 이 도구에서 루브릭은 *학습의 단계*를 뜻하는데, 그것은 우리
가 수행 수준이라고 부르는 것과 같다(그림 10.4 참조). 이것들은 상이한 *학습 영
역*(예컨대, LA 사회학습—그림 10.5에 나타난 지속적 관련성)에 적용되는데, 이
영역은 교사가 학생의 능력을 평가하고 싶어하는 가장 중요한 영역이다. 이 도구

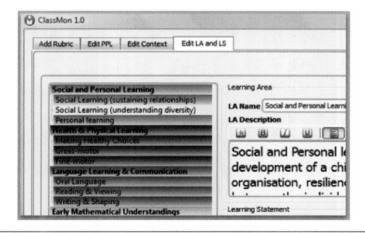

그림 10.5 ClassMon 루브릭 개발자 스크린

안에는 *학습 보고서(learning statements)*라는 것이 있는데, 이것은 우리가 요소라고 부르는 것과 거의 같다. ClassMon은 학습자 수행을 관찰하기 쉽도록 잘 설계되어 있어서, 학습 보고서는(학습자가 집단 내에서 어떻게 역할하는지와 같은) 관찰 가능한 결과에 맞춰져 있다.

좋은 루브릭의 특징

인터넷에서 찾은 루브릭이 질적으로 우수하다고 결정하든지 아니면 자신의 루브릭을 만들기 위해 온라인 루브릭 생성기를 사용하든지, 교사가 알아야 할 것은 좋은 루브릭의 특징이다. 가장 효과적이며 유용한 루브릭은 중요한 특징들을 나타내는 경향이 있다. 이 절에서는 이러한 특징들과 함께 초보자가 빠지기 쉬운 함정들을 간략히 다룬다.

효과적인 루브릭은 중요한 모든 요소를 포함한다. 만일 어떤 것이 평가해야 할 정도로 중요한 것이라면, 그것은 요소로 간주해야 하고 그것을 기술하는 척도를 가진 등급으로 개발해야 한다. 정의에 의하여, 루브릭은(평가자와 학생 모두에게) 중요한 것으로 간주되는 수행의 측면을 확인해야 한다. 루브릭을 교육자와 학생 사이의 계약으로 생각하고, 루브릭에 포함되지 않은 어떤 것을 평가하려는 유혹에서 벗어나야 한다. 만일 중요한 요소를 잊어버렸다면, 루브릭을 다시 결정해야 한다.

효과적인 루브릭은 각 요소가 1차원이다. 분자(molecule)와 같은 요소의 사용은 피해야 한다. 화학에서 요소는 환원할 수 없다. 물은 수소와 산소로 이루어진 분자인데, 이것은 더 이상 분리될 수 없는 2개의 요소들로 분리가 가능하다. 예를 들어, 말하기 발표 루브릭에서 '목소리 질'이라고 불리는 "요소"는 요소가 될 수 없다. 그것은 '소리의 크기'와 '억양'으로 분리되는 요소로 쪼개어질 수 있기 때문이다. 수행을 향상시키려는 노력에 대한 구체적인 피드백을 도출하는 것이 어려운 것처럼, 분자를 평가하려는 시도는 요소에 척도를 붙이는 것보다 더욱 어렵다. 적절치 못한 목소리 질이 과연 무엇인가?

효과적인 루브릭은 척도가 뚜렷하고, 이해가 빠르며, 설명적이다. 척도는 기대되는 수행의 범위를 포괄해야 한다. 어떤 요소들은 간단한 2개의 척도(그렇다/아니다)에서 가장 잘 평가된다. 반면에 다른 요소들은 7개의 뚜렷한 척도가 필요할 수도 있다. 예를 들어, 말하기 발표에서 목소리 요소는 간단히 "매우 조용함" 또는 "충분히 큼"으로 평가될 수 있는 반면에 사회적 상호작용과 같은 요소는 5개나 그 이상의 척도가 필요할지도 모른다.

루브릭 설계에서 흔한 문제는, 예컨대 표준적인 5점 등급 척도에서 드러나는 것처럼, 모든 요소들을 평가하는 데 유사한 척도를 사용하는 것이다.

가(Weak)	양(Poor)	미(Acceptable)	우(Good)	수(Excellent)

비록 각 요소의 등급들이 간단하고 확실해 보일지라도, 예컨대 말하기 발표에서 말의 속도의 '가(Weak)'와 '양(Poor)' 사이 또는 '우(Good)'와 '수(Excellent)' 사이의 척도의 차이점을 설명할 수 있는가? 이러한 평가를 옹호할 수 있는가 아니면 매우 주관적이라고 비판할 수 있는가? 또한 이와 같은 표준 등급이 여러 요소에 사용될 때, 일반적 호칭(수, 우, 미, 양, 가)에서보다 설명적인 등급에서 전달이 잘 이루어지는 많은 정보가 사라진다. 예를 들어, 학생 발표를 평가할 때, 평가 요소의 하나인 '동기'라는 이름의 요소가 '가(Weak)'가 아니라 '재미없음'으로 등급이 매겨진다면, 학생은 자신의 발표 수행에 대해 더 많이 학습할 것이다. 의미 있는 호칭과 행동들을 기술하여, 평가할 때 가능성 범위를 충족하는 호칭과 행동을 사용하라.

효과적인 루브릭은 학생과 학부모 모두를 확실히 연결한다. 루브릭의 궁극적 목적은 수행을 향상시키는 것이다. 이것은 명쾌한 예상과 바람직한 목적의 상태에 이르는 과정에 대한 중요한 정보의 제공을 통해 달성된다. 루브릭은 과제의 복잡성을 전하고 의도적인 학습에 초점을 맞춘다. 루브릭이 제공하는 피드백은 학습자와 교육자에 의한 성찰의 중요한 기준선으로 작용한다. 이러한 목적이 달성되기 위해서는 루브릭은 그것을 도와주는 사람과 확실히 연결되어야만 한다. 사용되는 모든 용어에 대한 공통의 이해를 루브릭을 사용하는 모두(학습자, 부모, 교육자)가 공유하도록 해야 한다. 이런 공통의 이해는 교육자와 학생들이 루브릭을 협력적으로 개발하고, 학생들이 자신의 부모에게 그 루브릭을 설명하는 과정에서 일어난다. 이것은 메타인지(사용되는 인지과정의 이해)를 개발하는 아주 훌륭한 방법이며, 유의미학습 환경이 제공하는 복잡한 과제를 진행하는 과정에서 학생들이 자신의 학습을 규제하는 데 도움을 준다. 교육학적 특수 용어나 여러 개의 의미나 모호한 의미를 갖고 있는 단어는 배제해야 한다. 학생들과 함께 각 요소와 각 척도의 설명을 기술하며, 단일 용어 대신에 정교하고 완전한 문장의 척도 호칭을 고려해야 한다.

효과적인 루브릭은 수행의 다양한 측면에 대한 풍부한 정보를 제공하며 요약 점수를 만드는 유혹에서 벗어나게 한다. 루브릭의 실제 가치가 복잡한 과제를 구성하는 분리된 요소에 대한 정보를 제공하는 능력에 달려있다고 하더라도, (특히 공립학교 교사와 같은) 초보 사용자는 개별 요소에 대한 척도를 개별 요소의 점수로 변환하려 할 것이며, 그 후 이 점수를 합하여 전체 점수로 산정하고, 설상가상으로 성적을 매긴다. 개별 요소들이 합해질 때, 수행을 향상시킬 수 있는 정보를 잃게 된다. 척도가 점수로 다루어지고 합해질 때, 다소 중요한 요소들은 마치 그들이 동일한 가치를 갖고 있는 것처럼 다루어지며, 때문에 수행에 대한 부정확한 그림이 그려진다. 예컨대, 말하기 발표를 평가하기 위하여 루브릭을 사용한 후에 '구성'과 '억양'에 대한 척도들이 합쳐진다고 가정해보라. 더해진 점수는 구성과 억양을 동등하게 중요한 것으로 만들어 버린다. 중요성에 기초하여 다른 점수가 부여되는 가중치 방법을 적용하여 상이한 요소들이 합쳐질 때조차도, 점수가 더해질 때에는 각 요소에 대한 수행을 향상시키는 방법에 관한 정보보다는 전체 점수에 관심이 집중된다.

루브릭의 효과성을 평가하는 루브릭

앞에서 기술했던 사항들을 잘 따른다고 해도 루브릭 개발은 여전히 어려운 일이다. 따라서 루브릭을 직접 개발하거나 루브릭 은행에 의지하는 것에 관계없이, 당신은 루브릭이 당신이 염두에 둔 과제에 효과적인지를 알아보는 루브릭 평가 능력이 필요하다.

루브릭이 효과적인 것은 학습자가 수행의 중요한 요소에 초점을 맞추는 데 루브릭이 도움을 주고, 학습자가 성장을 위한 전략을 반영하고 형성하는 것에 대한 정보를 루브릭이 제공하기 때문이다. 대부분의 루브릭은 방금 논의한 기준에 반하여 학생을 평가하려는 성실한 시도에 의해 향상될 수 있다.

예를 들어, 비록 그림 10.1에 나타난 말하기 발표를 위한 루브릭이 올바른 방향이며 학습자에게 유용할지라도, (중요한 요소가 빠져있고 척도가 미결정되어 있다는 점에서) 루브릭이 완전히 개발된 것은 아니었다. 그리고 그 루브릭에는 "목소리 질"이라는 요소가 포함되어 있는데, 그것은 정말로 분자(molecule)여서 분리해서 다루어져야만 하는 요소들의 조합인 것이다. 그 루브릭은 향상될 수 있다. 다른 루브릭들 또한 심각한 단점을 갖고 있다. 이러한 이유로 우리는 여러분 자신의 루브릭에 적용 가능한 루브릭을 제안한다(그림 10.6).

요소

포괄성: 수행의 모든 중요한 요소들을 다루고 있는가?

중요한 요소들이 없음　　　　　　　　　　　모든 중요한 요소들을
(없는 요소의 리스트를 첨부하라)　　　　　　다루고 있음

단일차원성: 요소들이 더 이상 쪼개어질 수 있는가 또는 요소들이 분리되어 다루어지면 더 좋은 요인들을 갖고 있는가?

하나 이상의 요소로 분리되어야 함　　하나의 요소로　　　　모든 요소들이
(리스트를 첨부하라) _____　　　　　분리되어야 함　　　　단일차원임

척도

구별성: 척도가 확실하게 다른 범주를 표상하는가 또는 중복되거나 모호한가?

하나 그 이상의 요소들의 척도가　　　　　　각 요소의 척도들이 다른
중복되는 것처럼 보임(요소의　　　　　　　것과 구별됨
리스트를 첨부하라)

포괄성: 척도가 기대된 수행의 전부를 망라하는가?

척도가 없음　　　　　　　　　　　　　　중요한 모든 척도가 다루어짐
(제안된 추가사항 리스트를 첨부하라)

묘사성: 척도가 성찰을 위해서 유의미한가?

여러 척도들이 포괄적이거나　　　소수의 척도만이 포괄적　　모든 척도들이 확실하게
최소한으로 유용함　　　　　　　이거나 최소한으로 유용함　나누어짐
(리스트를 첨부하라)　　　　　　(리스트를 첨부하라)

그림 10.6 루브릭을 평가하고 향상시키는 루브릭

명료성(주요 이해당사자가 이해하는 정도)		
학생들 사이에서		
소수의 학생들이 요소들과 척도에서 사용한 모든 용어를 이해함(제안사항 리스트를 첨부하라)	소수의 학생들이 요소들과 척도에서 사용한 모든 용어를 이해함(제안사항 리스트를 첨부하라)	모든 학생들이 이해함
학부모 사이에서		
소수의 학부모들이 요소들과 척도에서 사용한 모든 용어를 이해함(제안사항 리스트를 첨부하라)	소수의 학부모들이 요소들과 척도에서 사용한 모든 용어를 이해함(제안사항 리스트를 첨부하라)	모든 학부모들이 이해함
제공된 정보의 질		
풍부성		
수행의 질에 관하여 확실하게 의사소통할 수 있는 많은 기회들을 놓침	적절한 정보가 성장의 기초로 작용하기 위해 제공됨	많은 구체적인 정보가 발달을 촉진하기 위해 제공됨
포괄적 등급의 유혹에 대한 저항		
"포괄적" 등급은 루브릭의 가치를 손상시킬 것으로 보임(위반한 요소의 리스트를 첨부하라)		각 요소의 등급은 구별되는 척도를 식별하는 데 성실한 노력을 반영함
요약하는 유혹에 대한 저항		
범주를 무너뜨리는 요약이 사용되었기 때문에 가치정보가 간과됨(제안된 추가사항 리스트를 첨부하라)		종합적 점수나 평점을 매기는 시도가 전혀 없음이 명백함

그림 10.6 루브릭을 평가하고 향상시키는 루브릭 (계속)

루브릭의 사용

루브릭이 제공하는 최고의 이익을 얻기 위해서 유의미학습 환경을 창조한 혁신적인 교육자들이 제공한 다음과 같은 조언을 고려해야 한다.

- 학습자와 협력하여 루브릭을 개발하라. 이것은 학생들로 하여금 전문가 수행이 어떠한지에 관해 생각하도록 만들고, 학습하는 방법을 학습하는 훌륭한 기회가 된다.

■ 학습과정 동안에 학습자가 자신들을 인도하는 루브릭을 사용하도록 권장하라. 이 책 전부를 통하여 우리는 의도적 학습이라는 아이디어를 장려했다. 루브릭이 학습활동이 시작되기 전에 공표될 때, 학생들은 자신의 활동에 초점을 두는 데 있어서 루브릭의 내용을 참고할 것이다.

■ 학생들로 하여금 자신들의 학습 진행상황과 학습내용을 설명하는 장소, 예컨대 아마도 학생들이 이끄는 회의장과 같은 맥락에서 그 루브릭을 학부모와 관심 있는 사람들에게 설명하도록 권장하라.

■ 루브릭을 학생들을 분류하고, 구별하며, 등급을 매기는 평가도구로서가 아니라 교육자와 학습자가 학습활동을 선택하는 데 사용할 수 있는 중요한 정보를 제공하는 것으로 간주하라.

■ 루브릭을 여러분 자신의 전문성 발달에 있어 강력한 도구로 간주하라. 유의미학습을 촉진하는 데 있어서 보다 효과적인 교육자가 되는 데 도움을 주는 루브릭 설계를 숙고하라. 함께 루브릭을 개발할 것을 동료에게 요청하고, 때때로 자신의 발전을 평가하는 데 그것을 사용하라. 이러한 평가는 여러분 자신의 것과 결합되어 혁신적인 교육자로서 발달에서 가장 중요한 요소가 될 수 있다.

■ 개인의 발전뿐만 아니라 자신이 만든 학습환경의 질과 효력을 평가하는 데 도움을 주는 루브릭을 사용하라. 그러한 발전과 함께, 여러분은 학생들에게 제공한 교육적 경험을 향상시키는 부가적인 방법을 확인하게 될 것이다.

4절 e-포트폴리오로 시간에 걸친 성장 평가하기

더욱더 많은 교사들이 학생들로 하여금 학습의 디지털 인공물(예컨대, 발표, 워드프로세서 문서, 블로그, 웹사이트 등)을 만들도록 하면서, 교사들은 또한 학생들에게 이러한 인공물을 정의된 학습결과를 표상하는 방법으로 일관성 있게 통합시킬 것을 요청하고 있다. 이것이 전자 포트폴리오, 즉 e-포트폴리오라 불리는 것이다. 예를 들어, 시각/행위 예술 고등학교 교사는 학생들로 하여금 예술 활동의 디지털 포트폴리오를 훗날 극장의 배경이나 달력 등과 같은 다른 프로젝트에서 사용하기 위해 보관하도록 지시한다. 포트폴리오의 목적은 학생들이 멀티미디어 프로그램과 함께 작업하고, 정보를 일관성 있게 조직하는 것을 배우며, 다른 사람과 협력하도록 만드는 것이다. 전통적으로 창조된 디지털 사진은 디지털로 창조된 인공물과 결합된다. 학생들은 디지털 카메라, 그래픽 프로그램, 웹페이지 프로그램 도구와 같은 다양한 테크놀로지를 사용하고 있다(KITE, 2001).

e-포트폴리오는 비디오 동영상, 그래픽, 소리, 문서, 예술 작업, 멀티미디어 등을 포함한 디지털화되어 있는 인공물들의 집합이다. e-포트폴리오는 개인 혹은 학습자 집단의 성취를 반영한다(Lorenzo & Ittelson, 2005). e-포트폴리오는 단순히 전자적 형태로 저장된 학생 작업의 집합 그 이상을 의미한다. 그것은 학생들의 노력, 발전 및 성취를 드러내도록 유목적적으로 의도된 것이다(Paulson, Paulson, & Meyer, 1991).

(e-포트폴리오든지 종이로 출력한 포트폴리오든지) 포트폴리오는 교사중심의 평가형태에서 벗어나 수행평가로의 전환을 의미한다. 왜냐하면 포트폴리오가 학생들에게 더 많은 자율권을 이양하면서, 학생들이 어떤 인공물을 포함시키고 어떻게 제시할지를 선택할 자유를 갖게 되기 때문이다(McAlpine, 2000; Tombari & Borich, 1999). 일반적으로 포트폴리오는 어떤 종류의 생산물(예컨대, 최근의 PTA 회의결과를 보도한 신문기사)을 창조하는 학생들의 능력을 증명하는 데, 어떤 과정(예컨대, 회계장부의 수입과 지출의 일치)을 따르는 능력을 증명하는 데, 또는 다년간 생산된 다양한 생산물을 사용함으로써 학습 분야에서 학생의 성장을 증명하는 데 사용될 수 있다.

포트폴리오는 의도된 목적에 따라 전통적으로 세 종류로 분류된다. 그리고 어느 포트폴리오든지 e-포트폴리오로서 실행될 수 있다. 포트폴리오 종류를 구분하는 중요한 특이점이 학생들이 포트폴리오 내용을 선택하는 데 대해 얼마나 많은 통제력을 갖는가에 있다는 것에 주목해야 한다.

- 학업(working) 포트폴리오. 이런 포트폴리오는 학생의 최고 수행이나 특정한 학습분야에서 시간의 흐름에 따른 수행을 보여준다. 이 포트폴리오는 본질적으로 보다 형성적이 되는 경향이 있으며, 학생들은 피드백을 얻을 기회와 시간이 지남에 따라 포트폴리오를 향상시킬 기회를 갖게 된다.
- 표준기반의 포트폴리오. 이런 종류의 포트폴리오에서, 교사들은 교육과정 요구 충족에 기반하여 포트폴리오 내용을 규정할 것이다. Missouri 주에서 5학년 교사는 학생에게 물의 순환을 이해하고 있는지에 대한 "학년수준의 기대"를 보여주는 포트폴리오를 만들도록 요청할 것이다.
- 외부평가 포트폴리오. 이런 포트폴리오는 일반적으로 총괄적이며, 인가된 집단이나 사람과 같은 외부인에게 여러분의 학교나 학년이 외부 집단의 요구조건을 충족하고 있음을 증명하기 위하여 사용된다.

왜 루브릭을 사용하는가?

e-포트폴리오를 사용하는 이유는 여러 가지이다. 논리적 관점에서, 포트폴리오의 전자적 특징은 탐색이 가능하고, 이동성이 있으며, 보다 쉽게 수정이 가능하다는 점이다(Batson, 2002). 이것은 교사와 학생에게 모두 장점으로 작용한다. 그러나 보다 실질적으로는 e-포트폴리오가 많은 종류의 학습결과를 평가하는 데 유용하다는 점이다.

사실상, 평가해야 하는 학습결과의 범위는 본질적으로 무한하며, 포트폴리오 설계자에 의해 규정되고, e-포트폴리오에 포함되는 생산물의 종류에 따라 다양할 것이다. 예컨대, 이야기가 있는 문서를 포함한 e-포트폴리오는 쓰기 또는 문해능력을 증명한다. 학생이 만든 뉴스 사설의 비디오 동영상은 말하기 발표와 테크놀로지 사용 기술뿐만 아니라 설득력 있는 논증을 개발할 수 있는 능력을 보여준다. 또는 지역의 여론 동향에서 수집한 자료의 스프레드시트는 간단한 기술통계를 수행할 능력뿐만 아니라 자료로부터 결론을 끌어내며 제시하는 능력을 증명하는 데 사용되기도 한다. 이런 예들은 무수히 많다. 중요한 것은 e-포트폴리오의 목적이 무엇이냐를 결정하는 데에 있으며, 이는 이 절에서 다루어질 내용이다. 그래서 어떻게 실행되어야 하느냐의 관점에서 e-포트폴리오는 어떻게 교사에게 융통성을 제안하는가?

- e-포트폴리오는 다양한 시간 길이에 맞게 개발될 수 있다(예컨대, 순환에 대한 3주짜리 지구과학 단원 또는 15주, 1학기 전체 지구과학 내용). e-포트폴리오의 장기간의 형태는 학생들에게 동료나 교사의 피드백을 얻을 기회를 제공하고, 수정되어 향상된 생산물을 만들어낼 수 있게 하며, 학습결과에 대한 학생의 성장을 증명한다. e-포트폴리오는 또한 개인 학생이나 학생 집단에 의해서도 개발될 수 있다. 집단이 e-포트폴리오를 개발할 때, 다른 구성원은 포트폴리오의 요구사항에 충족하는 상이한 인공물을 제출할 수 있다. 어떤 인공물이 포트폴리오 과제에 가장 잘 적합한지를 집단의 구성원들이 협상하는 것은 인공물에 대한 깊이 있고 평가적인 사고를 하도록 학생들을 도와주는 또 하나의 수단이다.

- e-포트폴리오는 또한 학생의 학업과 학생의 학업에 대한 교사의 해석과 추가사항 모두의 조합이 될 수 있다. 예를 들어, 지속적인 학생 피드백의 기초로서 사용되는 학업 포트폴리오(working portfolio)는 읽기/쓰기 기록물, 글쓰기 견본, 많은 전문영역(예컨대, 사회과 프로젝트)의 작업 예시들을 포함하고 있다. 덧붙여 교사의 일화나 관찰 또는 교사의 노트기록과 같은 교사의 추가사항들이 포함된다(Miller, 1996).

- e-포트폴리오는 구체적이고 구조적인 방법을 교사, 학교, 지역에 제공하여 e-포트폴리오가 주와 국가 표준을 어떻게 충족하고 있는지를 보여준다. 예를 들어, 그림 10.7에 있는 페이지 발췌문은 부엉이에 대한 탐색적 학급 포트폴리오 프로젝트가 충족할 수 있는 주와 NETS의 표준을 설명하고 있다. 또 다른 예(그림 10.8)는 포트폴리오 활동이 21세기 학습 역량에 부합한다는 New Hampshire 주의 노력이 담긴 내용이다(Boisvert, Schneiderheinze, & Rubega, 2009).

e-포트폴리오는 유의미학습 결과를 촉진하는 방법을 제안한다. 앞서 기술한 것

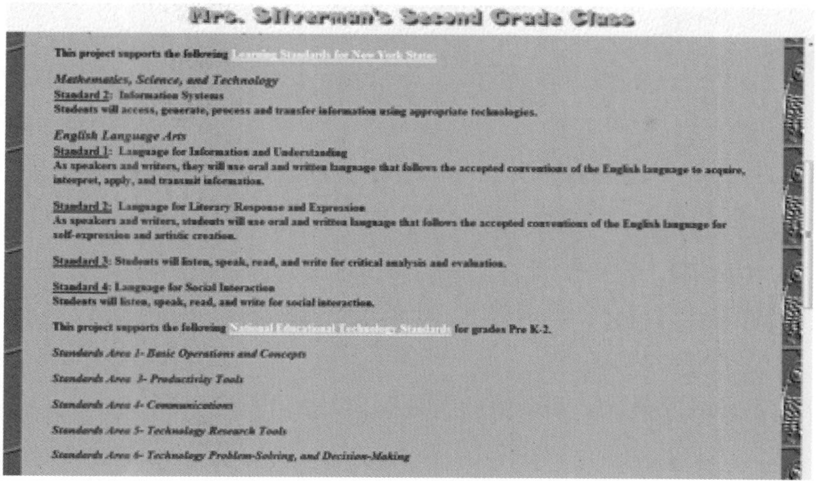

그림 10.7 주와 국가 표준에 부합하는 포트폴리오 프로젝트

		학년 수준					
		유치원	1학년	2학년	3학년	4학년	5학년
21세기 역량	창의성과 혁신 (1)			■			
	의사소통과 협력 (2)	■					■
	연구와 능숙한 정보 활용 (3)		■		■		
	비판적 사고, 문제 해결, 의사결정 (4)					■	■
	디지털 시민정신(5)		■				
	테크놀로지 작동과 개념 (6)				■		

그림 10.8 21세기 역량에 부합하는 포트폴리오

처럼, e-포트폴리오는 셀 수 없는 많은 학습결과를 증명하는 데 사용될 수 있다. 또 하나의 이점은 e-포트폴리오를 모아 정리하는 과제가 학생들에게 자신들의 학업을 성찰하는 기회를 제공한다는 데 있다(예컨대, 이 활동에서 나는 무엇을 학습했는가? 이 산출물은 무엇을 증명하고 있는가? 다음번에는 무엇을 다르게 할 것인

가?). 자신의 과업에 대한 성찰은 전문가나 동료의 생각과 비교하여 자신의 생각을 수정하는 데 공헌한다(Lin, Hmelo, Kinzer, & Secules, 1999). 이러한 과업이 유의미하게 되기 위해서는 포트폴리오 지침 속에 그러한 성찰적인 요소들을 포함시키는 것과 학생들에게 자기성찰을 해볼 기회를 제공하는 것이 중요하다. 마지막으로, 덜 중요한 것은 분명히 아니지만, 학생들이 포트폴리오를 위해 자신이 수집한 결과물에 자부심을 갖고, 거기에 무엇을 넣어야 할지에 대해 자율권을 갖게 되면서 e-포트폴리오는 학생의 관점에서도 사용하지 않을 수 없다.

학생을 위한 e-포트폴리오 과제를 어떻게 정의하는가?

e-포트폴리오 과제의 요소는 학생들이 e-포트폴리오를 완성해가는 과정에서 여러분의 목적이 무엇이냐에 따라 다양할 것이다. e-포트폴리오를 규정하는 데 도움을 주기 위해 고려해야 할 몇 가지 질문들을 나열하면 다음과 같다(Tombari & Borich, 1999).

- 포트폴리오의 목적은 무엇인가? 포트폴리오가 시간이 지남에 따른 성장을 보여주기를 바라는가? 학생의 최고의 업적을 예증하기를 원하는가? 포트폴리오는 의도적으로 특정한 기준을 성취한 학생들을 보여주는가?
- 포트폴리오는 어떤 학습결과를 증명해야 하는가? 그런 다음 각 결과에 대해 어떤 과제나 인공물을 학생에게 요구하거나 제안할 것인가?
- 포트폴리오가 의도하고 있는 독자는 누구인가(교사인가, 다른 학생들인가, 학부모인가, 혹은 이해당사자들인가)?

일단 초기 설계가 이루어지면, 다음 포인트를 고려해야 한다. *포트폴리오는 어떤 편성 구조를 사용해야 하는가?* e-포트폴리오의 편성이 의미하는 것은 독자가 포트폴리오 내의 구성물(product)을 찾거나 접근하는 방법에 관한 것이다. e-포트폴리오의 편성은 e-포트폴리오가 하나 이상의 학습결과를 다룰 때 특히 중요한데, 포트폴리오가 시간에 따른 학생 작업을 수집한 것일 때 자주 그러하다. 포트폴리오에 흔히 사용되는 편성 전략은 학습결과나 포트폴리오가 측정하는 역량을 따르는 것이다. 종이로 된 포트폴리오가 개별적인 파일 폴더를 갖고 그 개별 폴더 안에 특정의 학습결과를 반영하고 있는 작업을 포함하고 있는 것처럼, e-포트폴리오는 "홈(home)" 페이지로 조직되어 포트폴리오의 개요 및 내용 영역과 연결된 링크의 항목들을 제시할 수 있다(그림 10.9 참조). 대안적으로, 포트폴리오의 편성은 인공물의 종류에 기초할 수도 있다(그림 10.10 참조).

물론 전자적 형태의 사용은 개별적인 포트폴리오 산출물에 연결된 다양한 경로들이 가능함을 의미하고 있다. 아마도 학습결과뿐만 아니라 내용영역에 의해서도 또는 그 산출물이 생산되는 시기(예컨대, 과학실험 설계를 처음 시도할 때, 세 번째 시도할 때)에 의해서도 다양한 경로가 가능하다. 다른 방법으로 e-포트폴리오를 조직하는 것도 가능하다. 중요한 것은 포트폴리오 편성에 대한 심사숙고, 학생들을 위한 편성, 그리고 포트폴리오의 목적에 적합한 편성을 위해 학생들과 함께 협의하는 노력이다.

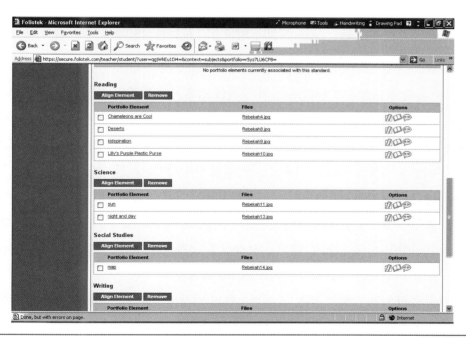

그림 10.9 내용 영역에 의해 편성된 학생 포트폴리오 홈 페이지

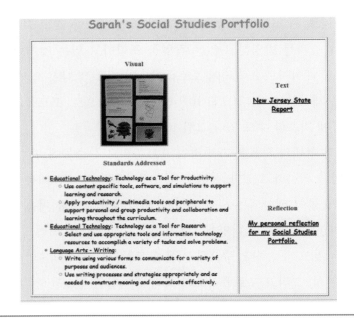

그림 10.10 인공물 종류에 의해 편성된 홈 페이지

어떤 종류의 문서화 통합 또는 성찰이 학생들의 포트폴리오에서 요구되는가?

e-포트폴리오는 디지털 인공물을 단순히 모아놓은 것 이상이다. 확실한 것은 e-포트폴리오가 학습결과에 대한 학생의 능력을 반영하는 일관된 작업이라는 것이다. 어떤 경우에 그것은 특정의 산출물이 포트폴리오의 요구사항에 충족하는 방법이며, 다른 경우에는 산출물의 어떤 측면이 학습결과를 충족하는지, 장점과 단점을 이해하는지, 미래에 유사한 산출물을 어떻게 향상시키는지를 설명하기 위해 학생들은 자신의 학업에 대한 주석을 달거나 성찰할 필요가 있다. 학생의 쓰기 분야에 대한 연구자들은 학생으로 하여금 자기 자신의 글에 해석을 하게끔 하는 것은 피드백을 시작하는 데 있어서 학생의 자율성을 증가시킬 수 있으며, 학생의 수행을 향상시킬 수 있다고 보고하고 있다(Creswell, 2000).

포트폴리오의 사회과 부분에 대한 6학년 학생의 해석과 성찰은 그림 10.11에 나타나있다. 이 학생의 교사는 성찰이나 해석을 일련의 질문을 통하여 구조화하였다. 이러한 구조화는 학생들이 포트폴리오 산출물에 대한 성찰을 학습하도록 이것에 대한 간략한 설명을 하시오.

내 포트폴리오의 이 부분은 사회과목에서 완성한 최종 프로젝트의 예시이다. 포트폴리오에는 New Jersey 주에 대한 리포트, 리포트에 사용된 출처의 참고목록, "사실 요약"지, Jew Jersey 주에 의해 ClarisWorks로 만든 정치적/물리적 지도, 그리고 인터넷에서 발견한 Jew Jersey 주와 관련한 삽화의 예들이 포함되어 있다.

왜 이것이 포트폴리오에 포함되었는가?

New Jersey 리포트가 내 포트폴리오에 포함된 이유는 그 리포트가 내가 연구와 개발도구로서 테크놀로지 사용 방법을 알고 있다는 것을 보여주고 있으며, 내 글쓰기 기술을 증명하고 있기 때문이다.

이것을 개발하면서 무엇을 학습했는가?

이 프로젝트를 하면서 많은 것을 학습했다. CD-ROM뿐만 아니라 인터넷으로부터 삽화를 내려받는 방법 및 인터넷으로 연구를 진행할 때 검색엔진을 사용하는 방법을 학습했다. 글쓰기는 내게 가장 어려운 부분이었지만, 방과후 노력하면 나도 글쓰기를 잘 할 수 있다는 것을 학습할 수 있었다.

이것이 왜 중요한가?

이 프로젝트가 중요한 이유는 내가 컴퓨터와 인터넷을 이용하여 연구 프로젝트를 수행하게 된 첫 번째 경험이기 때문이다. 대체적으로 우리는 오직 책들만 보아왔다. 연구 프로젝트가 산출된 방식에 자랑스러움을 느낀다.

이것은 학습자로서 당신에 대해 무엇을 보여주고 있는가?

이 프로젝트가 보여주는 것은 내가 학습자로서 참고 견딜 수 있으며 또한 내가 연구하는 방법과 그 정보를 다른 사람과 의사소통하는 방법을 알고 있다는 점이다.

이것을 개발하면서 학습한 것이 미래에 어떻게 도움을 줄 것인가?

내가 이 연구 프로젝트를 완성할 수 있게 되면서 나는 중고등학교에 갔을 때 이런 기술들을 사용할 수 있을 것이다. 나는 테크놀로지와 관련된 직업을 갖고 싶다.

그림 10.11 학생 포트폴리오 성찰의 예시

출처: www.k12.hi.us/~cmin/tethree/learning/portfoliosample.htm

돕는 데 필요하다.

그림 10.12의 포트폴리오 페이지는 사진 학급에서 포트폴리오를 완성하는 고등학교 학생들의 또 다른 형태의 성찰을 예시하고 있다. 학생들은 상이한 성격—"색"을 위해 선택한 사진—을 보여주는 사진을 선택하였다. 그림의 설명은 여러 개의 오렌지가 생생하게 묘사된 클로즈-업 사진과 함께 있었다. 그 사진은 오렌지의 "오렌지 성질"을 확대시켜 보여주며, 껍질의 특질을 두드러지게 나타낸다. 그

"이 사진은 색의 좋은 예가 되리라 생각한다. 나는 모든 것을 섞어 놓았을 때의 어떤 색이 아니라 혼자 있을 때 정말로 드러나는 색을 골랐다. … 나는 이 특별한 사진을 선택했는데 그 이유는 그것이 거의 모든 서로 다른 오렌지의 그림자에 대한 좋은 예가 되기 때문이다. 이것이 비록 매우 간단한 사물의 사진이지만, 내게는 심오한 어떤 것으로 두드러지게 보인다. 그것은 우리가 매일 보는 어떤 것이지만 매우 엄밀히 바라본 것 같지는 않다. … 오렌지는 강렬한 효과를 갖는 것처럼 보인다. 오렌지는 주황색이며 그 주위 영역도 또한 강렬한 주황색인 것처럼 보인다. 이 점 때문에 그 주변 모두를 잘라내지 않고 배경의 부분으로 남겨두었다."

그림 10.12 사진 포트폴리오 설명서

출처: http://campus.digication.com/samallen/Work_Samples/published

사진이 오렌지의 색깔을 예증하는 동안, 교사가 각 사진에 대해 요구한 정당화 진술 때문에 우리는 그 선택을 뒷받침하는 학생들의 사고과정에 관하여 더 많은 것을 학습한다.

e-포트폴리오 설계의 다른 중요한 측면은 평가기준이다. 이 책에 기술된 유의미학습 과제에서처럼 학생들은 자신들의 활동을 평가하는 기준을 인지하고 있어야 한다. 따라서 e-포트폴리오 평가기준의 설립은 학생들이 포트폴리오 과제를 시작하기 전에 이루어져야 한다. 독자들은 기준기반의 루브릭 개발에 대하여 이 장에서 다루어진 전자적 형태의 루브릭 논의들을 참고할 필요가 있다. 그러나 그림 10.13은 e-포트폴리오를 위한 루브릭 개발에서 생각해볼 수 있는 몇 가지 기준을 소개하고 있다(Vandervelde, 2006). e-포트폴리오 루브릭을 사용하여 교사들은 포트폴리오에 점수를 줄 수 있다. 그러나 수치화된 점수가 어떤 포트폴리오(예, 학생 최고의 업적을 단순히 보여주는 포트폴리오)에게는 불필요할지라도, 기준 제시는 학생들의 포트폴리오 구성을 좌우할 것이다.

어떤 테크놀로지가 e-포트폴리오를 실행하는 데 필요한가?

비록 e-포트폴리오가 테크놀로지 기반이라는 사실이 많은 장점(예, 물리적 저장 필요성의 감소, 편집과 업데이트의 유연성)을 제공하지만, e-포트폴리오를 개발하는 데 사용하는 실제 소프트웨어에는 익숙하지 않을 것이다. 그리고 도구들의 전

기준	수행 범위				
인공물의 선택	인공물은 정의된 포트폴리오 목적에 부합함				인공물은 정의된 목적에 부합하지 않음(또는 인공물 없음)
	×	×	×	×	×
학생 설명	인공물 삽입에 대한 명확한 이유를 제시함				설명이 없거나 인공물 삽입에 대한 이유가 없음
	×	×	×	×	×
학생 성찰	인공물의 자기평가 능력을 제시함				성찰이 없거나 인공물의 자기평가 능력을 제시 안 함
	×	×	×	×	×
길 찾기(navigation)	인공물을 찾기 쉬움				사이트 내의 찾기가 복잡하거나 작동이 잘 안 됨
	×	×	×	×	×
텍스트 설계(여백의 사용, 글자 크기 등)	텍스트 설계가 확실하며 읽기가 용이하여 포트폴리오 목적을 향상시킴				텍스트 설계가 엉성하거나 잘못되어 있어 포트폴리오의 목적에 어긋남
	×	×	×	×	×
멀티미디어 사용	인공물과 포트폴리오가 학생의 역량을 보여주는 방법을 향상시키는 멀티미디어의 적절한 사용을 보여줌				멀티미디어가 혼란스럽게 하거나 작동하지 않음. 전반적 포트폴리오 목적에서 벗어남
	×	×	×	×	×
글쓰기 기제	문장이 문법적으로 올바름. 독자와 명료하게 의사소통이 가능함. 철자가 올바름				문장에 문법적 오류가 많고, 오탈자 및 틀린 문장기호가 있음
	×	×	×	×	×
청중	자료가 구비되어 특정의 청중에게 적절한 방식으로 제공됨				자료, 설계, 내용이 특정의 청중에게 적절하지 못함
	×	×	×	×	×

그림 10.13 견본 e-포트폴리오 루브릭 기준과 수행 범위

망은 변하고 있다! 어느 작가가 기술한 것처럼, "한때 디지털 파일 저장고였던 시스템이 e-러닝 테크놀로지의 범위에 통합될 수 있는 정교한 멀티미디어 환경으로 진화하였다"(Waters, 2009).

e-포트폴리오 개발은 HTML 저작도구나 쉽게 접할 수 있는 MS사의 Front Page 혹은 Adobe사의 Dreamweaver와 같은 소프트웨어를 사용하여 간단한 웹 기반 포트폴리오 사이트를 개발하는 것처럼 간단하다. 그러나 Digication(www.digication.com/k-12)과 같은 e-포트폴리오 개발에 특화된 소프트웨어도 개발되어 있다. 그러한 소프트웨어는 안전한 저장과 포트폴리오 관리뿐만 아니라 모든 파일의 형태와 내용(텍스트, 그래픽, 비디오, 오디오, 사진 및 애니메이션)이 탑재 가능한 형태를 제공한다(Batson, 2002).

최근에 e-포트폴리오 소프트웨어는 블로그나 위키와 같은 웹2.0 상호작용 소셜 네트워킹 형태를 통합시키기 시작하여 온라인 학습관리 시스템 인터페이스에 연결시키고 있다(Waters, 2009). 독자들은 e-포트폴리오 시스템의 검토를 원할지도 모른다. 예를 들어, Helen Barrett(2010)이라는 교육자는 e-포트폴리오 소프트웨어를 상당히 광범위하게 검토하여 그것의 기능과 비용을 평가하였고, *T.H.E Journal*의 최근 논문(Waters, 2009)은 또한 e-포트폴리오 도구들의 간략한 개관을 밝힌 바 있다. e-포트폴리오 소프트웨어에 대한 선택은 속해 있는 기관의 자원에 따라 결정될 것이다.

5절 Clicker 평가 도구

"학생 응답", "청중 응답" 또는 "교실 응답"이라고도 알려져 있는 Clicker 테크놀로지 시스템은 컴퓨터에 연결되어 있는 알파벳과 숫자로 이루어진 무선의 작은 키패드이다(Bruff, 2009; Duncan, 2005; Hafner, 2004). Clicker는 초등학교 수준의 교실부터 대학 수준의 교실까지 사용될 수 있으며, 평가를 돕고, 질문과 응답의 상호작용 활동을 통하여 학생 참여를 촉진한다.

TV 리모콘과 매우 닮은 Clicker는 글자나 숫자가 쓰여진 여러 개의 버튼을 갖고 있다(그림 10.14 참조). 학생들에게 그것을 배포하여 질문에 응답하도록 하는데, 학생들은 손을 드는 것이 아니라 Clicker의 버튼을 통하여 선택을 하는 것이다. 그러면 그 결과는 교실 앞에 있는 화면에 표시된다.

학생 응답은 교실의 앞에 있는 컴퓨터에 연결된 수신자에게 전달된다. 컴퓨터는 결과를 요약표로 만들며, 분석하고, 프로젝터와 연결되어 있다면 스크린에 비춘다. 결과는 또한 웹사이트에 게시할 수도 있으며 스프레드시트에 옮겨놓을 수도 있다. 학생들은 그 결과로부터 동료들이 어떻게 "투표"했는지 알 수는 없지만, 교사는(학생의 응답과 연결된) Clicker의 인식번호를 통해 알 수 있다. 이런 시스템을 사용할 때 학생들은 교사가 자신들의 응답들을 식별할 수 있지만, 자신들은 할 수 없음을 이해해야 한다.

어떤 사람은 어떻게 이런 TV 리모콘과 같은 기기가 학습에 유익한지에 대해 의문을 품을 수도 있다. 하지만 이런 기기를 이용해본 사람들은 Clicker가 정말로 교실에서 평가(및 다른 실제적 활동)를 지원하는 올바른 방법이라고 말하고 있다. Clicker 시스템은 강의실 규모가 큰 대학교 환경에서 널리 채용되고 있다(Bruff, 2010). 그러나 이 시스템의 사용은 점차 K-12 교실에서도 늘어나고 있다. 다음 리스트는 몇 가지 전략이다.

그림 10.14 Clicker 학생 리모트

- 학급 또는 단원의 시작에서 즉석 사전평가로 사용하라. 학생들이 무엇을 알고 무엇을 모르는지를 알아내기 위해서 흔한 오개념을 표현한 틀린 선택지를 갖고 있는 항목 몇 개를 설계하라. 응답들이 익명이고(빠르기 때문에) 학생들이 어떤 오개념을 갖고 있는지에 대해 정확한 그림을 얻을 수 있으며, 오개념을 바로잡는 데 초점을 둘 수 있다.

- 수업 후에, 학습내용이 학생들에게 이해되었는지 측정하는 데 사용하라. 학생들이 어떤 오개념을 여전히 갖고 있는지에 대해 즉각적인 피드백을 얻을 것이다.

- 학생들이 수행해야 하는 학급 시연이나 실험의 결과를 예측하도록 만들어라(Duncan, 2005). 학생들이 조사하고 예측할 현상에 대한 일반적인 오개념을 포함하고 있는 항목을 개발하라(예컨대, 그림 10.15). 학생들로 하여금 자신들의 예견에 대하여 증거와 논증을 제시하도록 하기 위하여 동료 간 토론을 개최할 수 있다.

- 학생의 오개념을 나타내고 있는 틀린 선택지를 개발하기 위하여, 과거 학생의 작업(예컨대, 리포트, 시험, 퀴즈 등)을 자원으로 활용하라. 그것들은 흔한 학생의 오개념일 가능성이 높으며, 훌륭한 토론 기초를 제공할 것이다.

- 만일 Clicker 시스템 접근이 쉽고 일정하다면, Clicker 시스템을 학생 선호도나 점심식사 선호도처럼 다수결 득표를 알아보는 간단한 과제로 사용할 수 있다("오늘 우리는 실내 휴식시간을 어떻게 소비할 것인가?").

- 개념적 지식과 고차원적 학습결과를 평가하라. Clicker는(예컨대, 진위형이나 선다형 문항처럼) 반드시 답해야 하는 형식의 항목에 응답하는 데 사용

정확히 같은 높이와 시간에 깃털과 자갈을 떨어뜨리면, 어느 것이 먼저 바닥에 떨어질 것인가?

a. 자갈
b. 깃털
c. 동시에

그림 10.15 "예측" 질문 예시

될 수 있다. 우리는 종종 그러한 항목들이 오직 기억과 재인 지식을 평가하는 데 사용될 것이라고만 생각하지만, 어떤 생각을 동반하면 그러한 항목들은 개념적 이해와 고차원적 학습결과를 평가하는 데에도 사용될 수 있다. 예를 들어, 그림 10.15에 있는 항목은 중력과 질량에 대한 학습자의 개념적 이해를 평가한다.

평가를 지원하는 능력(학생들의 수행이나 지식에 관한 자료를 수집하는 것)을 넘어서, Clicker는(적당히 사용될 때) 내재적 동기유발에 유망하고, (학생들 간 그리고 학생-교사 간에) 상호작용을 증진하며, 학생을 활발히 참여하도록 하는 것으로 설명된다(Crouch & Mazur, 2001; Roschelle, Penuel, & Abrahamson, 2004). 학생을 활발하게 학습에 참여시키는 것은 다양한 측정에서 파지와 수행을 증진시킨다고 연구결과는 말하고 있다. 다음의 Clicker 전략은 활기있는 학습을 촉진할 수 있다. 대부분의 이러한 전략들은 단순히 기억과 재인을 넘어서는 Clicker의 질문과 함께 사용될 때 효과적이다.

- *Clicker의 사용은 "기회를 골고루 부여함"으로써 모든 학생이 제시된 질문에 답하도록 만든다(기대한다).* 즉 교사가 학생 응답의 수를 볼 수 있게 하여 모든 학생들이 응답하도록 권장할 수 있게 해준다. 이것은 응답에 더 많은 시간—그리고 답하는 데 필요한 성찰—이 필요한 학습자들에게 시간을 갖도록 함으로써 질문-대답이라는 활동에 참여시킨다.
- *나만 틀린 유일한 사람이 아니다.* 평소에 활발히 참여하지 않는 학생들은 틀린 답을 할까 두려워하여 침묵하게 된다. 그 학생은 제시된 질문에 정답을 말할 수도 아닐 수도 있지만, 그가 올바르게 답하지 못한 유일한 사람은 아닐 것이다. 학급의 정답 분포를 제시함으로써 그러한 학습자들은 자신들이 유일하게 틀린 사람이 아니라는 것을 알게 되며, 교사들은 설명과 함께 이 점을 강조할 수 있다. 이것은 궁극적으로 더 많은 자신감 있는 학생들을 만든다.
- *다수의 학생들로 이루어진 학급에서 학생중심의 활동적인 요소를 제공하는*

데 Clicker를 사용하라. 테크놀로지는 효과적으로 또는 비효과적으로 사용될 수 있다. 제1장에서 우리는 학습 시스템의 최선의 요소(예컨대, 인간 학습자, 교사 대 테크놀로지)를 이용해야 한다고 주장하였다. 대규모 강의실에서 테크놀로지의 사용은 효과적일 가능성이 있다. 왜냐하면 그 테크놀로지가 많은 학생들로 하여금 복잡하거나 유의미한 학습과제에 동일한 방식으로 참여를 가능하게 해주기 때문이다.

Clicker를 사용한 경우에 그것은 모든 학생들이 응답하고 교사가 응답과 경향을 기록하도록 해준다. 다인수의 교실에서조차 이런 활동을 통하여 교사는 학생들이 자신의 선택에 대한 토의와 변론을 하도록 한다. 교사는 이러한 각각의 소집단 토론에 관여할 필요는 없으며, 그 토의가 매우 오래 지속될 필요도 없다. 사실상 만일 학생들이 토의를 마치기 전에 그것을 그만두게 한다면 더 많은 수고와 에너지를 아낄 것이다. 그리고 교사는 학생들이 무엇을 토의했는지 살펴보기 위하여 몇몇 학생들에게 보고하도록 명령할 수 있다. 더 좋은 것은 교사가 학생들에게 자신의 답에 사용한 정당화가 무엇인지 선택하라고 요구하는 것과 같은 추후 Clicker 질문을 설계할 수 있다는 점이다. 그림 10.15에 있는 질문에 대한 추후 질문이 그림 10.16에 있다. 그러한 테크놀로지가 많은 수의 학생들이 활발히 수업에 참여하게 만드는 유일한 방법이라고 주장하는 것은 아니지만 테크놀로지는 정말로 학습참여를 촉진시킨다.

자갈과 깃털에 대한 응답을 할 때 어떤 정당화를 하였는가?

a. 자갈이 더 무거우므로 먼저 떨어질 것이다.
b. 중력은 무게에 관계없이 동일한 방식으로 작용한다.
c. 어느 것도 아니다.

그림 10.16 학생들에게 이유를 설명하라고 요구하는 질문

Clicker 시스템의 사용법과 테크놀로지

사용 가능한 많은 Clicker 시스템이 있는데, 대부분의 테크놀로지처럼 가격이 저렴하여 K-12에서 지속적으로 사용이 증가하고 있으며, 기능들이 점차 늘어나고 있다. 비록 구성이 다양하지만, 전형적인 모습과 요소들은 그림 10.17에 제시되었다.

> 잠정적 판매자의 위치를 알기 위해, 인터넷 검색 창에 "Clicker"나 "교실 응답 시스템" 혹은 "청중 응답 시스템"을 타이핑하라.

■ 스프레드시트와 프레젠테이션 소프트웨어뿐만 아니라 Clicker 자료수집 소프트웨어도 구동시키는 컴퓨터. 그런 소프트웨어를 구동시키기 위해 특별히 강력한 PC가 요구되지 않으며, Clicker 시스템을 구입했을 때, 그런 소프트웨어는 일반적으로 무료이다.

■ Clicker 질문과 학급 응답 결과를 표시하는 LCD 프로젝터. 2개의 프로젝터가 유용할 수 있는데, 한 프로젝터가 질문을 계속해서 보여주는 동안 다른 프로젝터는 학생 응답 가운데서 최신의 것을 제공한다.

■ 학생들이 질문에 응답하는 데 사용되는 Clicker 리모콘. 각 Clicker는 유일한 ID 또는 ID와 연결된 등록번호를 갖고 있다. 학생들은 자신들의 응답이 시스템에 의해 접수되고 기록되었는지 확인하고자 ID 번호를 응답화면에서 찾는다. Clicker의 가격대는 시스템과 통합 기능에 따라 $6에서 $60까지이다(Gilbert, 2005). Clicker를 대량구매 할 경우 혹은 특정 교과서와 연계해서 구입할 경우 할인도 받을 수 있다.

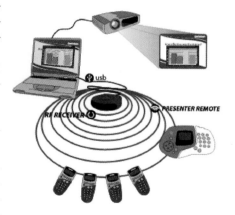

■ 교실에서 학생들의 응답 전송을 받기 위한 수신기. 수신기는 판매자로부터 받을 수 있는 Clicker 소프트웨어의 한 부분이다. 사용하는 시스템의 테크놀로지에 따라 25~40명 학생을 위한 약 1개의 수신기가 필요할 것이다. 그렇지 않으면 학생들은 자신들의 응답이 제대로 인식되지 않는 "혼잡"을 경험할 것이다.

그림 10.17 Qwizdom 학생 응답 시스템이 기술하고 있는 하드웨어 요소들

출처: www.qwizdom.com

Clicker 시스템을 사용할 때, 교사는 질문을 학급에 투사한다. 교사는 선호하는 워드프로세서나 프레젠테이션 소프트웨어를 이용하여 질문을 만들 수 있다. 그러면 학생들은 Clicker를 이용하여 답을 선택한다. 응답 시스템 소프트웨어는 상태 스크린을 갖고 있는데, 이것은 각각의 등록된 Clicker의 응답이 기록되는 시기를 알려준다(그림 10.18 참조). 학생들은 자신의 등록 번호를 알고 있다. 자신들의 등록 번호가 스크린 위에 나타날 때, 학생들은 자신들의 응답이 기록된 것을 알게 된다.

응답들이 모이면, 교사는 Clicker 시스템 소프트웨어를 통하여 그 결과들을 볼 수 있으며, 원한다면(일반적으로 각각의 답에 응답한 비율을 막대 차트 형태로) 스크린에 표시할 수 있다.

제작사들이 적외선 테크놀로지를 무선 주파수로 교체하면서 Clicker 시스템은 점점 더 저렴해지고 있다. 또한 특히 신호수신기 같은 것에 방향을 맞추어야 할 필요가 없어지면서, 학생들이 사용하기에 더 쉬워지고 있다. 기술한 기본 기능 외에 새로운 특징들이 Clicker 시스템에 통합되고 있다. 고려하거나 추구할 만한 몇 가지 특징들은 다음과 같다.

- 양방향 수신기. Clicker 시스템은 전통적으로 학생의 입력을 단지 "수신하는" 수신기를 갖고 있었다. 양방향 수신기를 통하여 학생들의 Clicker는 수신기로부터 그들의 응답이 수신되고 기록되는지를 전송한다.

Question 3		Time: 09:43		
000		002		004
005	006	007		
010		012	013	014
	016	017		019
020	021		023	024

그림 10.18 응답한 Clicker ID들을 보여주는 Clicker 상태 스크린

■ *자신감 수준.* 어느 시스템은 이제 자신감 수준을 나타낼 수 있는 기능을 통합하고 있다. 이 기능을 통해서 학생들은 자신의 응답뿐만 아니라 그 응답이 올바른지에 대해 얼마나 자신하고 있는지를 표시할 수 있다. 그러한 자료는 학생들이 올바른 답을 주로 추측하는지 교사들에게 보여줄 수 있다. 물론 양질의 질문 구성은 매번 발생하는 이런 문제를 완화시키는 데 도움을 준다.

■ *프레젠테이션과 Clicker 소프트웨어 사이의 통합 인터페이스.* 어떤 제작사는 Clicker 소프트웨어와 파워포인트처럼 널리 사용되는 프레젠테이션 소프트웨어 사이에 통합 인터페이스를 적용하고 있다. 이를 통해 교사들은 파워포인트에서 쉽게 질문을 개발하여 나타낼 수 있으며, 그런 다음에 개발된 질문을 Clicker 소프트웨어 안에서 결과와 연계할 수 있다.

Clicker에 대한 맺는말

Clicker는 상대적으로 새로운 현상이며, 대체로 교사들에 의해 긍정적으로 받아들여지고 있다(Duncan, 2005 참조). 덧붙여, 주로 고등교육 분야에서 수행된 연구들에서 Clicker가 고차원적 질문, 토의와 피드백 등과 연계될 때 효과적일 것이라는 점을 보여주고 있는데, 이런 연구들은 늘어나고 있다(Penuel, Boscardin, Masyn, & Crawford, 2007). 그러나 느낌과 사전 경험을 통해 알아낸 것이지만, Clicker를 효과적으로 사용하기 위해서는, 특히 Clicker를 통해 "참여" 효과가 학생에게 발생하기를 원한다면 교사들은 Clicker 사용을 위한 환경을 조성하고 적절히 사용해야 한다.

당신이 학생들의 반응을 성적을 매기기 위해 평가하는 것이 아니라 학생들이 무엇을 이해하지 못하고 있는지 파악하여 수업을 개선하기 위해 그들의 반응을 활용하고 있음을 학생들이 이해해야 한다. 보다 어린 학생들을 위해 교사들은 Clicker를 재미를 위한 게임으로 제시할 수도 있다.

더욱이 Clicker는 잘 작성된 질문의 사용에 의존한다. 가장 효과적인 사용은 학생 학습의 진단과 교사의 학생 간 상호작용과 토의를 개발하는 활동에 있다고 주장한다. Clicker 질문들은 학생들이 단순히 기억과 재인을 넘어서 학생 참여를 유도해야 한다. 결국, 이등변 삼각형의 정의에 대해 얼마나 많은 토의가 이루어졌는가? 더욱이 단순한 기억과 재인 그 이상을 평가하는 강제적 응답 질문을 작성하는 것은 어려운 일일 수 있다. 그래서 교사들은 잠재적 이점을 획득하기 위하여 마음자세를 가다듬고 Clicker 수업을 준비해야 한다.

6절 테크놀로지 기반의 시험, 조사 및 평가 항목으로 학습 평가하기

평가에 관한 어떤 장도 지난 수십 년 동안 학교의 시험에 관해 증가된 초점을 다루지 않고서는 끝을 낼 수 없다. No Child Left Behind 법안은 이러한 증가 배후의 주요 힘이었으며, 어떤 연구는 다른 영향력들 중에서 학생들이 시험을 보는 데 소요되는 시간이 늘어났다는 것을 보여주고 있다(Jennings & Renter, 2006). 그리고 그 확대에 의하여 교사가 학생의 시험 준비에 보내는 시간도 늘어났다는 것이다. 이것에 대해 동의하든지 말든지, 교육의 "책무성"을 성취하는 수단으로서 시험에 대한 강조가 그 기간 동안 함께 있었다는 점을 보여준다. 테크놀로지는 명백히 평가의 이런 측면에서 주요한 역할을 하였다.

평가를 지원하는 데 사용될 수 있는 이런 종류의 테크놀로지는 테크놀로지가 누구를 의도하는가(예컨대, 학생인가 아니면 교사인가), 테크놀로지가 평가하는 결과의 종류, 테크놀로지가 제공하는 상호작용의 양 등 많은 면에서 다양하다. 표 10.1은 하나의 잠정적인 구성체제를 제공하고 있는데, 이는 테크놀로지가 제공하는 학생 상호작용 정도에 기초한 테크놀로지 기반 혹은 테크놀로지 보조 평가를 위한 것이다. 가장 높은 상호작용 테크놀로지가 상위에 위치하고 있다.

상호작용성의 가장 아래쪽에 학생들이 컴퓨터상에서 직접 시험을 보는 컴퓨터화된 시험과 조사가 위치하고 있다. 컴퓨터로 점수가 매겨지는 시험을 통해 학

표 10.1 온라인 평가 자원의 종류

학생 상호작용 정도	유형	정의	대상	예시 사이트/도구
많음 ↕ 적음	완전한 온라인 학습 환경	평가가 내재된 학습 환경	학생	Calipers http://calipers.sri.com/ assessments.html Virtual Science Club www.discoverchampions .com/main/do/Virtual_Club_ Highlights
	CATs (Computerized adaptive testing)	컴퓨터 진단형 검사	학생	Assessment Systems Corporation www.assess.com
	인터넷 기반 시험, 퀴즈, 게임	학생 상호작용이 포함되나 문제 유형이 낮은 수준(예, 기억)	학생	MyPyramid Blast Off Game http://teamnutrition.usda .gov/Resources/game/ BlastOff_Game.html Quiz Hub http://quizhub.com/quiz/ quizhub.cfm ASSISTment System** www.assistments.org
	온라인 설문 생성기*	태도를 측정 또는 자기 보고형 데이터 수집하기 위해 온라인 설문 제공	학생, T, Ad	SurveyMonkey www.surveymonkey.com Zoomerang www.zoomerang.com
	온라인 시험 생성기*	검증된 문제은행으로부터 학습 결과에 하는 맞춤형 시험 출제 가능, 온라인으로 문항제시, 채점	T, Ad	Galileo K-12 www.ati-online.com/ GalileoK12/K12Features Online.html Assistment System** www.assistments.org
	시험 문항 저장소	표준화된 시험 예시 문항, 주별 시험 문항, 온라인 접속 가능	T, Ad	EDinformatics www.edinformatics.com/ testing/
	컴퓨터 기반 시험	ORM 답지	학생	관계 없음, 에세이 제공, 채점 자동화

* 학생 상호작용 정도가 대략적으로 동일함
** 학생들에 대한 개별 관리 능력과 시험 출제 기능 포함
T=교사, Ad=관리자

생들은 자신들의 응답을 OMR 답안지 또는 스캔 종이에 기록한다. 이런 종류의 시험은 교사들과 행정가들의 시험 절차를 간소화하기 위해 그리고 학생의 공부를 점수화하는 데 있어서 빠른 변환을 위해 사용되어 왔다. 이 책에서 다루는 많은 테크놀로지와는 달리, 컴퓨터 기반의 시험이나 퀴즈에 대한 학생의 경험은 참여적이거나 동기유발적인 것이 전혀 아니다. 제시된 문제에 대한 답을 선택하는 것을 제외하면 학생들은 컴퓨터 스크린에 보이는 것을 수동적으로 수용하는 존재일 뿐이다. 확실히 이런 방식의 컴퓨터 사용은 이 책 전체에 걸쳐 테크놀로지 사용이 권장하고 있는 학생 중심의 본질을 구체화하지 않는다.

시험문항 저장소는 표준화 검사에 대한 강조와 더불어 더 크게 유행하고 있다. 그러한 사이트들은 "공개된" 시험문항, 즉 과거 주정부와 연방정부 시험에서 사용된 적이 있는 문항들을 제공하는데, 이것들은 더 이상 생생한 문항들이 아니다. 표준화 시험을 학생들에게 준비시키는 데 더 많은 시간을 쓰려고 하는 교사들은 이런 사이트들을 실습 문항들을 찾는 곳으로 간주한다. 다른 테크놀로지는 상호작용성과 학생 피드백에 대한 더 많은 가능성을 제공한다. 다음 절은 이런 종류의 여러 테크놀로지를 다루고 있다.

embedded 평가의 온라인 환경

이런 범주의 온라인 평가 도구는 최고의 학생 상호작용성에 대한 가능성을 갖고 있다. 이러한 도구들은 평가 도구가 아니라 실제적 평가 활동을 포함하는 학습환경을 완성한다. 이 장의 앞에서 기술한 것처럼, 평가는 학습활동과 분리된 어떤 것이 아니라 정말로 학습활동 속에 들어있는 것이다.

환경의 그러한 예는 Calipers 프로젝트이다. Calipers는 시뮬레이션 기반의 평가 체계인데, 힘과 운동(물리학)과 인구와 생태계(생물학)와 같은 중고등학교 과학교과 분야를 위해 개발되었다(SRI International, 2007). 학생들은 시나리오 속에 설정된 현상을 "조사하기" 위하여 온라인 시뮬레이션을 작동시킨다. 그런 다음에 학생들은 그 조사 과제에 들어있는 평가를 완성한다. 결과는 교사와 학생의 리포트를 위하여 저장된다.

그림 10.19의 스크린 화면 캡처는 WestEd SimScientists 프로그램이다(http://simscientists.org). 이 장면은 호수 시뮬레이션 시나리오로서 중학교 생물학 학습결과를 평가하기 위해 설계된 것이다(Quellmalz, Timms, & Buckley, in press). 학생들은 원시시대의 산악 호수가 개발될 예정이라는 사실을 듣는다. 학생들은 새로운 방문자 센터에 정보를 제공하기 위해 호수의 생태계에 대하여 학습해야 한다. 먹이 사슬망을 그리도록 함으로써 평가과제는 학생들이 자신의 역할(예컨대, 생산자, 소비자)의 결정과 자신들의 상호작용을 드러내도록 하기 위해 호수 유기체의 애니메이션을 관찰하도록 만든다. 그런 다음 학생들은 시뮬레이션을 사용하여 유기체 수의 변화가 어떻게 전체 개체수의 크기에 영향을 미치는지 조사한다. 평가의 한 형태는 한 단원에 속해 있도록 설계되었는데, 형성적 사용을 위해 피드백과 코칭을 제공한다. 단원 끝의 총합적 평가는 피드백을 제공하지 않는다. 이 평가는 3개 주의 55명의 교사, 28개의 지역교육청, 5,500명의 학생들이 예비검사를 마쳤다. 계속된 분석결과는 형성평가 학생 참여를 높였고 교사의 수업을 정비하는 데 가치 있었다는 점을 밝히고 있다(Quellmalz et al., in press).

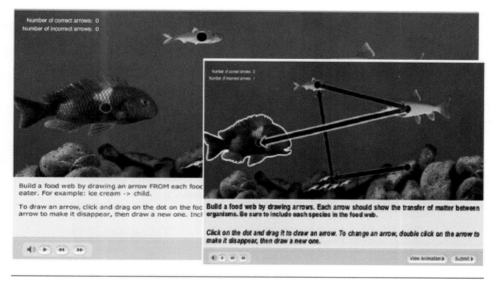

그림 10.19 Calipers 호수 시뮬레이션 스크린

DIAGNOSER는 이런 범주에 속하는 또 다른 도구이다. 이 도구의 개발자는 이것을 "형성평가와 피드백"의 전달뿐만 아니라 수업을 위해 설계된 인터넷 도구라고 설명한다. DIAGNOSER는 고등학교 물리학 수업을 위해 설계되었다(Thissen-Roe, Hunt, & Minstrell, 2004). 도구의 이름이 말하는 것처럼, 진단적 요소가 들어 있는데, 그것은 정적인 수업과 평가문항을 단순히 제시하는 것보다 훨씬 그 이상을 수행한다. 학생들이 온라인 수업을 마치면, 학생들은 내용에 대한 질문에 답을 한다. 질문들은 대부분 선택형이지만 종종 고차원적 사고력을 요구하는 질문이 있는데, 학생들은 새로운 상황에서 무엇이 발생할 것인지를 예측해야 한다(그림 10.20 참조).

어떤 질문들은 숫자 또는 텍스트 기반의 설명을 기입하라고 요구한다. 이 시스템이 탁월한 이유는 학생들이 반드시 답해야 하는 후속 질문 때문이다. 이 질문은 학생들이 첫 번째 질문에 대한 답의 이유를 설명하는 응답을 선택하도록 만든다. 만일 학생이 그 첫 번째 질문의 답과 일관되지 않는 설명을 내놓는다면, 학생은 시스템으로부터 불일치를 알려주는 메시지를 받는다. 이런 종류의 질문 전략은 학생이 속도와 가속도의 혼란과 같은 물리학 내용의 중요한 오개념을 갖고 있

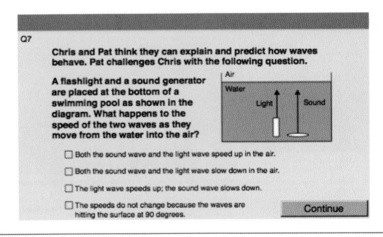

그림 10.20 DIAGNOSER 질문 예시

출처: Thissen-Roe, Hunt, & Minstrell, 2004

을 때를 진단할 수 있다.

이런 종류의 도구가 갖고 있는 기본적인 단점은 개발하는 데 비용이 많이 들며 프로그래밍 전문가가 필요하다는 점이다. 지금까지 보여준 예들은 외부 자금을 받아서 개발된 것들이다. 그렇다고 할지라도, 이런 종류의 도구가 양질의 평가를 포함하고 있는 우수한 학습환경이라고 믿는다. 더욱이, 그러한 프로젝트는 거의 항상 학교, 교사, 교실이 파트너가 되어 그 프로젝트가 개발한 자료들을 사용할 것을 요구한다.

CAT

컴퓨터 적응적 검사(computerized adaptive testing: CAT)는 컴퓨터가 학생들의 과거 응답에 기초하여 어떤 문항을 학습자에게 제시해야 하는지 조정하는 컴퓨터 기반 맞춤형 검사의 한 형태이다. 따라서 CAT는 학습자의 능력 수준에 적합하게 시도한다(Clark, 2004). CAT는 다양한 난이도 수준에 따라 잠정적 문항들을 설계하는 교육자에게 의존하는데, 난이도 수준은 문항을 올바르게 답하는 데 필요한 사고의 종류 또는 전이 정도(Wainer & Dornas, 2000 참조)에 기반한 것일 수 있다(예컨대, 회상 또는 재인 대 적용 또는 분석). 학습자들은 이전 답이나 능력 수준에 기초하여 서로 다른 문항을 제시받는데, 이때 능력 수준은 시험을 보기 전에 결정된 것이다.

문항의 순서를 조정하는 것은 표준화 시험에서 오랫동안 어려움이 있었다. 즉 표준화 시험은 "평균" 수준의 능력을 가진 사람은 잘 평가하지만 능력의 양극단에 있는 학습자는 잘 평가하지 못한다. 문항 수준이 적절하여 학습자에게 도전적이 되지만 지나치게 좌절감을 주는 것이 아닌 한 CAT는 표준화 시험이 갖고 있는 우려에 잘 대처하고 학습자 참여와 지속성도 증가시킨다. 적응적인 시험문항을 개발할 수 있는 소프트웨어는 상대적으로 정교하며 결과적으로 비용이 많이 드는데, 그 이유는 문제은행과 근본적인 문항 답변 이론을 지원할 필요가 있기 때문이다. 그러나 Assessment Systems Corporation은 소프트웨어의 30일 무료 이용권을 제공할 뿐만 아니라 CAT 도구들을 비교할 수 있도록 하고 있다(http://assess.com/

xcart/product.php?productid=273&cat=1&page=1#Downloads).

비록 이 소프트웨어들이 시험이라고 불리지만 그것은 전통적인 의미(예컨대, 시험 보기, 전반적 학교 수행에 영향을 미칠 성적 기록하기)에서 시험으로 사용될 필요가 없다. Idaho 주의 Meridian 지역교육청과 같은 교육청은 그 소프트웨어를 학습자 기술을 측정하고, 수업이 학습자 요구에 더 부합하도록 도움을 주는 진단 도구로 사용했다고 보고하고 있다(Clark, 2004). 컴퓨터를 이용한 평가이거나 그렇지 않은 평가이거나, 우리는 학습자의 수행을 향상시키기 위해 수업을 수정하는 데 사용된 평가과정은 바람직한 평가라고 주장한다.

인터넷 기반 시험(Internet-Based Tests)

인터넷에서 쉽게 사용 가능한 많은 온라인 시험과 퀴즈는 간단한 지식(예컨대, 회상)을 평가하는 게임과 비슷하다. 미국 농림부 사이트인 MyPyramid Blast Off 게임이 그러한 도구의 예이다. 영양과 운동에 대해 어린 아동을 가르치기 위해 설계된 이 게임에서, 플레이어는 여행의 연료가 되는 음식과 운동을 "끌고와"서 "로켓 우주선" 위에 올려놓는다(그림 10.21 참조). 플레이어들은 또한 음식과 활동 선택에 대한 사실들을 선택하여 제시할 수 있다.

비록 이러한 종류의 인터넷 제공의 게임들과 간단한 평가가 일반적으로 고차원적 사고력을 평가하지는 않지만, 이것들은 짧은 시간동안이지만 학생들의 동기유발에 장점이 있다. 그러한 도구는 학생들에게 새로운 주제를 도입하는 데 사용될 수 있으며, 여러 학생들이 응답이나 전략 협상을 해야 할 때 이용 가능한 협력적 도구로서 사용될 수 있으며, 또는 왜 학생들이 그러한 방식을 선택했는지에 대한 교실 토론과 관련하여 사용될 수도 있다. 이런 종류의 방식으로 사용될 때, 초기단계 지식을 평가하는 이런 도구들은 교사들에게도 유용하다.

다른 온라인 시험 도구는 평가하는 지식의 종류와 피드백을 제공하는 방식에서 그리고 어떤 경우에는 학습자를 스캐폴딩하는 방식에서 보다 정교하다. "ASSISTments" 사이트(www.assistments.org)는 이런 종류의 좋은 예이다. 교사는 ASSISTments에서 접속명을 만들고 나서 학생들에게 제시할 온라인 접근이 가능

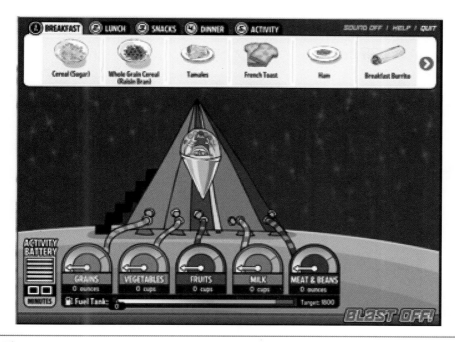

그림 10.21 "Blast Off" 게임 스크린은 인터넷 기반 게임의 예이다

한 문항들을 개발한다. 또한 다른 사람들이 개발한 문항들, 대체로 수학과 과학에 초점을 맞춘 문항에도 접근 가능하다. 이러한 기능들이 유일한 것은 아니지만 ASSISTments가 지원하는 것은 누군가가 개발한 문항과 함께 코칭이나 훈련을 개발하는 것이다. 학생들에게 접근이 가능한 이 도구(또는 "assistments")는 문제를 이루는 각 요소로 해체하는 데 그리고 학생들이 문제를 직면할 때마다 등장하는 지속적인 오개념을 알아보는 데 적합하게 설계되어 있다.

그림 10.22는 삼각형에 대한 원래 지정된 문제와 학생을 돕도록 설계된 안내 메시지(그림의 아래 부분)를 보여준다. 모든 기능을 사용할 수 있는 권한으로 접속하면, 교사가 학습자를 지원할 수 있는 기능을 개발하는 데 필요한 여러 템플릿들을 볼 수 있다.

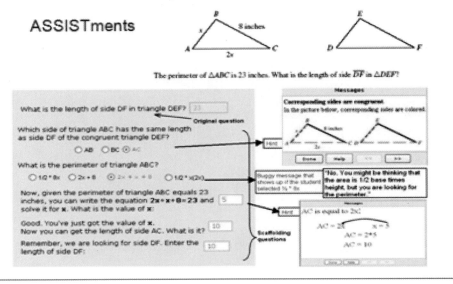

그림 10.22 "ASSITments" 문제와 학생 스캐폴드

Razzaq, Feng, & Nuzzo-Jones (2005). Reprinted with permission. http://nth.wpi.edu/pubs_and_grants/papers/2005/RAZZAQ-0555.pdf

온라인 시험과 조사 개발 도구

적응적인 CAT, 온라인 시험과 조사 도구들보다 덜 정교화된 도구들을 인터넷에서 볼 수 있다. "온라인 시험" 또는 "온라인 조사"라고 인터넷 검색창에 입력하면 정말로 수천은 아니라도 수백 개가 검색된다. 이러한 도구들이 형태와 가격 면에서 (무료에서 수백 달러까지) 상당히 다양하지만, 주요한 특징은 독립형의 시험/조사 도구이거나 전체 온라인 코스 관리 시스템(예컨대, Blackboard) 안에 들어있는 도구라는 점이다.

온라인 개발 도구를 통하여 사용자는 쉽게 인터넷에서 실시하는 온라인 시험/조사를 개발할 수 있다. 응답자들이 컴퓨터에서 시험이나 조사를 완성하면, 그들의 응답은 저장된다. 이후 시험 주관자는 기록하기 위해 또는 응답자에게 피드백 및 점수를 알려주기 위해 결과를 내려받을 수 있다. 이러한 시스템의 모습은 다양

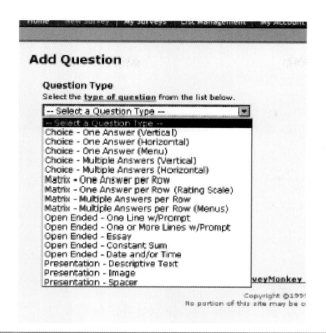

그림 10.23 질문 유형을 보여주는 SurveyMokey 스크린

Reprinted with permission of SurveyMonkey.com, LLC.

하지만, 일반적으로 보여지는 모습들은 다음과 같다.

■ 강제 응답 문항의 다양한 포맷 지원(그림 10.23 참조)

■ "논리"를 이행하는 능력 또는 이전 문항 응답에 기반한 분기(branching)

■ 시험이나 조사 문항에 그래픽과 애니메이션의 포함

■ 다른 과목 자료나 전자우편 메시지에 포함될 수 있는 기구 URL을 식별하는 능력

■ 어떤 소프트웨어에서 시험과 퀴즈를 끝낸 응답자와 끝내지 못한 응답자의 추적

사용자들은 또한 질문과 답변 및 참여자 수와 같은 가격 기반의 형태를 희망할지도 모른다(Leland, 2008). 유료 기반의 도구는 무제한적 기능사용, 맞춤식 선택권, 그리고 사용자가 자료 내에서 패턴을 찾는 데 도움을 주기 위하여 결과를 여

과하는 자료 분석 도구를 제공할 것이다. 다른 형태는 결과와 스프레드시트로 내려받아 변환된 파일의 공유, 편견을 줄이기 위한 답지 순서의 무작위 추출, 그리고 그 도구가 지정한 질문에 대한 응답 요구 등이 포함된다.

우리는 보통 그러한 문항 유형이 회상 및 재인과 같은 낮은 수준의 학습결과만을 평가할 수 있다고 가정하였다. 우리는 독자들이 잘 만들어진 응답 선택지와 함께 연결된 잘 구조화된 강제 응답 문항이 복잡한 학습결과(예컨대, 개념, 분석, 적용의 지식)를 잘 평가할 수 있다는 사실을 잊지 말기를 바란다. 예를 들어, 그림 10.15에서 보여준 것과 같은 문항은 이런 온라인 소프트웨어에서 쉽게 실행될 수 있다.

온라인 시험 도구는 널리 보급되어 있으며, 이 장에서 그것들을 포함해야 했다. 비록 누군가는 그런 방식으로 온라인 시험 도구를 사용하겠지만, 우리는 그것들의 주요한 가치가 많은 여분의 시험을 생산하는 능력에 있다고 보지 않는다. 오히려 그 가치는 학생 발전에 대한 형성적 피드백을 수집하는 데 사용하는 것에 있다. SurveyMonkey(SurveyMonkey.com, Portland, Oregon)와 같은 무료 도구를 통하여 교사는 쉽게 학생 발전에 대한 자료를 수집할 수 있으며 그 결과가 제시하는 대로 수업을 조정하고 발전시키는 데 사용할 수 있다. 그러한 도구는 또한 교사들이 학생의 활동에 영향을 미치는 학부모로부터 자료를 수집하는 것을 가능하게 해준다. 예를 들어, 학부모들이 계획된 야외 체험활동에 대해 어떻게 느끼는지에 관한 의견 또는 학생들이 매일 저녁 숙제를 하는 데 시간이 얼마나 많이 드는지에 대한 학부모의 관찰 결과를 조사하기 위해 쉽게 사용될 수 있다.

이러한 도구의 단점은 교사가 빨리 개발하여 문항이 부실할 수 있다. 도구들은 온라인 문항 개발을 쉽게 해주지만, 좋은 평가(혹은 조사) 문항을 작성하는 것이 어려운 과제라는 사실은 변하지 않는다. 도구가 갖고 있는 온라인 특성이 교사를 유혹하여 문항의 개발, 바람직한 학습결과, 예비 검사, 문항 수정과 같은 유익한 문항 개발 실습을 놓치게 만들어서는 안 된다.

7절 결론

학교에서의 평가는 필수 불가결하다. 학생들의 학습을 평가하는 일은 시간이 걸리는 작업이며 경우에 따라서는 교사와 학생 모두에게 걱정을 안겨준다. 최근에 표준화 시험처럼 어떤 종류의 평가는 주정부와 연방정부에 의해 강제적으로 시행된다. 결과적으로 교사와 행정가는 기준에 미치지 못하는 수행을 한 학생들의 반발을 두려워하여 "시험을 가르치는" 것으로 급히 선회할지도 모른다. 이런 모든 요인들은 요즘 학교에서 비난을 받는 "평가"에서 절정에 달하게 된다. 그러나 평가는 필요하다!

이 장에서 우리는 서로 다른 테크놀로지의 응용프로그램을 사용함으로써 학생들이 무엇을 알고 있는지를 평가하는 것에 대한 아이디어를 제안했다. 이런 모든 응용 소프트웨어는 유의미학습(예컨대, 회상과 재인 이상의 어떤 능력)을 평가하는 것에 대한 가능성을 갖고 있으며, 학습자들에게 풍부한 정보를 제공하는 창문으로서의 가능성도 갖고 있다. 이 창문은 아마도 가장 중요한 것으로 학습자들이 정말로 알아야 할 것을 발견하고 동시에 학습자의 수행을 향상시키는 유의미한 피드백으로 조직화되어야 한다. 그러한 평가 적용은 우리가 학생들이 무엇을 알고 있는지에 대하여 더 많은 것을 알도록 도와주며, 그 보상으로 우리가 그런 지식을 획득할 수 있을 때마다 학생들이 더 많이 더 유익하게 학습하도록 돕는다.

이 장에 서술된 테크놀로지 기반 평가와 관련된 NET 표준

3. 연구와 능숙한 정보 활용

   a. 전략을 세워서 탐구를 수행한다.
   b. 다양한 출처와 미디어로부터 정보를 검색, 조직, 평가, 종합하며 윤리적으로 활용한다.
   c. 구체적인 과제 수행에 적합하게, 정보 출처와 디지털 도구를 평가하여 선정한다.

d. 자료를 처리하고 결과를 보고한다.

4. 비판적 사고, 문제 해결, 의사결정

    a. 조사를 위하여 실제적인 문제와 중요한 질문을 확인하고 정의한다.

    b. 해결책을 도출하기 위하여 활동을 계획하고 관리하거나 프로젝트를 완수한다.

    c. 해답을 확인하기 위하여 자료를 수집하여 분석하거나 정보에 기반하여 결정한다.

    d. 다양한 절차와 관점을 활용하여 대안적인 해결책을 탐색한다.

이 장에 서술된 테크놀로지 기반 평가와 관련된 21세기 역량

효과적으로 추론하기

- 상황에 적합한 다양한 종류의 추론(귀납적, 연역적)을 사용한다.

체제적 사고 사용하기

- 복잡한 구조에서 전체적인 성과를 창출하기 위해 전체의 각 부분이 어떻게 서로 상호작용하는지 분석한다.

판단과 의사결정하기

- 증거, 논쟁, 주장, 믿음을 효율적으로 분석하고 평가한다.
- 주요한 대안적인 관점을 분석하고 평가한다.
- 정보와 주장을 연결하고 종합한다.
- 정보를 해석하고 최적의 분석에 기반하여 결론을 내린다.
- 학습 경험과 과정을 비판적으로 반성한다.

문제 해결하기

- 다양한 종류의 친숙하지 않은 문제를 통상적인 방식과 혁신적인 방법 모두로 해결한다.
- 다양한 관점을 분명히 하고, 좀 더 나은 해결책을 이끌기 위한 중요한 질문

을 파악하고 묻는다.

정보에 접근하고 평가하기

■ 정보에 효율적이며(시간), 효과적으로(출처) 접근한다.

■ 정보의 적합성을 비판적으로 평가한다.

8절 생각해볼 점

당신은 이 장에서 제시한 아이디어를 성찰하기 위하여 다음과 같은 질문을 사용할 수 있다고 우리는 제안한다.

1. 평가는 정말로 학습과 분리된 별도의 활동인가? 평가와 학습이 서로 분리된 활동이거나 혹은 분리되지 않은 활동인 경우는 어떤 상황인가?

2. 당신은 학습자의 수행을 향상시킬 수 있는 피드백을 주기 위한 방법으로서 어떻게 사용하는가? 이 장을 읽고 난 이후에, 테크놀로지가 평가를 위해 공헌할 수 있는 방법들이 존재한다고 생각하는가?

3. 평가 활동을 학습자에게 덜 위협적인 것으로 만들기 위하여 또는 긍정적인 경험으로 만들기 위하여 당신은 테크놀로지를 어떻게 사용할 수 있는가?

4. 평가 문항과 평가 활동을 개발하기 위하여 당신은 어떤 과정을 사용하는가? 당신이 (a) 예비검사를 실시하는 데, (b) 고차원적 사고를 평가하기 위한 강제 응답 문항 개발을 도와주는 데, 또는 (c) 테크놀로지 기반의 평가 개발을 공유하는 데 협력할 수 있는 교사들이 있는가?

5. 테크놀로지 기반 평가의 이용은 타당도와 신뢰도에 영향을 미치는가? 테크놀로지는 이런 점을 다루는 데 도움을 주는가? 테크놀로지는 평가에서 정말로 중요한가?

참고문헌

Batson, T. (2002). The electronic portfolio boom: What's it all about? *Syllabus: Technology for Higher Education.* Retrieved May 17, 2004 from www.syllabus.com/article.asp?id=6984

Barrett, H. (2010). *My online portfolio adventure.* Retrieved from http://electronicportfolios.org/myportfolio/versions.html

Boisvert, D., Schneiderheinze, T., & Rubega, M. (2009). Digital Portfolios New Hampshire Statewide Collaboration Grades K–12. Retrieved from https://collab.sakaizone.org/access/content/group/f736f783-f0e9-43eb-9f58-6e1a9e48f396/Presentations/sakaiboston093-090710095639-phpapp02.ppt

Bruff, D. (2010). Classroom response system bibliography. Retrieved http://cft.vanderbilt.edu/docs/classroom-response-system-clickers-bibliography/

Bruff, D. (2009). *Teaching with classroom response systems: Creating active learning environments.* San Francisco: Jossey-Bass.

Clark, L. (2004). Computerized adaptive testing: Effective measurement for all students. *T.H.E. Journal, 31*(10), 14, 18, 20.

Cresswell, A. (2000). Self-monitoring in student writing: developing learner responsibility. *ELT Journal 54*(3), 235–244. Retrieved 3 August 2006 from http://eltj.oupjournals.org/cgi/content/abstract/54/3/235

Crouch, C. H., & Mazur, E. (2001). Peer instruction: Ten years of experience and results. *American Journal of Physics, 69*(9), 970–977.

Dornisch, M., & Sabatini McLoughlin, A. (2006). Limitations of web-based rubric resources: Addressing the challenges. *Practical Assessment, Research and Evaluation, 11*(3). Retrieved 5 August 2006 from http://pareonline.net/pdf/v11n3.pdf

Duncan, D. (2005). *Clickers in the classroom.* San Francisco: Pearson.

Gagne, R. M., Bridges, L. J., & Wagne, W. W. 1998. *Principles of instructional design.* Orlando, FL: Holt, Rinehart and Winston, Inc.

Hafner, K. (2004). In class, the audience weighs in. Retrieved from www4.uwm.edu/ltc/srs/faculty/docs/cnetarticle.pdf

Jennings, J., & Renter, D. (2006). Ten big effects of the No Child Left Behind Act on public schools. *The Phi Delta Kappan, 88*(2), 110–113.

KITE (2001a). Case 8119-1. Kite Case Library. Retrieved 22 August 2006 from http://kite.missouri.edu

Leland, E. (2008). A few good online survey tools. Retrieved from www.idealware.org/articles/fgt_online_surveys.php

Lin, X., Hmelo, C., Kinzer, C. K., & Secules, T. J. (1999). Designing technology to support reflection. *Educational Technology Research and Development, 47*(3), 43–62.

Lorenzo, G., & Ittelson, J. (2005). Demonstrating and assessing student learning with eportfolios. Retrieved from http://net.educause.edu/ir/library/pdf/ELI3003.pdf

Miller, W. (1995). *Reading and writing remediation kit.* San Francisco: Jossey-Bass.

Paulson, L. F., Paulson P. R., & Meyer, C. (1991). What makes a portfolio a portfolio? *Educational Leadership, 48*(5), 60–63.

Penuel, W. R., Boscardin, C. K., Masyn, K., & Crawford, V. M. (2007). Teaching with student response systems in elementary and secondary education settings: A survey study. *Educational Technology, Research and Development, 55*(4).

Quellmalz, E. S., Timms,M. J., & Buckley, B. C. (in press). 21st century dynamic assessment. In J. Clarke-Midura, D. Robinson, M. Mayrath (Eds.), *Technology-based assessments for 21st Century Skills: Theoretical and practical implications from modern research.*

Razzaq, L., Feng, M.,Nuzzo-Jones, G., Heffernan, N. T., Koedinger, K. R., Junker, B., Ritter, S., Knight, A., Aniszczyk, C., Choksey, S., Livak, T., Mercado, E., Turner, T. E., Upalekar. R, Walonoski, J. A., Macasek. M. A., & Rasmussen, K. P. (2005). The Assistment project: Blending assessment and assisting. In C. K. Looi, G.McCalla, B. Bredeweg, & J. Breuker (Eds.), *Proceedings of the 12th Artificial Intelligence in Education* (pp. 555–562). Amsterdam: ISO Press. Retrieved from http://nth.wpi.edu/pubs_and_grants/papers/2005/RAZZAQ-0555.pdf

Roschelle, J., Penuel,W., & Abrahamson, L. (2004). The networked classroom. *Educational Leadership, 61*(5), 50–54.

SRI International (2007). Calipers: Simulation-based assessments. Retrieved from http://calipers.sri.com/assessments.html

Thissen-Roe, A.,Hunt, E., & Minstrell, J. (2004). The DIAGNOSER project: Combining assessment and learning. *Behavior Research Methods, Instruments, & Computers, 36*(2), 234–240.

Tombari, M., & Borich, G. (1999). *Authentic assessment in the classroom.* Upper Saddle River, NJ: Merrill.

Vandervelde, J. (2006). Rubric for electronic portfolio. Retrieved 25 August 2006 from www.uwstout.edu/soe/profdev/eportfoliorubric.html

Wainer, H., & Dornas, N. (2000). *Computerized Adaptive Testing: A primer.* Mahwah, NJ: Lawrence Erlbaum Associates.

Waters, J. (2009). E-portfolios come of age. *T.H.E. Journal.* Retrieved from http://thejournal.com/Articles/2009/11/09/ELearning.aspx?sc_lang=en&Page=1

미래로의 이동

이 책의 목적은 유의미학습을 지원하기 위한 테크놀로지를 사용할 수 있는 방법들을 제시하는 것이다. 각 장에서 우리는 다양한 학습활동에 참여하기 위해 다양한 환경 및 적용이 사용될 수 있는 방법을 설명하였다. 수많은 예를 통해 우리는 특정 소프트웨어 응용프로그램을 제시하였다. 만약 당신이 특정 프로그램에 접근할 수 없을지라도 절망할 필요는 없다. 다른 유사한 소프트웨어와 웹 기반 도구의 증가가 분명히 입수 가능성을 증가시킬 것이다. 우리는 테크놀로지가 유의미학습을 위해 사용될 수 있는 방법에 관한 예시를 제공하였다. 우리의 목적은 테크놀로지를 단계별로 어떻게 사용하는지를 보여주는 것이 아니다. 또한 이것은 우리가 당신의 학교에 어떤 종류의 하드웨어, 소프트웨어, 학생, 교사, 행정가, 보조 자료들이 있는지 파악할 수 없기 때문에 불가능하다. 우리의 목표는 활동을 그대로 따라하는 것이 아닌 우리가 제시한 아이디어를 당신의 교수-학습 상황에 일반화하는 것이다.

21세기 교사들

우리는 이 책의 전반에서 유의미학습과 당신이 가르치는 학생들과 관련된 지식, 기술과 표준에 관해 중점적으로 다루었다. 각 장은 다양한 학습활동으로부터 학생들이 획득할 수 있는 잠재적 NETS와 21세기 학습자 역량들을 제시하였다. 당신은, 특히 당신의 수업행동에 관한 평가 도구로 사용할 수 있는 교사를 위한 ISTE의 NETS(http://iste.org)에도 관심을 가질 수 있다.

웹2.0의 적용과 소셜 네트워크와 같은 혁신적 테크놀로지의 등장으로 인한 가장 흥미로운 변화는 아마도 교사들이 다른 교사들과 연결하고 학습할 수 있게 된 가능성일 것이다. 가르치는 것은 역사적으로 제한된 교실과 고립된 직업으로 여겨져왔고 마음이 맞는 동료 교사들 간에 학교 안에서 제한적으로 협력이 이루어 졌을 뿐, 학교를 넘는 협력은 거의 이루어지지 않았다. 우수 교사의 블로그나 소셜 네트워크 사이트, 트위터 계정과 위키의 폭발적 증가는 교사들이 아이디어를 즉시적으로 교환하는 것을 가능하게 해주었다. 예를 들어 교사가 트위터에 질문을 올리면 같은 학교의 교사뿐만 아니라 전 세계의 참여자들에게서 응답을 받을 수 있다. 블로그를 구독하거나(예, http://coolcatteacher.blogspot.com/, http://weblogg-ed.com/, www.speedofcreativity.org/ , http://davidwarlick.com/2cents/, http://nashworld.edublogs.org/, www.infosearcher.com/) 온라인 커뮤니티에 참여하는 것(예, http://tappedin.org)은 다른 사람들이 하는 것을 보고 새로운 아이디어를 얻을 수 있는 창을 제공한다. 블로그 포스팅에 코멘트를 남기거나 온라인 커뮤니티의 활동에 참여하는 것은 유의미한 대화를 가능하게 하고 새로운 전문적 관계와 성장의 발판이 될 수 있다.

마지막으로, 우리는 20년 전에 출판된 한 기사를 근거로 '생각해볼 점'을 제공하였다(D'Ignazio, 1992). 그것은 Jean-Baptiste Alphonse Karr가 제안한 원리로, "많은 것이 변화할수록, 많은 것이 그대로 유지된다."로 번역할 수 있다. 우리는 다음 생각과 질문에 대해 당신이 비판적으로 생각하기 바란다. 어떤 테크놀로지가 '가장 최근의, 가장 대단한' 것으로 칭송받을지라도 단순히 도구로부터의 학습이 아닌 도구와 함께 하는 효과적인 학습이 되기 위한 잠재 가능성을 최대화할 수 있는 방법은 무엇인가?

당신이 생각해볼 만한 중요한 새로운 '상식' 기준

이론. 오늘날 교실에 도입된 최근 테크놀로지의 대부분은 교수-학습 측면에서 시대에 뒤떨어지고 비효과적인 방법을 강화시킨다. 지역 학교의 테크놀로지 계획 위원회는 최우선으로 테크놀로지의 획득과 실행을 안내해야 한다. 교사들이 학급 운영을 위한 새로운 교수법을 적용할 수 있도록 지원해야 한다.

교실에서:

1. 학생과 교사는 적극적으로 참여하고, 열정적이고, 영감을 받고, 흥미로워하는가?

2. 학생들은 그들의 지식을 구성하는가(저술하기, 실험하기, 조정하기, 검색하기, 조직하기)? 아니면 타인이 생산한 지식을 단순히 소비하는가?

3. 학습활동 환경이 학생들과 교사들에게 있어 미래의 실제 직업환경과 유사한가?

테크놀로지는:

4. 교사나 학생이 수업을 더욱 잘하고, 더욱 쉽게, 또는 더욱 신속하게 할 수 있도록 지원하는가?

5. 학생들이 그들의 학습을 책임감 있게 관리할 수 있도록 촉진하는가?

6. 교사들이 교수적 책임을 학생들과 공유할 수 있도록 지원하는가?

7. 학생과 교사가 지식을 구성하고, 지식을 공유하며, 서로의 학습을 격려하고, 문제를 해결하며, 예기치 않은 사건과 상황에 대처하기 위해 서로 협력하도록 격려하는가?

8. 학생들에게 실세계 자료의 조작을 증진시키는가? 혹은 이런 자료들과 학생들을 분리시키는가?

9. 학생들 간 건설적 대화와 협력을 증진시키는가? 학생과 교사의 협력과 의사소통을 증진시키는가?

10. 새로운 생각과 개념, 정보에 관해 개인적 및 집단적으로 생각, 성찰, 비교, 시험, 실험하는 것을 촉진하는가?

11. 학생들의 개인적 인지 유형과 장점에 근거하여 학습의 다양한 방법과 경로를 제공하는가?

12. 학생과 교사가 지속적인 변화에 적응하도록 돕고 효과적인 변화 관리 전략을 제공하는가?

13. 교사와 학생들이 서로를 존중하고 다른 사람들에게 예의 바르고 공손하며, 배려하는 일상의 학급 문화를 창출하는 데 도움이 되는가?

14. 교사와 학생이 함께 일하는 데 있어서 보상과 존중의 학급 문화를 조성하는 데 도움이 되는가? 새로운 지식을 탐색하고, 숙달하며 의사소통하는 것이 모든 사람들에 의해 공유되고, 수업을 흥미롭고 감동적인 경험으로 만드는가?

15. 학생의 자아 존중감을 높이는 데 도움을 주는가? 교사의 자아 존중감 향상시키는 데 도움이 되는가?

16. 교사와 학생이 그들의 인간적인 면모를 더 깊고 풍부하게 경험하도록 돕는가? 아니면 인간미를 감소하고 억누르고 없애는가?

17. 교사와 학생에게 영감을 주는가? 그들의 상상력을 불러일으키는가? 교사와 학생의 도덕성, 윤리적 기준, 정신적 삶과 자연을 풍부하게 하는가?

현재 혹은 미래의 어떤 테크놀로지도 위에 제시한 모든 기준을 언제나 만족시킬 수는 없다. 그러나 우리가 교실에서 어떤 테크놀로지가 가능한지, 어떤 테크놀로지를 우리가 원하고 필요로 하는지, 어떻게 최적으로 사용할 수 있는지에 관해 판단하는 데 있어 실제적인 척도로서 이런 기준을 정하는 것은 매우 중요하다.

참고문헌

D'Ignazio, F. (1992, Sept.) "Are You Getting Your Money's Worth?" *Computing Teacher*.

유의미학습의 특징을
평가하기 위한 루브릭

활동적 학습(active learning) 평가하기. 활동적 학습에서 학습자는 테크놀로지 기반 환경의 요소와 한계를 탐험, 조작하며 자신의 활동의 결과를 관찰한다. 만약 당신의 학습활동이나 환경이 활동적 학습을 포함하고 있다면, 학습환경이 학습자가 실세계 물체를 조작하고, 활동적 활동에 기반한 관찰을 할 수 있도록 얼마나 지원, 촉진하고 있는가?

실세계 물체와 학습자 상호작용

학습자는 학교 밖에서 발견된 도구와 물체를 사용하는 시간이 거의 없다.	학습자는 학교 밖에서 발견된 도구와 물체를 사용한 활동에 자주 참여한다.

관찰과 성찰

학생들은 학습활동 중에 실행한 행동의 결과를 생각하고, 기록하는 것을 거의 하지 않는다.	학생들은 그들이 참여하는 학습활동에 대해 자주 멈추고 생각한다.	학생들은 그들의 학습활동에 관해 관찰한 것을 동료와 관심 있는 어른들과 자주 공유한다.

학습자 상호작용

학습자들은 환경의 모든 변인들을 조작하거나 통제할 수 없다.	학습자들은 환경의 일부 변인들을 조작하거나 통제한다.	학습자들은 환경의 모든 혹은 거의 모든 변인들을 조작하고 통제한다.

도구의 사용		
학생들은 인지적 도구를 사용하지 않는다.	학생들은 인지적 도구의 일부를 탐험과 조작을 보조하기 위해 사용한다.	학생들은 거의 모든 인지적 도구를 효과적으로 사용한다.

구성적 학습(constructive learning) 평가하기. 구성적 학습에서 학습자는 자신이 알고, 배운 것을 명료화하고 더 넓은 사회적, 지적 맥락에서의 학습의 의미와 중요성에 대해 성찰한다. 만약 당신의 학습활동이나 환경이 구성적 학습을 필요로 한다면, 환경이 학습자가 난해한 갈등을 인지하고 부조화를 설명할 수 있는 지적 모델을 형성할 수 있도록 얼마나 지원하는가?

부조화/난해함		
학생들은 내재적 흥미보다 학습활동이 요구하기 때문에 학습활동의 격차를 경험한다.	학습자는 자주 학습주제에 대해 순수한 호기심을 바탕으로 활동하는 것처럼 보인다.	학습자는 지속적으로 알기 위한 순수한 열망에 기반하여 관찰한 것과 알려진 것 사이의 문제를 해결하려고 노력한다.

정신 모델 구성하기와 의미 부여하기		
학습자는 여러 현상에 관한 자신만의 이해를 거의 창출하지 않는다.	학습자는 자주 새로운 경험에 대해 해석하고, 이론을 발전시키도록 기대된다.	학습자들은 정기적으로 새로운 경험과 씨름하고 문제를 발견하고 해결하는 전문가가 되어간다.

의도적 학습(intentional learning) 평가하기. 의도적 학습에서 학습자는 자신의 목적을 결정하고 활동을 조절, 관리한다. 만약 당신의 학습활동과 환경이 의도적 학습을 요구한다면, 환경이 학습자가 중요하고, 명확한 목적을 추구하고 전념할 수 있도록 얼마나 지원하는가? 학생들이 그들의 학습이 목적달성과 얼마나 관련되는지 설명할 수 있도록 환경이 얼마나 지원하는가?

목표 지향성	
학습자는 구체적인 목표 달성과 관련 없는 활동을 자주 수행한다.	학습자는 구체적인 목표 달성에 도움이 되는 활동에 대체로 참여한다.

자신의 목표 설정		
교육자가 학습목표를 제공한다.	학습자가 때때로 학습목표 수립에 참여한다.	학습자가 규칙적으로 학습목표의 개발과 표현에 책임을 갖는다.

자기주도학습		
타인이 학습자의 진행과정을 관찰한다.	학습자가 목표를 향한 과정을 관찰하고 보고하는 파트너로 참여한다.	학습자가 목표를 향한 과정을 관찰하고 보고하는 책임을 갖는다.

학습방법 학습	
메타인지가 전혀 강조되지 않고, 학습 과정에 대해 동료와 교수자와 토론할 기회가 없다.	학습환경의 문화가 학습과 관련된 과정과 전략(성공적, 실패한 것 모두 포함)에 대한 빈번한 토론을 촉진한다.

활동의 초점으로서 목표 설정	
학습자는 참여한 활동과 특정한 학습목표와의 관련성을 알 수 없다.	학습자는 참여한 활동이 구체적인 학습 목표에 직접적으로 관련됨을 설명한다.

학습목표 지원을 위한 테크놀로지 사용		
테크놀로지가 구체적인 학습목표와 관련 없이 사용된다.	테크놀로지의 사용이 구체적인 학습목표의 달성에 기여한다.	테크놀로지의 사용이 구체적인 학습목표 달성에 중대한 기여를 한다.

실제적 학습(authentic learning) 평가하기. 실제적 학습에서 학습자는 복잡하고 비구조화된, 실세계 문제를 조사하고 해결하기 위해 노력한다. 만약 당신의 학습 활동이나 환경이 실제적 문제 해결을 포함한다면, 환경은 얼마나 학습자에게 실생활 맥락에 내재된 자연스럽게 복잡한 문제를 제시하는가? 또한 제시된 문제가 얼마나 학습자의 고등사고를 유도하는가?

복잡성		
학습자가 직면한 과제가 학교를 위해 설계되었다(예를 들어 과목들로 구분되고, 단순학습을 위해 개발됨).	학습자가 직면한 과제가 여러 교과를 통합하는 주제기반 단원이나 맥락속에서 당면한 이슈들이다.	학습자가 실세계의 어려움을 수용하고, 언어, 수학, 과학, 테크놀로지를 사용하여 중요한 과제를 해결한다.

고등사고 능력		
요구되는 많은 부분이 기억이고, 학생들에게 평가, 종합, 창조를 요구하는 경우가 드물다.	학습자에게 모둠으로 아이디어의 개발과 해결이 요구되고, 학생들은 창의와 추론의 능력을 보여준다.	학습자는 가설을 생성하고, 탐구를 수행하며, 결과를 평가, 예측하는 활동을 정기적으로 한다.

문제 인식하기

학생들은 문제를 찾는 자로 기대되지 않고, 간혹 그들에게 제시된 구조화된 문제를 해결하는 것이 요구된다.	학습자는 가끔 비구조화된 도전에 직면하고, 그들의 문제를 개선, 해결하도록 요구된다.	학습자는 빈번하게 비구조적 도전에 직면하고 문제를 발견하고 규정하는 능력을 개발한다.

정답

학습자에게 제시되는 문제는 정답, 올바른 해결책이 있고, 학생들이 궁극적으로 그것에 도달하기가 기대된다.	학습자에게 제시되는 문제는 새롭고, 일반적으로 정답 대신에 다양한 방식의 복잡한 해결책이 동반된다.

협동적 학습(cooperative learning) 평가하기. 협동적 학습에서 학습자는 다른 사람과 협력하고 사회적으로 그들이 구성한 의미를 협상한다. 만약 당신의 환경이나 활동이 협동적 학습을 포함하고 있다면, 환경은 얼마나 학생들 간, 학생과 학교 밖의 전문가와 유의미한 상호작용을 촉진하는가? 학습자가 책임을 수용하고 공유하도록 학습에서 사회적 협상과 관련된 능력을 개발하도록 얼마나 지원하는가?

학습자 간 상호작용

학습자들은 다른 학생들과 함께하는 유용한 시간이 거의 없다.	학습자들은 자주 동료들과 협력하는 활동에 몰입한다.

학교 밖의 사람과 상호작용

학습자들은 학교 밖 전문가들과 함께하는 유용한 시간이 거의 없다.	학습자들은 자주 학교 밖 전문가와 협력하는 활동에 참여한다.

사회적 협상		
학습자가 과제나 해결전략에 관한 공유된 이해를 개발하기 위해 협동하는 증거가 거의 없다.	학습자는 문제의 본질과 행동의 최선의 과정에 대해 동의하는 과정에서 자주 관찰된다.	학습자가 쉽게 협력한다. 협상이 거의 눈에 보이지 않으나 모든 구성원의 의견이 존중된다.

책임과 역할의 수용과 분배		
역할과 책임이 거의 변하지 않고, 대다수 우수한 학습자가 그렇지 않은 학습자보다 더 많은 책임을 수용한다.	역할과 책임이 종종 이동하며 이 변화는 가장 우수한, 가장 열등한 학습자에게 모두 받아들여진다.	학생은 역할과 책임에 관해 필요한 경우 도움을 주기도 하고 받기도 하면서 스스로 결정한다.

| 찾아보기 |

역자 소개

이영주 University of Virginia, Instructional Technology, Ph.D.
한국교원대학교 교육학과 교수
연구분야: 교사교육에서 테크놀로지 활용, 이러닝 설계, 동료 상호작용
연락처: agnes@knue.ac.kr

조영환 University of Missouri, Information Science and Learning, Ph.D.
서울대학교 교육학과 교수
연구분야: 학습디자인, 가상세계, 디지털 학습생태계, 컴퓨터기반 협력학습
연락처: yhcho95@snu.ac.kr

조규락 Pennsylvania State University, Instructional Systems, Ph.D.
영남대학교 교육학과 교수
연구분야: 구성주의적 학습환경설계, 정서와 학습, 문제해결과 지식표상
연락처: rock186@ynu.ac.kr

최재호 University of Virginia, Instructional Technology, Ph.D.
상명대학교 영어교육과 교수
연구분야: 테크놀로지를 활용한 영어교육, 영어작문의 교정피드백, 동료피드백
연락처: 21clearn@smu.ac.kr

테크놀로지와 함께하는 유의미학습, 4판

발행일 | 2014년 8월 25일 초판 발행
저 자 | Jane L. Howland, David H. Jonassen, Rose M. Marra
역 자 | 이영주, 조영환, 조규락, 최재호
발행인 | 홍진기
발행처 | 아카데미프레스
주 소 | 413-756 경기도 파주시 문발동 출판정보산업단지 507-9
전 화 | 031-947-7389
팩 스 | 031-947-7698
웹사이트 | www.academypress.co.kr
이메일 | info@academypress.co.kr
등록일 | 2003. 6. 18. 제406-2011-000131호
I S B N | 978-89-97544-50-9 93370

값 22,000원

* 역자와의 합의하에 인지 첨부는 생략합니다.
* 잘못된 책은 바꾸어 드립니다.